HANS WALTER WOLFF

DODEKAPROPHETON 1
HOSEA

3., VERBESSERTE AUFLAGE 1976

NEUKIRCHENER VERLAG
DES ERZIEHUNGSVEREINS NEUKIRCHEN-VLUYN

CIP-Kurztitelaufnahme der Deutschen Bibliothek

Biblischer Kommentar: Altes Testament / begr.
von Martin Noth. Hrsg. von Siegfried Herrmann u.
Hans Walter Wolff. – Neukirchen-Vluyn: Neu-
kirchener Verlag d. Erziehungsvereins.
NE: Noth, Martin [Begr.]; Herrmann, Siegfried
[Hrsg.]
Bd. XIV. Dodekapropheton.
1. Hosea / Hans Walter Wolff. – 3., verb. Aufl.
1976
ISBN 3-7887-0022-X
NE: Wolff, Hans Walter [Bearb.]

Die Lieferungen dieses Bandes erschienen:

    1956 Lfg. XIV/1 (S.   1 – 80)
    1957 Lfg. XIV/2 (S. 81 – 160)
    1960 Lfg. XIV/3 (S. 161 – 240)
    1961 Lfg. XIV/4 (S. 241 – 324)
    1961 Einleitung   (S. I – XXXII)

HANS WALTER WOLFF / DODEKAPROPHETON 1

BIBLISCHER KOMMENTAR
ALTES TESTAMENT

BEGRÜNDET VON
MARTIN NOTH †

HERAUSGEGEBEN VON
SIEGFRIED HERRMANN UND HANS WALTER WOLFF

BAND XIV / 1

HANS WALTER WOLFF

DODEKAPROPHETON 1
HOSEA

NEUKIRCHENER VERLAG
DES ERZIEHUNGSVEREINS NEUKIRCHEN-VLUYN

Der hochwürdigen theologischen Fakultät der
Georg-August-Universität in Göttingen
als Zeichen des Dankes für die Verleihung des
Doctor theologiae honoris causa

AUS DEM VORWORT ZUR ERSTEN AUFLAGE

Die Einleitung zum Zwölfprophetenbuch soll entsprechend der Arbeitsweise des Biblischen Kommentars dem letzten Band beigefügt werden. Für unermüdliche Hilfe bei den Korrekturarbeiten und bei der Anfertigung der Register danke ich vor allem Herrn Pastor Dr. H. J. Boecker.

Den Kommentator hat die Schlußfrage des Hoseabuches oft umgetrieben: „Wer ist so weise, daß er dieses verstehe?" Den schwierigen textkritischen Problemen, den Fragen der Eigenart des gesprochenen Wortes und dem seltsamen Befund seiner literarischen Überlieferung mußte ganz neu nachgegangen werden, in stetem Gespräch mit früheren Bemühungen. Grundsätzlich sollte kein exegetisches Problem übersprungen werden. Doch im Sinne unserer besten Ausleger sollte jegliche Bemühung dem Verstehen des Textes selbst dienen und nicht übergeordneten wissenschaftlichen Problemen und Hypothesen, die sich leicht in den Vordergrund spielen.

Dabei merkte ich, wie empfindlich sich unsere heutige Theologie und Verkündigung selbst berauben, wenn die Prophetie Hoseas unter uns entweder überhaupt nicht oder doch nur mit einigen wenigen textlich leicht zugänglichen Zügen zur Sprache kommt. Wie hat Hosea die „Geschichtlichkeit" des Existierens und die großen welt- und heilsgeschichtlichen Zusammenhänge in eins gesehen! Wie hat sich seine Sprache und sein Verhalten im Eifer um seinen Gott auf das zeitgenössische Denken eingelassen! Auf Schritt und Tritt kritisiert er unsere theologischen Positionen, weitet er unsere Horizonte und eröffnet er neue Wege.

In diesem Zusammenhang bedarf der Abschnitt „Ziel" im Aufriß der Texterklärung vielleicht eines erläuternden Wortes, gerade weil ihm im Rahmen des Kommentars keinesfalls eine größere Bedeutung zukommt als den textkritischen, formgeschichtlichen und sonstigen philologisch-historischen Aufgaben, die den Text auf jede nur sachgemäße Weise erklären wollen. Als letzter Teil faßt er jeweils die Interpretation einer kerygmatischen Einheit zusammen. Er ist bemüht, ihre Aussage in den Proportionen und mit den Akzenten, die der Text selbst zu erkennen gibt, herauszustellen. Dieser Schlußabschnitt kann also nur dann voll verstanden werden, wenn der ganze Weg der Exegese vorher mitgegangen ist, weshalb auch immer wieder auf ihn zurückverwiesen wird.

Doch kann er nicht bei der Zusammenfassung stehen bleiben. Das alte Wort sucht seinen gegenwärtigen Hörer. Als Text wartet es auf seinen künftigen Hörer. Der Kommentar kann nicht schließen, ohne die Anrede des Textes an den heutigen Hörer zu erfragen, wenn anders diese Frage den Ausleger an die Arbeit gesetzt hat. Es hieße aber willkürlich, nämlich ungeschichtlich, fragen, wenn dabei das weltgeschichtliche Ereignis Jesus Christus übergangen würde. Darum suchen wir die vergleichbare neutestamentliche Botschaft. Wie hat das prophetische Wort hier sein „Ziel" gefunden? Als Ende? Als Verwirklichung? Als neue Vollmacht? Der Vergleich des erarbeiteten Aussagewillens des alten Textes mit dem „letzten" Wort des neutestamentlichen Kerygmas muß bestimmen, auf welche Weise er zur Vorgeschichte Jesu Christi und damit zur Geschichte des neuen Menschen und der neuen Welt gehört. Der Kommentator sucht andeutend bis an jene Stelle zu führen, an der das prophetische Wort das Ereignis Jesus Christus als Wort Gottes heute verdeutlicht. Wer nachprüfen möchte, wie für mich der Weg vom Kommentar zur Kanzel aussieht, der sei auf die beiden kleinen Bände „Alttestamentliche Predigten" (4. und 5. Folge) hingewiesen, in denen ich „Hosea 1–7" (1959) und „Hosea 8–14" (1961) „der Gemeinde ausgelegt" habe.

Mainz-Ingelheim, im Juni 1961   Hans Walter Wolff

AUS DEM VORWORT ZUR ZWEITEN AUFLAGE

Nachdem die erste Auflage weithin eine freundliche Aufnahme fand, habe ich mich für die notwendig gewordene Neuauflage zu einer gründlichen Durchsicht entschlossen.

Die wichtigsten Thesen des Kommentars und die meisten Einzelausführungen, deren literarische Diskussion eben erst in Gang gekommen ist, meinte ich, unverändert aufrecht erhalten zu können. Die inzwischen erschienenen Arbeiten, sofern sie direkt oder indirekt das Verständnis Hoseas fördern und für mich erreichbar waren, sind vollständig nachgetragen. Nach Möglichkeit wurden sie auch in der Auslegung verarbeitet. Zahlreiche ausführliche Rezensionen haben mich veranlaßt, einige Thesen zu überprüfen, unmißverständlicher herauszustellen oder auch zu modifizieren.

VORWORT ZUR DRITTEN AUFLAGE

Zahlreiche kleinere Korrekturen wurden durchgeführt. Die Literaturangaben der zweiten Auflage wurden nach Möglichkeit auf den gegenwärtigen Stand gebracht. Ich danke meinen Mitarbeitern, Herrn Christof Hardmeier, Fräulein Ellen Widulle und ganz besonders Herrn Jürgen Tubach.

Heidelberg, Ende November 1975   H. W. W.

INHALTSÜBERSICHT

DER PROPHET HOSEA

EINLEITUNG

§ 1. DIE ZEIT HOSEAS

Die prophetische Verkündigung ist eine besondere Weise der Anrede des Menschen in seiner Zeit. Sie spricht Israel inmitten seiner Geschichte an. Wer im Versuch, Prophetie zu verstehen, von der Zeitgeschichte absehen wollte, könnte nur mißverstehen. Das gilt von Hosea keinesfalls weniger als von anderen Propheten, auch wenn man zunächst meinen könnte, er sei vor allem mit Urdaten der Geschichte des Gottesvolkes und von daher mit zeitlosen Wahrheiten beschäftigt. Kein Prophet sagt so oft „jetzt" wie Hosea (4 16 5 3. 7 7 2 8 8. 10. 13 10 2. 3 vgl. 13 13). Zwar ist von ihm nur wenig Biographisches überkommen. Dennoch ist es möglich, seine Worte mit einem hohen Genauigkeitsgrad in die Geschichte einzuordnen. Man kann allenfalls um Jahre, aber nicht mehr um Jahrzehnte streiten. Das ist außerordentlich erstaunlich für jene frühen Zeiten. Es gilt in diesem Maße fast nur von Annalen und ähnlichen Werken der Geschichtsliteratur des alten Orients, aber nicht von Werken der Dichtung, des Kultus und der Weisheit. Das bleibt für die Bestimmung der Eigenart des Prophetischen zu beachten.

Der Anfang des Wirkens Hoseas fällt in die letzten Jahre Jerobeams II. Man kann annehmen, daß er wenigstens fünf Jahre vor dem Tode Jerobeams II. (747/46) anzusetzen ist, also spätestens im Jahre 752. Denn nicht nur gilt das Drohwort 1 4 der Dynastie Jehus, sondern der Gesamtinhalt von Kap. 1 wird noch in Jerobeams II. Tage zu datieren sein; auch die alleinige Nennung Jerobeams II. in 1 1b wird nur verständlich, wenn sie aus einer dem Redaktor von 1 1 vorgegebenen Überschrift von Hoseaüberlieferungen aus Jerobeams II. Tagen stammt (s. S. 1 f.). Aber schon Kap. 1, das den „Anfang des Redens Jahwes durch Hosea" beschreibt (1 2a s. S. 12), umfaßt einen Zeitraum von wenigstens 5 Jahren (s. S. 11). Auch 2 4–17 3 1–5 spiegeln politisch ruhige und wirtschaftlich satte Zeiten. Ähnlich wie in 4 1–5 7 steht ein florierender Kultus im Vordergrunde des Interesses. Die großen politischen Nöte, die mit der Katastrophe der Dynastie Jehus beginnen, treten erst im prophetischen Drohwort ins Blickfeld (1 4 3 4).

Ein zweiter Schwerpunkt der Verkündigung Hoseas lag in jener Notzeit, die durch den syrisch-ephraimitischen Krieg (5 8–11) und die Eroberung weiter Gebiete Israels durch Tiglatpileser III. (5 14 7 8f.) im Jahre 733 heraufgeführt wurde. Jetzt sieht Hosea bereits auf eine lange Kette von Thronrevolten zurück (7 7 8 4), auf ein außenpolitisches Schwanken zwischen Ägypten und Assur (7 11), auf die Unterwerfung Hoseas ben Ela unter Assur (5 13) und auf schwere Tributlasten (8 9f. s. S. 140ff. 175; vgl. das Bild Tiglatpilesers III. aus der Zeit um 740 in RGG³ I, Tfl. 4 Nr. 3 bei Sp. 817).

Die Worte in Kap. 9–12 werden am besten verständlich aus der ruhigeren Zeit vor und nach dem Regierungsantritt Salmanassars V. im Jahre 727. Allerdings wird mit Salman in 10 14 nicht auf diesen Assyrerkönig angespielt sein, sondern wahrscheinlicher auf den Moabiterkönig Salamanu, den Tiglatpileser III. im Jahre 728 unter seinen Tributpflichtigen nennt (s. S. 244). Die Anlehnung an Ägypten unter Hosea ben Ela um 727 (2 Kö 17 4) ist vielleicht schon in 9 3, sehr wahrscheinlich in 11 5 und 12 2 vorausgesetzt (s. S. 259 und 273). Dasselbe gilt von 13 15 (s. S. 297); aber hier wird nun schon die assyrische Strafaktion deutlich gesichtet, die das Todesgeschick der Residenzstadt Samaria heraufführt (vgl. auch 10 7, dazu S. 229). 13 10 („Wo ist dein König, daß er dir helfe?") weist ebenfalls in diese letzte Zeit, da der König Hosea bereits bei Beginn der assyrischen Aktion gefangengenommen wurde. Somit stammen die letzten einigermaßen sicher datierbaren Texte aus der Zeit um 725/24, unmittelbar vor oder beim Beginn der Belagerung Samarias.

Fast dreißig Jahre also hat Hosea seine Zeitgenossen im Staate Israel mit seinem prophetischen Wort begleitet, durch die letzte und bewegteste Phase seiner Geschichte, als Bote seines Endes, vielmehr als Bote des Gottes Israels, den er als Herrn auch über dieses Ende zu bezeugen hatte (11 8f. 14 5ff.).

§ 2. DAS LEBEN HOSEAS

Noch den späten Sammler der Hoseaüberlieferungen beschäftigen mehr die Daten der großen Geschichte als die der Person Hoseas. Neben den ausführlichen Angaben zur Zeit nennt er außer Hoseas eigenem Namen nur noch den seines Vaters Beeri (zur Bedeutung der Namen s. S. 3 und 4). Nicht einmal Heimat und Amt werden erwähnt, geschweige denn Lebensalter (vgl. Jer 1 6), Berufungsdaten (vgl. Jes 6 1) oder ähnliche Umstände seines persönlichen Lebens. Was wir dennoch von ihm erfahren, verdanken wir ausschließlich der Tatsache, daß es in den Dienst seines prophetischen Auftrags hineingezogen wurde.

Dazu gehört in erster Linie seine Ehe. Der Name seiner Frau, Gomer, Tochter eines Diblajim (1 3 s. S. 17), wird uns nur bekannt, weil der Vollzug des göttlichen Befehls, Hosea solle „eine Hure" heiraten, berichtet wird (1 2). Mit dieser ehelichen Verbindung des Propheten soll die Schuld des gegenwärtigen Israel herausgestellt werden, das kanaanäischen Fruchtbarkeitsriten verfallen ist; so ist „die Hure" Gomer wahrscheinlich keine Ausnahme in ihrer Zeit, sondern eine jener vielen Israelitinnen, die sich den üblichen Brautriten nach kanaanäischem Vorbild unterwarfen (s.S. 14f.).

Wir lernen die K i n d e r kennen, die aus dieser Ehe hervorgehen, zwei Söhne und eine Tochter; der zuletzt geborene Sohn wird in einem größeren Abstand von den beiden ersten Kindern geboren, nach etwa drei Jahren (1 8 s.S. 23). Auch davon erfahren wir nur, weil der Prophet ihnen ungewöhnliche Namen zu geben hat, die Zeichen für den Gerichtswillen Jahwes gegen das zum Baalkult abgefallene Israel sind: Jesreel, Ohne-Erbarmen und Nicht-mein-Volk (1 4f. 6. 9).

Nur indirekt ist zu erschließen, daß Gomer eines Tages Hosea im Ehebruch verließ und rechtsgültig in andere Hände kam. Denn sehr wahrscheinlich ist sie es, die Hosea zu einem späteren Zeitpunkt „wiederum lieben" soll und die er dazu freikaufen muß, abermals im Dienst der Verkündigung des Jahwewillens in Israel (3 1f. s.S. 73. 76f.).

Die O r t e seines Lebens und Auftretens sind auch nur indirekt zu ermitteln. Völlig sicher ist, daß Hosea im Staate Israel wirkte. Die Städte, die er nennt, liegen vor allem im ephraimitischen und benjaminitischen Gebiet. Am häufigsten erwähnt er die Königsstadt Samaria (7 1 8 5f. 10 5. 7 14 1 s.S. 179) und die Kultorte Bethel (4 15 5 8 10 5 12 5; zur Bezeichnung בֵּית אָוֶן s.S. 113) und Gilgal (4 15 9 15 12 12), ferner die Ebene Achor (2 17 s.S. 52f.), Adam am Jordan (6 7 s.S. 154f.), Rama und Gibea (5 8 s.S. 143) und das ostjordanische Gilead (6 8 12 12 s.S. 155). Weder Jerusalem noch ein anderer judäischer Ort werden jemals von ihm genannt. Dennoch liegt Juda im unmittelbaren Bereich seines Interesses, nicht nur im gleichen Sinne wie die Fremdmächte Assur und Ägypten, obwohl er Juda auch als Feind Ephraims kennt (5 10); vielmehr steht Juda vor Jahwe in einer Reihe neben Ephraim (5 12. 13. 14 6 4) als Glied des alten Zwölfstämmevolkes (10 11 s.S. 240; vgl. auch 8 14 12 1b 2 2, wo allerdings die hoseanische Verfasserschaft unsicher ist; sicher sekundär ist Juda in 1 7 5 5 6 11 12 3; dazu s.u.S. XXVIf.).

Die öffentlichen Auftritte Hoseas kann man sich vom Gehalt seiner Sprüche her am besten in Samaria (zu 5 1–7 s.S. 122; zu 5 8–7 16 s.S. 142; zu 8 1–14 s.S. 179f.; zu 10 9–15 s.S. 237) oder im Bereich von Bethel und Gilgal (zu 4 4–19 s.S. 93; zu 12 1–15 s.S. 270; zu 13 1–14 1 s.S. 291) vorstellen. Plätze und Gelegenheiten in diesen Städten können nur auf Grund der Weise seines Redens vermutet werden. Er bedient sich vornehmlich der Formen des Rechtsstreits (vgl. ריב in 2 4 4 1. 4 12 3 und S. 82f.) oder auch des „Turmwächters" Ephraims (9 8 5 8 8 1 s.S. 203), so daß man sich ihn gut in der öffentlichen Versammlung etwa im Tor der Städte (4 1–3 5 1–7 5 8–8 14 12 1–14 1), aber auch auf den Kultplätzen (2 4–17 4 4–19 9 1–9) denken kann, allerdings hier wie dort nur als freien, nicht als beamteten Sprecher (s.S. 203).

Das heißt nicht, daß wir ihn als einen völlig einsamen Oppositionellen anzusehen hätten. Er sieht sich selbst durchaus in Gemeinschaft mit anderen Propheten, vor allem als Glied einer Kette von prophetischen Jahweboten, die er bis auf Mose zurückführt (6 5 9 7 12 11. 14 s.S. 152. 201f.; vgl. ferner die Anklänge an Amos in 4 15 8 14 10 4 (11 10) 13 7f.; s.S.111f. 188f. 227. (251). 294). Er hat ferner ein klares Bild vom rechten Priester in Israel, wie es vermutlich in levitischen Kreisen seiner Tage lebendig war (4 6 6 6 8 12 s.S. 98f. 154. 186), die mit den prophetischen Gruppen zusammen zu sehen sind. Von dieser Verbindung her erklärt es sich, daß Hosea mit einer Vielzahl altisraelitischer Traditionen vertraut ist. Es kann sein, daß einige Spruchreihen, die nicht die Merkmale öffentlicher Auftritte an sich tragen (s.S. XXV), in dieser oppositionellen Gemeinschaft seiner Getreuen vorgetragen wurden (9 10–10 8 1 11–11 14 2–9 s.S. 211. 223. 253. 303).

Denn daß ihm das öffentliche Auftreten in Ephraim mindestens zeitweilig sehr erschwert, ja durch erbitterte Anfeindung unmöglich gemacht wurde, besonders in der Zeit nach 733, geht aus seinen eigenen Worten klar genug hervor; vgl. vor allem 9 7–9, aber auch 12 1 11 5b. 7a (s.S. 201–205. 270ff.). Er hatte das Leiden seines Gottes unter dem Aufruhr Israels gegen ihn (8 1 14 1) an seinem Leibe mitgetragen. Ob er sich in der Zeit des Zusammenbruchs des israelitischen Staates infolge der Angriffe in dem kleinen Kreis seiner Anhänger nach Juda hin orientierte (12 1 s.S. 272f.) oder gar dorthin absetzte, wissen wir nicht. Daß allerdings der Weg seiner Worte nach Juda führte, geht aus ihrer Redaktion deutlich hervor (s.S. XXVIf.).

§ 3. DIE SPRACHE HOSEAS

Angesichts des Überlieferungsbefundes können wir nicht behaupten, daß wir im Buche Hosea überall die verba ipsissima des Propheten vernehmen (s.S. XXIIIff.). An einigen Stellen ist es sicher nicht der Fall (z.B. 1 1.7 14 10), an manchen anderen ist die Verschmelzung hoseanischer Formulierung mit der Sprache der Tradenten nicht mehr rückgängig zu machen (z.B. 2 1–3 7 10 8 14 11 10), im Hauptbestand aber ist die Eigenart der Stimme Hoseas unverkennbar.

Die große Mehrzahl seiner Sprüche ergeht in der Grundform der Gottesrede in der ersten Person Jahwes: 1 4f. 6. 9 2 4–25 4 4–9 5 1–3 5 8–7 16 (s.S. 139) 8 1–12 9 10–13. 15f. 10 9–15 1 11–9. 11 12 10f. 13 4–14 14 5–9; ein geringerer Anteil ist deutlich als Prophetenrede mit der dritten Person Gottes formuliert: 3 5 4 1–3 5 4–7 7 10 8 13. 14 9 1–9 10 1–8 12 3–7. 13–15 13 15–14 1. 2–4. Dabei fällt auf, daß große Zusammenhänge in der Ich-Rede Gottes gesprochen werden, vor allem Kopfstücke thematisch einheitlicher

Spruchkomplexe, daß aber mitten darin der Disputationsstil mit der dritten Person Jahwes einsetzt, so daß sogar ein lebhafter Wechsel von Gottes- und Prophetenrede vorkommen kann (z.B. 410–15 811–13 121–15).

Das Vorherrschen der Ich-Rede Gottes findet seine Erklärung vornehmlich vom prophetischen Botenbewußtsein her; der Prophet ist Melder der Gottesbotschaft. Daneben ist die Analogie kultischer Rede in der Selbstvorstellung Jahwes bei der Verkündung des Gottesrechts (vgl. 1210 134 s.S. 278. 289ff.) und in der Erhörungsansage (Heilsorakel) im Rahmen von Klageliturgien (vgl. 61–3 81–3 145–9 s.S. 151. 177. 302) zu sehen. Doch die meisten Hoseasprüche erinnern an diejenigen Redeformen, die in der Rechtsauseinandersetzung zweier Partner vor allem vor den Ältesten im Tor der israelitischen Städte ihren Sitz im Leben haben.

Daher erklärt sich die Zuordnung von Anklageworten und Strafansagen (z.B. 41–3 81–3 131–3 s.S. 81f. 171. 288); kaum jemals steht eines ohne das andere. Selbst die Einheit größerer Stücke wird vom Rechtsstreit her verständlich, z.B. vom Verfahren gegen die treulose Frau (24–17 s.S. 37f.) oder gegen den störrischen Sohn (111–9 s.S. 249). Auch lassen sich so manche Übergänge sowohl von der ersten zur dritten Person Jahwes wie von der zweiten zur dritten Person der Angeklagten deuten, vor allem wenn man mit nicht notierten Einwürfen der Hörer rechnet (s.S. 91f. 171ff. 289). Daß Hosea in seiner Verkündung der Gottesworte das Prozeßverfahren im Tor vor Augen hat, gibt er eindeutig mit dem Kennwort ריב zu erkennen (244 1.4 123).

In diesem Zusammenhang lehrt die Formgeschichte der Hoseasprüche noch drei Besonderheiten: einmal die Einführung echter Klagesätze inmitten von Strafdrohungen und Anklagen (46 511 7 8f. 88 s.S. 97. 145. 173); sie bezeugen das Mitleiden des Gottes Israels und seines Propheten mit seinem Volk. Zum andern ist bei Hosea die Herkunft der Mahnworte von der Form des Schlichtungsvorschlags im Rechtsstreit zu erkennen (24f. 4158 5cj. 142f; vgl. 91 1012127; dazu S. 37ff. 112f. 172. 250). Schließlich tauchen am Rande Formen auf, die dem Rechtslehrer eigentümlich sind: Lehrvermahnungen (51 s.o.S. 122f.) und Lehrsätze (66 86aβ s.S. 153. 182).

Besondere Beachtung verdient der weisheitliche Einfluß auf die Sprache Hoseas. Am deutlichsten zeigt er sich in der Aufnahme weisheitlichen Spruchgutes in 87 (s.S. 182f.; vgl. 1313 u.S. 296) und weisheitlicher Naturkunde in 223f. (s.S. 65f.). Darüber hinaus gestaltet Hosea eine Fülle von Bildern frei. Kein Prophet, ja nicht ein einziger Schriftsteller des ganzen Alten Testaments führt so häufig Vergleiche ein wie er. Er kann ein Bild Zug um Zug ausführen (111–4 24–17); aber häufiger stürmt er von Satz zu Satz zu neuen Bildern weiter (z.B. 511–15 74–12 133.15 146–8). Am erregendsten sind seine Gleichnisse für Jahwe und für Israel. Jahwe erscheint nicht nur in allegorischer Rede als Ehemann (2 4ff.; zu den Motiven des Liebesliedes in 2 9 s.S. 43, zu 14 6–8 s.S. 302ff.), Vater (11 1ff.), Arzt (14 5 7 1 11 3; vgl. 5 13 6 1f.), als Hirte (13 5f. ⑤) und Vogelfänger (7 12), sondern weit befremdlicher im direkten Vergleich als Löwe (5 14 13 7), Leopard (13 7) und Bärin (13 8), als Tau (14 6; vgl. Morgenröte und Regenguß 6 3) und fruchtbarer Baum (14 9), als Eiter und Fäulnis (5 12). Israel wird zunächst, den erstgenannten Jahwegleichnissen entsprechend, der Frau (2 4ff.), dem Sohn (11 1ff.), dem Kranken (5 13 7 1.9 14 5; vgl. 6 1f.), der Herde (13 5–8), der sich verflatternden Taube und anderen Vögeln des Himmels (7 11f. 9 11) verglichen, darüber hinaus dem geübten (10 11) wie dem störrischen Rindvieh (4 16), dem Weinstock (10 1 14 8), den Trauben (9 10) und dem Wein vom Libanon (14 8), der Frühfeige (9 10) und der Lilie (14 6), dem Libanonwald und dem Ölbaum (14 6f.), der Gebärenden wie dem ungeborenen Sohn (13 13), dem Brotkuchen (7 8), dem schlaffen Bogen (7 16), dem Morgennebel und dem Tau (13 3a vgl. 6 4), der Spreu, die von der Tenne weht, und dem Rauch, der aus der Luke zieht (13 3b). So dringt die Sprache Hoseas mit einer Überfülle von Anschauung auf den Hörer ein. Grundsätzlich ist ihr kein Lebensbereich entzogen; aber die Welt der Pflanzen und der Tiere tritt doch neben dem Leben in der Familie stark hervor.

Die Sprache des Propheten, soweit der überlieferte Text sie erkennen läßt, ist nicht völlig dichterisch durchgeformt. Im ganzen zeigt sich eine gehobene Prosa, die häufig zu strengeren dichterischen Formen übergeht. Unter den Stilmitteln ragt der parallelismus membrorum hervor. Den synonymen Parallelismus hat Hosea bei weitem bevorzugt. Man kann ihn als Regelfall bezeichnen. Daneben ist antithetischer Parallelismus eine verschwindende Seltenheit. Häufiger zeigt sich, der gehobenen Prosa besonders naheliegend, synthetischer Parallelismus. Der leidenschaftlich vorwärtsdrängenden und sich steigernden Sprechweise entspricht der Stufenparallelismus (z.B. 8 11 13 6).

Die Rhythmik ist mit einiger Sicherheit nur mit Hilfe des Gedankenreims des parallelismus membrorum zu erkennen. Danach bilden zumeist zwei Reihen eine Periode. Aber es ist für Hosea typisch, daß sich daneben verhältnismäßig häufig dreireihige Perioden finden, besonders in Anfangs- und Schlußstellung: 2 4a. 5b. 8 5 1.2 8 11.13b (s.S. 174) 9 3. 6 (s.S. 195f.) 12 7 14 1b u.o. So werden Höhepunkte gestaltet. Die Reihen sind meist aus drei Takten gefügt. Der Übergang zu kurzen, zweitaktigen Reihen muß stark auf den Hörer wirken und die Aufmerksamkeit wecken (z.B. 2 15b 10 13a 13 6b s.S. 237. 290). Genauere Aufstellungen sind unmöglich, da die Gesetze der Metrik für Hoseas Zeit nicht zu klären sind und der überlieferte Text nicht mit Sicherheit dem gesprochenen Wortlaut entspricht (s.u.S. XXIVf.). Die wichtigsten Beobachtungen zu den einzelnen Überlieferungseinheiten sind jeweils am Schluß des Abschnitts „Form" zusammengestellt (z.B. 38f. 91f. 195f.). Das dichterisch vollendetste Stück hinsichtlich der Fügung der Takte, Reihen und Perioden in Verwendung des parallelismus membrorum liegt in 11 8–9 vor (s.S. 252).

An dieser Stelle übt der Prophet ferner das Stilmittel der Wiederholung (11 8a), das er auch sonst gern verwendet (2 21f. אֶרֶשׁ; 3 1: 4mal אהב; 3 4: 5mal אֵין; 4 1: 3mal אֵין; 11 9: 4mal לֹא; 14 2f. שׁוּב).

In 11 9b findet sich schließlich Alliteration: dreimal anlautendes א in 9bα; zweimal ק in bβ. Deutlicher und schöner bietet sich die Alliteration in 9 15. 16 (s.S. 218; vgl. 14 9 u.S. 307) 12 2 (s.S. 273) dar. Assonanzen (5 11; 7 8b: הַפּוּכָה – עָנָה; zu 8 3b s. Textanm. 8 3b; 8 7a; zu 12 9 s.S. 278) gehen an zwei Stellen zum Endreim über, der im Hebräischem äußerst selten ist (2 7b 8 7bα; s.S. 172f.).

§ 4. DIE THEOLOGIE HOSEAS

Wo Hosea den benennt, dessen Bote er ist, sagt er viel öfter Jahwe (in echten Worten etwa 45mal) als „Gott" (26mal אֱלֹהִים; 4mal אֵל: außer 2 1 11 9 12 1 wahrscheinlich noch 12 5aα s. Textanm. 12 5a), denn Hosea kennt keinen anderen Gott als den, der sich selbst seit den Tagen des Mose (12 14) seinem Volk vorgestellt hat in Rechtsverkündung und Befreiungstat: „Ich bin Jahwe, dein Gott von Ägyptenland her" (12 10 13 4). Auch Israel kennt in Wahrheit außer Jahwe keinen anderen als Gott und als Retter (13 4b). Die Deutung des Jahwenamens, die in Ex 3 14 überliefert ist, ist Hosea vertraut, wie er in der Negierung der alten Bundeschlußformel zeigt (s.S. 23f.). Jahwe, der alte Gott Israels, ist der vom Propheten neu verkündete Gott.

Neben diesem Eigennamen ist kaum allgemein von „Gott" die Rede. Meist wird אֱלֹהִים mit einem Suffix verbunden, so daß das Wort eben Jahwe als Gott Israels charakterisiert: „Jahwe, dein Gott" in 12 10 13 4 14 2; „Jahwe, ihr Gott" in 3 5 7 10; „ihr Gott" in 4 12 5 4; „dein Gott" in 4 6 9 1 12 7a.b; „mein Gott", in 2 25 8 2 vom Volk gesagt, in 9 17 von Hosea gesagt; „unser Gott" in 14 4; „ihr Gott", nämlich der Stadt Samaria, in 14 1. Der Klärung des rechten Gottesverhältnisses Israels zu Jahwe allein dient „Gott" auch an den wenigen Stellen, wo es ohne Possessivpronomen erscheint: in 3 1 8 6 13 4b, sonst steht einfaches „Gott" nur noch sachgemäß in der vormosaischen Jakobüberlieferung (12 4 vgl. 7) und in formelhafter Verwendung (4 1 6 6 s.S. 84 und vielleicht an der textlich dunklen Stelle 9 8a s. Textanm. 9 8b). Die Wortform אֵל unterstreicht die unvergleichliche Gottheit des Gottes Israels (11 9 „Nicht-Mann", „heilig"; 2 1 „lebendiger Gott"; 12 1. 5a [s. Textanm. 12 5a]).

Dieser Sprachgebrauch Hoseas beweist eindeutig, daß der Prophet nicht in einem allgemeinen religiösen Sinne von einem gottheitlichen

Wesen zu reden vermag, sondern nur ganz präzis von Jahwe, der sich selbst in der Geschichte als der Gott Israels bezeugt und erwiesen hat.

Da dieser Jahwe nicht nur in der Vergangenheit, sondern auch in der Gegenwart Gott ist, kann der Prophet zu ungeheuer kühnen Neubenennungen übergehen. Ein einziges Mal nennt er Jahwe als den Richter Israels „seinen Herrn" (12 15). In dieser Linie liegen die erwähnten Jahwegleichnisse (s.S. XVf.), von denen einige für die Ohren der Hörer in ihrem kecken Modernismus der Sprache fast frivol wirken mußten, wenn etwa Jahwe sich selbst als „Eiter für Ephraim", als „Fäulnis für Judas Haus" (5 12) oder als den „Löwen" bezeichnet, der seine Beute „zerreißt und wegschleppt" und dem sie „keiner entreißt" (5 14). Dazu fügt er in 13 7. 8 dem Bild des Löwen noch das des Leoparden und das der Bärin hinzu, die der Jungen beraubt, also besonders wütig ist (s.S. 294). So versetzt der Prophet schon mit seiner Sprache die Hörer unter die Schrecken der gegenwärtigen Zornesglut Jahwes (5 10 13 11). Unseres Wissens hat nie vor Hosea einer so von Gott zu reden gewagt. Kräftiger als Rücksicht auf fromme Traditionen und ästhetische Empfindungen ist bei ihm der Wille am Werk, die unheimliche und unwiderstehliche Übermacht und gegenwärtige Wirksamkeit Jahwes zu bekunden.

Auch im Heilswort greift Hosea nach extremen Bildern. In 14 6 verdeutlicht der Vergleich mit dem „Tau" und in 9 der mit dem frischgrünen Fruchtbaum die Wirksamkeit des Heilsgottes, ohne daß der Prophet darum bekümmert wäre, in welch gefährlicher Nähe zu den Anschauungen der kanaanäischen Vegetationskulte er damit steht (s.S.148ff. u.S. 307).

Hier kündigt sich an, was in dem bekanntesten und allegorisch völlig durchgeführten Vergleich Jahwes mit dem verliebten und verschmähten Ehemann am klarsten erkennbar ist. Darin entfaltet sich Hoseas Theologie offenkundig im Gespräch mit der zeitgenössischen Mythologie, in einem beachtlichen Prozeß von Rezeption und Polemik (s.S. 15f. 41. 53f.).

Die Aufnahme des Mythologumenon von Jahwe als dem Ehemann hat ihre Wurzel in der Erkenntnis der spezifischen Schuld Israels: das Volk ist der „Hurerei" verfallen (1 2 2 4–7 3 3 4 10–18 5 3f. 6 10 9 1). In der Abhängigkeit Israels vom kanaanäisch-mythischen Denken und im Praktizieren seiner Kulte hat es Jahwe die Treue gebrochen. Das Jahwegleichnis vom „ersten Mann" (2 9. 18) will also die Anklage Israels auf Hurerei und Ehebruch verdeutlichen.

Erst sekundär unterstreicht es dann auch, daß Jahwe der ausschließliche Spender aller Gaben des Kulturlandes ist (2 7. 10). So dient die Hineinnahme der Vorstellung vom göttlichen Eheherrn in den Jahweglauben dazu, das alleinige Gottsein Jahwes und damit die Exklusivität des Jahweglaubens herauszustellen. Der Modernismus Hoseas vergegenwärtigt also gerade das genuine Jahwebekenntnis und stellt den Gegensatz zum Synkretismus heraus.

Daß die Rezeption mythischer Elemente beherrscht ist von der Polemik gegen den Baalmythos und daß der Mythos gerade in der Eheallegorie Hoseas zerbricht, wird an zwei weiteren Beobachtungen deutlich. Einmal ist Jahwe derselbe, der die Gaben des Kulturlandes schenkt und wieder nimmt in freien Akten (2 10. 11. 17), wobei die Vorstellung ehelicher Vereinigung ganz zurücktritt und Jahwe sich auch im Gegensatz zum Baal als Herr der Verwüstung und der Wüste zeigt. Die Gewißheit der alleinigen Gottheit Jahwes läßt trotz der Übernahme mythischer Fragmente nicht im geringsten den Gedanken an eine Pluralität von Gottheiten oder gar an ein sexuell gespaltenes Pantheon aufkommen.

Damit sind wir bei dem anderen: Jahwes Partnerin im Ehegleichnis ist statt irgendeiner Göttin das geschichtliche Israel. Die Rechtskategorien des Bundesdenkens treten an die Stelle der mythisch-kultischen Fruchtbarkeitsvorstellungen, die im ἱερὸς γάμος beheimatet sind (vgl. 1 9 2 4. 21f.).

Mit dieser Entfaltung seiner Theologie im polemischen Gespräch mit dem kanaanäischen Mythos und Kultus hat Hosea ein grundlegendes Beispiel für das Gespräch des Glaubens mit der zeitgenössischen Weltanschauung geliefert. Vgl. E Jacob, L'Héritage cananéen dans le livre du prophète Osée: RHPhR 43 (1963) 250–259.

Bei aller wagemutigen eristischen Übernahme von Stichworten des Mythos bleibt die Gewißheit beherrschend, daß der gegenwärtig und künftig handelnde Jahwe kein anderer ist als der, der seine Bundesgeschichte mit Israel in der Jugendzeit, beim Herauszug aus Ägypten (2 17 11 1 13 4), beim Bundesschluß (1 9 6 7 8 1) und bei der Gabe des Gottesrechts (2 21f. 8 12 13 4f.) begonnen hat. Hosea schaut Gegenwart und Zukunft entschlossen mit der G e s c h i c h t e zusammen.

Ganz erstaunlich breit ragt die Geschichte in die Verkündigung Hoseas hinein. Über das letzte Jahrzehnt mit seinen vielfachen Königsmorden und Thronusurpationen (7 7 8 4), über das letzte Jahrhundert mit der Schuld der Dynastie Jehus von 844 hinweg (1 4) schaut er bis in die Anfänge des Königtums unter Saul zurück und erkennt hier den wirksamen Ursprung der Schuld des gegenwärtigen Königtums (13 10f. 9 15). Darüber hinaus greift er, noch umfassender, auf die Zeiten der Landnahme zurück (2 10 9 10 10 11f. 11 1ff. 13 5f.). Die Landnahmetradition ist bei ihm weder von der Tradition von der Herausführung aus Ägypten (2 17 11 1 12 14 13 4) noch auch von den Überlieferungen aus der Wüstenzeit zu trennen (9 10 13 5 2 5. 16f.). Die Landnahmezeit brachte die frühe Begegnung mit dem Baalkult (9 10) und damit die die Gegenwart bestimmende Abwendung von dem Gott, der in Ägypten und in der Wüste seine Heilsgeschichte mit Israel begonnen hat. Ein äußerster Schritt führt bis zu den Jakobüberlieferungen zurück (12 4–5. 7. 13). Auch sie dienen vor allem dazu, die gegenwärtige Schuld des Betrugs gegen Gott und Mitmenschen bloßzulegen.

Dieser Rückgriff in die Geschichte bedeutet viel mehr als eine beliebige Sammlung von Exempla aus der Vergangenheit. Wenn ich recht sehe, handelt es sich um ein dreifaches Mehr. Zum ersten decken diese Rückblicke frühe, grundlegende Z u s a m m e n h ä n g e auf. Der Abfall zum Baal-Peor erweist sich als schändliche Schuld im Zusammenhang der voraufgehenden Erwählung der Väter in der Wüste (9 10). Israels Bosheit und Lüge (10 13) wird als solche offenbar auf dem Hintergrund der voraufgehenden Freude Jahwes an der gelehrigen Jungkuh Ephraim und ihrer Erwählung zum Dienst (10 11f.; vgl. ferner 9 15 12 4f. 13f. u.S.239f. 282f.). So erweist das Interesse an den Zusammenhängen echtes Interesse an der Geschichte. Die theologische Bedeutung besteht darin, daß die Schuld der Gegenwart im Licht ihrer Anfänge als Schuld gegen den Gott der Liebe und Erwählung, gegen den Herrn der Heilsgeschichte aufgedeckt wird.

Zum zweiten zeigen die Rückblicke ein bis in die Gegenwart hinein reichendes R i n g e n Jahwes mit Israel. Der große Prozeß mit seiner Ehefrau und jetzigen Hure (2 4-17) und die große Anklagerede gegen den störrischen Sohn (11 1-7) zeigen, wie kräftig das Interesse an dem kontinuierlichen Vorleben des Angeklagten ist. So wird mit Hilfe der Geschichte Schuld als „gebündelte", „aufgehäufte" Schuld dargestellt (vgl. 13 12 mit 10f. u. 1f.; ferner die „zwiefache Schuld" von Einst und Jetzt in 10 10; s.S. 239 u.S. 296). Hier geht es wahrhaftig um mehr als um Einzelbeispiele. Ein zusammenhängendes Ringen des Gottes der Liebe mit seinem widerspenstigen Volk ist herausgestellt.

Zum dritten bedenkt Hosea bei seinen Rückblicken nicht zufällig besonders intensiv die A n f ä n g e : Jehu, den Anfänger der gegenwärtigen Dynastie (1 4) ; Gilgal – Saul, den Anfang des gegenwärtigen Königtums (9 15 13 10f.) ; Baal-Peor, den Anfang des Schandkults (9 10) ; die Wüste und die Ausführung aus Ägypten als Anfang der Heilstaten Jahwes (2 17 9 10 11 1 12 10. 14 13 4-6) ; die Jakobgeschichte als Anfang des Betrugs Israels (12 4f. 13f.). Wo immer die Anfänge erscheinen, ist alsbald die Gegenwart da, und zwar als das Ende der einst begonnenen Geschichte. Im Licht der Anfänge wird ein ganz wesentlicher Inhalt der Prophetie Hoseas verständlich: Jetzt ist das Ende der alten Heilsgeschichte wirklich hereingebrochen. Am knappsten und zugleich eindrucksvollsten ist das in der Umformung der alten Bundesschlußformel zur Scheideformel gesagt (1 9; vgl. 2 4), doch auch im Wort von der Rückkehr nach Ägypten, womit die Landgabe zurückgezogen wird (8 13 9 3. 6).

Aber es wäre zu wenig, wenn wir dem Anfang der Heilsgeschichte nur das Ende Israels gegenüberstellten. Dem Anfang entspricht auch ein Ziel in der Zukunft. Doch das zeigt erst die Heilsbotschaft.

Zuvor ist zu bedenken, welche S c h u l d die Anklage Hoseas aufdeckt. Er klagt vor allem zwei Gruppen im Volke an: die Priester und die politischen Führer. Die priesterliche Aktivität im Opfer- und Orakelwesen sowie in den Fruchtbarkeitskulten (4 4–19 6 1–6 8 4–6. 11–13 9 1 10 1–8 13 1–3) mißt er an dem erstaunlich positiven Leitbild eines „Wissens um Gott", das sie pflegen und üben sollten, um das Volk in der Gewißheit des Heilshandelns Gottes und seines Rechtswissens zu erhalten (4 1.6 6 6 13 4–6 2 10–15. 21f. s.S. 97f. 153f. 293f.). Die politischen Führer bezichtigt er leidenschaftlicher revolutionärer Umtriebe und außenpolitischer Schwenkungen, die vollzogen werden, ohne daß jemals nach Jahwe, dem Gott Israels, gefragt wird (5 1f. 11ff. 7 3–16 8 1–4. 7–10 10 13–15 13 10–14 1).

Zur Bezeichnung der Schuld bedient sich Hosea natürlich auch der geläufigen Termini für Verfehlung und Vergehen (zu חַטָּאת u. עָוֹן s.S. 187). Auch wundert es nicht, daß er im Gespräch mit kultischen Kreisen typisch kultische Begriffe für Schuld ungewöhnlich häufig verwendet: Unreinigkeit (טמא 5 3 6 10 9 4) und kultische Straffälligkeit (אשם 4 15 10 2 13 1 14 1 s.S. 112f.). Was aber eigentlich auffällt, ist ein anderes. Schuld ist für Hosea vor allem Zerstörung der personhaften Verbundenheit Israels mit seinem Gott, der sich ihm in seiner Geschichte mit persönlicher Liebe zugewendet hat, wie es die großen Jahwegleichnisse vom verliebten Ehemann (2 4–22), vom Vater (11 1f.) und vom Arzt (14 5 7 1 vgl. 5 13 6 1 11 3) am schönsten zeigen. Von daher ergibt sich eine Fülle farbiger, spezifisch hoseanischer Ausdrücke für Sünde, die jedem Prediger aus begrifflicher Monotonie heraushelfen können. Neben dem besonders häufigen Wort „huren" (s.S. XVIII) erscheint: Jahwe „nicht mehr kennen" (2 10 5 4 11 3), ihn „vergessen" (2 15 4 6 8 14 13 6), „verlassen" (4 10), von ihm weg „hinter anderen hergehen" (11 2 2 7. 15), „vor ihm fliehen" (7 13), „gegen ihn rebellieren" (7 13 8 1), „über seine Bundesweisung hinweggehen" (6 7 8 1), „sich anderen zuwenden" (3 1), „treulos sein gegen ihn" (5 7 6 7), „störrisch werden" (4 16 9 15), und vor allem die zahlreichen Ausdrücke für „Lüge" (7 1), „Täuschung" (7 3 10 13 12 1), „Betrug" (12 1. 8), „Falschheit" (10 2). Das Ergebnis ist, daß Israel orientierungslos („ohne Herz" 7 11 4 11 [14] s.S. 104f.), „unweise" (13 13) wie ein Betrunkener „schwankt" (4 12) und „sich der Schande weiht" (9 10).

Der Zusammenhang, in dem die Worte jeweils erscheinen, läßt erkennen, wie Hoseas Gott in tiefer Traurigkeit den Abweg seines Volkes beklagt, wie er selbst leidet unter der Not, die es sich mit seinem Abfall bereitet. Die Formanalyse zeigte schon, daß er nach Gerichtsanzeigen zur Notklage übergeht, um dann nach dem Ausdruck des Mitleids weiterzuschreiten zur Aufdeckung der Notursache und zu neuer Drohung (s.o.S. XV).

Dem Leiden Gottes unter seines Volkes Sünde entspricht sein Ringen um die rechte Züchtigung. Natürlich sagen zahlreiche Drohungen einfach kommende Strafen an; in der Frühzeit sieht sie Hosea mehr in Naturkatastrophen (4 3 5 7 2 11ff.), später mehr in militärischen Katastrophen (1 5 7 16 8 3 10 14f. 14 1). Kennzeichnender ist es schon, wenn er ankündigt, daß Jahwe in Person zum Strafvollzuge naht (5 12. 14 7 12. 15 12 10 13 7ff.) und daß er darin nicht nur als Vergelter (zu 4 9 12 3 s.S. 103; zu 9 7 s.S. 201), sondern als Erzieher am Werke ist (zu 5 2 s.S. 125; zu 5 9 s.S. 143; vgl. 10 10). Hoseas eigenste Verkündigung vernehmen wir in jenen Prozeßreden, in denen der Gott Hoseas nicht nur mit seinem Volk, sondern auch mit sich selbst ringt, ja seine eigenen Entscheidungen in Frage stellt (2 4–17 6 4 11 8f. nach 1–7).

So bleibt das Strafgericht Jahwes bei Hosea wesentlich Ringen um sein Volk. Es übernimmt die Funktion, die das Mahnwort zur Umkehr vergeblich geübt hatte. Im Anfang hören wir solche Bußmahnungen ultimativ laut werden (2 4f.); gelegentlich tauchen sie noch später auf (4 15 85 ⑯; s.S. 171f.; nur indirekt in Zitaten von Gottesworten aus der Frühzeit in 10 12 12 7). Doch sie stoßen auf störrische Abwehr (4 16), Weigerung (11 5b), völliges Unvermögen, da das Volk durch seine Taten auf Unbekehrbarkeit festgelegt ist (5 4 7 2); oder aber es zeigt sich eine allzu flüchtige, nur liturgisch gesprächige Hinwendung zu Jahwe, die statt Schulderkenntnis Selbstbeschwichtigung mit frömmelnder Zuversichtsäußerung bringt (6 1–3 8 2). So wartet Israels Gott vergeblich auf eine Rückkehr zu ihm (5 15 6 4 7 7. 10. 14. 16; s.S. 163f.). Statt dessen vollzieht man wie im Kultus nur taktische Wendungen in der Innen- (7 3ff.) und Außenpolitik (5 13 7 11). Hosea hatte mit seinem Gott gehofft, daß harte Gerichtsschläge bewirken könnten, was das Mahnwort nicht erreichte (2 8f. 16f. 3 3–5). Aber auch die härtesten Schläge in den Tagen Tiglatpilesers fruchteten nicht. Selbst als das Schwert durch Israels Städte tanzte, hielt man fest an der Abkehr von Jahwe, wie es das Schlußurteil im Verfahren gegen den störrischen Sohn sagt (11 6f. s.S. 259f.).

Wie soll es unter solchen Umständen zur Heilsbotschaft kommen? Schon in der Frühzeit wurde deutlich, daß nach dem Bundesbruch Israels (1 9) ein Neubeginn der Heilsgeschichte nicht durch eine Besserung des Volkes auf Grund prophetischer Warnung zu erwarten ist, sondern nur dadurch, daß Gott selbst die Voraussetzungen schafft, indem er seinem Volk im Gericht den Zugang zu den Abgöttern versperrt (2 8) und es aufs neue in die Situation des Beginns der Heilsgeschichte in der Wüste versetzt (2 16 vgl. 3 4). Dort, so lautete die Hoffnung, würde die Rückbesinnung auf Jahwe erfolgen (2 9), würde sich das Ohr für das herzbestürmende Reden Jahwes öffnen (2 16f.) und die Rückkehr zu Jahwe und zu seiner Güte erfolgen (3 5). Schon in dieser frühen Phase der Verkündigung Hoseas, in der die politischen Unwetter noch bevorstehen, gründet also der Neubeginn faktisch allein im wirksamen Eingreifen Jahwes, der mit Taten seine Geliebte umwirbt, wenn auch in Härte; die rechtliche Möglichkeit der Umkehr wird erst von der betonten Liebe Jahwes eröffnet (3 1 s.S. 79f.).

In der späteren Phase der Verkündigung Hoseas, nach 733, in der offenbar wurde, daß auch die Gerichte das Ohr für die Stimme Jahwes nicht öffnen (s.S. 165f. 189f.), wird die Unbedingtheit der Liebe Jahwes als der einzigen Voraussetzung für die Heilung der Abtrünnigkeit und für das neue Leben ausdrücklich herausgestellt. Sie bricht in 11 8f. durch. Man muß dieses Wort unbedingt im Zusammenhang mit der großen Anklage 11 1-7 sehen, die unter eingehender Behandlung des Vorlebens der Rechtskontrahenten zu dem Urteil kam: „Mein Volk hält fest an der Abtrünnigkeit von mir" (11 7a s.S. 249f.). Das gegenüber 2 9f. 16f. 3 4f. Neue besteht darin, daß jetzt die Umkehr, die in Israel trotz aller Gerichte vergeblich erwartet wurde (11 7a), in Jahwe vollzogen wird (s.S. 260ff.). Dabei erweist sich Jahwe mit seinem Nein zu seiner Zornesglut nicht etwa als ein anderer Gott. Eben in dem Sieg seiner Liebe wird offenbar, daß er dem Anfang der Heilsgeschichte (11 1) treu geblieben ist und in seiner freien Heiligkeit unabhängig von aller menschlichen Reaktion wirkt. In 14 5 findet dieser Heilswille schließlich seine begrifflich eindeutige Formulierung: „Liebe aus freiem Antrieb"; die Einladung zur Umkehr, die in 14 2-4 vorangeht, setzt schon diese Liebe voraus (s.S. 308f.). Vielleicht besagt auch die merkwürdige Zusammenstellung der Jakob- und Moseüberlieferung in 12 13.14, daß bereits dem ersten Einsatz der Heilsgeschichte in der Herausführung aus Ägypten eine ähnliche Geschichte der Schuld vorausging (s.S. 282f.).

Sieht man den Ausgang des Verfahrens gegen den störrischen Sohn in 11 8f. ebenso wie den Ausgang des Eheprozesses in Kap. 2–3 auf dem Hintergrunde jener Gesetzgebung, die in der Umgebung und Gefolgschaft Hoseas in den frühdeuteronomischen Kreisen formuliert wurde, so muß man an die Bestimmungen für den störrischen Sohn und die verstoßene Frau in Dt 21 18ff. und 24 1ff. denken. Dann wird sichtbar, daß Hoseas Prophetie am Ende in die Richtung paulinischer Erkenntnisse weist (vgl. Röm 8 3ff.; s.S. 80. 264). Das Ringen und Leiden Gottes unter der Schuld seines Volkes findet in Jesus Christus seine Besiegelung (2 Kor 5 19-21); in ihm trägt es für alle Völker Frucht. Von diesem Ziel her wird die Prophetie Hoseas in Israel nachträglich zum Modellfall für das den Boten Jesu aufgetragene Ringen um den Menschen in der heutigen Welt.

§ 5. DIE ÜBERLIEFERUNG DER HOSEAWORTE

Welchen Weg legte das Hoseawort zurück von der Stunde an, in der es gesprochen wurde, bis zum redaktionellen Abschluß des vorliegenden Buches? Der erste Schritt vom Spruch zur Schrift kann auf den Sprecher wie auf den Hörer zurückgehen.

Daß ein Teil der schriftlichen Überlieferung von Hosea selbst stammt, ist nach dem Ich-Bericht des Memorabile (s.S. 71f.) in 3 1-5 so gut wie sicher. Thematik und Kompositionsart von 2 4–17 machen es wahrscheinlich, daß dieses Stück mit 3 1–5 zusammen eine alte literarische Einheit bildete (s.S. 39. 73f.). Unmittelbar daneben wird eine andere Hand sichtbar, am deutlichsten in dem Fremdbericht 1 2–6. 8f. Ein Prophetenschüler (s.S. 10) stellt ebenfalls in der Form des Memorabile (s.S. 9) den Anfang des Prophetenlebens Hoseas dar. Auf die gleiche Hand geht vermutlich die Erweiterung der hoseanischen Niederschrift in 2 18–25. 1–3 zurück, da sie verwandte Kompositionselemente zeigt (s.S. 29. 57f.). Dieser Prophetenschüler ist vornehmlich am alten hoseanischen Text und seiner interpretierenden Erweiterung mit Hilfe späterer Hoseaworte (s.S. 58) interessiert. Da diese Worte aber in 2 23–25. 1–3 die Kenntnis der Symbolnamen der Hoseakinder verlangen, erzählt er selbst 1 2–6. 8f. vorweg. Es ist möglich, daß er in 2 18–25 bereits schriftlich fixiertes Spruchmaterial aufnimmt. Denn die Gottesspruchformel נאם־יהוה in 18. 23 erinnert daran, daß in 1 11b β eine Sammlung von Prophetensprüchen mit der gleichen Formel abgeschlossen wird. Vor allem sind die Sprüche inhaltlich mit 11 8f. 11 und 14 2–9 so eng verwandt wie mit keinem anderen Kapitel (s.S. 253f.). Somit kann 1 2–6. 8f. 21–3 5 als ein erster geschlossener Überlieferungskomplex angesehen werden, der selbst schon eine literarische Vorgeschichte hat.

Ganz anders verhält es sich mit dem zweiten, größeren Überlieferungskomplex, der mit dem Aufruf „Höret das Wort Jahwes" in 4 1a eingeleitet (s.S. 82) und mit der Gottesspruchformel נאם־יהוה in 1 11b β (s.S. 254) abgeschlossen wird. Diese Rahmung, deren Elemente sich innerhalb des Überlieferungskomplexes nicht mehr finden, wird zu seinem Abschluß gehören. Sein Werden ist weitaus schwieriger zu erklären als das des ersten. Im Unterschied zu Kap. 1–3 fehlen alle Rahmenformeln, wenn wir jetzt von den genannten äußersten Grenzmarkierungen absehen. Jedoch sind an einigen Stellen Redeeinsätze festzustellen. Ihre Merkmale sind vor allem die Nennung des vom Spruch Betroffenen, der klare Einsatz eines neuen Themas und das Fehlen einer Kopula-Partikel, die den Sprucheinsatz mit dem Voraufgehenden verbindet (vgl. 4 1. 4 5 1. 8 8 1 9 1. 10 10 1. 9 11 1). Den so eröffneten Sprüchen sind meist mehrere andere zugeordnet. Sie sind einerseits als neue rhetorische Einheiten zu erkennen am Übergang zu einer anderen Person des Sprechers (Wechsel vom Botenstil zum Disputationsstil) oder des Betroffenen (Wechsel vom Anredestil zum Berichtsstil). Andererseits zeigen sie sich der voraufgehenden Einheit dadurch zugeordnet, daß sie mit einer Kopula-Partikel (ו oder כי; dazu s.S. 173) einsetzen, den Betroffenen nur mit einem Pronomen (oft vorangestellt; s.S. 173) oder Pronominalsuffix bezeichnen und die alte Thematik fortsetzen. Aus diesem Doppelbefund ist zu schließen, daß die so verbundenen Spruchreihen dem gleichen Verkündigungsvorgang entstammen, also eine kerygmatische Einheit darstellen. Zwischen den rhetorischen Einheiten sind entweder Einwürfe ·von Hörern oder der Blickwechsel des Sprechers zu einer anderen Gruppe der Anwesenden zu denken (s.z.B.S. 92f. 139. 170ff.). Dieser Vorgang wird von den Formen der Rede im Rechtsstreit her verständlich, die Hosea bevorzugt (s.S. XV).

Die kerygmatischen Einheiten stellen die ersten Überlieferungseinheiten im Gesamtkomplex Kap. 4–11 dar. Denn nur als Auftrittsskizzen, die alsbald nach dem Verkündigungsvorgang angefertigt wurden, werden sie bei der geschilderten Eigenart der Spruchreihung verständlich. Der vielfach besonders schlechte Textzustand kann mit den notvollen Umständen der ersten Fixierung zusammenhängen. Als Schreiber sind jene Kreise zu denken, die Hosea von Anfang an zugetan waren und die auch in den Tagen der Bedrohung zu ihm hielten (s.S. XIV). Nicht alle Auftrittsskizzen spiegeln die Unruhe öffentlicher Auseinandersetzungen (4 1–9 9; 10 9–15). Einige Niederschriften sind besser zu verstehen, wenn sie auf prophetischen Vortrag im engeren Kreise der Oppositionsgemeinschaft zurückgehen (9 10–10 8 11 1–11; s.S. 211f. 224f. 253). Die Tradenten werden aber in beiden Fällen die gleichen sein. Da die Skizzen wahrscheinlich aus verschiedenen Zeiten stammen (vgl. nur S. 93f. mit S. 254), wenn auch der Hauptblock am besten aus der Zeit um 733 verständlich wird (5 8–10 15), wird ihre Sammlung als besonderer Akt zu denken sein, der durch die extremen Rahmenformeln 4 1a und 11 11bβ markiert ist. Wir finden keinen Grund, der gegen die Annahme chronologischer Anordnung der Auftrittsskizzen spricht. Das wundert uns nicht, wenn der Überlieferungskomplex in seinen Elementen wie in seinem Abschluß auf jene Kreise um Hosea zurückgeht, die sich seit langem aufs Tradieren verstehen (s.S. XIV).

Als dritter Überlieferungskomplex bleibt Kap. 12–14. Er zeigt sich als eine Komposition von wahrscheinlich drei (s.S. 290f. 303) Auftrittsskizzen verwandt mit dem zweiten; hier wie dort ist teils die Öffentlichkeit (12 8ff. 13 9ff. s.S. 269. 289), teils der geschlossene Kreis (14 2–9 s.S. 303) als Ort der Auftritte zu vermuten. Insofern ist es unwahrscheinlich, daß er auf Hosea selbst zurückgeht. Aber er geht von einer Klage Hoseas über seine Verstoßung im Nordreich aus (12 1 s.S. 270f.). Seine Worte werden ausnahmslos aus der Endzeit des Nordreichs unter Salmanassar V. verständlich. Kleine Unterschiede zu den Auftrittsskizzen in Kap. 4–11 fallen auf: das deiktische כִּי, das der Einführung der Gegenrede dient, fehlt in Kap. 12–14 völlig (s.S. 269); die Zugehörigkeit der rhetorischen Einheiten zu einer kerygmatischen Einheit ist mehrfach nur vom Thema her, nicht aber an stilistischer Verknüpfung (Kopula; Pronomen) zu erkennen (s.S. 290). Schließlich erscheint nur hier die Wendung „(Ich bin) Jahwe, dein Gott (von Ägyptenland her)" (in 12 10 13 4 14 2), die zum gottesdienstlichen Traditionsgut gehört. Der Einschub der Doxologie in 12 6 zeigt, daß unser Überlieferungskomplex schon bald in gottesdienstlichen Versammlungen neu verkündet wurde, und zwar in Juda, wie die von allen anderen judäischen Glossen des Hoseabuches verschiedene judäische Redaktion in 12 3a zeigt (s.u.S. XXVII).

Alle drei großen Überlieferungskomplexe des Hoseabuches stellen insofern Parallelen dar, als jeder von ihnen den Weg von der Anklage und Strafandrohung bis zur Heilsverkündung durchschreitet. Sie mögen auf verschiedene Hände zurückgehen, gehören aber doch alle in den gleichen Kreis zeitgenössischer Freunde des Propheten (s.S. XIV), der identisch ist mit den Vorläufern der deuteronomischen Bewegung.

Darauf weisen die im Kommentar auf Schritt und Tritt aufzudeckenden Beziehungen der Hosea-Überlieferung zu Sprache und Theologie des Deuteronomiums hin. Ganze Denkbewegungen, die für die deuteronomische Paränese kennzeichnend sind, finden wir erstmals bei Hosea, so die Kombination der Erinnerung an den Auszug aus Ägypten, an die Leitung durch die Wüste und die Hineinführung ins Kulturland mit den Folgen: Sattwerden, Überheblichwerden, Jahwe vergessen (s.S. 48. 293); ferner den Kampf gegen die Bündnispolitik (s.S. 273), die Art, von תּוֹרָה zu sprechen (s.S. 176f.), von Jahwe als „Erzieher" (s.S. 125), von „Liebe" Jahwes (s.S. 255), von „Erlösung" (s.S. 163), vom Leben des rechten Propheten „mit Gott" (s.S. 203), von Bruderschaft (s.S. 33), von Mazzeben der Kanaanäer (s.S. 225), von „Korn, Most und Olivensaft" (s.S. 44).

Diesen Verbindungen entspricht der Traditionsweg der noch zu Lebzeiten des Propheten schriftlich fixierten Hoseaworte durch die frühdeuteronomische Bewegung bis in die deuteronomistischen Kreise der Exilszeit. Auf diesem fast zweihundertjährigen Wege sind noch einige Redaktionsakte festzustellen. Zu den ersten werden redaktionelle Beigaben der anfänglichen Tradenten gehören, denen wir die Auftrittsskizzen verdanken. Dazu rechne ich 8 14 und 11 10, die stilistisch vom Kontext abstechen und inhaltlich hoseanisches Gut mit Amosworten kombinieren.

Eine weitere redigierende Hand hat bestimmte Sprüche in wörtlicher oder sinngemäßer Aufnahme anderer Hoseaworte glossiert und auf diese Weise verdeutlicht oder weitergeführt. So nimmt 2 10bβ Gedanken von 8 + 13 2 auf; 4 9 trägt wörtlich 12 3 an den Zusammenhang des Kap. 4 heran; 6 10b kommt von 5 3 her, 7 10a von 5 5a, 14 5b vielleicht von 11 9a (4b ebenfalls?) (s. Textanm. 14 5c).

Eine recht frühe judäische Redaktion greift judäische Heilseschatologie auf. Sie findet sich ganz deutlich im ersten Überlieferungskomplex, in 1 7 und in den Erweiterungen von 3 5 (s. Textanm. 3 5a), vielleicht auch in 9 4bβ (s.S. 200). Sie hängt möglicherweise indirekt mit jener späten Phase der Wirksamkeit Hoseas zusammen, in der der Prophet nicht ohne Hoffnung auf judäische Kreise blickt (12 1b s.S. 272). Sie ist gut zu unterscheiden von einer anderen, späteren judäischen Redaktion, die Hoseas Anklage und Drohungen gegen das Nordreich im gleichen Sinne in Juda verkündet haben will: 4 5aβ (s. S. 95), in 4 15 „Juda" (s. Textanm. 4 15c), 5 5bβ 6 11a; zu 8 14 und 11 10 bleibt zu erwägen, ob ein Zusammenhang mit der judäischen Redaktion des Amosbuches besteht; vgl. RTournay, RB 69 (1962) 271–274 und u. S. 174f. 189. 251. 263. Die Verdrängung eines ursprünglichen „Israel" durch „Juda" in 12 3 𝔐 (s. Textanm. 12 3b) unterscheidet sich dadurch von allen vorgenannten judäischen Glossen, daß diese immer ergänzen, aber nie verdrängen, wie am deutlichsten in 4 15 zu erkennen ist. Das spricht noch einmal für die Sonderüberlieferung von Kap. 12–14. Ob kleine Wortglossen, wie „Prophet" in 9 8a, „Engel" in 12 5a, „bei alledem" in 7 10b, vor oder nach der Endredaktion anzusetzen sind, muß offenbleiben.

Wann die drei Überlieferungskomplexe zum heutigen Buch vereinigt wurden, können wir nicht mehr feststellen. Vermutlich geschah es mit der Endredaktion, die wir in 1 1 am Werke sehen. Sie spricht die deuteronomistische Sprache des Bearbeiterkreises einer vorexilischen Prophetenbuchreihe (s. S. 2), die schon im 6. Jahrhundert gearbeitet haben kann. Dem gleichen Kreis wird auch der Schlußsatz 14 10 entstammen, dessen Sprache ebenfalls in exilischer oder frühnachexilischer Zeit beheimatet ist (s. S. 310).

§ 6. LITERATUR

1. Darstellungen und Untersuchungen zur alttestamentlichen Prophetie: S. die Literaturübersichten bei GFohrer, Neuere Literatur zur alttestamentlichen Prophetie: ThR 19 (1951) 277–346; 20 (1952) 193–271. 295–361; 28 (1962) 1–75. 239–297. 301–374. – RRendtorff, Art. προφήτης: ThW VI, 796–813. – RMeyer-JFichtner-AJepsen, Art. Propheten II: RGG³ V, 613–633. – RRendtorff, Art. Prophetenspruch: RGG³ V, 635–638. – GvRad, Theologie des AT Bd. II (Die Theologie der prophetischen Überlieferungen Israels) (1960). – AJHeschel, The Prophets (1962). – JLindblom, Prophecy in Ancient Israel (²1963).

2a. Zur Geschichte der Auslegung des Dodekapropheton: WWerbeck, Zur Auslegungsgeschichte (des Zwölfprophetenbuches): RGG³ VI, 1970. – Gerhard Krause, Studien zu Luthers Auslegung der kleinen Propheten: BHTh 33 (1962).

b. Kommentare zum Dodekapropheton: HGAEwald, Die Propheten des Alten Bundes (²1867–68). – FHitzig-HSteiner, Die zwölf kleinen Propheten: KeH (⁴1881). – CFKeil, Biblischer Commentar über die zwölf kleinen Propheten (³1888). – JWellhausen, Die kleinen Propheten: Skizzen und Vorarbeiten Nr. 5 (³1898); ⁴1963). – KMarti, Das Dodekapropheton: KHC (1904). – ICC: WRHarper, Am Hos (1905); JMPSmith, Mi Zeph Na; WHWard, Hab; JABewer, Ob Jl (1911); HGMitchell, Hag Sach; JMP Smith, Mal; JABewer, Jon (1912). – SLBrown (Hos 1932) – Edghill-Cooke-Stonehouse-GW Wade (Ob Jl Jon 1925): WC (1906–1932). – AvanHoonacker,

Les douze petits Prophètes: Études bibliques (1908). – CvOrelli, Die zwölf kleinen Propheten: Strack-Zöcklers kurzgefaßter Kommentar zu den heiligen Schriften AuNT (³1908). – BDuhm, Die zwölf Propheten, in den Versmaßen der Urschrift übersetzt (1910). – Ders., Anmerkungen zu den zwölf Propheten: ZAW 31 (1911) 1–43. 81–110. 161–204. – PRießler, Die kleinen Propheten (1911). – ABEhrlich, Randglossen zur hebräischen Bibel Bd. V (1912). – GASmith, The Book of the Twelve Prophets: Expositor's Bible (²1928). – OProcksch, Die kleinen prophetischen Schriften: Erläuterungen z. AT, Bd. I (1910); Bd. II (²1929). – HGreßmann-HSchmidt-HGunkel-MHaller, Prophetismus und Gesetzgebung des AT im Zusammenhang der Geschichte Israels: SAT II. Abt. Bd. 1 (²1921), Bd. 2 (²1923), Bd. 3 (²1925). – WNowack, Die kleinen Propheten: HK (³1922)'. – HGuthe-KMarti-JWRothstein-EKautzsch-ABertholet: HSAT Bd. II (⁴1923). – GASmith, The Book of the Twelve Prophets (²1928). – LHKBleeker-GSmit: De kleine Propheten, 3 Bd. (Bleeker, Hos-Am: 1932; Jl-Mi. 1934; Smit, Hab-Mal: 1926; Na: 1934): Text en Uitleg. – ESellin, Das Zwölfprophetenbuch: KAT XII (²·³1929–30). – JKroeker, Die Propheten oder das Reden Gottes: Das lebendige Wort (1932). – JRidderbos, Korte Verklaring der Heiligen Schrift (1932–35). – AJepsen, Bibelhilfe für die Gemeinde (1937). – JLippl-JTheis-HJunker, Die zwölf kleinen Propheten (Lippl: Hos Jon Mi; Theis: Jl Am Ob; Junker: Nah-Mal): HSchAT VIII, 2 Bd. (1937–38). – SMowinckel-NMessel, De Senere Profeter oversatt: De Gamle Testamente (1944). – FNötscher, Zwölfprophetenbuch: Echter-Bibel (1948). – JABewer, The Book of the Twelve Prophets: Harper Bible (1949). – BMVellas, ΕΡΜΗΝΕΙΑ ΠΑΛΑΙΑΣ ΔΙΑΘΗΚΗΣ, 5 Bde (1947–50). – JCoppens, Les douze petits Prophètes (1950). – MSchumpp, Das Buch der zwölf Propheten: Herders Bibelkommentar X/2 (1950). – SMLehrman-SGoldman-ECashdan: SBB (²1952). – DDeden, De kleine Profeten (Os-Mi 1953; Na-Mal 1956): BOT. – GRinaldi, I Profeti minori I (1953) II (1959). – ThHRobinson-FHorst, Die Zwölf Kleinen Propheten: HAT I 14 (³1964). – JMauchline-HCPhillips (Hos); JAThompson-NFLangford (Jl Ob); HEWFosbroke-SLovett (Am); JDSmart-WScarlett (Jon); REWolfe-HABosley (Mi); CLTaylor (Na Hab Zeph); HThurman (Hab Zeph); DWThomas (Hag Sach 1–8); WLSperry (Hag Mal); ThCSpeers (Sach 1–8); RCDentan (Sach 9–14 Mal); JTCleland (Sach 9–14): The Interpreter's Bible Bd. VI (1956). – ThLaetsch, The Minor Prophets: Bible Commentary (1956). – RAugé, Profetes Menors: La Bíblia, versió dels textos originals i comentari XVI (1957). – EOsty (Am Hos) ²1960; AGeorge (Mi Zeph Na) ²1958; JTrinquet (Hab Ob Jl) ²1959; AFeuillet (Jon) ²1957; AGelin (Hag Sach Mal) ³1960: La Sainte Bible. – AWeiser-KElliger, Das Buch der zwölf kleinen Propheten: ATD 24–25, Bd. I (⁴1963), Bd. II (⁵1964).

    3. Zum Text des Dodekapropheton: a. hebräisch: FBuhl, Einige textkritische Bemerkungen zu den kleinen Propheten: ZAW 5 (1885) 179–184. – SBFreehoff, Some text rearrangements in the Minor Prophets: JQR 32 (1941–42) 303–308. – EV(ogt), Fragmenta Prophetarum Minorum Deserti Iuda: Bibl 34 (1953) 423–426. – HGese, Die hebräischen Bibelhandschriften zum Dodekapropheton nach der Variantensammlung des Kennicott: ZAW 69 (1957) 55–69. – JTMilik, Discoveries in the Judean Desert II (1961).

    b. griechisch: KVollers, Das Dodekapropheton der Alexandriner: ZAW 3 (1883) 219–272; 4 (1884) 1–20. – LZSchuurmans-Stekhoveń, De Alexandrijnsche Vertaling van het Dodekapropheton (1887). – OProcksch, Die Septuaginta Hieronymi im Dodekapropheton: Festschr. Univ. Greifswald

(1914). – AKaminka, Studien zur Septuaginta an der Hand der zwölf kleinen Propheten: Schriften d. Ges. z. Förd. d. Wiss. d. Judent. 33 (1928). – JZiegler, Duodecim prophetae: Septuaginta Vetus Testamentum Graecum vol. XIII (1943). – Ders., Die Einheit der Septuaginta zum Zwölfprophetenbuch: Beilage z. Vorlesungsverzeichnis der Staatl. Akademie zu Braunsberg im W.S. 1934–35. – Ders., Beiträge zum griechischen Dodekapropheton (1942). – Ders., Studien zur Verwertung der Septuaginta im Zwölfprophetenbuch: ZAW 60 (1944) 107–131. – Ders., Der griechische Dodekapropheton-Text der Complutenser Polyglotte: Bibl 25 (1944) 297–310. – Ders., Der Text der Aldina im Dodekapropheton: Bibl 26 (1945) 37–51. – FDingermann, Massora – Septuaginta der kleinen Propheten: Diss. Würzburg (1948). – DBarthélemy, Redécouverte d'un chaînon manquant de l'histoire de la Septante: RB 60 (1953) 18–29. – PKahle, Die im August 1952 entdeckte Lederrolle mit dem griechischen Text der kleinen Propheten und das Problem der Septuaginta: ThLZ 79 (1954) 81–94. – DBarthélemy, Les devanciers d'Aquila. Première publication intégrale du texte des fragments du Dodécaprophéton: VTSuppl 10 (1963).

c. lateinisch: APanyik, A critical and comparative study of the old Latin texts of the Book of Ezekiel and the Minor Prophets: Thesis Princeton University (1938). – MStenzel, Das Dodekapropheton der lateinischen Septuaginta, Untersuchungen über die Herkunft und die geschichtliche Entwicklung der lateinischen Textgestalt des nichthieronymianischen Dodekapropheton: Diss. Würzburg (1949). – Ders., Das Dodekapropheton in Übersetzungswerken lateinischer Schriftsteller des Altertums: ThZ 9 (1953) 81–92 (Teil 5 der vorgen. Diss.). – Ders., Die Konstanzer und St. Galler Fragmente zum altlateinischen Dodekapropheton: Sacris Erudiri 5 (1953) 27–85. – Ders., Altlateinische Canticatexte im Dodekapropheton: ZNW 46 (1955) 31–60.

d. syrisch: MSebök (Schönberger), Die syrische Übersetzung der zwölf kleinen Propheten: Diss. Leipzig (1887).

e. koptisch: ASchulte, Die koptische Übersetzung der kleinen Propheten: ThQ 76 (1894) 605–642; 77 (1895) 209–229. – WGrossouw, The Coptic Versions of the Minor Prophets: Monumenta biblica et ecclesiastica 3 (1938). – JZiegler, Beiträge zur koptischen Dodekapropheton-Übersetzung: Bibl 25 (1944) 105–142.

4. Einzeluntersuchungen zum Dodekapropheton: GRichter, Erläuterungen zu dunklen Stellen in den kleinen Propheten: BFChTh 18, 3–4 (1914). – KBudde, Eine folgenschwere Redaktion des Zwölfprophetenbuchs: ZAW 39 (1921) 218–229. – REWolfe, The Editing of the Book of the Twelve: ZAW 53 (1935) 90–130. – ThHGaster, Notes on the Minor Prophets: JThS 39 (1937) 163–165. – GRDriver, Linguistic and Textual Problems: Minor Prophets: JThS 39 (1938) 154–166. 260–273. 393–405. – AJepsen, Kleine Beiträge zum Zwölfprophetenbuch: ZAW 56 (1938) 85–100; 57 (1939) 242–255; 61 (1945–48) 95–114. – ABruno, Das Buch der Zwölf (eine rhythmische und textkritische Untersuchung) (1957).

5a. Zur Geschichte der Auslegung des Hoseabuches: SColeman, Hosea – Concepts in Midrash and Talmud: Diss. Bloemfontein (1960). – JHKroeze, Joodse exegese: GThT 61 (1961) 14–33.

b. Kommentare zu Hosea: ASimon, Der Prophet Hosea erklärt und übersetzt (1851). – AWünsche, Der Prophet Hosea übersetzt und erklärt mit Benutzung der Targumin, der jüdischen Ausleger Raschi, Aben Ezra und David Kimchi (1868). – OSchmoller, Die Propheten Hosea, Joel und Amos: Theologisch-homiletisches Bibelwerk (1872). – WNowack, Der Prophet

Hosea erklärt (1880). – HScholz, Commentar zum Buche des Propheten Hosea (1882). – ThKCheyne, Hosea with Notes and Introduction (1884). – FEPeiser, Hosea: Philologische Studien zum AT (1914). – JLindblom, Hosea. Literarisch untersucht (1927). – HSNyberg, Studien zum Hoseabuche: UUÅ (1935). – Ders., Hoseaboken (1941). – CvanGelderen-WHGispen, Het Boek Hosea: COT (1953). – NHSnaith, Amos, Hosea and Micah: Epworth Preacher's Commentaries (1956). – HFrey, Das Buch des Werbens Gottes um seine Kirche (Der Prophet Hosea): Die Botschaft des AT Bd 23, II (1957).

6. Gesamtdarstellungen zu Hosea: Houtsma, Bijdrage tot de kritiek en verklaring van Hosea: ThT 9 (1875) 55–75. – Oort, Hosea: ThT 24 (1890) 345–364. 480–505. – JJPValeton, Amos en Hosea (1894); deutsche Übersetzung von Echternacht (1898). – SOettli, Amos und Hosea. Zwei Zeugen gegen die Anwendung der Evolutionstheorie auf die Religion Israels: BFChrTh 5, 4 (1901). – JBöhmer, Die Grundgedanken der Predigt Hoseas: ZWTh 45 (1902) 1–24. – Ders., Das Buch Hosea nach seinem Grundgedanken und Gedankengang: NThS 10 (1927) 97–104. – HGunkel, Art. Hosea: RGG² II, 2020–2023. – WECrane, The Prophecy of Hosea: Bibl. Sacra 89 (1932) 480–494. – HBirkeland, Profeten Hosea's forkynnelse: NTT 38 (1937) 277–316. – REWolfe, Meet Amos and Hosea (1945). – HWRobinson, Two Hebrew Prophets. Studies in Hosea and Ezekiel (1948) (Sonderdruck des Hoseateils: The Cross of Hosea). – WFStinespring, Hosea, The Prophet of Doom: Crozer Quarterly 27 (1950) 200–207. – BWAnderson, Studia Biblica XXVI. The Book of Hosea: Interp 8 (1954) 290–303. – ThOHall, Introduction to Hosea: Review and Expositor 54/4 (1957) 501–509. – ECRust, The Theology of Hosea: Review and Expositor 54/4 (1957) 510–521. – JJOwens, Exegetical Study of Hosea: Review and Expositor 54/4 (1957) 522–543. – RBach, Art. Hosea: EKL II, 201–203. – OPlöger, Art. Hosea: RGG³ III, 454. – Ders., Art. Hoseabuch: RGG³ III, 454–457.

7. Einzelprobleme zu Hosea: Erklärungen zu einzelnen Stellen sind im Kommentar vor dem betreffenden Text genannt. – OSeesemann, Israel und Juda bei Amos und Hosea nebst einem Exkurs über Hos. 1–3: Theologische Habilitations–Schrift Leipzig (1898). – KBudde, Zu Text und Auslegung des Buches Hosea 1. 2.: JBL 45 (1926) 280–297; 3.: JPOS 14 (1934) 1–41; 4.: JBL 53 (1934) 118–133. – LWaterman, Hosea, Chapters 1–3, in Retrospect and Prospect: JNESt 14 (1955) 100–109.

8. Zum Hosea-Text: HSNyberg, Das textkritische Problem des AT am Hoseabuch demonstriert: ZAW 52 (1934) 241–254. – WKMGrossouw, Un fragement sahidique d'Osée 2 9–5 1: Muséon 47 (1934) 185–204. – MTestuz, Deux fragments inédits des manuscrits de la Mer Morte: Semitica 5 (1955) 37–38. Tfl. 1. – RVuilleumier, Osée 13 12 et les manuscrits: Revue de Qumran 1 (1958) 281f.

9. Zur Person Hoseas: HSchmidt, Die Ehe des Hosea: ZAW 42 (1924) 245–272. – FDijkema, De profeet Hozea: NThT 14 (1925) 324–342. – A Allwohn, Die Ehe des Propheten Hosea in psychoanalytischer Beleuchtung: ZAWBeih 44 (1926). – LWBatten, Hosea's Message and Marriage: JBL 48 (1929) 257–273. – ThHRobinson, Die Ehe des Hosea: ThStKr 106 (1935) 301–313. – HGMay, An Interpretation of the Names of Hosea's Children: JBL 55 (1936) 285–291. – RGordis, Hosea's Marriage and Message: HUCA 25 (1954) 9–35. – HHRowley, The Marriage of Hosea: BJRL 39 (1956) 200–233. – FSNorth, Solution of Hosea's Marital Problems by Critical Analysis: JNESt 16 (1957) 128–130. – WRudolph, Präparierte Jungfrauen?: ZAW 75 (1963) 65–73.

10. Zur Form der Hoseaworte: HFrey, Der Aufbau der Gedichte Hoseas: WuD NF 5 (1957) 9–103. – MJBuss, A Form-Critical Study in the Book of Hosea with Special Attention to Method: Diss. Yale University (1958). – KElliger, Eine verkannte Kunstform bei Hosea: ZAW 69 (1957) 151–160. – HJBoecker, Redeformen des Rechtslebens im AT: Wiss. Monogr. z. A und NT 14 (1964). – Ders., Anklagereden und Verteidigungsreden im AT: Ev Th 20 (1960) 398–412. – CWestermann, Grundformen prophetischer Rede: BEvTh 31 (1960).

11. Zu den altisraelitischen Überlieferungen bei Hosea: PHumbert, Osée le prophète bedouin: RHPhR 1 (1921) 97–118. – NPeters, Osee und die Geschichte: Vorlesungsverzeichnis der Philosophisch-Theologischen Akademie Paderborn (1924). – ESellin, Die geschichtliche Orientierung der Prophetie des Hosea: NKZ 36 (1925) 607–658. 807. – Ders., Hosea und das Martyrium des Mose: ZAW 46 (1928) 26–33. – JRieger, Die Bedeutung der Geschichte für die Verkündigung des Amos und Hosea (1929). – LDürr, Altorientalisches Recht bei den Propheten Amos und Hosea: BZ 23 (1935) 150–157. – ThCVriezen, Hosea, profeet en cultuur (1941). – HWWolff, Hoseas geistige Heimat: ThLZ 81 (1956) 83–94 = Ges. St. z. AT: ThB 22 (1964) 232–250. – RVuilleumier, La tradition cultuelle d'Israël dans la prophétie d'Amos et d'Osée: Cahiers theologiques 45 (1960). – RRendtorff, Erwägungen zur Frühgeschichte des Prophetentums in Israel: ZThK 59 (1962) 145–167. – PRAckroyd, Hosea and Jacob: VT 13 (1963) 245–259. – EJacob, Der Prophet Hosea und die Geschichte: EvTh 24 (1964) 281–290.

12. Zur Theologie Hoseas: SOettli, Der Kultus bei Amos und Hosea: Greifswalder Studien, Festschrift Cremer (1895) 1–34. – WBaumgartner, Kennen Amos und Hosea eine Heilseschatologie?: SThZ 30 (1913) 30–42. 95–124. 152–170. – HGMay, The Fertility Cult in Hosea: AJSL 48 (1932) 73–98. – HHellbardt, Der verheißene König Israels (Das Christuszeugnis des Hosea): EvThBeih 1 (1935). – GMBehler, Divini amoris suprema revelatio in antiquo foedere data (Osee c. 11): Angelicum 20 (1943) 102–116. – MLDumeste, Le message du prophète Osée: Vie Spirituelle 75 (1946) 710–726. – JGiblet, De revelatione amoris Dei apud Oseam prophetam: Collectanla Mechliniensia 34 (1949) 35–39. – HWWolff, „Wissen um Gott" bei Hosea als Urform von Theologie: EvTh 12 (1952–53) 533–554 = Ges. St. z. AT: ThB 22 (1964) 182–205. – FBuck, Die Liebe Gottes beim Propheten Osee (1953). – NHSnaith, Mercy and Sacrifice (A Study of the Book of Hosea) (1953). – EBaumann, „Wissen um Gott" bei Hosea als Urform von Theologie?: EvTh 15 (1955) 416–425. – HWWolff, Erkenntnis Gottes im AT: EvTh 15 (1955) 426–431. – JLMcKenzie, Divine Passion in Osee: CBQ 17 (1955) 287–299. – Ders., Knowledge of God in Hosea: JBL 74 (1955) 22–27. – GFohrer, Umkehr und Erlösung beim Propheten Hosea: ThZ 11 (1955) 161–185. – GÖstborn, Yahweh and Baal, Studies in the Book of Hosea and related Documents: LUÅ NF 1, 51, 6 (1956). – AFeuillet, L'universalisme et l'alliance dans la religion d'Osée: Bible et Vie Chrétienne 18 (1957) 27–35. – EHMaly, Messianism in Osee: CBQ 19 (1957) 213–225. – WEichrodt, „The Holy One in Your Midst" (The Theology of Hosea): Interp 15 (1961) 259–273. – HWWolff, Guilt and Salvation (A Study of the Prophecy of Hosea): Interp 15 (1961) 274–285. – ACaquot, Osée et la Royauté: RHPhR 41 (1961) 123–146. – VSchwarz, Das Gottesbild des Propheten Oseas: Bibel und Liturgie 35 (1961/62) 274–279. – HWWolff, Guds Lidenskap i rettsstriden med Israel: Tidsskrift for teologi og Kirke 33 (1962) 74–82. – CTFrancisco, Evil and Suffering in the

Book of Hosea: Southwestern Journal of Theology 5 (1962/63) 33–41. – EJacob, L'Héritage cananéen dans le livre du prophète Osée: RHPhR 43 (1963) 250–259.

DER TITEL DES BUCHES
(1 1)

KBudde, Der Abschnitt Hosea 1–3 und seine grundlegende religionsgeschicht-   Literatur
liche Bedeutung: ThStKr 96/97 (1925) 1–89. –ADTushingham, A Reconsider-
ation of Hosea chapters 1–3: JNESt 12 (1953) 150–159. – S. u. S. 6 Literatur
zu 1 2–9).

¹𝔇as 𝔚ort 𝔍a𝔥𝔴es, das an 𝔥o𝔣ea, den 𝔖o𝔥n des 𝔅eeri, ʒur 𝔷eit des 𝔘𝔣𝔣ia,   Text
des 𝔍ot𝔥am, des 𝔄𝔠𝔥as und des 𝔥isⷦia, der 𝔎önige von 𝔍uda, und ʒur 𝔷eit des
𝔍erobeam, des 𝔖o𝔥nes des 𝔍oas, des 𝔎önigs von 𝔍𝔣rael, ergangen i𝔣t.

Keine einzige Wendung zeigt dieser einleitende Satz, die nicht auch   Form
anderswo am Kopf von Prophetenschriften Bestandteil einer Überschrift
wäre: ‏דבר־ יהוה אשר היה אל־‎ an der Spitze in Jl 1 1 Mi 1 1 Zeph 1 1 (Jer 1 1 𝔊);
in etwas anderer Verbindung auch Ez 1 3 Jon 1 1 Sach 1 1 Hag 1 1 Mal 1 1;
der Vatername mit ‏בן־‎ Jl 1 1 Jon 1 1 Zeph 1 1 Sach 1 1 Jes 1 1 Jer 1 1; die Zeitangabe mit ‏בימי‎ und Nennung der regierenden Könige Judas in Mi 1 1
Zeph 1 1 Jes 1 1 Jer 1 2, Judas und Israels in Am 1 1. Alle Formelemente
kehren in der Überschrift des Zephanjabuches wieder; in exilischen und
nachexilischen Prophetenschriften sind sie nur abgewandelt zu finden.
Dem eigentlichen Überschriftswort ‏דבר יהוה‎ sind alle anderen Angaben
über Name, Herkunft und Zeit des Propheten im Nebensatz untergeordnet.

Diese Überschrift wird von einem Sammler von Prophetenüberliefe-   Ort
rungen stammen, der in judäischen Kreisen zu Hause ist. Denn für ihn
verdient das davidische Herrscherhaus den Vorrang. Er hat alte Angaben
verarbeitet, die sonst nicht erhalten sind. Woher wüßte er sonst den Namen des Prophetenvaters Beeri, der im Hoseabuche nicht mehr vorkommt? Auch die Tatsache, daß von den israelitischen Königen nur
Jerobeam II. genannt wird, läßt auf eine Vorlage schließen. Daß bei ihm
im Unterschied zu den judäischen Königen der Vatername zugefügt wird,
besagt noch nicht viel, muß er doch als Sohn des Joas von Jerobeam I.,
dem Sohn des Nebat, unterschieden werden (so auch Am 1 1; vgl. 2 Kö
14 23f.). Entscheidend ist, daß die judäische Königsreihe weit über das
Todesjahr Jerobeams II. hinausragt, das wahrscheinlich mit dem Ussias
von Juda identisch ist (s.u. S. 4). Der judäische Bearbeiter hat offensichtlich einen größeren Zeitraum vor Augen als die Quelle, die ihm den
israelitischen König und Hoseas Vater Beeri nannte. Trug diese Quelle
eine Überschrift, die die beiden Namen bot? Sie könnte dann nicht den
gesamten Bestand literarisch überlieferter Hoseaworte umfaßt haben;
denn von ihnen stammen viele fraglos aus der späteren Zeit der Thron-

1

wirren (z.B. 8 4), des syrisch-ephraimitischen Krieges (5 8ff) und der Assyrergefahr (9 3 u.ö.). Man könnte eher an eine Überschrift zu Kap. 1–3
als einer ehemals selbständigen Schrift denken. Denn diese Kapitel, die
in ihren Rahmenstücken intime Kenntnis der persönlichen Verhältnisse
Hoseas verraten, nennen auch noch andere Namen aus seiner Familie
(1 3 4 6 9); sie bieten darüber hinaus fraglos Worte aus der politisch
ruhigen und satten Zeit Jerobeams II. (1 4 2 7 10 13); aber daneben enthalten sie doch auch Sprüche, die besser aus der Zeit nach den Ereignissen des Jahres 733, also aus den Tagen des Königs Hosea, verständlich
werden (2 1–3 23–25 s.u. S. 11), obwohl sie noch stichwortartig mit dem
Thema der Prophetenfamilie verknüpft sind, das die Kap. 1–3 eint. So
wird man besser daran tun, die Namen Jerobeam und Beeri ursprünglich
mit 1 2a verbunden zu sehen, so daß die Regierungszeit Jerobeams II.
zunächst nur „den Anfang" der prophetischen Wirksamkeit Hoseas bezeichnen sollte, nicht aber alle Sprüche der Kap. 1–3 datierte. 1 1 erscheint uns also als das Ergebnis einer Verarbeitung von Angaben aus
1 2 zum Titel des heutigen Hoseabuches durch einen judäischen Redaktor. Mit der Reihe der vier Jerusalemer Königsnamen stellt er seinen
Lesern Hosea als einen Zeitgenossen des Jesaja (1 1) vor. Diese Angabe
dürfte im Blick auf das ganze Buch wenigstens insoweit zutreffen, als die
Wirksamkeit Hoseas jedenfalls bis in die Anfangsjahre der Regierung
Hiskias gereicht haben wird.

Der Redaktor ist in deuteronomistischen Kreisen zu suchen. Die Verbindung von דבר יהוה mit היה und אל ist im deuteronomistischen Geschichtswerk (2 S 7 4 u.ö., insgesamt 12 mal), im Jeremia- (1 4 11 2 1 u.ö.,
insgesamt 30 mal) und Ezechielbuch (1 3 3 16 6 1 u.ö., insgesamt 50 mal)
zu Hause; vollständige Übersicht bietet OGrether, Name und Wort Gottes im AT: ZAWBeih 64 (1934) 67f.; vgl. WZimmerli, Ezechiel: BK XIII
(1956) 88f. Da Micha (ohne Vaternamen) und Zephanja im wesentlichen die gleiche Überschrift zeigen (s.o. S. 1), so haben wir vielleicht
den Bearbeiterkreis einer vorexilischen Prophetenbuchreihe vor uns. Mit
dem Ende des judäischen Staates trat die Gültigkeit des alten prophetischen Gerichtswortes, die sich vorher schon im Untergang des Staates
Israel gezeigt hatte, unübersehbar vor aller Augen. Die exilische Zeit der
ersten Hälfte des 6. Jahrhunderts ist der abschließenden Sammlung der
vorexilischen Prophetenworte günstig gewesen, zumal eine Theologie des
Jahwewortes die deuteronomistischen Kreise innerlich vorbereitet hatte.
Vgl. EJanßen, Juda in der Exilszeit: FRLANT 69 (1956) 84ff. Den Verfasser von Hos 1 1 können wir uns hier am besten vorstellen.

Wort   Weshalb Berichte und Sprüche des Buches dem Leser dargeboten
werden, stellt gleich das erste Wort heraus: sie bringen „Wort Jahwes".
דבר יהוה meint hier nicht mehr den prophetischen Einzelspruch, sondern
die prophetische Gesamterfahrung, die sowohl das durch den Propheten

zu verkündende Offenbarungswort (z.B. 2 18 23f 4 1) als auch das Befehlswort, das über sein eigenes Leben verfügt (12 3 1), umschließt. Auch die Prophetenerzählungen (1 2–9 3 1–5) bietet das Buch also nicht aus biographischen Interessen dar, sondern nur deshalb, weil sie das Jahwewort bewahren. Der Singular bekundet die Einheit der Willenskundgebung Jahwes bei aller Vielgestaltigkeit seines Redens. Insofern ist diese Formulierung des Buchtitels ein wichtiger Schritt auf dem Wege zur Kanonbildung (vgl. OGrether a.a.O. 145f.); sie denkt aber das Gotteswort noch nicht als „heilige Schrift" (anders Weiser z. St.), sie behält vielmehr das Ereignis des je und je den Propheten treffenden Wortes Gottes deutlich vor Augen: אשר היה אל-.

In dem so eingeleiteten Nebensatz sind alle anderen Angaben jenem ersten Hauptwort untergeordnet, auch der Name Hosea. הושע ist ein nur aus dem pf. hi. von ישׁע gebildeter Dankname (Noth, Pers 175f., vgl. auch S.32 und 36), der die bei der Geburt des genannten Kindes oder bei anderen Begebenheiten erfahrene Hilfe bezeugt: „Er hat geholfen". Der Israelit denkt natürlich an Jahwe als Helfer. Die volle Namensform הושׁעיה, die Neh 12 32 Jer 42 1 43 2 erscheint, spricht gegen LKoehlers Ableitung von יושִׁיעַ und יְהוֹ (KBL 228), ferner die Beobachtungen, daß in der Nomenklatur der Königszeit die Perfekt-Nomen-Bildungen überwiegen und der Ausfall des Nomen auch sonst in dieser Zeit erscheint, z.B. bei נתן und אחז (Noth, Pers 21f.), und daß Nomen-Imperfekt-Bildungen mit יהו stets anders aussehen, wie יְ(ה)וֹיָרִיב, יְ(ה)וֹיָקִ(י)ם, יְ(ה)וֹיָכִין. Der Name kommt außerhalb des AT in den Elephantine-Papyri aus dem 5. Jahrhundert v. Chr. (AOT² 452. 454 = ACowley, Aramaic Papyri of the fifth Century B.C. (1923) Nr. 33 4 39 1; s. auch Index; ferner EGKraeling, The Brooklyn-Museum Aramaic Papyri (1953) 4 24 6e 9 23 f.), im AT noch bei vier weiteren Personen vor: als früherer Name Josuas Nu 13 8 u.ö., beim letzten König Israels 2 Kö 15 30 u.ö. und bei zwei verschiedenen Sippenhäuptern in Neh 10 24 1 Ch 27 20. Die beiden älteren (Nu 13 8 1 Ch 27 20) werden ausdrücklich als Ephraimiten vorgestellt. Ist der Name im Stamme Ephraim zu Hause oder – von Josua her – besonders beliebt? Sollte unser Prophet auch ein Sohn dieses führenden Stammes des Nordreiches sein? Das wäre hier schon zu bejahen, wenn wir den Namen seines Vaters Beeri in Beziehung setzen dürften zu dem ephraimitischen Grenzort, der heute *el-bire* (3 km sw Bethel) heißt, in dem man vielleicht das alte Beeroth zu suchen hat (vgl. KvRabenau, BHH I, 1962, 210f.; vgl. auch KDSchunck, Benjamin: ZAWBeih 86, 1963, 160, Anm. 50); das ist aber nach der Überlieferung zweifelsfrei ein benjaminitischer Ort (Jos 18 25 2S 4 2). Wir werden an dieser Stelle die Frage offenlassen müssen, ob Hosea wirklich „aus der kampfdurchtobten Grenzmark" Ephraims (JHempel, Die althebräische Literatur und ihr hellenistisch-jüdisches Nachleben, 1934, 130 im Anschluß an GHölscher, Die Profeten, 1914, 205ff.) oder „vielleicht aus Beeroth in Benjamin" (JHempel, Worte der Profeten, 1949, 115) stammt. Denn die Beziehung des Vaternamens zu einem Ortsnamen ist etymologisch unwahrscheinlich. Der Personenname באֵרי (sonst im AT noch Gn 26 34 als Name eines der hethitischen Schwiegerväter Esaus; zum außerbiblischen Vorkommen in Elephantine-Papyri und El-Amarna-Tafeln vgl. JLippl z.St.) ist ein elementarer Ausdruck der Elternfreude bei der Geburt und zu übersetzen „Mein Brunnen!" oder noch eher „O Brunnen!" (Noth, Pers 224; die vokalische Endung י in Namen hat meist vokative Bedeutung, a.a.O. 38). Dieser uralte Name drückt wohl das Entzücken über der Geburt eines Sohnes aus, daß der Lebensbrunnen der Sippe weiter sprudelt. Dem Verfasser unserer Überschrift ist lediglich die Tatsache wichtig, daß der Prophet Sohn eines bestimmten Vaters, also ein Mensch unter Menschen ist. Ein Würdetitel wie נָבִיא erscheint daneben nicht (in Buchüberschriften erst Hab 1 1 Hag 1 1 Sach 1 1, berufliche Herkunft notieren nur Am 1 1 Jer 1 1, zu Ez 1 3a vgl. WZimmerli, BK XIII, 28), ebensowenig der Heimatort (ihn nennen die Buchüberschriften Am 1 1 Mi 1 1 Na 1 1 Jer 1 1).

Mehr als Daten der Person beschäftigen unseren Sammler die der Zeit. Die Jerusalemer Gemeinde orientiert sich zuerst an der davidischen Dynastie als der bekannteren und legitimen. AJepsen (Untersuchungen zur isr.-jüd. Chronologie: ZAWBeih 88, 1964, 42; vgl. EKutsch, RGG³ III 944) hat als Regierungszeiten ermittelt: Ussia 787–736, Jotham 756–741, Achas 741–725, Hiskia 725–697, wobei die Jahre jeweils vom Herbstbeginn an zu rechnen sind. Das Datum des Todes Achas' und des Regierungsantritts Hiskias ist dabei am wenigsten gesichert. Nach 2 Kö 18 13 könnte man 715 annehmen (so WFAlbright, BASOR 100, 1945, 22), nach 2 Kö 18 1 eher 729 (vgl. Noth, GI 239²). Da wir Sprüche Hoseas aus der Zeit nach dem Untergang des Nordreichs (Samaria fiel im Frühjahr 722) nicht kennen, spricht Hos 1 1 gegen das Jahr 715. Die Nennung Hiskias läßt uns damit rechnen – da wir eine gedankenlose Übernahme der judäischen Königsliste aus Jes 1 1 nicht anzunehmen haben –, daß Hosea wenigstens bis in die Zeit unmittelbar vor Beginn der Belagerung Samarias (724/3) gewirkt hat. Daß ein bedeutsamer erster Teil seines Auftretens in Ussias Tagen anzunehmen ist, dafür spricht der Umstand, daß aus der parallelen israelitischen Königsliste nur Jerobeam II. (nach AJepsen 787–747) genannt wird. Unsere literarkritische Beobachtung (o. S. 2) legte die Annahme nahe, daß sein Name, ursprünglich mit 1 2 verbunden, den Anfang der Wirksamkeit Hoseas bezeichnete. Diese Hervorhebung dürfte dem inneren Gewicht und wahrscheinlich auch einem gewissen äußeren Umfang der Verkündigung Hoseas in den Tagen Jerobeams II. entsprechen.

Ziel   Die Bedeutung der Buchüberschrift liegt darin, daß der Sammler die

folgenden Prophetenworte und -erzählungen ihrer Herkunft nach dreifach kennzeichnet: Erstens und hauptsächlich als Gotteswort; als solches
soll das gelesen werden, was hier gesammelt vorliegt. Zweitens als von
Gott zunächst an einen Menschen ergangenes und darum nur durch den
Menschen Hosea zu vernehmendes Gotteswort. Drittens als ein in bestimmter Stunde, nämlich in den Jahrzehnten vor dem Zusammenbruch des Staates Israel ergangenes Gotteswort. Nach der Meinung des deuteronomistischen Redaktors (s.o.S. 2) leidet die Aktualität des aufzubewah-
renden Wortes nicht darunter, daß es in datierbarer Vergangenheit erging,
sie wird vielmehr damit erst begründet. Denn in jenen Tagen ist das Jahwewort als das über Israel entscheidende ergangen, das eben darum auch
im späteren Juda und noch zur Exilszeit als das gültige Jahwewort zu
lesen und zu hören ist. Es ist bewährtes Wort des Herrn der Geschichte.
Dieser Sammler hat die Geschichte Israels als eine Geschichte des sich
erfüllenden Jahwewortes durchschaut; vgl. GvRad, Deuteronomium-
studien (1947) 64. Er formuliert darum die Überschrift bewußt anders
als sonstige, z.T. sogar ältere Prophetenbuchredaktoren, die den Pro-
phetennamen an die Spitze setzen (Am 1₁ Jes 1₁ Jer 1₁₋₂ Ob 1 Na 1 1).

DIE PROPHETENFAMILIE ALS GOTTES DROHZEICHEN
(1 2–9)

Literatur JSteuber, Dissertatio de conjugio Hoseae prophetae cum meretrice ex jussu Dei, Ad Hoseam 1; Thesaurus theologico philologicus sive Sylloge dissertationum elegantiorum ad selectiora et illustriora Veteris et Novi Testamenti loca, Amsterdam 1701. – PVolz, Die Ehegeschichte Hoseas: ZWTh 1898, 321–335. – JABewer, The Story of Hosea's Marriage: AJSL 22 (1906) 120–130. – WCaspari, Die Nachrichten über Heimat und Hausstand des Propheten Hosea und ihre Verfasser: NKZ 26 (1915) 143–168. – PHumbert, Les trois premiers chapitres d'Osée: RHR 1918. – AHeermann, Ehe und Kinder des Propheten Hosea, eine exegetische Studie zu Hos 1, 2–9: ZAW 40 (1922) 287–312. – HSchmidt, Die Ehe des Hosea: ZAW 42 (1924) 245–272. – AAllwohn, Die Ehe des Propheten Hosea in psychoanalytischer Beleuchtung: ZAWBeih 44 (1926). – KBudde, Hos 1 und 3: ThBl 13 (1934) 337–342. – ThHRobinson, Die Ehe des Hosea: ThStKr 106 (1935) 301–313. – HGMay, An Interpretation of the Names of Hosea's Children: JBL 55 (1936) 285–291. – JCoppens, L'histoire matrimoniale d'Osée: BBB 1 (1950) 38–45. – RGordis, Hosea's Marriage and Message: HUCA 25 (1954) 9–35. – LWatermann, Hosea Ch. 1–3 in Retrospect and Prospect: JNESt 14 (1955) 100–109. – HHRowley, The Marriage of Hosea: BJRL 39 (1956) 200–233 = Men of God. Studies in OT History and Prophecy (1963) 66–97. – FSNorth, Solution of Hosea's Marital Problems by Critical Analysis: JNESt 16 (1957) 128–130. – Ders., Hosea's Introduction to his Book: VT 8 (1958) 429–432. – WRudolph, Präparierte Jungfrauen?: ZAW 75 (1963) 65–73. – JLindblom, Prophecy in Ancient Israel (²1963) 165–169. – S.o.S. 1 (Literatur zu 11).

Text ²Wie Jahwe anfing, durch Hosea zu reden[a].
Jahwe sprach zu Hosea:
> Geh, nimm dir ein Hurenweib
> und Hurenkinder!
> Denn das Land läuft der Hure gleich[b]
> von Jahwe weg.

³Da ging er und nahm Gomer, die Tochter Diblajims.
Sie empfing und gebar ihm[a] einen Sohn.
⁴Da sprach Jahwe zu ihm[a]:
> Nenne ihn Jesreel!
> Denn in kurzer Frist
> ahnde ich Jesreels Blut
> an Jehus Haus,
> verabschiede ich das Königtum
> in Israels Haus.
> ⁵An jenem Tage geschiehts,
> da zerbreche ich Israels Bogen
> im Jesreeltal.

⁶Und wieder empfing sie und gebar eine Tochter.
Da sprach er[a] zu ihm:

6

Nenne sie „Ohne-Erbarmen"!
Denn nicht mehr schenke ich
Israels Haus mein Erbarmen,
entzieh's ihnen vielmehr[b].
7 [Aber dem Hause[a] Juda will ich Erbarmen schenken; ich werde ihnen beistehen mit Jahwe, ihrem Gott; nicht werde ich ihnen beistehen mit Bogen, Schwert und Kriegsgerät, mit Rossen und Reitern.][b]
8 Als sie Ohne-Erbarmen entwöhnt hatte, empfing sie und gebar einen Sohn.
9 Da sprach er[a]:
Nenne ihn „Nicht-mein-Volk"!
Denn Nicht-mein-Volk seid ihr,
Und Ich – Ich-bin-nicht-da für euch[b].

2a 𝔊 'Αρχὴ λόγου κυρίου ἐν (so BQΘ, die meisten übrigen 𝔊-Handschriften 2
πρός nach 11 = אֶל) Ωσηε rechtfertigt nicht Änderung des schwierigeren massoretischen דְּבַר in das gewöhnliche דְּבַר, zumal 'A ἀρχὴ ἦν ἐλάλησεν bietet. –
b wörtlich: „das Land hurt, ja hurt von Jahwe weg"; Hosea liebt constructio praegnans, bei der ein Verb der Bewegung dem Sinne nach zu ergänzen ist; vgl. 2 17. 20 3 5 12 7, Ges-K § 119 ee-gg, Grether § 87h. – 3a לֹו fehlt in einigen 3
Handschriften, ebenso αὐτῷ gelegentlich in 𝔊-Handschriften (vgl. Ziegler), womit der Satz dem Wortlaut von 6 und 8 angeglichen wird. – 4a Eine hebr. 4
Handschrift liest אֵלַי (FSNorth 430), was leicht als Verstümmelung von אֵלָיו zu erklären ist. – 6a 𝔊 und 𝔊[Luc] erleichtern das Verständnis des knappen, alten 6
Textes durch Einschub ihres Wortes für יהוה; ferner setzt 𝔊 לִי statt לֹו voraus.
– b 𝔊 ἀλλ' ἦ ἀντιτασσόμενος ἀντιτάξομαι αὐτοῖς kann die Konjektur שָׂנֹא אֶשְׂנָא
(BHK³) nicht begründen (שׂנא stets = μισεῖν vgl. 9 15 Am 5 21 Mi 3 2 mit Akk.
d. Pers.!); 'A ἐπιλήσομαι αὐτῶν (ebenso 𝔙 sed oblivione obliviscar eorum) könnte נָשֹׁה אֶשֶּׁה = „ich werde sie völlig vergessen" voraussetzen, was aber Akk.
statt לֹ erfordern würde (Thr 3 17). Graphisch wenigstens ebenso nahe liegt
הַשֵּׂא אַשֵּׂא (vgl. Jer 4 10 29 8 c. לֹ; aber in der Bedeutung „täuschen"); נשׂא
hi. bedeutet in Ps 89 23 (c. בּ) 55 16 (c. עַל) „angreifen, anfallen" (Ges-Buhl);
dann wäre zu übersetzen: „ich werde sie vielmehr heftig angreifen." Der
Vorschlag bleibt bedeutungsmäßig und syntaktisch unsicher. So wird man
versuchen müssen, 𝔐 zu verstehen, und zwar als eine elliptische Phrase:
„nicht mehr schenke ich ... mein Erbarmen, vielmehr entziehe ich ihnen
gänzlich" (sc. רַחֲמַי; ארחם geht thematisch vorauf; zu נשׂא in der Bedeutung „davontragen, wegnehmen" vgl. 514 Jer 49 29 Mi 2 2 u.ö., vgl. KBL
636b Nr. 16 u. 17); die alte Erklärung Hengstenbergs lautete: „wegnehmen
will ich ihnen (sc. alles)"; aber das Objekt muß aus dem Kontext ergänzt werden (vgl. Keil z. St.; נשׂא רחמים לֹ ist sonst nicht belegt, aber vgl. נתן רחמים לֹ
Gn 43 14 Dt 13 18 Jer 42 12 und שׂים רחמים לֹ Jes 47 6). Die durch 𝔊 gestützte
Bedeutung des כּי = „sondern, vielmehr" nach negativem Satz (vgl. Gn 3 5
17 5 24 4 Jes 7 8 1S 27 1) muß unbedingt festgehalten werden; nur so wird die
starke Betonung dieses Satzhöhepunktes (inf. abs.!) verständlich. Damit erübrigt sich die Deutung, die נשׂא = „vergeben" voraussetzt und eine schwierige
modale Auffassung notwendig macht: „daß ich ihnen vergäbe" (so Budde,
Weiser, Robinson u.a.). – 7a 𝔊 τοὺς δὲ υἱούς = בְּנֵי kann unter dem Einfluß 7
der pluralischen Suffixe in der näheren Umgebung entstanden sein. – b Ergänzung judäischer Redaktion (s.u.S. 22f.).– 9a Wenige Handschriften von 9
Übersetzungen setzen wie in 4 und 6 לֹי bzw. אֵלָיו (FSNorth 431) voraus, was von
𝔊 wieder als 1. Pers. verlesen wurde; vgl. 4a. 6a. – b 𝔊 καὶ ἐγὼ οὐκ Εἰμί (!) ὑμῶν;

nur wenige spätere 𝔊-Handschriften haben ϑεός vor oder nach ὑμῶν eingefügt (vgl. Ziegler), so daß die Konjektur אֱלֹהֵיכֶם (vgl. BHK³, Weiser) als Texterleichterung abzuweisen ist; anders R Smend, Die Bundesformel: ThSt (B) 68 (1963) 38.

Form Der Abschnitt stellt eine ursprüngliche Erzählungseinheit dar. Vier Weisungen Jahwes an Hosea fügt er zusammen. Die letzten drei gehören offensichtlich zueinander. Sie erscheinen einheitlich im Rahmen des Berichtes von der Geburt der drei Kinder Hoseas. Sie ordnen in gleichförmiger Stilisierung die Namengebung dieser Kinder: dem knappen Befehl קרא שם folgt immer ein durch כי eingeleitetes Drohwort, das zugleich den Sinn des Namens deutet.

Die Verse 5 und 7 fallen aus diesem Rahmen heraus. 5 bringt eine zweite, andersartige Deutung des Namens Jesreel im Stil eines selbständigen Drohwortes, nicht im Stil eines Deutewortes zur Namengebung: statt mit כי (4.6.9) ist es mit der Verknüpfungsformel והיה ביום ההוא eingeleitet (auch 2 18.23; zu dieser Verknüpfungsformel s. BK XIV/2, 90 zu Jl 4 18). 7 zeigt den Stil einer Glosse, die das wichtigste Stichwort von 6 aufnimmt (ארחם), inhaltlich aber eine Antithese zu 6 darstellt, indem sie dem Drohwort für Israel eine Verheißung für Juda entgegenstellt. Beide Verse sind in unserem Kapitel literarisch sekundär, bleiben also im folgenden außer Betracht.

Mit 1 9 endet die Einheit, denn 2 1–3 setzt zwar die Namengebung von 1 2–9 voraus, erzählt jedoch nicht mehr von Jahwes Reden zu Hosea in Sachen seiner Familie. Wo aber beginnt die Einheit? Gehört 1 2 zur ursprünglichen Erzählung? Daß die Charakterisierung der Frau und der Kinder als „der Unzucht verfallen" hier nach Ausweis des Deutewortes das Interesse beherrscht, scheint dagegen zu sprechen, weil sie im Fortgang der Erzählung nicht mehr erwähnt wird (s.u. S. 13). Doch der Befehl zur Heirat ist als Einleitung schlechterdings unentbehrlich und im Satzgefüge unlöslich mit dem Folgenden verknüpft: 2 קח לך – 3 ויקח וילך. Auch der Stil des Jahwewortes ist in der Verbindung des Befehls mit einem deutenden כי-Satz den späteren Jahweworten gleichförmig. Der Unterschied liegt darin, daß der Deutesatz nicht ein Drohwort, sondern ein Scheltwort enthält, also nicht Jahwes kommendes Gerichtshandeln ankündigt (Jahwe ist in 4.6.9bβ Subjekt), sondern Israels gegenwärtige Schuld kennzeichnet, die die kommende Strafe vorweg begründet („das Land" ist in 2bβ Subjekt). Eben darin zeigt sich der Charakter von 2 als einer unentbehrlichen Einleitung; er sichert die Zugehörigkeit von 2 zu 3–9. Allenfalls könnte man fragen, ob in 2 ein älterer, ursprünglich selbständiger Bericht verarbeitet sei.

Der Ton der Komposition liegt auf den dem Auftakt von 2 folgenden Gottessprüchen, die in Drohungen übergehen. Der erzählende Rahmen bietet in seiner Eintönigkeit (gleichbleibend ותהר ותלד ויאמר קרא שם mit

8

kleinen Einschaltungen) nicht viel mehr als die den Jahweworten zugehörigen Einführungsformeln. Sie werden zunehmend knapper (4: ויאמר – 6: יהוה אליו – 9: ויאמר לו; aus den gleichen stilistischen Gründen fehlt לו [3] nach ותלד in 6 und 8; vgl. Gn 4 1f.) und weichen vor den gleichzeitig umfassender (4: das Königshaus bedroht, 6 und 9: das ganze Volk), schärfer (6: לא אוסיף ארחם – 9: לא אהיה לכם) und direkter (erst 9 geht zur Anrede über) werdenden Drohungen zurück. Die Varianten innerhalb des Rahmenschemas – der Wechsel von Sohn und Tochter, die Entwöhnung der Tochter in 8 – reichen aber zusammen mit der Erwähnung des Namens der Frau (3) hin, um die Geschichtlichkeit des Erzählten außer Frage zu stellen.

Damit kommt als G a t t u n g keinesfalls die Allegorie in Betracht (gegen HGreßmann, SAT 2, 1² 366; vgl. HSchmidt 245ff.) [1], vielmehr handelt es sich um die Form des M e m o r a b i l e (zum Begriff s.u. S. 71). Ihr sind die Erzählungen von prophetischen Zeichenhandlungen zuzuordnen. Dieser Sonderfall von Memorabilien zeigt als seine beiden wesentlichen Merkmale den G o t t e s b e f e h l zu einem bestimmten Handeln und seine D e u t u n g als Zeichen (vgl. 3 1 Jes 8 1ff. 20 2ff. Jer 27 2ff.). Dagegen kann ein drittes Element, der Bericht von der D u r c h f ü h r u n g des Auftrags (3 2f. Jes 20 2b), fehlen (Jes 8 3f. Jer 27 2ff.). Es erscheint hier nur nach dem Heiratsbefehl 2f., dessen Einleitungscharakter damit bestätigt wird (vgl. Jes 8 1f.), dagegen nicht mehr bei den folgenden Benennungsaufträgen für die Kinder. Vgl. WZimmerli, Ezechiel: BK XIII (1956) 103f.

Im Unterschied zu allen verwandten Zeichenhandlungsmemorabilien, die nur Einzelhandlungen darstellen (allenfalls einmal langdauernde wie das dreijährige „Nacktlaufen" Jesajas 20 3 oder Dauerzustände wie die Ehelosigkeit Jeremias 16 1ff.), liegt hier ein Bericht vor, der vier verschiedene, durch Jahre voneinander getrennte Gleichnishandlungen zusammenfaßt. Damit wächst die Form erstmalig zu einer M e m o r a b i l i e n s a m m l u n g aus. Man sollte nicht von einer „(Entwicklung zur selbständigen) Prophetenbiographie" sprechen (vgl. JHempel, Althebr. Lit. 97). Denn nicht eigentlich das Leben des Propheten findet Aufmerksamkeit – dann müßte wenigstens die Ausführung des Befohlenen regelmäßig erzählt sein –, sondern das Jahwewort, das ihn mit seinem Familienleben beanspruchte. „Biographisches" Interesse zeigt sich in Israel beherrscht vom

[1] Schon das Targum, altkirchliche Ausleger seit Hieronymus und Calvin (CR LXX, 16) meinten, mit allegorischer Auslegung vor allem von 2 den Propheten moralisch in Schutz nehmen zu müssen, wie andere seit Origenes über die großen jüdischen Ausleger des Mittelalters Ibn Ezra, Kimchi, Maimonides bis zu Hengstenberg, Keil und König es mit der Auskunft versuchten, hier werde nur visionäres Erleben beschrieben; dagegen sahen schon in der alten Kirche Irenaeus, Theodor von Mopsuestia, Theodoret, Cyrill und Augustinus, im Mittelalter u.a. Albertus Magnus, neuerdings seit Wellhausen, Duhm und Budde fast alle, auch katholische Ausleger wie Lippl und Coppens, wirkliches Geschehen erzählt.

Aufmerken auf ergangene Gottessprüche und zeitigt als Ergebnis nicht mehr als eine neue Form ihrer Sammlung, die ihren ursprünglichen Sitz im persönlichen Lebenslauf nennt. Insofern sind die prophetischen Memorabilien den Apophthegmata der Evangelienliteratur verwandt (zur Verwendung des Begriffs in der neutestamentlichen formgeschichtlichen Arbeit vgl. zuletzt HConzelmann, Art. Formen und Gattungen: EKL I, 1313); auch die prophetische Literatur kennt solche Apophthegmata (z.B. Am 7 10–17; Jes 7 1–19). Von ihnen unterscheiden sich aber die hier vorliegenden Memorabilien (ἀπομνημονεύματα) dadurch, daß das Geschehen nicht wie dort nur den Rahmen des Wortes ausmacht; sondern, als Geschehen, vom Wort heraufgeführt wird. Insofern ist der Ereignischarakter des Berichteten in den Memorabilien von wesentlicher Bedeutung. S.u. S. 72. Vgl. WZimmerli a.a.O. 103; GFohrer, Die symbolischen Handlungen der Propheten: AThANT 25(²1968). Die prophetischen Berufungsberichte gehören dieser Gattung in gleicher Weise an wie die Zeichenhandlungsberichte.

Die fundamentale Bedeutung des Jahwewortes in den Zeichenhandlungsberichten wird dadurch unterstrichen, daß sie den Eindruck rhythmischer Bewegtheit erwecken. Am klarsten tritt das Metrum in 2 hervor: zwei Qinaperioden bilden synthetisch parallele Sinneinheiten aus je 3+2 Takten (לך קח־לך wird dabei als ein Takt gelesen. Die Einführungsformeln stehen – entgegen der Satzanordnung in BHK³ – immer außerhalb des Metrums). Nicht mit gleicher Sicherheit lassen sich die weiteren Jahweworte rhythmisch lesen. Sowohl Qinaperioden (drei in 4, eine in 5b, zwei in 6, eine in 9abα?) wie auch Doppeldreier (zwei in 6, einer in 9b?) lassen sich nur finden, wenn man einige Ausnahmen von den Regeln annimmt, gleichgültig, ob man es mit dem akzentuierenden oder dem alternierenden System versucht. Vgl. zur Problematik zuletzt FHorst, Die Kennzeichen der hebräischen Poesie: ThR 21 (1953) 97–121.

Ort   Der Verfasser des Stückes ist schwerlich der Prophet selbst. Zwar meint FSNorth 432, auf Grund einiger Textvarianten in 3.4.6.9 einen ursprünglichen Ich-Bericht rekonstruieren zu können. S.o. Textanm. 3a. 4a. 6a. 9a. Aber der bestbezeugte Text erzählt im Er-Stil. Man könnte allerdings fragen (vgl. Allwohn 14f.), ob sich nicht die „Autobiographie" in allen alten Literaturen ursprünglich der dritten Person bediente, wie auch das Kleinkind nicht sofort im Ich-Stil spricht; und ob nicht eine solche unpersönliche Rede beim Propheten deshalb wahrscheinlich sei, weil er in der „Ichverlorenheit" der „Ekstase" schreibt. Aber für Hosea 1 werden beide Fragen zu verneinen sein, weil ein Bericht im Ich-Stil in Kap. 3 folgt und weil in Kap. 1 jedenfalls nicht aus dem unmittelbaren Erleben geschrieben wird, sondern in wachem Überblick über vergangene Jahre. Darum liegt es näher, an einen Prophetenschüler als Verfasser zu denken. Der Prophet fand Hörer, die Memorabilien sowie Sprüche als Zeugenberichte publizierten.[1]

An einen Ohrenzeugen, also einen Zeitgenossen, werden wir denken müssen, weil der Verfasser sich in seinem Rahmenbericht gut informiert zeigt. Er kennt die Prophetenfrau mit Namen (3) und weiß um den Geburtstermin des dritten Kindes (8). Die letzte Angabe (s.u. S. 23) läßt, zusammen mit den voraufgehenden Geburten, einen Rückschluß auf die Zeit der Niederschrift zu: sie ist frühestens fünf Jahre nach der Heirat des Hosea und damit nach dem „Anfang des Redens Jahwes durch Hosea" (2a) anzusetzen. Sie wird noch während der Regierung Jerobeams II., also spätestens 747/6 erfolgt sein. Das geht nicht unbedingt aus 4 hervor. Zwar ist dieses Wort gegen die Jehudynastie gerichtet, müßte also, wenn nicht Jerobeam II. selbst, so doch seinen Sohn Sacharja treffen, der nur ein halbes Jahr regierte (2 Kö 15 8), so daß der Zeitpunkt nur unwesentlich verschoben würde. Aber man muß bedenken, daß dieser Spruch zur Namengebung des ersten Sohnes wenigstens vier Jahre vor der Niederschrift des Gesamtberichts liegt, der also durchaus einige Jahre nach dem Zusammenbruch der Jehudynastie verfaßt sein könnte. Wahrscheinlich ist mir dennoch die Zeit Jerobeams II. als Termin der Abfassung, weil der Name Jerobeams II. in 1b der Überschrift (s.u. S. 12) unseres Stückes (2a) entnommen zu sein scheint (s.o. S. 2). Somit setzt der geschriebene Bericht noch die gleiche Verkündigungssituation wie die darin aufbewahrten Hoseaworte voraus. Seine Absicht wird also ursprünglich sein, den Propheten durch schriftliche Verbreitung seines Wortes zu unterstützen.

Im Kontext folgen in Kap. 2 fast nur solche Prophetensprüche und in Kap. 3 ein Eigenbericht des Propheten, die inhaltlich mit Kap. 1 durch Stichwort- und Gedankenfäden verknüpft sind wie kein späteres Kapitel des Hoseabuches, insbesondere durch das mannigfach variierte Thema der Prophetenfamilie. Dieser Ausbau könnte auf den gleichen Zeitgenossen des Propheten zurückgehen, ist aber in späterer Zeit erfolgt. Wie schon die Erweiterung unseres Berichtes in 5 zeigt, setzt er wahrscheinlich ebenso wie 2 1–3 18–25 die kriegerischen Ereignisse des Jahres 733 voraus (s.u. S. 28 u. S. 59). Die Überlieferungs- und Wachstumsgeschichte unse-

---

[1] Vgl. Luthers kritische Bemerkungen zu den Verfasserfragen in der Vorrede über den Propheten Hosea (1532): „Es sieht sich aber an, als sei diese Weissagung Hoseas auch nicht voll und ganz geschrieben, sondern etliche Stücke und Sprüche aus seinen Predigten gefasset und in ein Buch zusammengebracht" (E.A. 63, 74); und in den Tischreden: „Keines Propheten sermones sein gar beschrieben (= vollständig aufgeschrieben) worden, sondern haben zuzeiten einen Spruch gefaßt, darnach aber ein und also zusammengetragen, und ist also die Bibel nährlich (= mit Müh und Not) erhalten worden" (T.R. 2 Nr. 1839); vgl. HBornkamm, Luther und das Alte Testament (1948) 163.

res Kapitels ist also zusammen mit dem Werden der Kapitel 1–3 zu sehen.

Für das literarische Werden von Kap.1–3 ergibt sich mir, spätere Ergebnisse (s.u. S. 29; 39, 57f. 73f.) hinzunehmend, folgendes Bild: Der Bericht aus Hoseas Frühzeit (1 2–4. 6. 8f.) wurde mit einer eigenen Niederschrift Hoseas (2 4–17 3 1–5) verbunden, die ein zweites Stadium seiner Verkündigung repräsentiert, das wahrscheinlich auch noch in den politisch ruhigeren Jahren lag. Die Verbindung der beiden literarischen Vorlagen erfolgte zugleich mit einer Erweiterung um Hoseaworte, die 733 und später verkündet wurden (1 5 21–3. 18–25); hierher kann auch die Redaktionsnotiz 1 2a gehören. Auf judäische Redaktion gehen 11. 7 und die Erweiterungen in 3 5b zurück; ferner liegt noch eine Glosse in 2 10bβ vor.

Mit Kap.1 ist vom Sammler die dunkle Kulisse aufgestellt, vor der das Wunder der neuen Botschaft Hoseas um so heller aufleuchten wird, nach der Jahwe im Gericht das Heil bereitet (Kap. 2–3).

Wort 2 Die ersten vier Worte zeigen eine constructus-Verbindung, in der an die Stelle des nomen rectum ein Verbalsatz getreten ist (Ges-K § 130d). Syntaktisch steht die Zeitangabe zwar statt eines Vordersatzes, wie das folgende ויאמר zeigt (vgl.1 11 Jes 6 1 Ges-K § 111b), bedeutet also trotz fehlender Präposition „im Anfang" (wie 2 S 21 9 Ketib). Sie ist aber inhaltlich nicht nur auf das folgende erste Jahwewort zu beziehen, weil dabei einerseits die Wiederholung von „Jahwe" und „Hosea", andererseits die Abweichung im Ausdruck (a: דבר ב – b: ויאמר אל־) unverständlich bliebe, stellt vielmehr der Sache nach die Überschrift zu 2b–9 dar (so versteht es auch die massoretische Tradition mit ihrem Paraschenzeichen). 2a ordnet die folgende Erzählung zeitlich den in Kap. 2–3 zugefügten Stücken vor, dürfte also auf den Sammler der drei ersten Kapitel zurückgehen; mit ihr mag ursprünglich der jetzt in 11a aufgenommene Name des Vaters Hoseas und die in 1b übernommene Datierung verbunden gewesen sein.

„Anfang" will hier also relativ, nicht absolut – im Sinne der Berufung des Propheten (so Budde und Lippl) – verstanden sein. Es wird ja auch nicht das Initiationsgeschehnis einer Berufungsstunde berichtet, wie etwa Jes 6 und Jer 1, sondern eine Vierzahl von Geschehnissen, unter denen das erste (2b) gerade nicht das wichtigste ist (s.o. S. 8). תחלה meint somit den „ersten Zeitabschnitt" des Prophetenlebens Hoseas. – Als Ganzes ist es mit der Wendung דבר יהוה בהושע beschrieben. Im Unterschied zu dem das Einzelwort einleitenden ויאמר יהוה bezeichnet diese solenne Formel das Gesamtereignis prophetischer Offenbarung (vgl. Am 3 8), also das Reden Jahwes „durch Hosea". ב führt den Propheten als instrumentum Jahwes ein (wie 12 11b; vgl. 1 Kö 22 28; KBL 104 a Nr.13). Die Übersetzung „mit", „zu" (Budde, Sellin u.a.) kann zwar durch ferner liegende Parallelen gestützt werden (2 S 23 2 Hab 2 1 Sach 1 9), scheidet aber aus, da unser Kap. für „sprechen mit, zu" die Präposition אל verwendet

(2b. 4; vgl. 1; 6: לְ). „In" = „im Herzen" (HSchmidt, auch Marti, Guthe)[1] würde doch wohl בְּלִבּוֹ (Qoh 2 15; vgl. dagegen vor allem 12 11b) o.ä. lauten. Die Überschrift will nicht den Bericht eines inneren oder auch nur persönlichen Lebens ansagen, sondern den ersten Teil seines Botendienstes.[2]

Dieser Botendienst beginnt allerdings damit, daß der Prophet für sich Befehle empfängt. (אִשָּׁה) לְקַח לוֹ ist nach Gn 4 19 Ex 34 16 normale Bezeichnung der Heirat (vgl. u. S. 64). Diese erste Weisung an Hosea kann keinesfalls später als 751 erfolgt sein, wenn 1 2–9 spätestens 747/6 und frühestens fünf Jahre nach der Heirat Hoseas geschrieben ist (s. o. S. 10f.). Was für eine Frau meint אֵשֶׁת זְנוּנִים? Nicht einfach eine gewerbsmäßige Hure (Greßmann, Sellin[1]) – sie müßte אִשָּׁה זוֹנָה heißen: Jos 2 1 Ri 11 1 –, geschweige denn eine Verstärkung für זוֹנָה (Keil, Allwohn). Denn זְנוּנִים weist als Abstrakt-Plural (Ges-K § 124f.; vgl. DLeibel, Über die Etymologie von זְנוּנִים [hebr.]: Lešonénu 20, 1956, 153) auf eine Eigenschaft, nicht auf eine Betätigung (vgl. vor allem Fück 286, auch Budde, Sellin[2.3]). So denken die neueren Ausleger meist an „ein zur Hurerei veranlagtes Mädchen" (Lippl), eine „zur Buhlschaft neigende Frau" (KBL 92a; 261b: „der Unzucht verfallen"). Doch diese Deutung stößt auf zwei Schwierigkeiten: 1. die Kinder beiderlei Geschlechts tragen die gleiche Eigenschaft wie die Mutter, sie heißen יַלְדֵי זְנוּנִים; 2. in der folgenden Erzählung spielt die vermutete Veranlagung der Frau keine Rolle. Die Verlegenheitsauskunft, der Ausdruck sei aus der Rückschau geprägt (HSchmidt; besser hieße es: aus der Vorschau Gottes), muß sich entweder auf Kap. 3 oder auf ein in Kap. 1 hineingedichtetes Erlebnis ehelicher Untreue (s. u. S. 21. 23) beziehen. Es ist aber festzuhalten, daß der Jahwebefehl nach der Meinung des Erzählers dem Propheten die zu heiratende Person bezeichnen wollte. Die Schwierigkeiten des Verständnisses lösen sich, wenn wir die sonstige Verwendung von זְנוּנִים bei Hosea beachten. 4 12 und 5 4 prangern die רוּחַ זְנוּנִים als den Geist des von Jahwe abfallenden Volkes an. Sollte nicht זְנוּנִים als Abstrakt-Plural ernster zu nehmen sein, insofern er eine zur Zeit der Heirat schon erkennbare Eigenschaft beschreibt? Weist Jahwe demnach Hosea an ein vom Geist des treulosen Volkes beseeltes Weib, an eine „Baalverehrerin" (so schon Riedel 1902, neuerdings Coppens 1950, 44), fordert er ihn also lediglich zur Heirat irgendeiner Frau aus dem abtrünnigen Israel auf? (So Coppens 44: „Du point de vue du culte répandu dans le royaume du Nord, toute fille d'Israël pouvait être dite une prostituée"; in der älteren Auslegung findet Coppens bei Osiander die ihm nächststehende Lösung). Mit dieser Deutung wären auch die „Hurenkinder" zu erklären; mit ihr klingt in diesem ersten gewichtigen Stich-

---

[1] Calvin, CR LXX, 203: Deus ergo locutus est in Hosea. Hoc loco mihi dubium non est, quin propheta se constituat tamquam organum spiritus sancti.

[2] Luther, WA 13, 3: initium quo coepit dominus loqui *per* Ozeam (𝔙: in!).

wort der Ton an, der das ganze Kapitel beherrscht, in dem nicht der moralische Fehltritt einer Frau, sondern der Abfall Israels von Jahwe in Frage steht.[1] Inwiefern aber ist eben das Wort זנונים für den Abfall Israels von Jahwe gewählt, das doch deutlich an geschlechtliche Vorgänge erinnert? Inwiefern bezeichnet es eine vorfindliche, gar erkennbare Eigenschaft der zu heiratenden Frau? Wir haben an den Einbruch eines kanaanäischen Sexualritus in Israel zu denken, bei dem der Gottheit die Jungfrauschaft geopfert und damit Fruchtbarkeit erwartet wird. Junge Frauen geben sich im heiligen Bezirk fremden Männern preis.

Vgl. CClemen: ZAWBeih 33 (1918) 89ff. und WBaumgartner, Herodots babylonische und assyrische Nachrichten: ArchOr 18 (1950) 69–106 = Zum Alten Testament und seiner Umwelt (1959) 282–331. GBoström, Proverbiastudien (1935), hat solchen Sexualkult für Kanaan nachgewiesen, der als Fertilitätsritus im Verkehr mit Fremden, die dem Stamm neue Kraft zuführen sollen (S.150), einmalig im Leben der Frau oder gelegentlich wiederholt, z.B. auf Grund eines Gelübdes, geübt werden kann, der aber immer sorgfältig von der Einrichtung der für den Kult angestellten dauernd Prostituierten unterschieden werden muß (S. 108). Für Babylon ist er durch Herodot I, 199 belegt („Jedes eingeborene Weib muß sich einmal im Leben in Aphrodites Heiligtum setzen und Verkehr mit Fremdlingen pflegen"), für Byblos durch Lukian, De Syria dea § 6. Augustin berichtet (De civitate Dei IV, 10) im Blick auf die Göttin Venus: cui etiam Phoenices donum dabant de prostitutione filiarum, antequam eas iungerent viris; vgl. ferner Test XII (Juda 12 2): „Es ist ein Brauch der Amoriter, daß sich die, welche sich verheiraten wollen, sieben Tage zur Hurerei an das Tor setzen". Innerhalb des Alten Testaments ist er vielleicht in Lv 19 29 Prv 7 13ff. (hinsichtlich des in der Ehe wiederholten Gelübdes), Dt 23 18. 19 (Dauerprostitution und einmaliger Sexualritus nebeneinander) und im mythologischen Hintergrund von Ri 11 33. 37ff. vorauszusetzen (Jephthas Gelübde zielt ursprünglich vermutlich auf die Opferung der Jungfrauschaft; Beweis ist vor allem das betonte „Beweinen der Jungfrauschaft"; vgl. Boström S. 117ff.). Bei Hosea steht er allenthalben im Hintergrunde seiner Aussagen (vgl. vor allem 4 13f. und LRost, Erwägungen zu Hos 4 13f.: Festschr. Bertholet, 1950, 451–460, der diese Kultpraxis vornehmlich als „Initiationsritus" versteht, bei dem man in Kanaan vom Baal die Gebärkraft erwartet, da in seinem Heiligtum der Mutterschoß geöffnet wird). WRudolph hält es zwar für möglich, „daß solche Dinge gelegentlich auch in der baalitisch verseuchten Jahwereligion um die Zeit Hoseas vorkamen", warnt aber vor der Ansicht, daß der bräutliche Initiationsritus damals „allgemein verbreitet war" (S.72); vgl. weiter u.S. 108f.

Vergleichen wir mit diesen Riten den Gebrauch von זנונים in 2 4, womit dort sichtbare Merkmale bezeichnet werden, die man auch entfernen kann, so kann hier durchaus an einen offiziellen, sakralen Akt gedacht werden, bei dem aufweisbare Bescheinigungen über seinen Vollzug am weiblichen Körper angebracht werden (s.u. S. 40). Diesen kultischen Akt hat Hosea anscheinend primär ins Auge gefaßt, wenn

---

[1] Luther, WA 13, 3: Ego existimo idem dicendum de fornicaria, quod vocata fuerit uxor fornicationum, ut significaret fornicantem iam et fornicaturum a Deo populum.

er ein „von Jahwe weg huren" konstatiert. Dann aber ist אשת זנונים eine
jener (auch in 4 13f. gemeinten) heiratsfähigen jungen Frauen, die sich
dem in Israel eingedrungenen bräutlichen Initiationsritus unterwarfen,
mithin eine an Kultsymbolen leicht erkennbare „moderne" Durch-
schnittsisraelitin. Die zu heiratende Frau ist also gerade keine üble Ausnahme, sondern vertritt das zeitgenössische Israel. Wollte der Gottesbefehl die Meinung Hoseas ausschalten, in einem Volk von Baalverehre-
rinnen nicht heiraten zu können (vgl. Jer 16 1ff.)? Jedenfalls bezeichnet
er als Befehl zu einer an sich fluchwürdigen Tat die vollendete Gerichtsreife Israels (vgl. Am 7 17a). Indem einem Propheten ein „Hurenweib"
zugemutet wird, ist ihm und dem Volk ein Licht über die totale Schuldverfallenheit Israels aufgesteckt (anders WRudolph). Die Formulierung
stammt nicht aus späteren Erlebnissen, sondern seine späteren Erkenntnisse wurzeln in diesem ersten Wort, das in sein Leben fuhr.

Statt der traditionell gewordenen realistischen (die Frau ist Hure,
Qedesche oder zur Hurerei veranlagt) und der metaphorischen (Baalverehrerin) befürworten wir also eine metaphorisch-rituelle Deutung:
ein heiratsfähiges israelitisches Mädchen, das sich nachweislich an dem
üblich gewordenen kanaanäischen bräutlichen Initiationsritus beteiligte.[1]
Zur Wirkungsgeschichte des Topos vgl. Jer 3 6ff. Ez 16.23 und WZimmerli, BK XIII 344. 538f.

ילדי זנונים ist zeugmatisch als zweites Objekt von קח-לך abhängig;
die Erklärung dieser abkürzenden Redeweise erfordert ein zweites Verbum, etwa „und sie soll dir gebären". Die „Hurenkinder" sind nach unserem Verständnis des „Hurenweibes" nicht notwendig vor-, keinesfalls
außerehelich geboren. Sie heißen so, weil die Mutter ihre Gebärfähig-
keit in der Ehe aus einem jahwefremden Ritus gewinnen wollte, der nach
Jahwes Urteil Hurerei ist (vgl. 5 7; LRost a.a.O. 458 erklärt auch das
Erstgeburtsopfer aus solchem Ritus: was die Frau an heiliger Stätte empfing, gibt sie der Gottheit zurück; danach kann die legitime Ehe beginnen); „Hurenkinder" sind sie also nicht, weil sie ihre Geburt einem fremden Vater, sondern einem fremden Gott verdanken.

Das Deutewort erklärt die eigenartige Kennzeichnung der Frau und
der Kinder und damit zugleich, warum Hosea die Wahl einer anderen
Frau kaum freistand: „Das Land wendet sich treulos wie eine Hure
von Jahwe ab." Mit dieser Generalisierung wird sofort auch das entscheidende Urteil über Israel gefällt. הארץ nimmt die Stelle des Volkes ein,
nicht nur, weil ein femininum allein in die Bildrede paßt, sondern vor allem, weil die verurteilte Sache es nahelegt (הארץ erscheint personifiziert

---

[1] Man wird demnach der Warnung des Robert Bellarmin, die Heilige Schrift nicht in
Laienhände geraten zu lassen, „ob scandali evitationem laici a Sacri Codicis lectione
arcendi sunt", hinsichtlich Hos 1 2 kaum mit Coppens' (S. 38) Argumenten begegnen
können.

noch 2 23; zur Bedeutung von ארץ bei Hosea s.u.S. 63). Das „Weghuren
von Jahwe" hat außer dem oben behandelten bräutlichen Initiationsritus die Fülle der kanaanäischen Fruchtbarkeitskulte vor Augen. In deren
Theologie erscheint das Land in der Gestalt einer Muttergöttin, die in der
Begegnung mit einem jugendlichen Gott, dem Himmelsbaal oder einem
der Ortsbaale, mit dem σπέρμα des Regens ihre Fruchtbarkeit empfängt;
s.u.S. 47f. In ihrer rituellen Gestaltung wurde der ἱερὸς γάμος zwischen
den kultischen Vertretern der Gottheiten orgiastisch begangen (zur sog.
sakralen Prostitution vgl. u.S.110f. und Noth,GI 133); im Gefolge der
Sexualriten brachen in Israel Lebensgewohnheiten ein, in denen ein an
den alten Jahweordnungen orientiertes Urteil nur wüste sexuelle Zucht-
losigkeit erkennen konnte. Der mythologischen Theologie mit ihren Kulten und Begleiterscheinungen war Israel in starkem Maße seit Davids
Tagen ausgesetzt, nachdem die alten Kanaanäerstädte mit den Gebieten der israelitischen Stämme staatlich zusammengefügt waren (Noth,
GI 200). Gelegentlich war sie wohl heftiger Abwehr begegnet, wie bei
Elia (1 Kö 18), hatte aber in dem Jahrhundert vor Hosea trotz der
Revolution des Jehu, von der Hosea nichts Rühmliches weiß (1 4), mehr
und mehr in Israel einsickern können, wobei es zur Baalisierung Jahwes
selber kam (vgl. 2 18 und u. S. 60, auch MBuber, Glaube der Propheten,
1950, 170). Gegen diesen nachelianischen Synkretismus ist Hosea vom
ersten Jahwewort auf den Plan gerufen, das ihm das Stichwort für jenes
Geschehen in Israel auf die Lippen legte: „von Jahwe weghuren".

Die Formel bringt die erstaunliche Vorstellung, daß zwischen Jahwe, dessen Übergeschlechtlichkeit für israelitisches Denken außer Frage
steht (vgl. JHempel, Die Grenzen des Anthropomorphismus Jahwes im
Alten Testament: ZAW 57, 1939, 82ff.), und Israel, so wie es im Lande
lebt, eine rechtmäßige Ehe besteht. Sie ist innerhalb des Alten Testa-
mentes vor Hosea ebensowenig nachzuweisen wie im alten Orient die
Bezeichnung eines Kultes als Hurerei. Man muß sehen, daß Hosea sie in
der Polemik aus kanaanäischer Tradition übernommen hat. In dieser
eristischen Aufnahme bleiben hinsichtlich Jahwes die geschlechtlichen
Motive ausgeschaltet, die im kanaanäischen Denken leitend waren und
die in der Beziehung Israels zu den kanaanäischen Kulten als „Huren"
erscheinen. Die Vorstellung ist bei ihrer Übernahme ganz von Israel her
und gar nicht von Jahwe her gedacht. הארץ ist Subjekt in 2bβ! Das Bild
der Ehe beschreibt bei Hosea, und in seiner Gefolgschaft bei Jeremia und
Ezechiel, nur so weit die Beziehung Jahwes zu Israel, als es Ausdruck
des rechtlich-geschichtlich orientierten Bundesverhältnisses ist.

מאחרי יהוה innerhalb der Gottesrede hat die Vermutung wachgerufen,
ursprünglich habe allein מאחרי hier gestanden (Budde). Aber die stilistische Unebenheit, daß innerhalb der Ich-Rede Jahwe in 3. pers. erscheint, begegnet häufig im Hoseabuch, oft – aber nicht nur – in formel-

haften Wendungen ([1 7] 2 22 31 41. 10. 15. [16] 5 4. 6. 7 6 6 [7 10 8 13] 8 1
9 3. 4. 5 10 12 12 6; vgl. dazu Allwohn 7 und IPSeierstad, Die Offenbarungserlebnisse der Propheten Amos, Jesaja und Jeremia, 1946, 202f.).
Das empfangene Jahwewort springt schon über in den Verkündigungsstil.

Das erste Jahwewort illuminiert blitzartig die Lage, und zwar mit der
viermal erscheinenden Wortwurzel זנה. Damit ist einleitend die Schuld
treulosen Abfalls Israels von Jahwe im kanaanäischen Kult und Leben
bloßgestellt. Der Befehl zur Heirat einer kanaanäischen Gepflogenheiten
verfallenen Frau hat keinerlei selbständige Symbolbedeutung, keinesfalls
die, Jahwe suche Gemeinschaft mit den Treulosen, sondern zeigt nur,
daß im Blickfeld Hoseas solche Frauen das zeitgenössische Israel reprä-
sentieren. In dem Wort „Hurenweib" ist das Wesen der Frau typisch
für das Wesen Israels, nicht aber ist das dem Propheten befohlene Handeln typisch für das Handeln Jahwes (doch vgl. 31). Jahwes Handeln
wird hier erst vorbereitet. Er will, daß Hosea eine Familie begründet, weil
die Kinder Träger seines Gerichtswortes über dieses Volk werden sollen.

וילך ויקח nimmt genau das Befehlswort לך קח auf; kein Wort mehr
oder weniger oder anders! So sagt der Erzähler ohne allen Aufwand, wie   3
selbstverständlich und exakt Hoseas Tun dem Jahwewillen entsprach.
Die Frage, ob innere Widerstände zu überwinden waren (JHempel,
Worte der Profeten, 1949, 94; vgl. Jer 1 6), beschäftigt den Erzähler
nicht; auch den Leser soll nach seinem Willen anderes bewegen. – Hosea
heiratet die גמר בת־דבלים. Mit der dem Memorabile eigenen Liebe zum
Konkreten (s.u. S. 71f.) wird der Name notiert, der nicht mehr will, als die
Frau bezeichnen, die Hosea aus dem im Jahwewort anbefohlenen weiten
Kreis wählt. Diese Wahl war ihm nach unserem Verständnis von אשת
זנונים (2; s.o. S. 13f.) nicht abgenommen. Es schließt aber die Vermutung
aus, hier liege der Spitzname einer stadtbekannten Dirne vor. Sie ist
auch etymologisch unwahrscheinlich: גמר ist nicht mit arab. ğamratun
(„brennende Kohle" KBL 189a) verwandt, sondern als Kurzform zu
גְמַרְיָהוּ (Jer 29 3 36 10–12. 25) von גמר = „vollführen" herzuleiten und
nicht als Wunschname (LKoehler, ZAW 32, 1912, 8: „es möge mit der
Geburt dieses weiblichen Kindes sein Bewenden haben") zu deuten, der
eine Imperfektform erwarten ließe, sondern als Dankname, der aus-
spricht, daß unter Jahwes (oder Baals?) Walten die Geburt glücklich
vollendet wurde (Jahwe-Baal „hat vollführt"; vgl. Noth, Pers 195. 175;
dort auch der Verdacht, daß der Name hier fälschlich nach dem Völker-
namen גֹּמֶר Gn 10 2f. 1 Ch 1 5f. Ez 38 6 statt גָּמָר oder גֶּמֶר punktiert
sei, doch schon 𝔊 liest Γομερ). Dem unauffälligen, volkstümlichen Mäd-
chennamen entspricht die Apposition בת־דבלים. Die Übersetzung „Zwei-
Feigenkuchenmädchen", die דבלים als Dual von דְּבֵלָה versteht und als
Name einer Hure, die „billig zu haben ist", deutet (ENestle, ZAW 29,
1909, 233f., von WBaumgartner, ZAW 33, 1913, 78 durch Parallelen

aus der lateinischen Literatur gestützt; vgl. auch Noth, Pers 240), ist schon sprachlich unwahrscheinlich, da die hier vorausgesetzte Verwendung von בת sonst nicht zu belegen ist. Aus dem gleichen Grunde wird die Apposition nicht den Heimatort (der ohnehin nicht identifizierbar wäre; Num 33 46 Jer 48 22 nennen דִּבְלָתַיִם) der Gomer angeben (sonst wird nur plur. בְּנֵי und בְּנוֹת mit Ortsnamen verbunden, wo Mißverständnisse unmöglich sind, vgl. Guthe), sondern einfach den Namen des Vaters (der allerdings sonst unbekannt und der Form nach ungewöhnlich ist; die Endung ־ַיִם ist wohl bei Orts- und Landschaftsnamen, z.B. אֶפְרַיִם, aber sonst nie bei Personennamen belegt, vgl. Noth, WAT[4] 52f.; Noth, Pers 38f.). Daß der Erzähler den im ganzen unerfindbaren Namen so beiläufig bringt, zeigt, daß er nur als Zeitgenosse Hoseas vorstellbar ist. – ותהר ותלד־לו בן: Wortkarg meidet er alles Entbehrliche und Ablenkende, erst recht alles, was ihn selbst in den Vordergrund brächte. Das Memorabile will weder schmücken noch erwägen, sondern ist vom tatsächlich Gegebenen erfaßt (s.u. S. 71f.). So eilt der Verfasser auf sein Ziel zu, auf die Jahweworte, die zu den Namen der Kinder gehören. Hier wird ein vorbildlich nüchterner „Dienst am Wort" geübt. – לו zeigt, daß das Kind ehelich ist, eine Stütze unserer Deutung von ילדי זנונים.

4 Die Erzählung erreicht ihr erstes Ziel. Als habe sie von Anfang an nichts anderes erstrebt, so verweilt sie nach dem flüchtigen Notieren des „Biographischen" nun bei der ersten Namengebung. Diese geschieht sofort nach der Geburt (vgl. J Benzinger, Hebräische Archäologie, [3]1927, 124). – קרא שמו: während meist die Mutter den Namen gibt (Gn 4 1 Ri 13 24 1 S 1 20 Jes 7 14 u.ö.), ist hier (wie es sonst nur von Abraham Gn 16 15 17 19, Jakob 35 18, Mose Ex 2 22, David 2 S 12 24 und Jesaja 8 3 erzählt wird) durch Gottes Wort dem Vater der Vollzug übertragen. – Der ungewöhnliche, nur als Orts- und Landschaftsbezeichnung bekannte Name יזרעאל muß in der Öffentlichkeit lebhaftes Fragen erwecken. Mit solch einem aufreizenden Rätselwort begann also das prophetische Wirken Hoseas (vgl. HGunkel, Einleitungen zu HSchmidt, Die großen Propheten: SAT II 2, XXIV), spätestens im Jahre 750 (s.o. S. 13). Es ist kein Wunder, daß das Kopfschütteln über den heranwachsenden Namensträger im Laufe der Jahre neue prophetische Antworten fand (vgl. 5 2 2. 24. 25; s.u. S. 32f.). Die erste, die Hosea nach unserem Berichterstatter geben konnte, wurde ihm sogleich mit dem Auftrag zur Namengebung bedeutet. – Indem das Stichwort der Jahwebotschaft sich als Name untrennbar mit einem Menschen verbindet, wirft die incarnatio verbi (Joh 1 14) ihre Schatten voraus: umbra futurorum (Kol 2 17 Hb 10 1)!

עוד מעט (vgl. Jer 51 33 Hag 2 6 Ex 17 4 Ps 37 10) befristet in betonter Stellung das Eintreffen des Gerichts: „Es fehlt nicht mehr viel", „in Kürze"! Das prophetische Wort bestürmt die Gegenwart seiner Hörer. Bis die Dynastie Jehus abtreten mußte, dauerte es mindestens noch vier

Jahre. – פקד „untersuchen" geht hier zur Bedeutung „strafen" über (vgl. 2 15 12 3 Am 3 2. 14), wie die Parallele ופקדתי // והשבתי zeigt und 𝔊 (ἐκδικήσω) bestätigt; es rückt in die Nähe von נקם = rächen, das 𝔊 ebenso übersetzt (vgl. GSchrenk, ThW II 440f.; JScharbert, Das Verbum פקד in der Theologie des AT: BZ NF 4 (1960) 209–226: Grundbedeutung: jem. oder etw. überprüfen, kontrollieren; 2 Kö 9 7: וְנָקַמְתִּי דְּמֵי עֲבָדַי 𝔊: ἐκδικήσεις, prophetisches Wort an Jehu!). – Welche Straftat ist mit דמי יזראל gemeint? Der Name „Jesreel" bezeichnet primär die fruchtbare Ebene zwischen dem samarischen und dem galiläischen Gebirge, in der „Gott selbst sät" (vgl. BRL 308 und Noth, WAT⁴ 21. 56). An ihrem Ostrand, am Eingang des breiten, zum Jordan führenden Tales des *nahr dschālūd*, liegt die alte Stadt gleichen Namens, heute *zerʿīn*, in der die Omriden eine zweite Residenz einrichteten, die wahrscheinlich insbesondere der Regierung der israelitischen Stämme dienen sollte, wie Samaria in erster Linie den kanaanäischen Bevölkerungsteilen diente (vgl. AAlt, Der Stadtstaat Samaria, 1954, 13ff. 18f. = KlSchr III 264ff. 268f.). An diese Residenz ist hier gedacht. דָּמִים ist die Bluttat (Ex 22 1), von einem אִישׁ דָּמִים = Mörder (2 S 16 7f.) begangen (vgl. עִיר דָּמִים = Blutstadt Ez 22 2 Nah 3 1). Der Justizmord an Naboth (1 Kö 21) wird nicht gemeint sein, da er zum Schuldkonto der Omriden gehört (2 Kö 9 7), sondern die blutrünstige Vernichtung dieser Dynastie durch Jehu, einen der Offiziere des Heeres, im Jahre 845/4 (vgl. Noth, GI 210), die außer ihrem letzten Vertreter Joram (2 Kö 9 24), der schuldbeladenen alten Königin Isebel (33) und dem judäischen König Ahasja (27) auch weite Kreise der königlichen Familien traf (2 Kö 10 7 nennt siebzig Tote des israelitischen und 14 zweiundvierzig des judäischen Königshauses). Wird Jehu nur vorgeworfen, daß er mehr tat, als ihm befohlen war (2 Kö 9 7, wie Assur nach Jes 10 5ff., so MBuber, Glaube der Propheten, 1950, 174)? Oder ist damit das Königtum seiner Dynastie grundsätzlich als illegitim verworfen wie das ihrer Nachfolger (3 4 7 3 8 4)? Weiß Hosea überhaupt um die prophetische Designierung Jehus (2 Kö 9 1ff.) und seinen „Eifer für Jahwe" (2 Kö 10 16)? Deutlich ist in diesem Fragenkreis zunächst nur ein Doppeltes: 1) Die Blutschuld bei der Machtergreifung fordert Jahwes Gericht heraus; 2) Hosea beurteilt nach diesem ersten Wort die Revolution Jehus anders als die prophetischen Kreise um Elia-Elisa (2 Kö 10 30). Man wird daraus nicht auf einen bewußten Gegensatz zu ihnen schließen dürfen. In seiner frühesten Zeit zeigt sich noch keine Verbindung mit den Traditionen der Propheten des 9. Jahrhunderts (vgl. AJepsen, Nabi, 1934 und GvRad, Der heilige Krieg im alten Israel: AThANT 20, ⁵1969, 56, andererseits HWWolff, Hoseas geistige Heimat: ThLZ 81, 1956, 83ff. = Ges.St. z. AT: ThB 22, 1964, 232–250) und ebensowenig mit den rekabitischen Gedankengängen (2 Kö 10 15ff.), sondern er hat ihnen gegenüber ein neues, freies Wort zu sagen. Von der in 2 gegebenen generellen Begründung des hier angedrohten Gerichtes her könnte Hosea Jehus Schuld auch noch darin gesehen haben, daß er bei seinem Kampf gegen die Omriden, die dem tyrischen Baal und überhaupt dem kanaanäischen Kultus in Israel neben Jahwe Raum verschafften, nicht der inneren Kanaanisierung Jahwes gewehrt hatte (vgl. dazu die deuteronomistische Kritik an Jehu 2 Kö 10 28ff.). Sicher ist, daß die Bluttat Jehus zu Israels „Huren weg von Jahwe" (2bβ) gehört, ja als erster Beleg genannt wird. Das Gerichtswort trifft nicht an erster Stelle die kultischen, sondern die staatlichen Mißstände (auch 3 4 wird der König zuerst genannt). Das erste Kind Hoseas soll mit seinem Namen beständig daran erinnern, daß die regierende Dynastie von ihrer Geburtsstunde an nicht dem Willen Jahwes entspricht. Ein Königtum, das seine Macht in Israel mit Blutvergießen begründet, kann nur Jahwes Nein erwarten. Diese Botschaft wird in den nächsten 20 Jahren noch manches Mal aktuell sein.

בית: על-בית יהוא ist die (königliche) Familie, das Herrscherhaus, die Dynastie. Sie haftet als ganze für die Schuld ihres Begründers. Jahwe ist frei, sie erst nach hundert Jahren zu ahnden. והשבתי erläutert im parallelen Satzglied ופקדתי: die „Strafe" besteht in der „Zurruhesetzung", „Verabschiedung" (MBuber), d.h. in der Beendigung, Vernichtung des Königshauses. ממלכות wird (mit Ges-Buhl) wie 1 S 15 28 2 S 16 3 Jer 26 1 „Königsherrschaft", „Königtum", Macht und Würde des Königs, nicht aber sein Reich (so KBL 534a Nr. 2) bezeichnen, denn שבת hi. bevorzugt als Objekt Personen (Am 8 4 Jer 36 29 Ps 8 3) oder Funktionen (2 13 u.ö.). בית ישראל bedeutet bei Hosea immer die Volksgemeinschaft Israel (vgl. 1 6 12 1), wie sie durch die Sippenhäupter vertreten wird (5 1; s.u.S. 123), darf also nicht in Parallele zu בית יהוא als „Herrscherhaus des Nordreichs" verstanden werden, was auch die Verbindung mit ממלכות verbietet; vgl. weiter 5 1 (u.S. 123) und 10 15 cj. (u.S. 236f.). Dann aber meint dies Drohwort, mit dem Ende der Dynastie Jehu werde für Israel das Ende des Königtums überhaupt kommen; vgl. 10 15 cj. Nach der Ermordung des letzten Vertreters der Jehu-Dynastie erlebte es allerdings noch ein mehr als zwanzigjähriges Siechtum. Von den sechs Nachfolgern Jerobeams II. starb nur einer, Menahem, eines natürlichen Todes. Insofern ging mit dem jetzt lebenden Herrscher die „Königsherrlichkeit" im Hause Israel dahin. Für das Problem der Jahwetraditionen, in denen Hosea steht, erhebt sich die Frage nach der Betonung: wird das Ende des Königtums in Israel oder das Ende des Königtums in Israel angedroht? D.h.: nimmt Hosea vorstaatliche oder judäische (so Engnell, Art. Hosea: SBU I, 1948, 873ff.) Traditionen auf? Der Blick auf das Versganze macht die erste Möglichkeit wahrscheinlich. Die Verwandtschaft mit Amos (7 9) ist dabei nicht zu übersehen.

5   Ein selbständiges Hoseawort ist hier nachträglich der alten Erzählung eingefügt worden. Es kann an dieser Stelle nicht ursprünglich sein, wie

außer der Strukturverschiedenheit des Spruches (s.o. S. 8) der andere Sprachgebrauch zeigt: der jetzige Kontext sagt „Haus Israel" (4. 6) statt „Israel". Es ist aber kein Grund zu erkennen, aus dem er Hosea überhaupt abzusprechen wäre. „Israel" entspricht dem bei Hosea weit häufigeren Sprachgebrauch; nach LRost, Israel bei den Propheten: BWANT IV 19 (1937) 19f. 31 mal (nach S. 24[1] davon 27 echte Stellen) gegenüber 5 mal „Haus Israel". שבר קשת kehrt mit Weiterungen in 2 20 wieder. Echt prophetisch ist auch die Knappheit der Sprache, verbunden mit der einprägsamen Paronomasie „Israel"–„Jesreel". Ein solches Wort krallt sich ins Gedächtnis. Auf das Gericht über Jehus Haus oder die letzte Katastrophe des Staates Israel kann man das Wort als ein nachgetragenes vaticinium ex eventu schon deshalb nicht beziehen, weil sie sich geschichtlich anders vollzog (gegen Marti u.a. vgl. 2 Kö 15 10 𝕲[L] – Jibleam liegt schon einige km südlich der Jesreelebene im Bergland – und 2 Kö 17 5f.). Am besten wird der Spruch verständlich, wenn man sich ihn in die stürmischen Ereignisse des Jahres 733 hineingerufen denkt, in deren Verlauf die Jesreelebene tatsächlich an Tiglatpileser III. verloren ging; vgl. Noth, GI 236 und u. S. 59. Das Wort ergänzt inhaltlich 4 im Sinne von 6 und 9, insofern es das Volk in das Gericht über das Königshaus hineinzieht. קשת steht als Hauptwaffe für die militärische Macht überhaupt, das Kriegspotential. Das „Zerbrechen" des Bogens bedeutet die Vernichtung dieser Macht. Sie wird Israel wohl deswegen angesagt, weil seine Rüstung auch seine Schuld vor Jahwe war, so wie die Schuld des Königshauses seine Gewalttätigkeit war. Die Art der Strafe entspricht im prophetischen Denken dem Grund zur Strafe. Dieser Gedanke liegt auch dem Einschub des Wortes in den Zusammenhang zugrunde (vgl. 1 Kö 21 19): weil in Jesreel Schuld geschah (4), wird in der Jesreel-Ebene Strafe erlitten (5). Gottes genaue Gerechtigkeit sühnt Sünde an ihrem Ort; dort ist sie dem Bestraften gegenwärtig. עמק יזרעאל ist das historische Schlachtfeld Palästinas (Ri 4 13 6 33ff. 7 1ff. 1 S 29 1ff. 31 2 Kö 23 29); es könnte darum wohl „Jesreelschlacht" „sprichwörtlich für große Vernichtungsschlacht" stehen (Nötscher – unter Hinweis auf Jes 9 3 „Midianstag"); hier wird es aber doch wörtlich zu nehmen sein, wie die Präposition ב nahelegt und die Erinnerung an Tiglatpilesers III. Feldzug von 733 wahrscheinlich macht.

Das fehlende לו (vgl. 3) nach ותלד erklärt sich aus der „zunehmenden 6 Sparsamkeit des Ausdrucks" (Budde 18, s.o. S. 9), kann also keinesfalls die Annahme der Unehelichkeit des zweiten Kindes und also eines Treubruchs der Gomer begründen (s.o. S. 13). Eine Lebensgeschichte der Prophetenfamilie, die nicht vom Jahwewort herkäme und auf das Jahwewort zuginge, erscheint nicht. Nur daß jetzt eine „Tochter" geboren wird, erinnert daran, daß nicht ein erfundener, toter Rahmen die Worte umstellt, sondern daß das wirkliche Leben mit seinem unberechenbaren

Wechsel, aber um einer klaren Haupttatsache willen im Memorabile aufbewahrt ist. Die Namensform לֹא רֻחָמָה ist ein verneintes perf.: „Sie findet kein Erbarmen" (der Akzent der masoretischen Punktation schließt die Möglichkeit einer um ein מ verkürzten Partizipialform aus). Wollte man das Subjekt dieses Satzes erfragen, so dürfte man es nach Analogie der verwandten symbolischen Namen (vgl. 4. 9 Jes 7 3 8 3) keinesfalls in dem benannten Kinde suchen, wenn es auch in diesem Falle zum Verwechseln naheliegt und darum besonders zu der Frage reizt: wie kann ein Mann seine Tochter so nennen, als wolle er ihr lebenslang die väterliche Sorgepflicht versagen! Schon formal gesehen ist ein verneinter Satz als Name völlig ungebräuchlich. Der Kontext nennt als Subjekt: הָאָרֶץ לֹא רחמה; es erscheint in 2bβ als voraufgeschickter Begründung auch dieser Drohung. Wahrscheinlich ist aber die feminine Passivform einfach unpersönlich zu fassen (vgl. Heermann 310, der auf לֹא נֶהְיָתָה Ri 19 30 Jer 48 19 Ez 21 12 verweist) und zu übersetzen: „Es gibt kein Erbarmen!", so daß wir als Namensform in der Übertragung „Ohne-Erbarmen" wählen. – Im Deutewort kündigt Jahwe sein Erbarmen für die Folgezeit. לֹא אוֹסִיף עוֹד schließt ein, daß das Haus Israel die Liebe seines Gottes bis in Jerobeams II. Tage hinein noch erfuhr (vgl. 2 Kö 13 23 14 26 f.), selbst dann noch, als er ihm drohte, ihm das Königshaus zu nehmen und es damit in die Zeit der charismatischen Führer zurückzuwerfen, in der Jahwe selbst Israels König und Kriegsmacht war. Jetzt – wenigstens ein Jahr später – wird das Ende dieser Liebe angezeigt. – רחם bezeichnet die natürliche Liebe der Eltern zu den Kindern (רֶחֶם = Mutterleib!), eine Verbundenheit, die sich des Schwächeren lebhaft und unweigerlich annimmt, besonders wenn es in Not ist, weshalb das Wort häufig am besten mit „Erbarmen" wiederzugeben ist (vgl. RBultmann, ThW II 477 und LKoehler, Theologie des Alten Testaments, [4]1966, 233 [22]) und geeignet ist, das Bundesverhältnis Jahwes zu Israel zu beschreiben (vgl. 2 21 Ex 33 19 1 Kö 8 50 Ps 103 13 und u. S. 64 f.). Die negative Formulierung der Drohung – „ich werde mich nicht mehr erbarmen" (der positive Gegenbegriff wäre „zürnen" Dt 13 18 Am 1 11 Sach 1 12) – zeigt, daß sie ganz von der Verbundenheit Jahwes mit Israel herkommt. – Die Steigerung dieses zweiten Gerichtswortes im alten Bericht liegt nicht nur darin, daß es nun das ganze „Haus Israel" umschließt, sondern auch in einer Verschärfung des Tones, die in der antithetischen Formulierung des Schlusses – „entziehe ihnen (mein Erbarmen) vielmehr ganz" (vgl. Textanm. 6[b]) –, in seiner Radikalisierung (inf. abs.) und der peitschenden Schärfe seines Klanges nur in lebendiger Rede voll zu spüren ist.

7   7 ist als spätere Glosse zu 6 schnell zu erkennen an der Herübernahme der Hauptstichworte לֹא ארחם אֶת־בֵּית, an die, positiv gewendet, für Juda in geschraubtem Stil eine Verheißung angeschlossen wird. An Hoseas Wortschatz erinnert auch b (vgl. 2 20). בַּיהוה nach unmittelbar vorauf-

gehendem Ich der Gottesrede (והושעתים) wirkt besonders unbeholfen. Das wird verschleiert durch Übersetzungen wie „[ich helfe ihnen] als Jahwe, ihr Gott" [Lippl] und „da ich Jahwe bin, ihr Gott" [Schumpp]; ב ist in 7a wie in 7b gebraucht. Zudem wird der Zusammenhang des sonst so klar aufgebauten Stückes unterbrochen. Daß entsprechende Verheißungsworte bei 4 und 9 fehlen, zeigt, daß es sich um eine beiläufige Notiz handelt. Immerhin mahnt sie jetzt den Leser, auch dies so düster einhergehende Kap. vom Ganzen der Heilsgeschichte aus zu lesen. Ob der Glossator auf die ohne jeden militärischen Einsatz Judas erfolgte Rettung Jerusalems vor Sanherib im Jahre 701 (2 Kö 19 32–34; vgl. Jes 29 5ff. 30 27ff.) zurückschaut, ist nicht mit Sicherheit zu erweisen; er wird aber vor Judas Untergang im Jahre 587 geschrieben haben.

Der stereotype Berichtsstil wird in diesem Rahmenstück noch knapper. Den alten Übersetzern scheint es kaum noch tragbar zu sein: wie 𝔊 in 6 ihr Wort für יהוה zufügte, so setzen jetzt 𝔊 und 𝔊 עוד wie in 6 nach ותהר und einige späte 𝔊-Handschriften לו wie in 3 hinter ותלד voraus (vgl. Ziegler). Dann ist aber die Hinzufügung der Notiz, daß das dritte Kind erst nach der Entwöhnung des zweiten empfangen wurde, besonders zu bewerten. Das Stillen der Kinder, dessen Abschluß in der Entwöhnung festlich begangen wurde (Gn 21 8 1 S 1 24), dauert nach 2 Makk 7 27 drei Jahre, nach rabbinischer Aussage zwei und noch heute in Palästina zwei bis drei Jahre (vgl. JBenzinger, Hebräische Archäologie, ³1927, 123). Die ägyptischen Sprüche des Ani begründen die Mahnung zur Fürsorge für die alternde Mutter u.a. so: „Ihre Brust war drei Jahre lang in deinem Munde" (AOT² 38; ANET² 420). Wir werden für die ältere Zeit eher mehr als weniger anzunehmen haben, wenn nach 1 S 1 23ff. ein eben entwöhntes Kind schon so selbständig ist, daß es aus der Obhut der Mutter heraus dem Heiligtum übergeben werden kann. Warum berichtet der Erzähler, der sich doch sichtlich auf das Nötigste beschränkt, daß bis zur Geburt des dritten Kindes mehr als drei Jahre vergingen? Da ihm sonst alles auf das prophetische Wort ankommt, ist ihm offenbar wichtig, daß Gott bis zum dritten Drohwort geraume Zeit wartete (im Memorabile wird die Haupttatsache durch tatsächliche Begleitumstände verdeutlicht; s.u. S. 71f.). Worauf wartet Gott? Als Schüler Hoseas kann der Verfasser nur an Umkehr (2 9 3 5) denken.

Auch der dritte Name ist lediglich Botschaftsträger. Die wörtliche Übereinstimmung mit dem Deutewort, der Charakter aller anderen Symbolnamen (s.o. S. 22) wie das Verständnis von אשת זנונים (s.o. S. 13f.) verbieten es, „nicht-meine-Sippe" im Sinne von „nicht mein Fleisch und Blut" zu übersetzen und dahinter die endliche Entlarvung von Gomers Ehebruch zu vermuten (Procksch 23).

Das Deutewort läßt sich als Antwort auf die Frage verstehen, die im Laufe der Jahre statt der Umkehr aufgekommen sein kann, wie sich denn die Gerichtsdrohung mit Jahwes Bundeszusage und Erwählung vertrage (vgl. Am 3 2 Jer 7 4 und Heermann 311). Sie knüpft an den Wortschatz der Erzählung Ex 3 f. an (עמי 7. 10 אהיה 12. 14 4 12. 15) und ist in Antithese zur Bundesschlußformel (vgl. Ex 6 7) als Scheideformel gebildet (vgl. 2 4aβ). Sie besteht aus zwei streng parallelen Nominalsätzen; nur so wird das letzte Glied verständlich: לא־אהיה (beachte Maqqef) fungiert als Prädikatsnomen, steht also parallel zu לא עמי. Das ist aber nur sinnvoll, wenn אהיה wie Ex 3 14 gebraucht ist und an Stelle des Jahwenamens steht. לכם ersetzt dann das dem Suffix in לא עמי entsprechende Nominalsuffix (auch ⑮ hat אהיה als Gottesnamen verstanden – vgl. Textanm. 9a –, wie das possessive ὑμῶν und der Großbuchstabe bei Εἰμί zeigen, den die Minuskelhandschriften bei allen Eigennamen verwenden; vgl. 6: Οὐκ ἠλεημένη und 9a: Οὐ λαός μου). So bedeutet der Satz: „Ihr seid nicht mein Volk, und ich bin nicht euer אהיה." Der Sinn solcher traditionsgesättigten Aussage kann im Deutschen nur andeutungsweise zum Klingen kommen, ist doch אהיה einerseits eigennamartig, bringt aber zugleich die Deutung des Tetragramms stärker zu Gehör als „Jahwe"; die Zusicherung, daß er der für Israel wirksam Gegenwärtige sei, wird negiert.

Der Schlußsatz des Kapitels wirkt wie der Schlußsatz einer Diskussion um die alten Auszugs- und Erwählungstraditionen Israels; er zeigt die schneidende Kürze eines „letzten Wortes", das den Gesprächspartnern auf den Kopf zugesagt wird. Man beachte, daß erst dieses dritte Wort direkte Anrede bringt (vgl. Nyberg). Die Zustandssätze betonen als solche die Endgültigkeit. Was in 6 erst heraufzieht, ist nun vollendet. Jahwe stellt fest, daß der Bund zerbrochen ist. Israel ist unter die גוים zurückgetreten. Nicht erwogen wird die Frage, ob Jahwe für andere, etwa für Juda, אהיה sei. Das prophetische Wort hat immer nur einen Adressaten. – Hosea gehört nach dem Zusammenhang zu den Angeredeten und damit zu den Verworfenen. Der das Wort Gottes präsentiert, steht also in der Reihe der von Gott Geschiedenen.

Wir sehen an dieser Stelle deutlicher als in 2 und 4, daß Hosea mit den ältesten vorstaatlichen Jahwetraditionen beschäftigt ist. Das neu empfangene Gotteswort läßt ihn von jenen Urerfahrungen Israels aus urteilen, da es fern von kanaanäischen Sitten, ohne Königtum und Kriegsmacht, nur eben als Jahwes Volk in die Freiheit zog. Das neue Jahwewort nötigt ihn aber zugleich, dem volkstümlich-selbstsicheren Verständnis dieser Anfänge ein hartes Nein entgegenzurufen. Denen, die hurerisch von Jahwe wichen, ist Verstoßung als die Kehrseite der freien Erwählung Jahwes zu verkünden. Jahwe trennt sich von denen (9), die von ihm weichen (2bβ), die auf die Dauer unter Mißachtung des drohenden Wortes weichen (8; s.o. S. 23).

Ziel   Was will der Prophetenschüler mit seinem Bericht? Er stellt Jahwes Wort an den Propheten selbst dar, bevor er seine gesammelten Worte bietet. Indem er den ersten Abschnitt seines Dienstes als eine Kette von Zeichenhandlungen schildert, zeigt er ihn als einen Mann, der nicht nur in seinem Wort, sondern auch in seinem Leben von Jahwe gebunden wurde. Sein Botenamt beginnt mit persönlichem Befehlsempfang. Heiratet er als Prophet eine Frau, die kanaanäischen Sitten verfallen ist, sind die Prophetenkinder Zeichen eines von Jahwe verstoßenen Israel, so steht der Prophet mit seinem Familienleben als Partner der Schuldigen unter dem Wort Jahwes. Es wundert uns nicht, daß das letzte, härteste Verstoßungswort „ihr seid nicht mein Volk, und ich bin nicht der, der für euch da ist" den Propheten mit seinem Volk zusammenschließt (9). Die zeichenhaften Handlungen des vom Jahwewort Bezwungenen waren solcher Art, daß sie ihn ein für allemal an das Jahwewort banden. In der Ehe, aus der die Kinder hervorgingen, lebte die Schuld des treulosen Israel beständig vor seinen Augen. Die Kinder mit ihren aufregenden Namen erzwangen dem Jahwewort Hörer, indem sie zum Fragen reizten und dem Propheten immer neu (4 und 5!) das anvertraute Wort abnötigten. So kann der Prophet nach jenen Zeichenhandlungen nicht mehr dem Auftrag entweichen. Der vorliegende Bericht will die Prophetenfamilie als Gottes erregendes Drohzeichen vergegenwärtigen: sie ist mit dem Hurenweib als Frau und Mutter das Abbild des von Jahwe gewichenen Israel und mit den Namen ihrer Kinder das Urbild des von Jahwe verstoßenen Israel. Zugleich wirft darin von ferne her das neutestamentliche Geschehen seinen Schatten voraus. In der zeichenhaften Versichtbarung des Gotteswortes in der Prophetenfamilie kündigt sich die Botschaft von der Fleischwerdung des Wortes an und in dem Zusammenschluß des Propheten Gottes mit dem verurteilten Israel die Gleichachtung des Sohnes Gottes mit den Übeltätern (vgl. auch Jes 53 12 Mk 15 27). Doch diese Analogien drängen sich gleichsam im Vorübergehen auf (s.o. S. 18 und 24). Wir dürfen sie nicht ablösen vom eigentlichen Scopus der Perikope, wie ja auch der Prophetenschüler uns nicht mit seinem Meister bekannt macht, ohne sofort seine Botschaft zu bezeugen. Hier liegt sein eigentliches Interesse.

Worauf zielt die Botschaft Hoseas nach diesem Bericht? Er führt Israel seine Rechtslage vor Augen. Überschauen wir die Perikope, so ist dreierlei kennzeichnend:

1) Israels Schuld steht am Anfang. Den drei Drohworten (4. 6. 9) geht die Begründung (2) mit dem drastischen Aufweis des treulosen Abfalls Israels von Jahwe voraus (s.o. S. 17). Dies ist also der Anlaß von Jahwes Reden durch Hosea, daß sein Volk Leben, Kinder, Königtum, Freiheit nicht mehr von ihm, von seinem Erbarmen und seiner Bundestreue erwartete, sondern nach kanaanäischer Art vom Baal und seinen Riten, von eigener Macht. Israel hat Jahwe beleidigt, darum eröffnet das derbe Stichwort von der Hurerei die Botschaft Hoseas.

25

2) Das Gericht ist nur Gottes Konsequenz aus Israels Verhalten. Darum besteht es in einer auffallend negativen Reaktion Jahwes. Weil Israel sich anderwärts Liebe und Hilfe verspricht, hört Jahwes väterlicher Liebeserweis, seine eigentliche Lebensäußerung, auf (6). Der Bund, Jahwes wie Israels eigentliches Lebenselement, erweist sich als gelöst (9). Jahwe löst ihn nicht erst auf; er konstatiert, daß Israel eines anderen Gottes Volk geworden ist, und zieht für sich die Folgerungen. In dem hier angedrohten Gericht ist Jahwe, je umfassender es wird, um so weniger aktiv: nach dem vernichtenden Schlag gegen die Dynastie (4) wird der Entzug des Erbarmens angedroht (6) und am Ende nur noch das Erlöschen des Bundes als Tatbestand festgestellt (9). Das Gerichtswort stellt also im wesentlichen dem Volk die von ihm selbst geschaffenen Tatsachen vor Augen.

3) Die Gerichtsbotschaft vollendet sich nur schrittweise. Wir vermerkten in den Drohworten eine Steigerung. Die Drohung wird totalisiert (zuerst trifft sie nur das Herrscherhaus, dann das ganze Volk), radikalisiert (Jahwe entzieht zuerst den König, dann seine Liebe, endlich sich selbst) und intensiviert (zuerst wird über das Kommende referiert, dann die eingetretene Rechtslage dem Partner direkt präsentiert). Im gleichen Zuge wird Jahwes strafendes Handeln (4) von Passivität (6), ja von einem völligen Rückzug (9) abgelöst. Nach der anfänglichen Ansage des strafenden Handelns ist von Jahr zu Jahr mehr die Hoffnung geschwunden, daß Israel unter dem Drohen Jahwes umkehrt zu seinem rechten Herrn. Die ausbleibende Umkehr (8; s.o.S. 23) verschärft das Gericht bis zur Scheidung Jahwes von Israel. So enthüllt die Gerichtsbotschaft dieser Perikope, was dem gegenwärtigen Israel von Rechts wegen zukommt.

Eben damit ist nun aber nach der erklärten Absicht des Erzählers nur der erste Abschnitt des Redens Jahwes durch Hosea dargestellt (2a). Kap. 1 ist gerade mit seinem eindeutig harten Rechtswort, mit seinen so endgültig klingenden „letzten Worten" doch nur recht verstanden, wenn es als Vorwort gelesen wird. Wenn auch der Glossator, der in 7 schreibt, für unser literarisches Empfinden ein wenig voreilig und ungeschickt gewesen ist, so hat er doch verstanden, daß in diesem Kapitel noch nicht alles gesagt ist. Er dachte dabei an Juda. Der alte Erzähler weiß aber selbst, daß sogar für das von Jahwe gewichene und darum rechtsgültig verstoßene Israel die Hauptsache aus Hoseas Mund noch erst in einem ganz anderen Worte kommt. Damit aber jenes Neue, das in Kap. 2–3 folgt, recht begriffen werde, will er zuerst dieses bittere Wort der Scheidung Jahwes von Israel gründlich gehört haben.

Ohne Erkenntnis der hier bezeugten Rechtslage Israels vor Jahwe werden wir Ursprung und Geheimnis des Kreuzes Jesu Christi verkennen (vgl. 1 Pt 2 10).

DER GROSSE JESREELTAG

(2 1–3)

HWWolff, Der große Jesreeltag (Hosea 2 1–3): EvTh 12 (1952/53) 78–104 = Literatur
Ges. St. z. AT: ThB 22 (1964) 151–181. – ERohland, Die Bedeutung der
Erwählungstraditionen Israels für die Eschatologie der atl. Propheten: Diss.
Heidelberg (1956) 117f. – LBGorgulho, A Perspectiva Ecumênica de Oséias
2 1–3: Revista Ecclesiastica Brasileira 22 (1962) 607–615. S.o.S. 1 (Literatur
zu 11) und S. 6 (Literatur zu 1 2–9).

¹(Aber) es wird ᵃ die Zahl der Israelſöhne wie Sand am Meere werden, Text
den man ᵇ nicht meſſen, nicht zählen kann.
Statt daß man zu ihnen ſagt: „Ihr ſeid nicht mein Volk",
nennt man ſie dann ᶜ „Des lebendigen Gottes Söhne".
²Die Judaſöhne vereinen ſich ᵃ dann mit den Israelſöhnen,
ſie erwählen ein gemeinſames Oberhaupt
und bemächtigen ſich des Landes ᵇ.
Denn groß iſt der Jesreeltag.
³Nennt eure Brüder ᵃ „Mein-Volk"
und eure Schweſtern ᵃ „Erbarmen".

1a 𝔊 καὶ ἦν (= וַיְהִי) verknüpft bewußt mit 1 9; denn in 1b und 1 5 überträgt 1
sie והיה korrekt wie immer (z.B. Gn 9 14 Jes 14 3 Am 6 9) mit καὶ ἔσται. 𝔊 setzt
וְלֹא יְהְיָה voraus (Nyberg), hat also offenbar weiter über das Spannungsver-
hältnis zu 1 9 nachgedacht. 𝔐 ist durch 'ΑΣ und den Sinnzusammenhang von
1 f. gestützt. – ᵇ ni. tolerativum (Ges-K § 51c „es läßt sich nicht messen, nicht
zählen", „ist unermeßlich, unzählbar") drückt als pass. zugleich das allgemeine Subjekt aus (Ges-K § 144k, Grether § 87 b4). – ᶜ s. Textanm. 2 18a. –
2a wörtlich: „Judäer und Israeliten versammeln sich miteinander". – ᵇ wört- 2
lich: „sie steigen aus dem Lande auf", wobei sowohl an „aufsprossen" (Dt
29 22) wie an „Aufstand" (Ex 1 10) gedacht sein kann, s.u.S. 32. – **3a** 𝔊 las 3
sg.-Formen (τῷ ἀδελφῷ ... τῇ ἀδελφῇ) und deutete damit von 1 6. 9 2 25 her, vielleicht, weil sie 3 mit 4 zusammensah (trotz 6!). Aber die pl.-Formen von 𝔐
sind von 1 f. her geboten und auch bei 'ΑΣ belegt.

Die Kette von perff. conss. hebt 1f. als prophetische Zukunftsansage Form
von dem streng stilisierten Bericht über die Prophetenfamilie mit seinen
impff. conss. (1 2–9) als neue Einheit ab. Anders 𝔊, vgl. Textanm. 1a. Als
Heilsansage ist 1f. im Mahnwort 3 vorausgesetzt, das sich dadurch
von den Worten des Rechtsstreits in 2 4ff. klar abhebt, obwohl 4 wie 3
mit einem imp. beginnt.

Aber gehören die Heilsansage und das Mahnwort ursprünglich zusammen? Zwar klingt der Name „mein Volk" (3) in seinem negativen
Gegenstück in 1b an, aber weder ist die dortige Umnennung in „Söhne
des lebendigen Gottes" in 3 aufgenommen, noch ist der Name „Erbarmen" in 1f. vorgeformt. Der imp. setzt in 3 unvermittelt nach dem im
כי-Satz 2b gut gerundeten Heilswort ein. So ist die Verknüpfung der bei-

27

den Stücke recht lose und damit dem lockeren Gefüge von Hoseaworten in 2 18–25 verwandt (s.u. S. 57f.). Die Komposition entspricht jener Form von Prophetensprüchen, in denen die Zukunftsansage von Imperativen begleitet wird; sie hat ihren sachlichen Grund darin, daß der Prophet vom Kommenden her die Gegenwart seiner Hörer bestimmt; vgl. Jer 4 5–8 6 22–25 Jes 40 1f. Sach 9 9f. und EvTh 12 (1952/53) 84f.

Das Zukunftsbild beginnt mit zwei breit ausschwingenden Satzperioden (1). Es folgen drei einfache Sätze, die immer kürzer werden, mit zuerst noch sechs, dann vier und schließlich nur drei Worten (2a). So redet einer, der sich zuerst bedächtig in ein unversehens vor ihm aufleuchtendes Bild hineinschaut, um dann im Fortschritt des Entdeckens und der damit auflebenden Freude das Erspähte immer schneller und kürzer aussagen zu können. Der Schlußsatz (2b), mit כי klar markiert, deutet das ganze Geheimnis und gibt ihm sein einprägsames Kennwort: „denn groß ist der Jesreeltag".

Ort Doch eben die Eigenheiten des Sprachstils haben die Frage nach der Herkunft des Wortes geweckt. Die ersten Sätze wirken in ihrer umständlichen Breite, vor allem mit ihren Passivkonstruktionen (1b) unhoseanisch. Am stärksten befremdet im Vergleich mit anderen Heilssprüchen Hoseas (2 16–25), daß das handelnde Ich Jahwes ganz zurücktritt und das Volk durchgehend Subjekt ist. Zudem erinnert der Gedanke des Zusammenschlusses von Israel und Juda unter einem Haupt (2) an Ez 37 15ff. (21f.!). So hat man den Verfasser aus der exilischen Situation verstehen und insbesondere den Schlußsatz von 2a auf die Heimkehr aus dem Exil deuten wollen (Procksch, Budde, Robinson u.a.). Schließlich sah man es als unwahrscheinlich an, daß Hosea die Umdeutung der Namen seiner Kinder aus Kap. 1, wenn überhaupt, dann mehrfach und in 1f. so anders als 2 23f. 25 vorgenommen habe.

Aber ist nicht die freie Umnennung in „Söhne des lebendigen Gottes" statt in „mein Volk", die ganz neue Verwendung des Namens Jesreel sowie die Vorstellung der Kinder als „Brüder" und „Schwestern" bei einem späten Ergänzer, der ezechielisches Gedankengut an Hoseas Botschaft herangetragen hätte, noch schwerer verständlich als bei Hosea selbst? Schon in der Gerichtsverkündigung erfuhr der Name Jesreel zwei verschiedene Deutungen (1 4. 5). Die Rede von einem „großen Jesreeltag" wird gerade dann recht verständlich, wenn derselbe Sprecher schon andere, die neue Wendung vorbereitende Deutungen des Namens auch im Sinne der Heilsverkündigung vorlegte. Das direkte Vorkommen von Jesreel in 2 23f. und der als Deutung des Namens zu verstehende Eingang von 2 25 (s.u. S. 67) legen die Annahme nahe, daß nach den Ereignissen des Jahres 733 Hosea wiederholt das Heil im Blick auf jene Gegend der Jesreelebene verkündete, die das Gericht besonders hart erfuhr. Wie Jesaja zur gleichen Zeit den Befreiungstag für jenes „Volk, das im Finstern wandelt", erwartet (8 23–9 6), so verkündet Hosea ähnlich den großen Jesreeltag als den Tag der großen Wende für Gesamtisrael (s. zur Begründung u. S. 59).

Wie der Ausdruck Jesreeltag am besten aus der Situation Hoseas verständlich wird, so erinnert die Sprache auch sonst stark an ihn. Er liebt die Einführung des Vergleichs mit כ (1aα vgl. 2 5. 17 3 1 4 9. 16 5 10. 12. 14 6 4 8 8 11 11 13 7f. u.ö.). „Israelsöhne" sagt er zwar seltener als „Israel" (s.o.S. 21 zu 1 5), aber immerhin auch noch 3 1. 4. 5 (4 1). Die Wurzel קבץ ist ihm nicht fremd (8 10 9 6). Die Uneinigkeit Israels bewegt ihn auch in 5 8ff. Der Ausdruck ראש, der מֶלֶךְ oder נָשִׂיא (Ez 37 22) vermeidet, wird viel besser im Munde Hoseas als aus der Gefolgschaft Ezechiels verständlich, ebenso „Söhne des lebendigen Gottes" (s.u. S. 30f.).

Aber bleibt nicht doch die Struktur der Sprache unhoseanisch? Man muß zunächst sehen, daß auch die Gottesreden Hoseas im Ich-Stil des Botenspruchs häufig gegen Ende dazu übergehen, nach der Verkündigung der Taten Gottes das dadurch bewirkte Verhalten Israels zu schildern: vgl. 2 8–9; 16.17a–17b; 21.22a–22b; 25abα–bβ; ja, das Deutewort zur Zeichenhandlung 3 4f., das als Abschluß einer Aufzeichnung Hoseas selbst zu verstehen ist (s.u. S. 74), hat nur noch die Israelsöhne zum Subjekt. So wird 2 1–3 zu jenen Hoseaworten gehören, die die Auswirkungen des Handelns Jahwes schildern. Das bedeutet aber, daß sie in der Abfolge der Verkündigung Hoseas nicht am Anfang, sondern am Ende der Spruchfolge 2 4–25 anzusetzen sind, wie das Wort vom großen Jesreeltag sich auch den Jesreelworten in 2 23f. 25 zugehörig zeigt.

Vermutlich sind sie vom Sammler der Hoseaworte, dem wir auch Kap. 1 verdanken, an die Spitze gerückt worden, um mit diesem leuchtenden „Aber" nach den dunklen Worten des Anfangs sofort den ganzen Spannungsbogen der Verkündigung des Propheten aufzuzeigen. Auf diesen Sammler könnte teilweise auch die Breite des Stils in den Eingangssätzen zurückgehen; denn die Verknüpfung mit והיה zeigt sich auch sonst als seine Eigenart (1ab 1 5 2 18. 23; s.u. S. 57 f.). Wie er auch später Spruchfragmente locker fügt (vgl. zu 2 23f. 25 u. S. 58), so hat er hier 1f. und 3 zueinandergestellt, damit die drei Symbolnamen in Kap. 1 ein vollständiges Gegenüber fänden. Im einzelnen muß es offenbleiben, wieweit die Worte vom Sammler, der zu den Hörern Hoseas gehört haben muß (s.o.S. 10), mitgeprägt sind. Seine Mitwirkung an ihrer vorliegenden Gestalt ist ebenso wahrscheinlich wie die hoseanische Herkunft des wesentlichen Inhalts.

Am Anfang steht die Ansage unermeßlicher Volksmehrung Israels. Das Wort redet in eine Zeit, in der man es in Israel mit verhältnismäßig leicht überschaubaren Zahlen zu tun hat. Im Jahre 738 lebten nach 2 Kö 15 19f. 60000 freie Grundbesitzer im Staate Israel, die den Tribut des Königs Menahem für Tiglatpileser III. aufbringen mußten. Nach der

Wort
1

Prunkinschrift Sargons II. (AOT 349; TGI 54; ANET 285) deportierte
der Assyrer nach seiner Eroberung Samarias im Jahre 721 27290 Bewohner aus der Hauptstadt des Nordreichs. Ein Jahrhundert früher waren
in der Schlacht bei ḳarḳara (854) gegen den siegreichen Salmanassar III.
20000 Soldaten des Aramäerreiches von Damaskus angetreten, während
Ahab von Israel nur 10000 stellte. Der Sieger berichtet: „Mit der erha-
benen Macht, die Assur, der Herr verlieh, kämpfte ich mit ihnen... Ihre
zahlreichen Truppen erschlug ich mit Waffen... Mit ihren Leichen dämm-
te ich den Orontes wie mit einer Brücke" (AOT 341; TGI 46; ANET 277).
Die gegenwärtigen Zahlen Israels müssen angesichts der erdrückenden
Macht Assurs unbedeutend erscheinen. So kann der zeitgenössische Hörer
Hoseas Wort nur als Ankündigung des absoluten Wunders verstehen.

Das kommende Wunder erfüllt die Verheißung. Das Vergleichsbild
vom Sand am Meer erinnert an die Väterverheißung (Gn 32 13J; vgl.
15 5 22 17), ohne daß literarische Abhängigkeit zu erkennen wäre. Hosea
verkündet das Neue im steten Kontakt mit den alten Traditionen. Neu
ist die Botschaft, weil sie das Gericht Jahwes überwindet. Hosea selbst
hat es 4 3. 10 9 12a. 16b. 14 1 als katastrophale Minderung der Volkszahl
angekündigt. Ist die schwindende Zahl Zeichen des Gerichtes Jahwes,
so wird die eschatologische Volksvermehrung nur von der Aufhebung des
Gerichtes her verstanden werden können. Das Wunder besteht also primär darin, daß die Liebe Gottes seinen Zorn besiegt (11 9). So wird die
Väterverheißung im Prophetenmund zum neuen, eschatologischen Heilsspruch.

Diese Deutung ist nicht herangetragen, sondern in der Fortsetzung
im Wort von der Umnennung (1b) selbst gegeben. במקום אשר muß nicht
die Identität des Ortes bezeichnen; sie bliebe im Zusammenhang sinnlos.
Hier, wo die Passivkonstruktion allen Nachdruck auf den Namenswechsel
selbst fallen läßt, bedeutet die Wendung „statt daß" (KBL 560a Nr. 6),
zumal auch der Relativsatz im impf. steht. Die Passivkonstruktion, die
man unprophetisch zu nennen geneigt ist, stellt hier prägnant antithetisch das Wesentliche heraus.

Der Name „Nicht-mein-Volk" bedeutete Aufhebung des Bundes als
letzte Radikalisierung des Gerichts (s.o. S. 23f.). Der mit diesem Namen
vollzogene Rückgriff auf die frühere Verkündigung Hoseas macht unsere
Perikope geeignet, sofort im Eingang des Prophetenbuches die überraschen-
de Verwandlung, die später entfaltet wird, im letzten Ergebnis darzustellen. Der neue Name „Söhne des lebendigen Gottes" ist originell
hoseanisch formuliert. Es ist ungewiß, ob auch nur die Wendung אל־חי
vor Hosea schon geläufig war; vgl. Ps 42 3 84 3 Jos 3 10. Hos 6 2 und 13 14
lehren uns, den „lebendigen Gott" als den Lebensspender zu verstehen,
der Herrenmacht über die Verderbensmächte besitzt und der sich darin
von den Baalen unterscheidet (2 10-12). Die Verbindung „Söhne des

lebendigen Gottes" ist kaum anders denn als hoseanische Schöpfung verständlich. Man sollte nicht nur daran denken, daß er Israel auch sonst Gottes „Sohn" (1 11) nennt, sondern vor allem an das hoseanische Gegenbild der „Hurenkinder", die ihr Leben einem fremden Gott verdanken und die infolgedessen dem großen Sterben im Gericht anheimfallen (5 7 9 10ff. 15ff. 11 7 13 1; vgl. 1 2 und o. S. 15). Wird Israel wieder mit Jahwe verbunden sein, so wird ihm ungeahnte Fruchtbarkeit geschenkt. Aus diesem hoseanischen Gedankenkreis kann die Formulierung des neuen Namens erwachsen sein.

Diese Vermutung hilft zum Verständnis des Zusammenhangs (anders Budde 23f.). Weil das Volk der Zukunft der lebenspendenden Kraft Jahwes sein Dasein verdankt, darum wird es das unzählbar große Volk sein; b begründet also a. Deshalb erscheint hier nicht wie 2 3. 25 die Umnennung in „mein Volk". Sie würde nur die Erneuerung des Bundes bezeugen, nicht aber den künftigen Menschenreichtum Israels erklären. So stellt 1 eine deutliche Einheit dar.

Nach der Schilderung des neuen Seins beschreibt 2a drei große **2** Aktionen.

1) „Judäer und Israeliten vereinigen sich." Der Ton liegt auf Vereinigung: ‏ונקבצו ... יחדו‎. Man beachte, wie anders die gemeinsame Herausführung aus dem Exil in Ez 37 21 formuliert ist. Nichts deutet wie dort auf einen Aufenthalt „zwischen den Völkern", fern vom eigenen Land. Die Zeit vor dem Zusammenbruch des Nordreichs scheint als Hintergrund besser geeignet; damals waren Jerusalem und Samaria zeitweilig nicht nur getrennt, sondern standen sogar auf Kriegsfuß miteinander (734; vgl. 5 8ff.). Wie Hosea beide im Zeichen des Zornes Jahwes sehen kann (5 14), so sieht er mit der Heilszeit auch ihre Feindschaft, ja ihre Trennung hinfallen.

2) „Sie setzen sich ein gemeinsames Haupt." Auch hier weist nichts auf die Exilssituation. Denn ‏ראש‎ kann schwerlich „Heerhaufe" als Bezeichnung der Heimkehrerzüge aus dem Exil bedeuten (Budde). Als Objekt zu ‏ושמו להם‎ muß man entsprechend 1 S 8 5 ein zu wählendes Oberhaupt denken. So bekommt auch die Betonung des „einen Hauptes" Sinn, das die bisher Getrennten sich zur Besiegelung ihrer Vereinigung setzen werden. Wer ist gemeint? Ein König? Die Wortwahl ‏ראש‎ ist begreiflich bei Hosea, für den das Wort „König" nur ins Gerichtswort gehört (1 4 3 4 5 1 7 3 8 4. 10 10 15 13 10f.; s. u. S. 78). Das Wort „Haupt" zeigt zurück in die Zeit der vorstaatlichen Führer (Nu 14 4 Ri 11 8), die dann vom Königtum abgelöst wurden (1 S 15 17). Wieder liefert die Frühzeit die Farben für das Bild der eschatologischen Heilszeit (vgl. 2 17). Eine Messianologie ist damit von Hosea nicht gegeben, wie auch nicht an Jahwe als ‏ראש‎ gedacht ist. Denn Israel und Juda setzen sich ja selbst das gemeinsame Haupt. Die von Hosea kritisierten Königswahlen der Gegenwart (8 4), die die Zerrissenheit steigern, stehen im Hintergrund seiner

Wortwahl. Die eschatologische Führerwahl stabilisiert die eschatologische Einigung; mehr will das Wort nicht sagen, das in echt prophetischer Weise mehr andeutet als ausführt.

3) Die dritte Aktion wird noch knapper und darum für uns noch dunkler geschildert.

Zur Fülle der Deutungsversuche dieser crux interpretum vgl. EvTh 12 (1952/53) 94f. Auch hier ist die Erklärung aus der Exilszeit die unwahrscheinliche. Das zeigt sowohl ein Vergleich mit den entsprechenden Termini in Ez 37 21f.(מִבֵּין הַגּוֹיִם ... אֶל־אַדְמָתָם וְעָשִׂיתִי ... לְגוֹי אֶחָד בָּאָרֶץ) wie die spezielle Prüfung des Sprachgebrauchs: ארץ weder bei Hosea noch bei anderen Propheten in ähnlichem Zusammenhang „Erde" = „Völkerwelt"; s.u.S.63 zu 2 20. Wellhausen schlug אֶרֶץ גְּלוּתָם, Duhm הָאֲרָצוֹת vor; aber beides ist angesichts des Kontextes willkürlich.

Fällt die Deutung auf die Heimkehr aus dem Exil auch bei diesem Satz und damit endgültig hin, so denkt man zunächst vom alttestamentlichen Sprachgebrauch aus an eine eschatologische Wallfahrt (1 S 1 3 10 3 Jes 2 3 Jer 31 6 Ex 34 24 u.ö.; so HSchmidt; auch EvTh 12, 1952/53, 95). Dieser Gedanke paßt zwar gut zu dem allgemeinen kultischen Interesse Hoseas, nicht aber zum Zusammenhang des Spruches; wenn die politisch Geeinten nun auch als kultisch geeint dargestellt sein sollten, müßte das doch wohl deutlicher gesagt sein, zumal die Hauptsache, das Ziel der Wallfahrt, unausgesprochen bleibt.

So wird man schließlich bedenken müssen, daß עלה מן הארץ in Ex 1 10 bedeutet: „sich des Landes bemächtigen" (MLambert, REJ 39, 1899, 300; vgl. GBeer, Exodus: HAT 3, 1939, 14; auch HGreßmann, Der Messias, 1929, 235). Diese Bedeutung paßt vorzüglich, wenn wir den Spruch aus der Situation nach 733 verstehen. Das geeinte Volk wird unter einem Haupt das Land wieder einnehmen, das jetzt zum erheblichen Teil in assyrische Provinzen verwandelt ist (s.u.S. 59). Bei Hosea wird die Wendung zudem aus dem Gedankenzusammenhang verständlich und in ein besonderes Licht gerückt. ThCVriezen (Hosea, profeet en cultuur, 1941, 13.22) hat für עלה מן an 2 25a („ich werde sie mir einsäen") erinnert und hier dementsprechend das Ergebnis, nämlich das „Aufgehen", „Aufsprießen" (der Saat) zu sehen vorgeschlagen: vgl. Dt 29 22.

So bekommt auch der Schlußsatz der Reihe einen hellen Sinn: „Denn groß ist der Jesreeltag". Der Name Jesreel entläßt dann nämlich zunächst seine etymologische Bedeutung: Gott sät. Insofern enthält er heimlich die Begründung des verheißenen Geschehens. An jenem Tage der Saat Gottes wird man ein reichliches Aufsprossen im Lande erleben. So würde der Schlußsatz unter der Hand noch einmal den in 1a verheißenen Menschenreichtum begründen. Doch schwingt dieser die ganze Einheit rundende Gedanke wohl nur mit. Im Vordergrunde steht jetzt nicht mehr die Verheißung der Mehrung, sondern die Vorstellung, daß das aus dem Lande aufsteigende geeinte Israel sich frei des Landes bemächtigt, nachdem nämlich Gott auch die Deportierten ins Land zurückbringt (= „einsät" 25a; s.u.S. 67). Dann wird der Tag der Großtat Jahwes vollendet sein und ein volkreiches Israel wieder frei im Lande leben. Damit ist nicht ausgeschlossen, daß die geschichtlich-geographische Bedeutung beim Aufklingen des Wortes Jesreel mitschwingt, daß also Hosea beim „Tag Jesreel" zugleich ähnlich wie Jesaja (9 3) beim „Tag Midians" an eine Befreiungsschlacht in der Jesreelebene als an ein Gegenstück zu 1 5 gedacht hat (vgl. CFKeil, FNötscher). Der beziehungsreiche Zusammenhang legt eine schillernde Mehrsinnigkeit gefüllter prophetischer Ausdrucksweise durchaus nahe.

Das angefügte Mahnwort zieht aus den verheißenen Ereignissen Fol- 3 gerungen für die Gegenwart. Angeredet sind die Zeitgenossen Hoseas im Nordreich, von denen der Heilsspruch zunächst allein (1) sprach. Mit ihren Brüdern und Schwestern werden nach 2 vor allem die benachbarten Judäer gemeint sein. Wie der Jesreelname verschiedenartige Gehalte aus sich entließ, so wird jetzt dem Symbol der Prophetenfamilie neu der Gedanke der Geschwisterschaft entnommen (vgl. Dt 3 18. 20 10 9 17 15 18 2. 7. 15. 18). Die feindlichen Geschwister Juda und Israel sollen sich im Zeichen des neuen Bundes (עמי) und der Begnadigung (רחמה = „sie hat Erbarmen gefunden"; s.o.S. 22) anreden. Hosea fordert damit nach der Katastrophe des Jahres 733 die Feinde von 734 (5 8ff.) in Erwartung des gemeinsamen Heilstages zur Aussöhnung auf.

Das beherrschende Thema des ganzen Stückes ist der kommende Ziel Heilstag (2b), dessen Hauptmerkmale gewaltige Volksvermehrung (1a), Einigung der bisher Getrennten (2a) unter gemeinsamer Führung (2aβ^1) und Gewinnung der Freiheit im Lande (2aβ^2) sind. Die grundlegende Gottestat klingt wohl in 1b und 2b an, tritt aber in dieser Einheit zurück hinter dem damit begründeten künftigen Leben und Handeln des Gottesvolkes, das als Erfüllung altisraelitischen Hoffens (1a) und Lebens (2a) geschildert wird. Das Wort gilt einem von der Weltmacht bedrohten, ja bezwungenen Gottesvolk, das, in sich zerrissen, das Gericht erfährt, nun aber vom Heilsspruch her nicht nur zur Hoffnung, sondern ausdrücklich zur Einigkeit aufgerufen ist.

Mit der Erscheinung Jesu Christi bricht der große Befreiungstag an (Mt 4 15f.), umfassender, als Hoseas Bezeichnung „Jesreeltag" erwarten lassen konnte. Die durch Jesus Christus vollzogene Umnennung des Nicht-mein-Volk in „Söhne des lebendigen Gottes" bringt die ungeahnte Mehrung des Gottesvolkes mit sich. Indem die Völker außerhalb Israels als Nicht-mein-Volk und Ohne-Erbarmen in das begnadete Gottesvolk hineingeholt werden (Rm 9 24f. 1 Pt 2 10), gewinnen die Worte eine vom Propheten nicht gesehene Bedeutung. So kommt die Erfüllung in Gang. Aber vollendet ist sie weder im Blick auf Israel (Rm 10 1 11 26) noch im

Blick auf die Völkerwelt (Apk 7 9ff.). Das Gottesvolk des neuen Bundes bleibt als die „kleine Herde" (Lk 12 32) auf den Zuspruch des prophetischen Wortes angewiesen. Es wartet auf die Heilung seiner Zerrissenheit in der gemeinsamen „Wahl" seines offenbar gewordenen Oberhauptes Christus und auf das freie Leben auf der neuen Erde. Es wartet insbesondere auf das Hinzukommen derer, denen die Verheißung zuerst galt. So geht es mit Israel dem großen Jesreeltag entgegen, an dem die Ernte der großen Aussaat Gottes in Jesus Christus (Joh 12 24) auf dem Acker der Welt reift.

In der Zwischenzeit aber steht das Gottesvolk im Licht der durch Jesus Christus bekräftigten prophetischen Ankündigung unter dem prophetischen Mahnwort: „Nennt eure Brüder Mein-Volk und eure Schwestern Es-gibt-Erbarmen!" Es hat ein neues Wort für die Zeitgenossen aus Israel und aus den Heiden. Es kann sie nur ansehen als Menschen, die durch Gottes Bundeswillen und Erbarmen geschwisterlich ihm zugetan sind. Aussöhnung auf Grund von Versöhnung (3) lautet die ökumenische und missionarische Aufgabe in der Erwartung des zugesagten neuen Lebens des Gottesvolkes (1f.).

VERFAHREN WEGEN TREULOSIGKEIT

(2 4–17)

PHumbert, La logique de la perspective nomade chez Osée et l'unité d'Osée 2, *Literatur*
4–22: ZAWBeih 41 (1925) 158–166. – CKuhl, Neue Dokumente zum Verständnis von Hosea 2, 4–15: ZAW 52 (1934) 102–109. – CHGordon, Hos 2,
4–5 in the Light of New Semitic Inscriptions: ZAW 54 (1936) 277–280. –
JMAllegro, A Recently Discovered Fragment of a Commentary on Hosea from
Qumran's Fourth Cave: JBL 78 (1959) 142–148. – UDevescovi, La nuova
alleanza in Osea: Biblia e Oriente I (1959) 172–180. – S.o.S. 1 (Literatur zu
11) und S. 6 (Literatur zu 1 2–9).

Text

⁴ Verklagt eure Mutter! Verklagt!
   Denn sie ist nicht meine Frau,
      und ich bin nicht ihr Mann.
Sie[a] entferne ihre Unzuchtsmale aus ihrem[a] Gesicht,
   ihre Ehebruchszeichen zwischen ihren Brüsten!
⁵ Sonst ziehe ich sie nackend aus
   und setze sie aus wie am Tage ihrer Geburt.
Ich mache sie zur Wüste,
   verwandle sie in dürres Land
      und lasse sie sterben vor Durst.
⁶ Auch ihrer Kinder erbarme ich mich nicht,
   denn Kinder der Unzucht sind sie.
⁷ Ja, gehurt hat ihre Mutter,
   schändlich triebs, die sie unterm Herzen trug.
Sprach sie doch:
„Ich laufe meinen Liebhabern nach.
   Die spenden mein Brot und mein Wasser,
     meine Wolle[a] und meinen Flachs[a],
       mein Öl und meine Getränke[b]."
⁸ Drum seht, ich versperre jetzt 'ihren'[a] Weg mit Dorngestrüpp
   Ich werfe ihr einen Steinwall auf,
     daß sie ihre Pfade nicht finden kann.
⁹ Dann setzt sie ihren Liebhabern nach,
   aber trifft sie nicht.
Und sucht sie,
   aber findet (sie)[a] nicht.
So wird sie sagen:
„Ich will mich aufmachen und heimkehren
   zu meinem ersten Mann.
Denn damals ging es mir besser als jetzt."
¹⁰ Sie weiß es nicht,
   daß ich ihr gab
     Korn, Most und Olivensaft
       und sie mit Silber überschüttete und mit Gold,
       [das sie zum Baal machten][a].

^{11}Drum nehme ich mein Getreide zurück^a zu seiner Zeit,
den Most zu seiner Frist;
entziehe meine Wolle, meinen Flachs ^{b},
der ^{c} ihre Blöße decken sollte.
^{12}Nun aber decke ich auf ihre Scham
vor den Augen ihrer Liebhaber.
Und keiner soll sie meiner Hand entreißen.
^{13}Ich verabschiede all ihre Freuden^a
ihre Feste, ihre Neumond- und Sabbatfeiern,
all ihre Festversammlungen.
^{14}Ich verwüste ihre Weinstöcke und Feigenbäume, von denen sie sagte:
„Die sind mein Dirnenlohn,
den mir meine Liebhaber geben."
Ich wandle sie in Wildnis^a,
daß die Tiere des Feldes ^{b} sie fressen.
^{15}Ich ziehe sie zur Verantwortung für die Baalfesttage;
da läßt sie ihnen Rauchopfer aufsteigen^a,
legt Ring und Schmuck an,
läuft ihren Liebhabern nach,
mich aber hat sie vergessen, spricht Jahwe.
^{16}Drum seht, ich selbst locke sie jetzt.
Ich bringe^a sie in die Wüste
und umwerbe ihr Herz.
^{17}Dann gebe ich ihr von dorther ihre Weinberge^a
und die Ebene Achor als Tor der Hoffnung.
Dorthin wird sie willig folgen ^{b} wie in ihrer Jugend Tagen,
wie damals, als sie aus dem Lande Ägypten heraufzog.

4   **4a** ⑤ (ἐξαρῶ ... ἐκ προσώπου μου) setzt מִפָּנַי ... וְאָסִיר voraus und läßt somit
die Drohrede schon hier beginnen. „Sonst" in 5a sichert aber 𝔐 in 4b als Mahn-
7 rede. – **7a** Statt der Schöpfungsgaben, die 'A korrekt mit ἔριον und λίνον
wiedergibt, nennt ⑤ die Fertigwaren τὰ ἱμάτια und τὰ ὀθόνια („Kleider und
Leinwand") und überträgt damit den Text aus der bäuerlichen in die städtische
Kultur; ebenso in 11. Vielleicht ist פִּשְׁתִּי zu lesen, so daß in 7b vierfacher Endreim entsteht; (vgl. Albright, BASOR 92, 1943, 22³⁴ und DNFreedman, JBL
74, 1955, 275); פִּשְׁתִּים erscheint außer Hos 2 7.11 (𝔐) nur pluralisch im AT
(13mal), darunter fünfmal neben sg. צֶמֶר, Lv 13 48. 52. 59 Dt 22 11 Prv 31 13).
– **b** ⑤ (πάντα ὅσα μοι καθήκει), ebenso ⑤, setzt nicht notwendig eine andere
Vorlage voraus, wie Nyberg annimmt (וְשַׂדַּי „was mein Bedarf ist"); denn
wohl ist שִׁקּוּי in Ps 102 10 als τὸ πόμα verstanden, aber in Prv 3 8 wird mit
ἐπιμέλεια „Labsal, Fürsorge" schon die Richtung auf eine freie Übertragung
eingeschlagen: „alles, was mir zusteht". ⑤ deutet den Text seinem Leser dahin,
8 daß hier alle seine menschlichen Bedürfnisse gemeint sind. – **8 a** 𝔐 widerspricht mit der Anredeform „deinen Weg" dem Kontext und ⑤ ⑤, die suff. 3. f.
fordern. Mit 𝔐 und ⑤ bleiben wir beim sg. Nomen gegen ⑤ (דְּרָכֶיהָ, so auch
Nowack). Der von 𝔐 (und ⑤) vorausgesetzte Wechsel von sg. und pl. in 8ab
(⑤⑤ נְתִבָתָה) wird älter sein als die Angleichung (⑤ liest zweimal sg., Nowack
9 zweimal pl.). – **9a** ⑤ fügt meist αὐτούς in Anlehnung an den voraufgehenden
Text ein (auch ⑤ setzt תִּמְצָאֵם voraus); Theodoret von Cyrus und Hieronymus
10 dagegen nicht. – **10a** ⑤ erweitert (αὐτὴ δὲ ἀργυρᾶ καὶ χρυσᾶ ἐποίησε τῇ Βααλ) und
gleicht das pl. Subj. des asyndetischen Relativsatzes in Parataxe dem sg. von

36

10a an. Der weibliche Artikel vor Βααλ stellt in späterer Zeit das Bild der Kuh vor Augen (Tob 15: τῇ Βααλ τῇ δαμάλει), will aber ursprünglich, daß dieses Wort als ἡ αἰσχύνη „Schande" gelesen wurde; vgl. OEißfeldt, ZAW 58 (1940/41) 201f. Die beiden letzten Worte sind Glosse; s.u. S. 45. – 11a Gegen die 11 Übersetzung als verbum relativum (wie Gn 30 31 Ri 19 7 u.ö. = Ⓖ πάλιν) sprechen Ⓖ, Ⓣ und die massoretische Akzentuation. Aber שׁוּב als verb. relat. bezeichnet nicht nur die Wiederholung einer Handlung, sondern auch die Wiederherstellung eines früheren Zustandes (Dt 23 14 2 Kö 24 1; Gn 26 18 vermittelt zwischen beiden Bedeutungen). Vgl. 11 9. – b lies פְּשָׂתַי: vgl. o. Textanm. 7a. – c Ⓖ hat den inf. c. לְ nicht als Relativsatz erkannt; als Finalsatz mußte sie ihn verneinen. – 13a Auch Ⓖ versteht die Nomina der ganzen Reihe als 13 Kollektiva und übersetzt pl., ebenso in 14 תְּאֵנָה, אַתְנָה und חַיַּת הַשָּׂדֶה, in 15 נֻזָם und חֶלְיָה. – 14a Ⓖ hat יַעַר als עֵיד (μαρτύριον) verlesen. – b Ⓖ fügt noch 14 „Vögel des Himmels und Gewürm der Erde" hinzu; da sie nicht wie das „wilde Getier" ins Dickicht (יַעַר) gehören, wird eine sekundäre Angleichung an 2 20 vorliegen; ähnlich erweitert Ⓖ in 4 3. – 15a Wahrscheinlich ist תְּקַטֵּר 15 entsprechend dem gängigen prophetischen Sprachgebrauch zu lesen (vgl. 4 13 11 2 Am 4 5 Jer 1 16 11 17 18 15 u.ö.). – 16a In Ⓖ liegt innergriechische 16 Textverderbnis vor: καὶ τάξω statt καὶ κατάξω; vgl. Ziegler 121. – 17a Ⓖ 17 verallgemeinert τὰ κτήματα αὐτῆς = „ihre Besitztümer" und aktualisiert damit den Text für die städtischen Gemeinden des Diasporajudentums; Σ bietet korrekt τοὺς ἀμπελῶνας αὐτῆς. – b Wörtl. „und sie wird dorthin antworten, reagieren, willfährig sein". Zur Bedeutung von ענה vgl. 2 23f. und LDelekat, Zum hebräischen Wörterbuch: VT 14 (1964) 41f. Zur constr. praegnans, bei der ein Verb der Bewegung dem Sinne nach zu ergänzen ist, vgl. 1 2 3 5 Ps 28 1 Jes 41 1; Ges-K § 119ee–gg; Grether § 87h.

Die Sprüche 4–17 heben sich als kerygmatische Einheit gegenüber *Form* dem Kontext ab. In ihnen allen ist Jahwe „der erste Mann" (9b. 4. 15. 17) Israels als einer treulosen Frau (4. 7. 9. 14f. 16), die sich die Gaben des Landes fälschlich von ihren „Liebhabern" (7. 9. 12. 14f.) statt von ihm (10. 11. 17) verspricht. Wie der Stoffbereich so ist der Stil einheitlich der einer Jahwerede, in der die Frau nie angeredet wird, wie später in 18. 21f., sondern stets als 3. pers. behandelt ist. Die Allegorie wird konsequent durchgehalten, außer in 10b (3. pl., dazu u. S.45).

Die seltene Geschlossenheit thematischer und formaler Art in einem so umfangreichen Traditionskomplex wird aus der einheitlichen Herkunft der in diesen Sprüchen verwendeten Redeformen verständlich. Sie gehören alle in ein Rechtsverfahren wegen ehelicher Untreue. So erklärt sich, daß von der angeklagten Frau in 3. pers. die Rede ist. Der betrogene Mann holt seine Söhne zur Verstärkung der klagenden Partei heran (4a). Die ultimative Vermahnung der Beschuldigten (4b) ist von der Strafandrohung für den Fall der Verhärtung begleitet (5f.). In den folgenden Sprüchen zeigt sich dreifach am einleitenden „Darum" die Form von Urteilsverkündigungen (8f. 11–15. 16f.) nach voraufgehender Urteilsbegründung (7. 10. 15b). לכן darf auch in 16 nicht als „Verbindungspartikel" angesehen werden, die – wie es die Formel והיה ביום ההוא in 18. 23 tut (s.o. S.8) – eine neue Sprucheinheit nachträglich literarisch anfügt (so

37

JLindblom, ThLZ 87, 1962, 835); לכן gehört vielmehr in 16 nicht anders als in 8 und 11 zum inneren Aufbau dieser Verkündigungseinheit. Da die Beschlüsse ähnlich wie die Verwarnung eine Heilung der zerbrochenen Ehe anstreben (4b. 9. 17), sind sie der Sache nach vornehmlich vom Schlichtungsverfahren her zu verstehen. Vgl. LKöhler, Die hebr. Rechtsgemeinde (1931), in: Der hebr. Mensch (1953) 150; BGemser, The *rib*-Pattern in Hebrew Mentality: VT Suppl. III (1955) 120–137 (129!); HJBoecker, Redeformen des Rechtslebens im AT: Wiss. Monogr. z. A und NT 14 (²1970) 117–121.

Frei verwendet der Prophet als Sprecher Jahwes die verschiedenartigen Formen der Rede vor Gericht. Denn Jahwe ist Kläger, Richter, Strafvollstrecker und Schlichter in einer Person. Sonst ist auch im Eherechtsprozeß der Kläger von den Ältesten einer Stadt als den Richtern (Dt 22 15) und anderen „Männern der Stadt" als Strafvollstreckern (Dt 22 21) wohl unterschieden. Jahwe wechselt in den einzelnen Sprüchen die Rolle. So werden Spannungen verständlich. In 4 redet der Kläger seine Söhne an; der Richter dagegen spricht von ihnen in 3. pers. (6f.). Dabei ist das Ganze nicht eine nachgebildete Verfahrenshandlung, sondern eine lose Sammlung von Einzelsprüchen, die allerdings gattungsmäßig den gleichen Sitz im Leben und stofflich den gleichen Verhandlungsgegenstand haben. In der so bestimmten kerygmatischen Einheit heben sich durch Variation in Stil und Thema als rhetorische Einheiten ab: 4a. 4b–5. 6–7. 8f. [1] 10. 11–15. 16f. Der Vorschlag, 8f. der Gedankenfolge wegen hinter 15 zu stellen (Halévy, Procksch, Humbert), verkennt den Charakter der Sammlung als eines bei aller Einheitlichkeit der Situation doch lockeren Spruchgefüges (s.u. S. 42f.), das immerhin mit seinem dreifachen „Darum" 8. 11. 16 regelmäßig einen voraufgehenden Schuldnachweis (7. 10. 15b) aufgreift (s.u. S. 49).

Daß die kerygmatische Einheit nicht ohne weiteres als rhetorische Einheit anzusprechen ist, läßt auch der unterschiedliche Grad dichterischer Sprache in den Einzelsprüchen erkennen. Ein regelmäßiger par. membr. findet sich nur in 4–10 und 16f. Am häufigsten ist entsprechend dem einhämmernden Stil die synonyme Form, selten die synthetische

---

[1] Es ist nur unter Vorbehalt möglich, das Überlieferungsstück 4–9 in ursprünglich selbständige und inhaltlich geschlossene Sprüche zu zergliedern; auch Ausscheidung von Glossen vermag nicht zu helfen. 7 z.B. setzt einerseits 6 voraus (אמם ... הורתם) und bereitet andererseits unentbehrlich 8 (לכן) und 9 (Zitat) vor. 6 wiederum setzt die Unterscheidung von Mutter und Söhnen in 4f. voraus, springt aber im Stil (von 2. zu 3. Person) und in der Sache (die Söhne werden bedroht).

Unlösliche Verwobenheit ist also zugleich mit stilistischen und gedanklichen Sprüngen festzustellen. Dieser Befund ist nur teilweise als Ergebnis literarischer Komposition von Spruchfragmenten zu erklären; er spiegelt zum andern das echte, stürmische, gedanklich sprunghafte Ringen des Propheten selbst, der in immer neuen Anläufen den Willen seines Gottes bezeugt, der sein treuloses Volk nicht fahren lassen kann.

(6.9); in 16f. findet sich eine Art Stufenparallelismus, wobei nur der Anfang der neuen Reihe dem Schluß der voraufgehenden entspricht, während die Fortsetzung weiterführt (Schema: a–b//b–c). Innerhalb von 11–15 kommen nur gelegentlich parallele Satzglieder vor (11a); im ganzen stehen hier lediglich die Verbformen, die ungleich lange Perioden einleiten, im äußeren synonymen Parallelismus. Wie Flutwogen rollen die Sätze in bestürmendem Stil heran.

In den Sprüchen, die stärker dichterisch geprägt sind, werden im Regelfall zwei Reihen zu einer Periode gefügt. Daneben liebt Hosea auch dreireihige Perioden, besonders am Anfang und am Schluß einer Einheit (5b. 7bβ. 8. 16). Aber Unregelmäßigkeiten sind auch in diesen Sprüchen besonders an den Anfängen und bei Einführung direkter Rede zu bemerken, ohne daß immer bestimmte Auftaktreihen festzustellen wären. Ein gleichmäßiges alternierendes Metrum bildet die Ausnahme (5b). Meist wechseln in den Reihen Takte mit verschiedener Zahl unbetonter Silben. In der Regel bilden drei Takte eine Reihe; aber auch zwei- (7b) und viertaktige (17) Reihen kommen vor.

Die Sprüche setzen blühende wirtschaftliche Verhältnisse (7.10.11) Ort und ungestörte Gestaltung der Feste des Kulturlandes voraus (13.15). Da außen- und innenpolitische Störungen noch nicht zu spüren sind, leitet man sie am besten aus Hoseas Frühzeit in den letzten Jahren Jerobeams II. um 750 her. Dafür spricht auch die Verwandtschaft der Bildsprache mit dem Stoff von Kap. 1, insbesondere der Scheidungsformel 4 mit der negierten Bundesformel 1 9.

Die Überlieferung geht hier wahrscheinlich auf Hosea selbst zurück. Spätere Sammler (vgl. 1 2–9 2 18–25) konnten nicht so wie er selbst alte rhetorische Einheiten in ein literarisches Gefüge überführen, das eine völlig unzerreißbare kerygmatische Einheit geworden ist. Nach 3 1 verdanken wir dem Propheten schriftliche Tradition. 3 1 stellt sich aber als eine Fortsetzung dar, deren Kopfstück am ehesten in unseren Sprüchen zu suchen wäre.

Der Gott Israels tritt zuerst als Kläger gegen sein treuloses Weib auf. Wort Er sammelt zum Prozeßbeginn die klagende Partei. ריב bezeichnet den 4 Wechsel der Reden vor Gericht (c. עִם 4 1 12 3) und somit die Prozeßführung im ganzen. Eingeschränkt und mit בְּ verbunden meint es Reden, die zur Verantwortung ziehen, mit Vorwürfen angreifen (Gn 31 36 Ri 6 32), Anklage erheben. EWürthwein (ZThK 49, 1952, 4) behauptet gegen JBegrich (BWANT 77, 1938, 31) und KBL 888f. ohne Rücksicht auf die praep. die Bedeutung „Anklage" als die primäre und häufigste. Hier trifft sie zu.

Es überrascht, daß in der allegorischen Rede die Söhne gegen die Mutter auf die Seite des Vaters gezogen werden. Denn steht nicht hinter Mutter und Söhnen Israel? Sollen Israeliten gegen Israel stehen? Ja, das Kollektivdenken wird beachtlich gesprengt, ob nun Hosea das Volk Israel gegen das Land Israel aufbietet oder die Jugend des Volkes gegen seine Führung oder Einsichtige gegen Hauptschuldige oder frische Reue gegen vollendetes Vergehen. Die Allegorie birgt viele Möglichkeiten. Die kühne Unterscheidung von Mutter und Söhnen eröffnet neue Wege für die Hörer, inmitten des schuldigen Israel auf Jahwes Seite zu treten.

Die Schuld der Mutter wird als Anklage in der reziproken Scheidungsformel juristisch fixiert. Sachlich entspricht sie der negierten Bundesformel 1 9. Die Frau hat sich vom Manne schuldhaft unter Ehebruch getrennt und will nun rechtlich als geschieden gelten. Doch folgt nicht ein entsprechender Strafantrag, sondern eine Vermahnung, die das Ziel hat, die Bestrafung zu ersparen (5). Daran sollen die Söhne mitwirken, nicht an der Strafexekution (vgl. Gordon 279f.). Die Treulose soll beseitigen, was an ihren Ehebruch erinnert. Man merkt, daß Jahwe nicht auf Verstoßung, sondern auf einen Vergleich aus ist. זנונים und נאפופים sind im Gesicht oder an der Brust angebracht und entfernbar. Wir werden darin bestimmte Abzeichen von Frauen zu sehen haben, die an kanaanäischen Sexualkulten beteiligt waren, z.B. Stirnbänder oder Gürtel (vgl. ep. Jer 42), Ringe, Halsketten oder ähnliche Schmuckstücke (15 Gn 35 4 Ex 32 2), vielleicht auch Ritzwunden auf der Brust vom ekstatischen Rausch her (Sach 13 6). Für Hosea sind solche Kultzeichen Merkmale gewollter Hurerei und Ehebrecherei; darum benennt er sie mit jenen Abstraktpluralen (s. zu 1 2).

5 Die Warnung von 4b wird durch die im פן-Satz enthaltene Drohung zu einer ultimativen. Wenn die Söhne umsonst die Mutter bestürmen, muß Jahwe selbst zu harten Maßnahmen schreiten. Er möchte es nicht. Zieht er sie „nackend" aus, so zeigt er damit an, daß er sich von der Pflicht zur Bekleidung der Frau befreit sieht, die der Mann rechtlich mit der Eheschließung übernahm (Ex 21 10). So ordnet es das altorientalische Recht, wenn die Scheidung von der Frau ausgeht (Kuhl 105f.). Die hurerische Scheidung Israels von Jahwe zieht noch ärgere Folgen nach sich: die entblößte Frau wird so hilflos, ja lebensunfähig, wie sie es „zur Zeit ihrer Geburt" war (Ez 16 4–8), als er sie auffand (9 10 11 1ff.). Würde die Scheidung von Jahwe nach vollzogenem Ehebruch rechtskräftig, so wäre sie nicht nur der Schande der Entblößung preisgegeben (Ez 16 36ff. Na 3 5ff.), sondern dem Tode. Es ist aber bezeichnend, daß Hosea nicht von Feuertod oder Steinigung, den üblichen Strafen für Ehebruch (Gn 38 24 Lv 21 9 Dt 22 23) redet. Der Gedanke an die Scheidung Israels von Jahwe und ihre Folgen bleibt herrschend. Das zeigt b, wo die Rede vom Bild zur Sache springt. Die Angeklagte wird trockenes Steppenland, das Jahwe vor Durst sterben läßt (vgl. Ex 17 3).

An dieser Stelle ist der Zusammenhang der hoseanischen Allegorie mit der kanaanäischen Mythologie zu erkennen. Die Frau ist das Land, ihre Söhne sind das Volk, das aus der Ehe mit dem Himmelsgott hervorging. Dieser Vorstellung bedient sich Hosea, um zu bezeugen, daß das Kulturland, das Israel bewohnt, seine Fruchtbarkeit nur der Verbundenheit mit Jahwe verdankt. Feiert es die Hochzeit mit einem anderen Gott, so wird es versteppen. Darum sollen die Söhne sorgen, daß die Hurenzeichen der Baalkultstätten vom Antlitz des Landes verschwinden. Hosea greift also die Form des kanaanäischen Mythos auf, um so den kanaanäischen Baalglauben zu attackieren. Dabei steht er einem nomadischen oder rekabitischen Ideal durchaus fern. Vgl. ThCVriezen (1941) 8 gegen PHumbert 159. Die Wüste ist Todesland, das fruchtbare Land ist „Jahwes Land" (9 3).

Unversehens sind die Söhne von jetzt ab nicht mehr angeredet. Der 6 Aufforderung an sie zur Verwarnung der Mutter (4f.) wird ein ganz andersartiger Strafbeschluß mit doppelter Begründung in 6f. angefügt, der zuerst die Söhne selbst trifft. Glossenartig (wie 1 7a!) wird ein neues Redestück von der schriftlichen Überlieferung angefügt, das zunächst inhaltlich an 16 erinnert. Die Söhne werden jetzt härter angefaßt als vorher die Mutter. Damit wird das vorangehende Wort, das kanaanäische Vorstellungen polemisch aufgriff, vor dem Mißverständnis geschützt, das Volk als die Söhne stünde unschuldig und also straffrei neben dem Land als der Mutter. Sie sind „Hurensöhne". Das kann als Begründung für den Entzug des Erbarmens Jahwes nur heißen: sie selbst sind der Hurerei schuldig.

Mit diesem Satz wird die Mutter mehr und mehr auch Repräsentantin des 7 Volkes. Das zeigt der Inhalt ihrer Rede (zu b s.u.). Nur so wird auch der neue כי-Satz neben 6b zur Begründung von 6a sinnvoll. Wer 7 mit 5 verbindet und 6 als Einschub ausschließt (Budde), muß nicht nur erklären, warum die Söhne hier wie in 6 nicht mehr angeredet sind, sondern auch, warum nach der Begründung in 4aβ eine zweite nachgetragen sein soll, zumal der פ-Satz ganz nach 4 hin orientiert ist. Im Zusammenhang mit 6 aber zeigt 7, daß das Land und seine Bewohner, das Volk als ganzes und seine einzelnen Glieder gleich abtrünnig sind. Der Ton liegt auf dem Schuldnachweis als solchem. So bekommt das ursprünglich kausale כי (6b) bei seiner doppelten Wiederholung in 7a b mehr und mehr deiktischen Charakter. Mit diesen Hinweisen bereitet das Spruchfragment 6f., das zunächst 4f. vor einem Mißverständnis schützen sollte (s.o.), das Verständnis der Maßnahmen Jahwes in 8f. im Rahmen der schriftlichen Komposition vor.

Die Mutter wird als „mannstolle Dirne" (Greßmann) angeprangert. Die Schändlichkeit des hurerischen Treibens wird an ihren eigenen Worten nachgewiesen (b). Das Zitat ist von Hosea der durchgängigen Allegorie entsprechend formuliert („meine Liebhaber"). Es dürfte aber Wendungen aufnehmen, die beim Aufbruch zu den Sexualriten und in den Hymnen der Fruchtbarkeitskulte vorkamen. Vgl. zu הלך אחרי Dt 4 3, zu נתנ״ Ps 136 25 145 15. So unterstreicht die Form des Zitats, daß Israel sich mutwillig, bewußt und absichtlich von Jahwe trennt. Die Hure, die

41

ihren Liebhabern nachläuft, ist ungewöhnlich aufdringlich. Die normale Hure wartet (Gn 38 14ff. Jer 3 2). Die „Liebhaber" sind in der Kultmythologie die Baale (15) der Kultorte, die je für ihre Landschaft zuständig sind; im Kultritual sind es die Partner, die als Vertreter der Baale von den Teilnehmern am Fruchtbarkeitskult aufgesucht werden.

מאהבים, pt. pi. von אהב, wird im AT nur im Sinne und in der Nachfolge Hoseas von ehebrecherischen Liebhabern gebraucht, vor allem noch bei Jeremia und Ezechiel (vgl. KBL 16). אהב ist nach WThomas (The root אָהֵב 'love' in Hebrew: ZAW 57, 1939, 57–64) Weiterbildung der biliteralen Wurzel הב (arab. habba), die als onomatopoetische Bildung „heftig atmen, (Luft) schnappen, schnaufen" bedeutet. אהב gehört demnach zur Kategorie jener Worte, die ursprünglich lebhafte Atmung und Gemütserregung zusammensehen (wie אף, נחם u.a.; vgl. KBL); hier liegt die Vorstellung eines sehnsüchtigen Verlangens zugrunde, das sichtbar und spürbar nach seinem Gegenüber lechzt. (Zum entsprechenden Gebrauch in ugaritischen Texten – 'nt III, 4; 67, V, 18 – vgl. ADTushingham, JNESt 12 [1953] 151ff.). Der Intensivstamm kehrt im Hebräischen diese Urbedeutung wieder heraus; so erklärt sich seine ausschließliche Verwendung für die leidenschaftliche außereheliche Geschlechtsliebe.

Im hymnischen Partizipialstil werden die Gaben der Baale gepriesen. In Hoseas Zitation aber ist es Hurenlohn, den sich Israel im kanaanäischen Kultus verspricht (vgl. 2 14 9 1 Mi 1 7 mit Gn 38 16). Die Aufzählung zeigt, daß die hurerische Mutter jetzt deutlich für das Volk, nicht mehr für das Land (wie 5 und 14) steht. Denn sie nennt als Spenden der Liebhaber die wichtigsten Lebensgüter für die Bevölkerung des Kulturlandes: als Grundnahrungsmittel Brot und Wasser, als Rohstoffe für die Kleidung Wolle und Flachs. Die Schafwolle (Prv 27 26) der Herdenbesitzer (2 Kö 3 4) wärmt (Hi 31 20), der Flachs – in den Küstenebenen und im Jordantal angebaut (Geserkalender: ANET 320, Donner-Röllig, KAI II 182; Jos 2 6; vgl. GDalman, AuS V 23f.) – kühlt (Ez 44 17f.); beides verarbeitet die arbeitsame Frau (Prv 31 13), es soll aber nicht zu einem Gewande verwoben werden (Dt 22 11). Neben Nahrung und Kleidung ist שמן das Salböl für die notwendige Hautpflege (Sum. Ges. § 18: AOT 411; Cod. Hammurabi § 178: AOT 399; Altassyr. Ges. § 36: AOT 417; vgl. LDürr, BiblZ 23, 1935/36, 154–157). שקויים ist ein seltenes Wort und meint wohl Getränke wie Weine und Biere (BRL 110f.), die als besondere Genüsse über das Lebensnotwendige hinausgehen. Was immer also den Menschen nährt, schützt und erheitert, das erwartet man vom Aufbruch zu den Baalen.

8   8 f. wird seit Oort, Condamin, Procksch häufig hinter 15 versetzt. Zwar fügt sich 10 gedanklich leichter an 7 als an 9, aber der Übergang von 9 zu 16 wird noch härter (s. u. S. 49f.). Stilistisch ist 8 f. zweifellos enger mit 7 als mit 15 verbunden; das Zitat in 9b ist als Gegenstück zu 7b formuliert: אמרה אלכה אשובה – אמרה אלכה אחרי''. Diesen Zusammenhang sollte man

nicht vagen Vorstellungen einer gedanklichen Folgerichtigkeit von 4–15 opfern (s.o. S. 38 und u. S. 44).

לכן leitet allgemein im Prophetenspruch die Ankündigung der Maßnahmen Jahwes ein; sie erscheinen damit als durch menschliche Taten oder Leiden veranlaßt. Bei Am (7mal), Mi (6mal), Jes (14mal), Jer und Ez (je rund 50mal) ist es häufiger als bei Hosea (nur 2 8. 11. 16 13 3) und Dtjs (3mal). Bei den älteren Propheten bezeichnet לכן fast immer den Übergang vom Schuldaufweis zur Androhung der Strafe; sie ist hier und 16f. ausnahmsweise durch eine Besserungsmaßnahme ersetzt. Die Formel הנני mit pt. (125mal im AT) leitet 118mal eine Drohung oder ein Versprechen göttlichen Ursprungs ein, nur 7mal steht sie einem Menschenwort voran (PHumbert, REJ 1934, 58–64). Sie signalisiert das unmittelbare Eingreifen Jahwes und lenkt zwingend das Augenmerk der Hörer (vgl. KOberhuber, VT 3, 1953, 10). Er sperrt (שׂך) den Weg der Treulosen. Als Wegsperren dienen Dornenzäune oder Steinwälle. Die Macchia Palästinas bietet Dornensträucher aller Größen (GDalman, AuS II 319f.). Vielleicht ist in der Allegorie schon an eine allgemeine Verwilderung des Landes (11ff.) gedacht, die den Weg zu den Baalsheiligtümern illusorisch macht. גדר ist der aufgeschüttete Steinwall von etwa 1 m Höhe, der vor allem als Grenzmauer für die Weingärten dient (Dalman a.a.O. 59f.). Zum inneren Objekt der figura etymologica vgl. Ges-K § 117 p. Die Aussage mit negiertem Jussiv in bβ ist nach der voraufgehenden Partizipialkonstruktion als Finalsatz zu deuten (Ges-K § 165a; Grether § 83b). נתיבותיה sind die Abwege zu den Liebhabern (7b), die in der Allegorie für die Wallfahrtswege zu den Kultstätten stehen. Jahwe legt seinem Volk Hindernisse in den Weg, um es so vor Fortsetzung seines Treubruchs zu bewahren.

Die Liebhaber werden unauffindbar. Man wird noch leidenschaftlich 9 hinter ihnen hersetzen (רדף) und sie nach kanaanäischem Ritual aufsuchen (zu בקשׁ als Kultterminus vgl. 5 6. 15). Aber die Ziele ihrer bösen Sehnsucht werden verlassen und verwildert sein. So wird die Frau Israel durch Enttäuschung zur Besinnung geführt. Das Thema „Suchen und nicht finden" gehört zum Liebes- und Hochzeitsritual, wie Cant 3 1–4 deutlich zeigt; vgl. EJacob, L'Héritage cananéen dans le livre du prophète Osée: RHPhR 43 (1963) 256. Die neue Erkenntnis legt Hosea ebenso wie vorher die böse Absicht (7b) als Zitat in den Mund der Frau (vgl. 6 1–3 8 2 14 3f.). Der Wille zur Umkehr zum „ersten Mann" setzt eine Scheidung voraus, die von der Frau ausging (s. zu 4). Die angesagte Bekehrung ist hier deutlich zu erkennen als Rückkehr in das von Jahwe gestiftete Verhältnis (vgl. HWWolff, Das Thema Umkehr in der atl. Prophetie: ZThK 48, 1951, 135f. = Ges.St. z. AT: ThB 22, 1964, 130–150); nach dem Ehegesetz Dt 24 1ff. wäre sie unter Menschen rechtlich nicht möglich. Das „Damals", in dem es Israel besser ging als jetzt, ist seine Frühzeit mit Einschluß der Wüstenzeit (11 1–3). Jahwe, der Gott von einst, ist jetzt auffindbar und kann helfen, wenn die Götter des Kulturlandes entmachtet und verschwunden sind. Hosea setzt damit voraus, daß ein Wissen um Jahwes Eigenart noch neben den kanaanisierten Kultformen in Israel existiert. Die neue Wendung des Volkes zum alten Jahwebekenntnis wird aber erst durch Jahwes strenge Maßnahmen herbeigeführt. Die harte Tat göttlicher Liebe erreicht jetzt, was dem Mahnwort (4f.) nicht gelang, da alle Glieder des Volkes gleich schuldig sind (6f.). Die Strafe von 5 bleibt aber ausgesetzt. So ist die Spruchgruppe, die mit der Anklage wegen mutwilliger Scheidung in hurerischer Absicht begann, in der Ankündigung des Rückkehrwillens der Frau Israel zum ersten Male an ihr Ziel gelangt.

10 Wer 10 als Fortsetzung von 9 deutet, muß hier den Willen der Frau zur Umkehr als „Scheinbekehrung" (Vriezen, Hosea, 1941, 9) verurteilt finden (vgl. 5 6 6 1–4). Aber Wortwahl und Akzentuierung weisen nicht auf 8f. zurück, eher auf 7 (אנכי נתתי//מאהבי נתני). Unmittelbar ist im jetzigen literarischen Gefüge die Beziehung zu 11: לכן setzt 10 als Strafbegründung voraus. Die Worte „sie weiß nicht..." weisen nur dann eine Schuld nach, wenn hier eine sträfliche Vernachlässigung, ein leichtfertiges „Vergessen" (vgl. 15b) des in Israel überlieferten Wissens um Jahwes Heilstaten gescholten wird. Unheilvoll hat es sich ausgewirkt, daß seit Davids und Salomos Zeit die kulturell höher entwickelte Hälfte des Staatsgebietes kanaanäisch dachte (vgl. AAlt, Der Stadtstaat Samaria, 1954, 15f. und Kl. Schr. III 265 f.). Daß Hosea überliefertes israelitisches Glaubensgut verdrängt sieht, zeigt auch die dreigliedrige Reihe „Korn, Most und Olivensaft"; sie gehört zum Formelgut des Dt (7 13 11 14 12 17 14 23 18 + 28 51; vgl. LKöhler, ZAW 46, 1928, 218–220), ist also ein neuer Beleg für Hoseas Verbundenheit mit jenen oppositionellen Levitengruppen des Nordreichs, auf die letztlich das Dt zurückgehen könnte (vgl. HWWolff, Hoseas geistige Heimat: ThLZ 81, 1956, 83–94 = Ges.St. z.AT: ThB 22, 1964, 232–250; zum Vorkommen der Reihe in Ugarit s.u. Exkurs zu 15). Bezeichnend ist, daß die Auseinandersetzung mit dem Abfall zum Kanaanäertum nicht vom Schöpfungsgedanken her geführt wird, sondern mit dem Bekenntnis zur geschichtlichen Tat und Gabe Jahwes: „ich habe gegeben"; vgl. נתן in 2 17 Dt 26 1. 2. 3. 9. 11 11 14 7 13, dazu GvRad, Das theol. Problem des atl. Schöpfungsglaubens: GesStud (⁴1971) 136ff. Im Blick auf Jahwes unmittelbar schenkende Hand heißt es nicht „Brot, Wein und Öl", wobei die verarbeitende Menschenhand schon im Spiel wäre, sondern „Getreide, Traubensaft und Olivensaft". Wenn im blühenden Handel der Zeit Jerobeams II. „Silber und Gold" nicht knapp sind, so ist auch dieses Kennzeichen wirtschaftlichen Reichtums allein Gabe Jahwes; זהב ist als das Kostbarste betont an den Schluß gerückt.

עשׂו לבעל wirkt im Zusammenhang wegen der pl. Verbform (sie allein fällt aus der Allegorie, s.o. S. 37) und des sg. בעל (vgl. 2 7ff. 15.) befremdlich und ist wohl eine Glosse, die von 8 4 13 2 her die Schuld Israels verdeutlichen will: Jahwes Gaben werden für den Abgott verwandt (vgl. 15aβ) oder gar zum abgöttischen Kultbild verarbeitet; Jes 44 17 macht wie 8 4 13 2 die zweite Deutung von עשׂה ל wahrscheinlicher. Die Glosse ist jetzt als asyndetischer Relativsatz angeschlossen; man wird darin starres Aufnehmen einer Randbemerkung sehen müssen, nicht aber hoseanische Kunstsprache, denn die sogleich folgenden Hoseaworte (14. 15) denken nicht daran, אשׁר des Metrums wegen auszulassen (vgl. FHorst, ThR 21, 1953, 114).

Die angedrohte Strafe, als begründet mit לכן eingeführt, entspricht 11 der aufgeworfenen Schuld. Ist der Geber vergessen, so wird er sich im Zurücknehmen als Herr der Gaben erweisen. „Getreide" und „Traubensaft" unterstreichen die Zusammengehörigkeit mit 10, „Wolle" und „Flachs" erinnern an 7. Das überall angefügte Suffix der 1. sg. betont, daß die Gaben des Kulturlandes zum Geber gehören, daß Israel sie also nicht erwarten kann, wenn es Jahwe verläßt. „Die Zeit" des Getreides, „der Termin" des Traubensaftes ist die Erntezeit (vgl. Ps 1 3). Eben dann, wenn man mit den reifen Früchten rechnet, verfügt Jahwe anders über sie. Die Maßnahmen bleiben im Rahmen des allgemeinen altorientalischen Eherechts: die Frau, die „ihren Gatten vernachlässigt", wird ohne Versorgung verstoßen (Cod. Hammurabi § 141: AOT² 395; ANET² 172). Der Zusatz „ihre Blöße zu bedecken" greift bestimmte Funktionen von Wolle und Flachs im Leben der Frau heraus, um die persönliche Auswirkung sofort anklingen zu lassen.

Mit ועתה leitet Hosea gern die Ausführung von vorher Angedeutetem 12 ein (5 3 10 3 13 2), hier die Folgen des Ernteausfalls, die in 12–15 Zug um Zug dargelegt werden, aber so, daß Jahwe mit dem Zugriff seiner Hand (b) immer neu als der unmittelbare Urheber der Strafen erscheint; beachte die Verba in 1. pers. am Kopf aller Sätze von 11–15a! 12 nimmt zunächst 11bβ auf. Nimmt Jahwe die Bekleidungsmöglichkeit fort, so steht die treulose Frau nackend am Pranger (zu נבלות vgl. akk. baltu = genitalia, nach PHumbert, ZAWBeih 41, 1925, 163, anders KBL). Wird die weibliche Schamgegend sichtbar, so ist sie der völligen Verachtung, Schmach und Schande preisgegeben (Thr 1 8 Ez 16 37 23 29). Jahwe sieht sich genötigt, die Drohung seiner ultimativen Verwarnung 5a wahr zu machen. Dann werden die Liebhaber als hilflose Zuschauer dabeistehen. Der hart zufassenden „Hand" Jahwes (Ps 32 4) ist keiner gewachsen (5 14). Jahwe erweist sich als erste und letzte Instanz.

Wenn auch die Allegorie der Ehe ungebrochen durchgehalten wird, 13 so findet doch das Bild der Entblößung der Frau vor ihren Liebhabern (12) sachlich seine Deutung in 13. Entzieht Jahwe die Kulturlandgaben, so werden die Feste aufhören. Sie sind für Hosea die Hauptzeiten des ehebrecherischen Treibens Israels. So charakterisiert er die Reihe der Feste als „ihre Freude". Das suff. 3. fem. wiederholt er nachdrücklich bei jedem folgenden Fest. Jahwes Sache sind sie alle nicht. Mit חג mag das siebentägige Hauptfest des Jahres als Fest der Weinlese (Ex 23 16 Ri 21 19ff. 1 Kö 12 32) an die Spitze der Freudenfeste gestellt sein. Der Neumondstag mag insonderheit sexuellen Riten vorbehalten, vielleicht gar der Termin des ἱερὸς γάμος gewesen sein (so GBoström, Proverbiastudien, 1935, 135f.; Prv 7 19f.; s.u. zu 5 7). Der Sabbat erscheint ebenso neben dem Neumond wie Am 8 5 Jes 11 13 2 Kö 4 23, ist aber doch wohl kaum als Vollmondstag zu verstehen, sondern wird hier in absteigender Linie als der häufigste, wöchentlich (Ex 20 8ff.) begangene Feiertag, zuletzt vor allerlei sonstigen, nicht weiter erwähnenswerten „Festterminen" genannt. Daß er im Staate Jerobeams II. als irgendein „Tabu-Tag" durch Arbeitsruhe ausgezeichnet war, geht wie aus Am 8 5 so auch aus Hoseas Wort hervor, insofern das einleitende השבתי schon ironisch auf den zuletzt genannten Feiertag anspielt. Vielleicht ist das Verbum שבת als Denominativ von שַׁבָּת anzusehen; vgl. RNorth, The Derivation of Sabbath: Bibl 36 (1955) 182–201. Jahwe wird mit allen diesen Feiertagen Feierabend machen, weil sie alle vom Baalskult und insofern von Israels ehebrecherischen Liebhabereien erfüllt sind.

14   14 greift nicht etwa so auf 11 zurück, daß 12 und 13 dazwischen als störend empfunden werden müßten (Budde), führt vielmehr weiter aus, auf welche Weise Jahwe die Kultfeste zum Erliegen bringt. Es zeigt sich noch deutlicher als in 11, daß mit der Bedrohung der Ernte im Kulturland zugleich der verurteilte Kultus getroffen wird. „Weinstöcke und Feigenbäume" gehören zusammen: Feigenbäume werden in Weingärten gepflanzt (Lk 13 6), auch werden Reben auf den Feigenbaum gezogen (Dalman, AuS IV, 328f.), vor allem sind die Früchte etwa gleichzeitig (Mi 7 1) im August und September reif. Von der Trauben- und Feigenlese kommt man zum großen Herbstfest (חַג vgl. 13). Verwüstet Jahwe Weinstöcke und Feigenbäume, so hört alle Festfreude auf; das Urbild des Friedens und des Wohlstandes (1 Kö 5 5 Mi 4 4 Sa 3 10) ist dahin. – Die Dirne Israel nennt sie אתנה ihrer Liebhaber, der Baale. Die im AT einmalige Form scheint an Stelle des gewöhnlichen אֶתְנַן (91 Dt 23 19 Mi 1 7 u.ö.) im Wortspiel mit תאנה von Hosea gewählt zu sein; sie wird zu תנה gehören („um Hurenlohn dingen, sich preisgeben" vgl. 8 9f.) und erinnert so mit Ri 11 40 an das viertägige Fest, bei dem Jungfrauen ihre Keuschheit opferten (GBoström 119). – Jahwe macht Wein- und Feigengärten zur Wildnis; sofern unter Disteln und Unkraut überhaupt noch Früchte gedeihen (Jes 32 12f.), werden sie von wildem Getier gefressen (Jes 5 5), das sich gern im dichten Gehölz (יער) aufhält.

15   Zum ersten Male nennt Hosea in 15 die „Liebhaber" (7. 9. 12. 14) als

„Baale" bei Namen. Weist der Plural auf eine Vielzahl von Baalgottheiten hin oder ist er nur durch das Bild vom ehebrecherischen Umgang mit anderen Männern bestimmt (so OEißfeldt, Ba'alšamēm und Jahwe: ZAW 57, 1939, 17 = KlSchr II 185f.)?

Unrichtig ist die Vorstellung, die kanaanäische Religion habe eine Unzahl von verschiedenen lokalen Baalgottheiten gekannt. Im nordsyrischen *Ugarit* finden wir in der Mitte des 2. Jahrtausends Baal als den Götterkönig; er ist der Sohn des Korngottes Dagon (Ri 16 23 1 S 5 2ff.) und tritt als der nahe Gott neben den Göttervater El als den fernen. Zum Verhältnis von Els zu Baals Königtum vgl. WHSchmidt, Königtum Gottes in Ugarit und Israel: ZAWBeih 80 (²1966) 55f. Als Wettergott ist Baal Spender aller Fruchtbarkeit; fällt er dem Todesgott Mot in die Hände, so welkt alles Leben dahin (vgl. 12). Wenn Anath, Baals Schwester und Gattin, Mot vernichtet, kann Baal wieder ins Leben zurückkehren. Sie gibt sich seinen Umarmungen hin und gebiert einen Jungstier. So zeigt sich hier das mythische Urbild der sakralen Prostitution (vgl. 14). Die Priester des Baal tragen im Kult Stiermasken, wie Baal selbst auf einer Stele im Tempel (ANEP 490) zwar menschengestaltig, aber mit zwei Stierhörnern auf der Stirn zu sehen war (der Stier ist Symbol der Fruchtbarkeit; vgl. zu 8 5ff.); die Rechte schwingt eine Keule und die Linke schleudert den Blitz; so ist er als Vegetationsgott spendender Herr allen fruchtbaren Lebens. Vgl. ASKapelrud, Baal in the Ras Shamra Texts (1952); MHPope, El in the Ugaritic Texts (1955); GÖstborn, Yahweh and Baal: LUÅ 51, 6 (1956); WFAlbright, Die Religion Israels im Lichte der archäologischen Ausgrabungen (1956) 88ff.; WHSchmidt, Baals Tod und Auferstehung: ZRGG 15 (1963) 1–13. S.u.S. 180f. Für unseren Zusammenhang ist von besonderem Interesse Text 126, III (CHGordon, Ug. Manual 163; Ug. Lit. 80), in dem man den „Regen Baals" erwartet, der „süß für die Erde ist"; denn dort erscheint die Dreierreihe von 10a: „Verbraucht ist das Brot (-getreide) aus den Krügen, verbraucht der Wein aus den Flaschen, verbraucht das Öl aus den Gefäßen."

Für den israelistischen Wohnbereich hat OEißfeldt, KlSchr II 171-198 angenommen, der eigentliche Gegenspieler Jahwes sei im AT durchweg, wo vom Baalkult die Rede ist, jener Ba'alšamēm, der nachweislich in Byblos, Tyrus und im aramäischen Syrien als Herr des Himmels hervorragendes Ansehen genoß. Sicher ist, daß einzelne Baalgottheiten weite Herrschaftsgebiete eroberten und sekundär mit anderen identifiziert werden konnten.

Hosea spricht außer an unserer Stelle auch in 2 19 und 11 2 von בעלים. An beiden Stellen ist der Plural nicht schon vom Kontext aus nahegelegt (vgl. besonders 2 18), wie ja auch die Vielzahl der „Liebhaber" in 2 7.9. 12. 15 nicht schon vom Bilde ehelicher Untreue her geboten ist. Daß die Annahme Eißfeldts für Hosea nicht haltbar ist, zeigt 3 1 (vgl. 3), wo das Gleichnis „einen Freund", die Deutung aber „andere Götter" nennt. So ist der Schluß unumgänglich, daß Hosea doch eine Mehrzahl von Baalgottheiten vor Augen hat. Nun kennen wir allein aus dem AT neben dem alten בַּעַל בְּרִית von Sichem (Ri 8 33 9 4) den Baal von Samaria (1 Kö 16 32, der mit Melkart, dem Hauptgott des Phönikerreichs von Tyrus, identisch sein wird; vgl. AAlt, Der Stadtstaat Samaria, 1954, 27f.), den Baal Karmel (1 Kö 18 19ff.), den בַּעַל זְבוּב von Ekron (2Kö 1 2ff.; „Herr der Fliegen", wohl entstellt aus בַּעַל זְבוּל „der erhabene Herr"; zu *zbl* als Titel der Gottheit vgl. WHSchmidt, ZAWBeih 80, S. 8f.) und den Baal Hermon (Ri 3 3; dazu AAlt, Kl. Schr. II, 138ff.). Zum

Baal Tabor s.u.S. 125, zum Baal Peor u.S. 213f. Daß sie alle leicht in eins gesetzt werden konnten, ändert doch nichts daran, daß sie von Haus aus und für die Kultpraxis in Hoseas Tagen von Baʻalšamēm unterschieden werden müssen. So wird der hoseanische Plural בעלים nicht nur durch die Vielzahl der Baalkultstätten (Jer 2 28), sondern vor allem durch eine Vielzahl unterschiedlicher Baalgottheiten veranlaßt sein. Baal ist bei Hosea zum Sammelbegriff kanaanäischer Gottheiten (= fremde Götter 3 1; vgl. 13 4) geworden, da neben ihm nicht einmal Aschera erwähnt wird (1 Kö 18 19 2 Kö 23 4. 7).

Baalim als Gattungsbezeichnung für fremde Gottheiten haben von Hosea außer Jeremia (2 23 9 13) nur das deuteronomistische und chronistische Geschichtswerk übernommen (Ri 2 11 8 33 10 10 1 Kö 18 18 2 Ch 17 3 24 7 28 2 als Sammelname nur für männliche Gottheiten: neben אֲשֵׁרוֹת Ri 3 7 2 Ch 33 3 34 4, neben עַשְׁתָּרוֹת Ri 10 6 1 S 7 4 [hier tritt bezeichnenderweise הַבְּעָלִים an die Stelle von אֱלֹהֵי הַנֵּכָר in 7 3] 12 10). Auch in Ugarit scheint Baal als Gattungsbezeichnung für Ortsgottheiten schon gelegentlich neben der gewöhnlichen eigennamartigen Verwendung vorzukommen (Gordon, Ug. Manual 133 Nr. 14; Ug. Lit. 109; dazu Kapelrud, Baal 44). Seine Wortbedeutung „Herr", „Besitzer", „Eigentümer" machte es dazu hervorragend geeignet. Vgl. auch WBaudissin, Art. Baal u. Bel: RE³ 323–340.

„Die Tage der Baale" sind die kanaanäischen Kultfeste (vgl. 9 5 und akkadisch *um ili* = Festtag; vgl. AOT 275 Z. 16; ANET 434d und B Landsberger, Der kultische Kalender der Babylonier und Assyrer: Leipziger semit. Stud. VI 1/2, 1915, 12) mit ihren Veranstaltungen im Freien auf den heiligen Höhen und unter den heiligen Bäumen (4 13). Drei Einzelheiten werden herausgehoben: 1) Die Rauchopfer. קטר pi. wird durchweg für den abgöttischen Kult verwandt (hi. dagegen, vornehmlich in Lv, für den Jahwekult). So erkennt die Prophetie schon den Brauch, Opfer in Rauch aufsteigen zu lassen, als Abfall zu den Fremdgöttern und nicht erst die Tatsache, daß sie „ihnen" gelten. Die Brandopfer sind für die alte kanaanäische Pflanzerkultur ebenso kennzeichnend wie die Mahlopfer für die Steppenhirtenkultur, aus der Israel herkommt (vgl. u. S. 107f. und VMaag, VT 6, 1956, 14ff.). – 2) Das Schmuckanlegen. נזם sind als Ohrenringe im Stierkultus durch Ex 32 2f. (vgl. Gn 35 4) bezeugt; unsicher ist, ob auch חליה Ohrenschmuck meint (Dalman, AuS V, 349). Vgl. HSchmökel, Ur, Assur und Babylon (1955) T. 79 (Schmuck von Ischtar-Priesterinnen). – 3) Die Festzüge. Da die Aussage, Israel „ziehe hinter seinen Liebhabern her", an dritter Stelle erscheint, wird man eher an Prozessionen am Kultort als an die Wallfahrt zum Kultort denken (עלה bzw. בוא in 4 15 2 2). Für solche Kultumzüge „hinter den Liebhabern her" ist an Standarten zu denken, auf deren Spitze ein Stierbild (Mari) oder ähnliche Kultbilder stehen und die der Prozession vorangetragen werden (OEißfeldt, Lade und Stierbild: KlSchr II, 1963, 291ff. 299f.!). Jahwe wird sie für dieses ganze Festtreiben „zur Verantwortung ziehen": פקד steht bei Hosea parallel zu זכר = (an Schuld) gedenken (8 13 9 9), zu שוב hi. = heimzahlen (Taten zurückwenden) (4 9 12 3) und zu שלם = vergelten (9 7); es bezeichnet eine bestimmte Weise der Reaktion Gottes auf Schuld, die ein Verantwortlichkeitsverhältnis voraussetzt. Übt Gott פקד, so steht zwar bei Hosea der Vorgang der Strafe im Vordergrund, doch ist der Grundton traurigen Vermissens und sorgenden Sichkümmerns nicht ganz zu überhören (vgl. 15b und KBL). -- Diese Trauer bricht im Schlußsatz durch: „mich aber hat sie vergessen". Er greift sachlich auf die Strafbegründung in 10 zurück: „sie weiß nicht mehr...". Daß שכח bei Hosea Konträrbegriff zu ידע ist, zeigen 4 6 und 13 4–6 (vgl. EvTh 12, 1952/53, 539–543). Der Zusammenhang von 15 mit 10 verdeutlicht, daß das Vergessen Jahwes konkret nicht nur die תורה (4 6 vgl. 13 4ff.), sondern auch die Gaben Jahwes (vgl. 8 14) vor Augen hat.

Im Dt kann Gegenstand des Vergessens „der Bund" sein (4 23. 31), die „Gebote" (25 19 26 13), aber auch „Jahwe" selbst als Helfer Israels (6 12–14 8 11. 14. 18f.); besonders diese letzten Stellen zeigen aufs neue die Verbundenheit Hoseas mit dem Denken der deuteronomischen Kreise, denn auch dort sind die, die „Jahwe vergessen", solche, die „anderen Göttern nachfolgen" (6 14 8 19). Wegen der terminologischen Verwandtschaft hat man 15b als redaktionelle deuteronomistische Zutat ansehen wollen (Marti); aber die stilistische Verknüpfung mit dem Kontext ist so vollkommen und die Sache von 4 6 her so klar hoseanisch, daß man mit dieser literarkritischen Hypothese dem hoseanischen Spruch seine Gipfelung und zugleich den deuteronomischen Kreisen ihre frühen Vorfahren rauben würde.

Der Gott Hoseas ist mit Israels Abfall persönlich getroffen. Darum sucht der Vergessene im Gericht die treulos Vergeßlichen auf. Es sind zuletzt „seelsorgerliche" Gründe, die das Drohwort mit dem Schuldaufweis nicht nur beginnen, sondern auch beschließen lassen (vgl. ZAW 52, 1934, 5f.). – נאם יהוה beschließt bei Hosea nur noch einmal (11 11) eine Sprucheinheit; in 2 18 steht es im Spruicheingang, in 23 im Spruchinnern. Diese Gottesspruchformel sichert an allen Stellen die Deutung der in unmittelbarer Nähe erscheinenden 1. pers. Sie hat also nicht notwendig eine die Einheit vom Folgenden trennende Funktion.

Vgl. FSNorth, JBL 71 (1952) X und RRendtorff, Zum Gebrauch der Formel ne'um Jahwe im Jeremiabuch: ZAW 66 (1954) 27–37. Geht sie auf Hosea oder auf eine Redaktion zurück? Man wundert sich, daß sie nicht häufiger erscheint, da doch Hosea zumeist in der Form der Gottesrede spricht und auch andere Gottesspruchformeln fast völlig fehlen; Ausnahmen sind 3 1 4 1; s.u. S. 82f.

Ein drittes Mal führt die Gottesrede mit לכן Konsequenzen aus Israels 16 Schuld ein. Wie לכן in 8 and 11 auf den Schuldaufweis in 7 und 10 zurückgriff, so in 16 auf 15b. Die strukturelle Verknüpfung nötigt, 16f. mit dem Voraufgehenden zusammenzusehen (s.o. S. 38) . Nun kreist allerdings 15aβb zunächst mit 10 als Strafbegründung die Drohworte 11–15a ein. Sie sagten Ernteausfall und Verwüstung des Landes an. Es ist, als wäre das neue „Drohwort" von dem Gedanken bewegt, jene Strafe erreiche noch nicht ganz, was nach der Schuld Israels notwendig sei. 15b hatte noch bewegter als 10 und 7 ausgesprochen, daß Gott selbst unter der Untreue Israels leidet. Schon in 4f. und vor allem in 8f. hatte Jahwe als Kläger und als Richter nur auf Maßnahmen gesonnen, die das zerbrochene Verhältnis heilen. In diesem Sinne bedarf 11–15a einer Ergänzung. Stofflich setzt es an die Stelle der angedrohten Versteppung des Landes, von der auch 5 und 8f. sprachen, eine Wegführung in die Wüste. Die Sicht des Gerichtes ist also eine andere als vorher. Israel muß nicht etwa deshalb aus dem Lande heraus, weil das Leben dort unerträglich geworden sei (so Humbert 164); denn das Land ist hier nicht verwüstet, sondern kann mit seinen Weinbergen von der Wüste her neu bezogen werden. Rhetorisch gehört also 16f. wahrscheinlich nicht direkt zum vorigen, wohl aber kerygmatisch im Sinne der vorliegenden literarischen Zusammenstellung. Denn faktisch soll mit dieser Versetzung in die Wüstensituation zunächst das gleiche erreicht werden: daß Israel nur noch mit Jahwe und nicht mehr mit den vermeintlichen Liebhabern zu tun hat (vgl. 9. 12). Nun aber geht das neue Wort darin kerygmatisch über alles Bisherige hinaus, daß es nicht nur ein hartes Handeln Jahwes ansagt, gegen das die Baale ohnmächtig sind (12), sondern ein neues und zwar freundliches Reden Jahwes inmitten der Wüstensituation; es kündigt auch nicht nur ein neues Bekenntnis der Frau zu ihrem Manne an (9b), sondern zuvor noch, daß Jahwe sie neu mit Weingärten beschenkt.

Eingangs lenkt die prophetische Rede das Augenmerk wieder zwingend (zu לכן הוי s.o.S. 43) auf ein ganz ungewöhnliches Handeln Jahwes, das zu erwarten steht: „ich überrede sie". פֹתָה nennt Hosea 7 11 die „leicht zu verlockende" Taube, die „unerfahren" und „unverständig" ist (אֵין לֵב); sie stellt das von den Großmächten politisch verleitete Israel dar. פתה pi. heißt dementsprechend „als leicht verführbar behandeln". So stellt sich Jahwe hier in einem grob anthropomorphen Bilde als „Verführer" hin, der ein von vielen Liebhabern umworbenes Mädchen beschwätzt (vgl. Ex 2215). Israel wird als Volk die überwältigende Kraft seines Überredens erfahren, wie später der Prophet Jeremia als ein Einzelner, der für sein Volk vor Jahwe steht (20 7 פתה//חזק). Jahwe wird sie an einen einsamen Ort führen. Die Wüste kennt keine Baale. Hier will Jahwe mit ihr allein sein. Wie in 4–15, so liegt auch jetzt der Ton nicht auf der Ansage bestimmter geschichtlicher Vorgänge, sondern auf dem personalen Handeln Jahwes. Wie man in 11–15 vergeblich fragt, ob Hosea an Dürre oder an kriegerische Verwüstung des Landes denke, so ist es hier müßig zu erwägen, ob er eine Erneuerung der nomadischen Existenz oder eine Exilierung vor Augen habe. Das erste ist wahrscheinlicher vom Gedanken der Einsamkeit mit Jahwe in 16 her und wegen der Verheißung der Weinberge „von dort aus" in 17; auch von 1210b und 134–6 aus ist es für Hoseas Denken wahrscheinlicher. Das zweite entspricht der Neuformung der Botschaft durch Ezechiel (2033–44), der von der „Wüste der Völker" spricht; Hoseas Vergleich mit dem „Tag ihres Heraufziehens aus Ägyptenland" (17bβ) hat ihn offenbar dazu veranlaßt, wie Ezechiel denn auch das neue Geschehen mit dem „in der Wüste des Landes Ägyptens" (36) vergleicht.[1] Für Hosea sind die Mittelinstanzen in Natur und Geschichte unwichtig und auswechselbar; entscheidend und gleichbleibend ist, daß Jahwe selbst sein Kommen ansagt, der nun vor allem anderen das Ohr seines Volkes neu gewinnen will: „ich will ihr zu Herzen reden". Die Wendung דבר על לבה bleibt ganz in der Sprache der Liebe eines Mannes zu seiner Frau. Sichem „redet zum Herzen" der Dina, da „seine Seele an ihr hängt und er sie liebhat" (Gn 34 3); Ruth (2 13) wundert sich, daß Boas ihr „zu Herzen redet", wie man es sonst nur den Vertrauten gönnt; solches Reden bedeutet Tröstung (vgl. auch Jes 40 2). Der Levit von Ri 19 3 spiegelt am genauesten Jahwes Verhalten; er spricht seinem entlaufenen Weibe zu Herzen, mit dem Ziel, sie zur Rückkehr zu bestimmen. Zusammengehörigkeitsbewußtsein und Liebe sind also Ursache solchen „Zu-Herzen-Redens", sein Ziel ist der Wille zur Überwindung von Kummer und Unwillen (vgl. auch 2 Ch 32 6), von Widerspenstigkeit und Entfremdung.[2]

Es wundert, daß nach dem Bericht der Zusprache Jahwes zunächst 17 noch nicht vom Widerhall bei der Frau die Rede ist, sondern von Jahwes Handeln: „i c h g e b e i h r ihre Weinberge". Jahwes Wort war offenbar eine einzige Liebeserklärung, die nun durch Taten besiegelt wird, wie durch „Geschenke an das Mädchen beim Liebeswerben" (Budde). Da das Gespräch in der Wüste stattfand und Israel „von dorther" dem neuen Geschenk zugeführt wird, gilt jetzt unwidersprechlich, daß Jahwe und kein Baal der Spender ist. Die Wüste wird nicht als der ideale Ort der Gottesnähe bezogen, sondern nur zum Zwischenaufenthalt, der hervorragend geeignet erscheint, Jahwes Alleinherrschaft und Wundermacht neu zu erweisen. Ziel sind „i h r e Weinberge", nämlich die, „die sie früher besessen hat und die der treuen Gattin rechtmäßig gehören und nur der untreuen entzogen waren (14)" (CFKeil). Als neue Gabe Jahwes stehen die „W e i n g ä r t e n" für das Kulturland schlechthin als Unterpfand eines tröstlichen Neuanfangs nach dem Gericht (vgl. Gn 9 20 mit 5 29), als Quellorte tiefster Freude der Herzen (Ps 104 15) und Zeichen des Wohlstandes in einem von starker Hand gesicherten Frieden (2 Kö 18 31 und o. S. 46). נתתי משם heißt soviel wie Rückführung aus der östlichen Wüste

---

[1] Vgl. die Kriegsrolle von Qumrān I 2f.: „Die Söhne Levis und die Söhne Judas und die Söhne Benjamins, die Verbanntenschaft der Wüste (גולת המדבר), werden gegen sie (sc. die Finsternissöhne) kämpfen mit allen ihren Kampfscharen, wenn die Verbanntenschaft der Lichtsöhne aus der Wüste der Nationen (ממדבר העמים) heimkehrt, um in der Steppe Jerusalems zu lagern." (Text bei ELSukenik, 'Ôṣar hammegillôth haggenûzôth, 1955, Tafel 16; Übers. HBardtke, ThLZ 80, 1955, 401).

[2] MLuther, WA XIII, 9 (z.St.): Docebo te per meos apostolos dulcem doctrinam, aliam quam lex est.

ins westjordanische Kulturland. Diesen Weg hat nämlich die Erwähnung des „Talgrundes Achor" vor Augen, der in jedem Falle im Westen des Jordangrabens beim Aufstieg auf die fruchtbaren Höhen des westjordanischen Berglandes zu suchen ist.

Die genaue Lokalisierung der Achor-Ebene ist umstritten. Vgl. HWWolff, Die Ebene Achor: ZDPV 70 (1954) 76–81 und MNoth, ZDPV 71 (1955) 42–55. Auf Grund einer Besichtigung der fraglichen Ortslagen schlug ich das wasserführende *wādi en-nuwēʿime* nordwestlich vom *tell es-sulṭān* vor, das als weit ausschwingender Talgrund von etwa 1 km Breite und 2 km Länge im Westen durch einen Halbkreis des aufsteigenden Gebirges (ZDPV 70, 1954, Tafel 1 Bild B), im Osten durch eine leichte Bodenwelle gegen den Jordangraben von *chirbet el-mefdschir* (Gilgal? vgl. JMuilenburg, BASOR 140, 1955, 11–27) abgegrenzt wird (a.a.O. Bild A links). Ein breiter Grünstreifen begleitet im südlichen Teil den Wasserlauf am Fuß des Gebirges (Bild A), aber auch der trockene, etwas wellige nördliche Teil wird von Kleinviehherden durchzogen und zeigt Zeltgruppen (Bild B). MNoth hat meiner Ablehnung älterer Vorschläge (vgl. Dalman, PJB 8, 1912, 62; KBL 702a; Noth, Josua, ²1953, 88) zugestimmt, aber gegen meinen neuen Vorschlag vor allem zweierlei geltend gemacht: 1) dieser Talgrund sei nicht ein עמק im alttestamentlichen Sinne; 2) er liege bereits im Bereich der benjaminitisch-ephraimitischen Grenze, während Jos 15 7 mit seiner Hilfe die judäisch-benjaminitische Grenze beschrieben sei. Ad 1) bleibt die Gegenfrage, wie denn alttestamentlich jene Fläche heißen sollte. נַחַל würde ein solch weit ausschwingender fruchtbarer Talgrund kaum heißen (vgl. ASchwarzenbach, Die geogr. Terminologie im Hebräischen des AT, 1954, 30), allenfalls גְּיְ. Doch bietet diese „Niederung" wie ein rechter עמק durchaus Platz für Wohnstätten, Äcker und Weideplätze. Daß sie nicht ringsum von Bergen eingeschlossen ist, entspricht dem Gebrauch von עמק für die westliche Küstenebene (vgl. Schwarzenbach 34). – Ad 2) bleibt fraglos eine gewisse Schwierigkeit. Noths Argument wiegt allerdings nicht so schwer, wenn man bedenkt, daß das benjaminitische Gebiet zum Jordan hin recht schmal wird und nicht viel mehr als die unmittelbare Umgebung des Talgrundes vom *wādi en-nuwēʿime* umfaßt. Da in der weiteren Umgebung kaum markante Grenzfixpunkte zu ermitteln sind, könnte man doch einmal die judäische Grenze von einem bekannten jenseitigen Platz her bestimmt haben, zumal der Ausdruck „Hinterland der Achorebene" in Jos 15 7 auffällt. – Da MNoth das für unwahrscheinlich hält, schlägt er nunmehr die *bukēʿa* unterhalb der *chirbet mird* vor, eine 7. mal 3 km große, rings von Bergen eingefaßte Ebene in der Wüste Juda in der Nähe des griechisch-orthodoxen Klosters *mār sāba* am *wādi en-nār*. Inzwischen haben JTMilik und FMCross festgestellt, daß in jener *bukēʿa* drei kleine Ortschaften im 8. und 7. Jh. besiedelt waren; sie haben demnach Noths Vorschlag zugestimmt. Vgl. RB 63 (1956) 74–76. Gegen diesen Vorschlag erheben sich drei Bedenken. 1) Die Ebene liegt 15–20 km von Jericho entfernt; denkt Jos 7 24ff. an eine derartige Entfernung? 2) Wie sollte Hosea je dazu gekommen sein, diese inmitten der Wüste Juda gelegene Niederung „Pforte der Hoffnung" zu nennen, da sie weder den Charakter einer Pforte hat noch mit den benjaminitischen Vorstellungen vom Einzug Israels ins Land verbunden sein kann? 3) Die judäisch-benjaminitische Grenze müßte in diesem Falle merkwürdig weit nach Süden ausbuchten. Dazu vgl. auch KDSchunck, Benjamin: ZAWBeih 86 (1963) 39ff. 144ff. 161. – So wenig demnach einstweilen Gewißheit über die Lage der Ebene Achor zu

erlangen ist, so läßt mich doch eben Hoseas Benennung „Pforte der Hoffnung"
immer noch an jenen buchtartigen Talgrund nordwestlich von Jericho denken,
der wie eine grüne Pforte zum Aufstieg auf die fruchtbaren Höhen mit ihren
Weinbergen einlädt.

Wichtiger als der geographische Charakter der Ebene Achor wird
für das Ohr Hoseas und seiner Zeitgenossen der Wortklang עכור sein,
der an עָכָן erinnert, den Jahwes Zorn „ins Unglück bringt", nachdem
jener Israel „ins Unglück brachte" (עכר) (Jos 7 24–26). Es ist ein leuch-
tendes Zeichen des Durchbruchs der Liebe des Gottes Israels, daß er das
Unglücks- und Zornestal in ein „Tor der Hoffnung" verwandelt, das
bereits eine Vorahnung der Weinberge vermittelt. Erst in 17b wird die
Umworbene und Neubeschenkte zum Subjekt: וענתה. Das ist mehr als
Antwort im Sinne eines Wortwechsels; es sagt umfassend: sie tut, was der
Anruf erwartete (vgl. 2 23f.; Jes 65 12), sie entspricht dem gehörten Wort
und schlägt in die schenkende Hand ein; sie ist neu zur ehelichen Gemeinschaft bereit (vgl. Ex 21 10 עֹנָה = debitum conjugale, Humbert 165).
Daß וענתה Wort und Weg zusammendenkt, zeigt das folgende שׁמה, das
syntaktisch eine constructio praegnans (Grether § 87h) wie 1 2b 2 20b und
3 5b voraussetzt, also ein Verbum der Bewegung mithört: „sie antwortet
und zieht dorthin" = sie folgt willig.

Diese willige Gefolgschaft der kommenden Tage wird dem Verhalten der
Frau Israel in „ihrer Jugendzeit" entsprechen. Das Leben Israels hat
für Hosea mit dem „Heraufziehen aus Ägypten" begonnen (vgl. 1 11
und Ri 19 30). In der Frühzeit zeigte es sich willig (10 11). Jeremia (2 2) legt
uns Hosea aus, wenn er treue Hingabe (חֶסֶד), Liebe (אַהֲבָה) und Folg-
samkeit (לֶכֶת אַחֲרַי) als Merkmale jener „Brautzeit" nennt (vgl. Ez 16 43).
In den Pentateuchquellen findet sich diese positive Wertung von Israels
Verhalten in der Frühzeit nicht (vgl. JRieger, Die Bedeutung der Geschichte für die Verkündigung des Amos und Hosea, 1929, 113). Hosea
kennt nicht das Murren des Volkes, das „in ständiger und fast eintöniger
Wiederholung" in den Einheiten des Themas „Führung in der Wüste"
auftritt (MNoth, Überlieferungsgeschichte des Pentateuch, 1948, 134).
Der Weg aus Ägypten durch die Wüste war für ihn die Zeit des Rufens
und Schenkens Jahwes und der dankbaren Gefolgschaft Israels. Dieser
Zeit verheißt Jahwe eine endzeitliche Wiederkehr.

Die Spruchreihe 2 4–17 ist von der Frage bewegt, wie Jahwe mit der Treu- Ziel
losigkeit Israels verfährt. So verschiedenartig die Sprüche nach Form und
Inhalt sind, es verbindet sie doch eine Grundtatsache: Gott leidet
unter den falschen Liebschaften Israels. Er kann die von der Frau
gewünschte und geschaffene Scheidung nicht als endgültig annehmen (4a).
Er kann die Täuschung nicht ertragen, sie könne von den falschen Liebhabern wirklich leben (7). Er klagt in verschmähter Liebe, daß er vergessen
sei (10. 15). Weil Gottes Liebe leidet, darum wirbt sie neu um Israels Herz

(16f.). Vgl. JScharbert, Der Schmerz im AT: BBB 8 (1955) 162. 219. Dieses Grundmotiv macht verständlich, daß stilistisch das Gleichnis von der treulosen Frau streng durchgehalten wird. Es ist vom altisraelitischen Jahweglauben her ein unerhörter Modernismus, daß Hosea das kanaanäische Mythologumenon von der Götterehe so konsequent aufnimmt. Aber er überträgt auf Jahwe und Israel, auf Gott und sein geschichtliches Volk, was der Mythos vom Gott und der Göttin sagt, was der Kultus als heilige Hochzeit begeht, was die mythologische Naturkunde in der Paarung von Himmel und Erde beobachtet. Und vor allem: er führt die Vorstellung des Ehebruchs und der Ehescheidung ein. Damit zerstört er den Mythos in analogieloser Weise von innen her (vgl. HSchrade, Der verborgene Gott, 1947, 168). So ist am Ende ein mythisches Element in eine Gleichnisrede verwandelt, die schärfstens gegen den Einbruch des kanaanäischen Mythos in Israel polemisiert.

Dieser von Leid und Liebe getriebene Wille sucht m a n c h e r l e i W e g e. Die Verschiedenartigkeit der zusammengestellten Sprüche ist ein bewegendes Zeichen dafür, wie d e r G o t t H o s e a s d a r u m r i n g t, I s r a e l w i e d e r z u g e w i n n e n. Es ist wie ein kleines Kompendium von Antworten auf die Frage: „Was soll ich dir tun, Ephraim?" (6 4). Zuerst wird Volk wider Volk aufgeboten, Einsicht wider Unverstand, Rechtlichkeit wider Untreue (4a). Das Warnwort wirbt um Hörer und Sprecher, als sei bei ultimativer Strenge Besserung noch möglich (4b. 5). Doch die Verliebtheit in die Abgötter ist eine so völlige (6f.), daß Jahwe nicht mehr mit Worten, sondern nur noch mit Taten an seinem geliebten Volk arbeitet, die als seine Taten angekündigt werden. Er schafft Zustände, in denen die Abgötter unerreichbar werden (8); er demonstriert ihre Ohnmacht (12); beides bewirkt er durch Verwüstung des Landes und seiner Kultstätten (8f. 11–15). Der letzte Weg bringt Israel in die Wüste zurück. Hier erst gesellt sich wieder das Wort zur Tat, aber nun ein Wort, das nicht fordert, sondern sein Liebeswerben mit Geschenken besiegelt (16f.).[1] Damit sind wenigstens drei unterschiedliche Verfahrensweisen angekündigt: die Mahnung zur freiwilligen Abkehr von den Abgöttern, die Vernichtung der Möglichkeiten des falschen Kultus in Palästina und, nach der Entführung aus dem Lande, Gottes gewinnendes Liebeswort mit neuer Liebestat, die den eschatologischen Neubeginn der Geschichte Israels darstellt.

Dieses Nebeneinander zeigt die Leidenschaftlichkeit eines Ringens, das auf verschiedenen Wegen doch immer ein Z i e l anstrebt: d a ß I s r a e l s i c h a u f s n e u e J a h w e z u w e n d e. Das Stichwort „Rückkehr" erscheint zwar nur in 9, aber das Warnwort (4f.) wie auch das Liebeswerben (16f.) stre-

---

[1] JCalvin, CR LXX, 243 (zu 2 15): Dixerat propheta proximo versu, Loquar ad cor eius: nunc addit, Ego proferam certum et illustre testimonium favoris mei, ut sentiant me sibi reconciliatum esse.

ben der Sache nach nichts anderes an, ja selbst das dunkle Gerichtswort (11-15a) scheint indirekt von dieser Erwartung umgeben zu sein (10. 15b). Doch nicht das Mahnwort erreicht das Ziel, sondern erst die Tat Jahwes. Zweimal wird es erreicht: in 9b und 17b. Beide Male ist harte Gerichtstat die Voraussetzung, in 8 allein, in 16f. zusammen mit Zuspruch und Heilstat. Die Gerichtstat versetzt in die Wüstensituation. Sie ist die Voraussetzung der Umkehr und des endzeitlichen Neubeginns der Geschichte des Gottesvolkes. So erfährt die Kirche ihre totale Erneuerung nur als église du désert.[1]

Daß Johannes der Täufer mit seiner Taufe der Umkehr als einer Gabe Gottes (vgl. ELohmeyer, Das Ev. d. Mk, 1951, 14f.) in der Wüste auftritt (Mk 1 2ff.), dürfte als Anbruch der eschatologischen Heilszeit besser verständlich werden, wenn man das Evangelienzitat Jes 40 2f. in Verbindung mit Hos 2 16f. sieht (vgl. LKoehler, Kleine Lichter, 1945, 86). Jesu Weg beginnt nicht nur in der Wüste als dem Ort des Täufers und der Stätte der Versuchung (Mk 1 9-13), sondern auch als dem stillen Platz ungestörter Zwiesprache mit seinem Vater (Mk 1 35. 45 Lk 5 16 u.ö.). Das Judentum der neutestamentlichen Zeit lebt weithin in der Erwartung, daß die Heilszeit ihren Anfang in der Wüste nimmt; darum ziehen revolutionäre messianische Bewegungen gern in die Wüste (Act 21 38 Mt 24 26 Jos Ant XX 8 6. 10 Bell II 13 4, dazu GKittel, ThW II 656). Die neutestamentliche Gemeinde kennt die Wüste als ihren endzeitlichen Bergungsort vor dem Verfolger und Verführer (Apk 12 6. 14).

Das Ziel des Gerichts und der dadurch bewirkten Umkehr ist „die erste Liebe" 9b. 17b (vgl. Apk 2 4f.). Dieses Ziel wird zuletzt erreicht durch das neue, freundliche (vgl. Jes 40 2f.) Reden Gottes in der Wüste und durch seine neue Gabe der Weinberge von der Wüste her (16f.). Erst dieser letzte Spruch macht voll sichtbar, daß das Ziel des Gerichtes das neue Leben des Volkes Gottes ist. Die Wüste wird nicht idealisiert. Der Gott der Wüste erweist sich an dem Volk, das ihm zugetan ist, als Spender der Kultur. Alles hängt an der Hinwendung zu Jahwe. Wie sehr diese Wendung in Hoseas Verkündigung von Jahwes Tat bewirkt ist, die ihr Ziel mit ganz Israel erreichen wird, zeigt ein Vergleich mit Ez 20 33-44, wo im gleichen Traditionskomplex (s.o. S. 50) die Tat des Menschen ungleich stärker ins Gewicht fällt. Die Spitze der hoseanischen Botschaft weist in die Richtung von Rm 5 8 und Eph 2 4ff. (vgl. HWh Robinson, The Cross of Hosea, 1948, 48).

---

[1] MLuther, WA XIII, 8 (zu 11): Si egeret hodie venter papae, non tam multi essent papistae.

DER TAG DES NEUEN BUNDES

(2 18–25)

Literatur S.o.S. 1 (Literatur zu 11) u.u.S. 35 (Literatur zu 2 4–17). – WBaumgartner, Kennen Amos und Hosea eine Heilseschatologie?: SThZ 30 (1913) 30–42. 95–124. 152–170.

Text ¹⁸An jenem Tage, ſpricht Jahwe,
dann ᵃ rufſt du ᵇ „mein Mann“,
und nicht mehr rufſt du ᵇ mich „mein Baal“ ᶜ.
¹⁹Ich entferne die Namen der Baale aus ihrem Munde,
daß ſie nicht mehr mit ihrem Namen ᵃ erwähnt werden.
²⁰Ich ſchließe für ſie einen Bund an jenem Tage
mit dem Wild des Feldes, mit den Vögeln des Himmels und dem Gewürm des
Bodens;
und Bogen, Schwert und Kriegsgerät tilge ᵃ ich aus dem Lande;
ich verſchaffe ihnen ᵇ Ruhe und Geborgenheit ᶜ.
²¹Ich will dich für mich endgültig gewinnen ᵃ.
Ich will dich für mich gewinnen um Heil und Recht, um Güte und Erbarmen.
²²Ich will dich für mich gewinnen um Treue.
Dann wirſt du Jahwe erkennen ᵃ.
²³An jenem Tage, dann ᵃ erhöre ich ᵇ, ſpricht Jahwe.
Ich erhöre die Himmel,
ſie ᶜ erhören die Erde;
²⁴die Erde erhört Korn, Moſt und Olivenſaft,
und ſie erhören Jesreel.
²⁵...ᵃ und ich ſäe ſie ᵃ mir aufs Land.
Ich erbarme mich über Ohne-Erbarmen,
zu Nicht-mein-Volk ſpreche ich: mein Volk biſt du!
und er wird ſagen: mein Gott ᵇ!

18   **18 a** והיה ist zum Zeitadverb erstarrt, wie das Fehlen der Kopula vor dem nächsten Verbum zeigt (vgl. KBL 229b). – b 𝔊 bietet zweimal καλέσει, dagegen ΄ΑΣΘ wenigstens beim zweiten Mal καλέσεις. Angesichts des Kontextes (4–17. 19a) und der Neigung von 𝔊, anzugleichen, ist die 3. pers. mit einem höheren Wahrscheinlichkeitsgrade sekundär als die 2. pers. 𝔊 fügt in a με ein und gleicht so an b an. – c 𝔊 Βααλιμ ist auch hier ungenau und gleicht an 15
19   und 19 an. – **19 a** 𝔊 gleicht mit dem pl. τὰ ὀνόματα αὐτῶν dem Schluß der ersten
20   Vershälfte an. – **20 a** אשבור mit den drei Objekten קשת וחרב ומלחמה stellt an sich stilistisch auch dann ein Zeugma dar, wenn man in מלחמה eine Sammelbezeichnung für Kriegsgerät oder auch eine bestimmte Waffe sieht, etwa eine Keule, die nach Jes 30 32 geschwungen wird (vgl. HGunkel, Die Psalmen: HK II, 2, ⁴1926, zu Ps 76 4), denn „zerbrechen“ kann man nur den Bogen (1 5 Ps 46 10); doch Jahwes Hand vermag mehr. אשבור מן ist constructio praegnans (s.o. S. 37 zu 17b), die als zweites Verbum „und ich entferne“ o.ä. mitdenkt. – b 𝔊 gleicht mit σε trotz richtigem αὐτοῖς in a an 21f. an; ΄ΑΣΘ übersetzen korrekt αὐτούς. – c wörtlich: „ich lasse ſie ruhen in Sicherheit“. לבטח überträgt 𝔊 frei ἐπ᾽ ἐλπίδι; Σ ἐν εἰρήνη und Θ ἐν πεποιθήσει sind genauer. –

21a wörtlich: zur Ehefrau gewinnen. ארש pi. bezeichnet den die Ehe konstitu- 21
ierenden Rechtsakt; die übliche Übersetzung „verloben" trennt in unserem
Sprachgebrauch den Wortsinn fälschlich vom Termin der öffentlichen Ver-
heiratung; s.u. S.64 – **22a** Ein schmaler Strang der 𝔐 (45MSS) – und 𝔊 22
(Cyrill v. Alexandrien) – Überlieferung, der sich in 𝔙 durchsetzte, liest כִּי
אֲנִי יהוה statt אֶת־יהוה; er interpretiert Hosea von Ezechiel her (vgl. Ev Th 15,
1955, 428ff.). – **23a** s.o. Textanm. 18a. – b אענה fehlt in 𝔊. Ist das thematische 23
Stichwort in 𝔐 sekundär vorangestellt? Es könnte auch lebendige Rede
spiegeln, die gern durch Wiederholung verstärkt; vgl. Gn 25 30. 𝔊 weicht im Kontext oft in freier Weise ab (s. Textanm. 18b. 19a. 20b. 22a. 23c. 25b). – c 𝔊 ὁ οὐρανός
ist wahrscheinlich aus ursprünglichem αὐτός innerhalb der 𝔊-Überlieferung
verderbt (vgl. Ziegler 132). – **25a** Ein Vordersatz mit einem Bezugswort des 25
Suffixes scheint ausgefallen zu sein (s.u. S. 67). – b 𝔊 erweitert zur vollen Be-
kenntnisformel κύριος ὁ θεός μου εἶ σύ.

Lag in 2 4–17 eine formal und thematisch ziemlich streng verknüpfte Form
Spruchkomposition vor, so bietet 2 18–25 in deutlichem Unterschied dazu
eine lose Reihung von Sprüchen und Spruchfragmenten. Die redaktionelle (s.u. S. 58) Formel ביום ההוא (והיה) unterscheidet drei Einheiten: 18–19.
20–22. 23–25. Wahrscheinlich verbinden alle drei schon je zwei Stücke,
wie die verschiedenen persönlichen Objekte zeigen: 2. fem. sg. in 18. 21f.,
3. fem. sg. in 19 (25aα), 3. pl. in 20, Jesreel in (23–)24, Ohne-Erbarmen
und Nicht-mein-Volk neben suff. 3. fem. in 25. So ergeben sich sechs
mehr oder weniger verbundene Einheiten, wobei der fragmentarische
Charakter besonders am Anfang von 20 und 25 spürbar ist. Während
4–17 durchgehend die treulose Frau (3. fem. sg.) zum Gegenstand hatte,
wechselt hier Thema wie Person: Baal 18f., Friedensbund 20, Ehebund
21f., Erhörung 23f., Gottesbund 25.

Dennoch ist diese Miniatursammlung (vgl. HGreßmann, Messias,
1929, 87) zu einer wirklichen Einheit geworden. Zweierlei eint sie: 1) die
Form der Gottesrede in sämtlichen Sprüchen. Obendrein ist zumeist das
göttliche Ich Subjekt; in 22b und 25bβ wird in typisch hoseanischer
Weise knapp das menschliche Echo auf die göttliche Initiative geboten
(vgl. 9b. 17b). Dementsprechend könnte man an eine Umstellung von 18
und 19 denken (HGreßmann a.a.O. 182[1] hielt 18 für eine Glosse zu 19),
wenn sich nicht die Verse durch den Wechsel von 2. zu 3. pers. als Fragmente verschiedener Sprüche zeigten. – 2) Alle Stücke dienen der Charakterisierung „jenes Tages" (18. 20. 23) als eines Heilstages. Innerhalb
der einheitlichen Gattung der Verheißungsworte wechseln Heils-
ansagen (3. pers. in 19. 20. 23f. 25) und Heilszusprüche (2. pers. in 18. 21f.).

Die dreifache formelhafte Nennung „jenes Tages" deutet die Funk- Ort
tion an, die die Sammlung im Kontext hat: sie soll die in 4–17 als Ergebnis der Gerichtsmaßnahmen erwartete neue Heilszeit (9. 17) verdeutlichen. 18 legt וענתה in 17b aus; 19 sichert das neue Verhalten Israels als
Wirkung der Tat Jahwes (8f.. 11–15. 16f.); 21f. interpretiert das Liebes-

werben (16) als Verlöbnisakt; 20 und 23–25 erläutern die Aufhebung des Gerichts in der Richtung von 17a.

Sind die Worte, die solcher Verdeutlichung dienen, hoseanisch? Da schon die Drohworte in 4–17 deutlich Heil im Sinn hatten, wird man 18–25 nicht schon deshalb Hosea absprechen dürfen, weil sie Heilsworte sind (Budde, RHPfeiffer, Introduction, 1948, u.a.). PHumbert (ZAW Beih 41, 166) hat den sinnvollen Zusammenhang von 4–22 frappierend gefunden. Man wird auch den sachlichen Zusammenhang zwischen 2 4–25 und 11 8ff. bzw. 14 2ff. nicht verkennen dürfen (ThCVriezen, VT Suppl I 206f.; vgl. besonders 2 23f. mit 14 9b!). – Im einzelnen erheben sich allerdings doch Bedenken. Während 18f. 21f. noch die Thematik und Diktion von 4–17 zeigen, ist das bei 20. 23f. 25 nicht im gleichen Maße einleuchtend. 20 befremdet dadurch, daß es mit der Bezeichnung Israels durch die 3. pl. (להם – והשכבתים) den Zusammenhang von 18f. und 21f. sprengt, wo Israel noch im Gleichnis der Frau (wie 4–17) erscheint; ferner hat die Formel ביום ההוא eine andere Stellung als in 18 und 23; und schließlich ist die Vorstellung des Bundes und seiner Partner eine andere als in 6 7 und 8 1. Die Unechtheit von 23–25 meinte man deshalb annehmen zu müssen, weil hier von Jesreel, Ohne-Erbarmen und Nicht-mein-Volk nicht mehr als von Kindern Hoseas wie in Kap. 1 gesprochen wird; die Rede von der treulosen Frau aus 4–17, die in 18f. und 21f. noch nachklingt, wird endgültig verlassen.

Mit diesen Beobachtungen an 20 und 23–25 ist aber zunächst nicht mehr erwiesen, als daß in 18–25 eine nachträgliche Zusammenstellung von Worten verschiedener Diktion und Thematik vorliegt. Den Begriff ברית verwendet Hosea ohnehin verschiedenartig (vgl. 12 2 10 4 mit 6 7 8 1). Und warum sollten die Symbolnamen der Kinder Hoseas nicht ähnlich wie das Ehegleichnis in seiner Verkündigung fortwirken? Das Friedensbild ungestörter Fruchtbarkeit entspricht bis in Einzelformulierungen dem Gegenbild der Gerichtsworte in 4–17 (vgl. חית השדה 20a mit 14b; הדגן והתירוש והיצהר 24 mit 10; „ich säe sie mir ins Land" 25a mit „ich führe sie in die Wüste" 16a).

Da die Komposition viel weniger schlüssig ist als die in 4–17, sollten wir sie nicht Hosea, sondern dem Redaktor zuschreiben, den wir in 1 2–6. 8f. am Werke fanden. An ihn erinnert die Wendung והיה ביום ההוא (vgl. 18 [20] 23 mit 1 5, auch 21f. und o. S. 8), die sonst nie mehr im Hoseabuche auftaucht. Sie zeigt sein Anliegen, das Schlußereignis von 2 4–17 mit Hilfe späterer Hoseaworte zu verdeutlichen. Zudem setzt 3 1–5 genau den Tenor von 4–17 fort, kennt aber nicht den vollen Heilston von 18–25. Unser Stück setzt voraus, daß die in 1 2–6. 8f. 2 4–17 und 3 1–5 angedrohten Gerichte bereits eingetreten sind. 20 blickt auf eine Verwilderung und Verheerung des Landes (14), 23f. auf eine Dürre (5. 11) oder einen Entzug fruchtbaren Landes (16). Auch 21f. und 25 nennen nur noch das Heil, ohne das Gericht als Weg zum Heil auch nur anzudeuten (wie anders daneben die Worte aus satten Tagen 8 f. 16 f. 3 4 f.!).

Man wird an die Zeit der Niederwerfung des Staates Israel durch Tiglatpileser III. im Jahre 733 denken müssen (Noth, GI 236). Damals blieb dem König Pekah von Israel nur das samarische Bergland. Das übrige Staatsgebiet wurde in drei assyrische Provinzen verwandelt: die Küstenebene südlich des Karmel wurde zur Provinz Dor, das Ostjordanland zur Provinz Gilead und Galiläa mit der Jesreelebene zur Provinz Megiddo (vgl. 2 Kö 15 29 Jes 8 23; Tiglatpilesers Annalen von 734/33 Z. 227–234: TGI 52; ANET 283; dazu AAlt, Das System der assyrischen Provinzen: Kl. Schr. II, 188–205). Der Kampf um die fruchtbare Jesreelebene und ihr Verlust kann dabei leicht von hervorragender Bedeutung gewesen sein, wie die Bestimmung Megiddos zum Verwaltungszentrum zeigt (vgl. AAlt a.a.O. 197–199, auch 210 f. und o. S. 21 zu 1 5). Diese Ereignisse stellen anscheinend den geschichtlichen Hintergrund zu Hoseas neuen Deutungen des Symbolnamens seines ältesten Kindes dar, das inzwischen wenigstens 17 Jahre alt ist (s.o. S. 18 zu 1 4). Wie er im Anfang der Geschehnisse das früher verkündete Gericht über das israelitische Königshaus (1 4) genauer bestimmen konnte als eine Schlacht in der Jesreelebene (1 5), so kann er in 23 f. die wirtschaftliche Not des Rumpfstaates nach Verwüstung und Abtrennung der fruchtbaren Jesreelebene als der Kornkammer des Landes spiegeln oder auch mit 2 25a die Landverluste der Bauern bzw. die Deportation der Oberschicht jener Gebiete. Demnach wäre unsere Spruchsammlung erst nach dem Sturze Pekahs, frühestens im Anfang der Regierung des Königs Hosea (732–723) denkbar, noch wahrscheinlicher im Blick auf die Verwandtschaft mit Kap. 11 und 14 2–9 in der Zeit Salmanassars V. ab 727; s.u. S. 254. 303. Der Redaktor hat in der Stunde der beginnenden Erfüllung früherer Hoseaworte (1 2–4. 6. 8 f. 2 4–17 3 4 f.) eine frühere Niederschrift des Propheten (2 4–17 3 1–5) wie um die alte Memorabiliensammlung (1 2–4. 6. 8 f.), so um neuere Sprüche (1 5 2 18–25) ergänzt. In der Ergänzung von 4–17 durch 18–25 liegt somit wahrscheinlich eine historische wie literargeschichtliche Parallele zu Jes 8 21 f.: 8 23–9 6 vor (vgl. Alt, Kl. Schr. II 208).

והיה ביום ההוא wird meist wie hier mit impf. fortgesetzt (2 23 Jes 7 18. 21. 23 Jer 4 9 Ez 38 10 39 11 Jl 4 18 u.ö.; vgl. Textanm. 18a und BK XIV/ 2, 90 zu Jl 4 18), in der älteren Literatur auch mit pf. cons. (1 5 Am 8 9 Mi 5 9 Jes 22 20). So kann der redaktionelle Charakter der Formel (s.o. S. 58) nicht zwingend mit der Tempusfolge begründet werden (gegen Robinson 15). In mehr als zwei Dritteln der Fälle leitet die Formel Verheißungen ein (HGreßmann a.a.O. 83); bei Hosea steht eine Drohung (1 5) drei Verheißungen gegenüber (2 18. 20. 23). Vielleicht klingt in der Wendung eine ältere volkstümliche Erwartung des Jahwetages

Wort 18

als eines Heilstages nach (Am 5 18). Dieser Heilstag wird nun nicht zunächst hinsichtlich neuer Lebensverhältnisse beschrieben, sondern ein neues Bekennen Israels wird angekündigt. Damit wird die Frucht der Gerichtstat (9b) und der Heilstat (17b) Jahwes präzisiert. Israel wird als die treulose Frau angesprochen, als ob ein Satz des Liebeswerbens aus 16 direkt wiedergegeben würde. Die neue Anrede Jahwes wird ihr in den Mund gelegt. Dieser Wechsel der Anrede muß zunächst aus dem Ehegleichnis verstanden werden. אִישׁ ist offenbar die mehr liebevolle Anrede, die den Mann als der אִשָּׁה zugehörig, ja völlig verbunden anspricht (2 9 Gn 2 23f. vgl. Gn 29 32. 34 30 15. 20 2 S 14 5 2 Kö 4 1). בַּעְלִי dagegen betont in der Anrede die rechtliche Stellung des Gatten als des Eheherrn und „Besitzers" der Frau, der das faktische und persönliche Zugetansein nicht entsprechen muß (Ex 21 22 Dt 22 22 24 4 vgl. Gn 20 3). Das Wort kündigt also an, daß Israel Jahwe nicht nur als seinen rechtmäßigen Herrn widerwillig respektieren wird, sondern sich ihm in neuer Liebe verbunden weiß. In diesen ersten Sinn des Spruches klingt wortspielartig ein zweiter, kultpolemischer hinein, da der „Eheherr" der Gleichnisrede im Hebräischen ebenso heißt wie der kanaanäische Abgott; dieser Unterton will gehört sein. Er setzt einen Synkretismus voraus, der Jahwe als Baal verehrt.

Die israelitische Namengebung der Zeit vermag den Vorgang zu illustrieren. יהוה und בעל finden sich als theophore Elemente nebeneinander. Schon in der frühesten Königszeit steht unter Sauls Söhnen יוֹנָתָן (1 S 13 16) neben אֶשְׁבַּעַל (2 S 2 8 'ΑΣΘ), unter Davids Söhnen אֲדֹנִיָּה und שְׁפַטְיָה (2 S 3 4) neben בְּעֶלְיָדָע (2 S 5 16 G^BL vgl. 1 Ch 14 7). Auf den samarischen Ostraka, die wahrscheinlich aus dem 3. Jahrzehnt des Jahrhunderts Hoseas stammen (Noth, WAT³ 76; FWAlbright, Die Religion Israels im Lichte der archäologischen Ausgrabungen, 1956, 54. 178, anders AAlt, Der Stadtstaat: KlSchr III 295), stehen 10 mit בעל gebildete Namen neben 11 mit יהוה gebildeten, wobei in den niederen Volksschichten der בעל-Name wesentlich häufiger (8 gegen 6 יהוה-Namen) vorkommt als in der Oberschicht (2 gegen 5 יהוה-Namen) (Noth, Pers 120). Neben diesem Befund zeigt am deutlichsten das Vorkommen des Namens בְּעַלְיָה (1 Ch 12 6), wie das Zusammenleben Israels mit dem alteingesessenen Kanaanäertum zur Gleichsetzung Jahwes mit dem Baal geführt hat (Noth, Pers 120f. 141), wobei im einzelnen kaum zu unterscheiden ist, ob Jahwe als Baal oder neben Baal verehrt wurde. – Einen eindeutig baalisierten Jahwe bekunden die Papyri aus der jüdischen Militärkolonie der Nilinsel Elephantine aus dem 5. Jahrhundert. Denn hier finden wir neben Jahwe die Göttin Anathbethel bzw. Anathjahu und eine dritte Gottheit Aschambethel (AOT 453f.; ANET 491; Noth, GI 266f.; Cowley Nr. 22 123 יהו, 124 אשממביתאל, 125 ענתיאל ענתביתאל, 44 3 ענתיהו; ferner EGKraeling, The Brooklyn Museum Aramaic Papyri, 1953, 87ff.). Allem Anschein nach hat diese ägyptische Judenschaft jenen Synkretismus gepflegt, den Hosea treffen will. Jahwe ist einer weiblichen Gottheit zugeordnet wie in Ugarit Baal der Anath; s.o. S. 47 zu 15 und GWidengren, Sakrales Königtum im AT und im Judentum (1955) 12. 77ff.. Von da aus könnte die Anrede „mein Baal" als ein Element kultischer Darstellung der heiligen Hochzeit verstanden werden.

Dieser kultpolemische Sinn klingt nur als Unterton auf; wäre er leitend, so wäre im ersten Glied יהוה oder אלהי (25b) statt אישי zu erwarten; aber als Unterton will er doch zusammen mit dem eherechtlichen Hauptsinn der Allegorie gehört sein. Indem Israel Jahwe nur als seinen gesetzlichen Herrn anerkennt, den es praktisch verläßt, tauscht es seinen Gott gegen den Baal ein. Die Zusammenstellung von 18 und 19 hebt jenen Unterton stark hervor. Der schon von ⑤ verwischte Personenwechsel weist die Verse ebenso wie der unterschiedliche Sinn als Fragmente verschiedener rhetorischer Herkunft aus.

19 richtet sich eindeutig gegen den kanaanisierten Kultus. Geht die 19 Entfernung der Baalnamen aus dem Munde der Frau Israel von Jahwe aus, dann ist ihr neues Bekennen wieder wie 8f. 16f. ausschließlich als Tat Jahwes, nicht als ihr Verdienst herausgestellt. Der pl. בעלים hat wie in 15 und 11 2 den Sinn „Abgötter"; s.o. S. 47 zu 2 15. Ihre Namen mögen sein Ba'alšamēm, Melkart, Baal Karmel, Aschera, Astarte, Anath, Milkom, Kemosch (vgl. 1 Kö 11 33 18 19 und o. S. 47 zu 2 15 und S. 60 zu 2 18; Astarte trägt nach der Ešmunazar-Inschrift aus Sidon wahrscheinlich den Beinamen שֵׁם־בַּעַל, AOT 447, ThW V 258¹¹⁷). Die zweite Vershälfte bietet nicht eine Steigerung, als ob „die Baalnamen erstens aus dem Munde und zweitens aus den Gedanken entfernt" würden (so Allwohn 26), sondern nennt die Wirkung der Tat Jahwes, denn זכר ni. ist pass. zu זכר hi., das mit בְּשֵׁם verbunden das feierliche kultische, vergegenwärtigende Nennen des Gottesnamens bezeichnet (Jos 23 7 Am 6 10 Ps 20 8 Sach 13 2 vgl. Jes 48 1 Ps 38 1 70 1). Dabei ist sowohl an die bittende Anrufung des Namens (= קרא 1 Kö 18 26) wie auch an die Verkündigung im Auftrag der Götter (= דבר Dt 18 2 vgl. Jer 2 8 23 13) zu denken. Vgl. Bietenhard, ThW V 258, 17ff. und WSchottroff, Die Wurzel zkr im AT: Wiss. Monogr. z. A und NT 15 (²1967) 249–251. 275f. Wie Jahwe solche Reformation des Gottesdienstes Israels erreicht, nach der die Baalnamen entfernt sind, war 2 8–17 ausgeführt. Die Frucht war schon in 18 verkündigt.

Das folgende Wort ergänzt das Bild „jenes Tages", des angekündigten 20 Heilstages. Nach der Erneuerung des Gottesdienstes wird die Erneuerung der Welt zum Thema. Auch sie ist ganz Wirkung der Tat Jahwes. An keiner Stelle geht das prophetische Wort von der Selbstankündigung des Handelns Jahwes (וכרתי – אשבור – והשכבתים) zu einer Schilderung der neuen Verhältnisse über, in der andere Größen zum Subjekt würden; vgl. dagegen Ez 34 25a. 26. 29 mit 25b. 27. 28 und Lv 26 6aα. bα mit aβ.bβ. Das spricht für Hoseas Verfasserschaft. Die Verheißung ist dreigliedrig.

1) Die Erneuerung des Verhältnisses zur Tierwelt wird als Bundesschluß beschrieben. Die Formel כרת ברית erinnert an den alten Ritus der Zerschneidung von Tieren; der den Bund stiftete, durchschritt die Gasse, die von den Tierhälften gebildet wurde. Damit setzte er einen Fluch

für sich in Kraft, so zerstückt zu werden, wenn er die übernommene Verpflichtung nicht hielte. Dieser Bundesschlußakt wäre also besser als ein Selbstverpflichtungsakt zu beschreiben (vgl. Gn 15 9f. 17f. Jer 34 18; JBegrich, Berit: ZAW 60, 1944, 1–11). Nun liegt hier aber nicht wie zumeist im Alten Testament ein solcher Akt der Bundesgewährung vor, sondern Jahwe tritt als Bundesvermittler zwischen Israel und einem dritten, bislang verfeindeten Partner auf. Auf diese ungewöhnliche Funktion Jahwes wirft der Mari-Text II, 37 Licht (Archives Royales de Mari II. Musée du Louvre. Département des Antiquités Orientales. Textes cunéiformes T. XXIII, publ. par Ch.-F. Jean, 1941). Ihm zufolge vermittelt ein Beauftragter des Königs Zimrilim von Mari durch Eseltöten einen Bund zwischen zwei Gruppen der ihm unterstehenden Bevölkerung. Vgl. im einzelnen MNoth, Das alttestamentliche Bundschließen im Lichte eines Mari-Textes, Mélanges Isidore Lévy: AIPh XIII (1953) 433–444; zu Hos 2 20 insbesondere HWWolff, Jahwe als Bundesvermittler: VT 6 (1956) 316–320. Ebenso wie der königliche Beauftragte von Mari ist Jahwe hier nicht Bundespartner. Zwar zeigt להם, daß er sich dem Partner Israel verpflichtet weiß und in erster Linie zu seinen Gunsten handelt. Aber nicht der Verbindung mit ihm gilt der Bundesschluß, sondern der Friedensvermittlung zwischen diesem und der verfeindeten Tierwelt (vgl. Gn 3 15). Jahwe erweist seine Bundestreue gegen Israel eben darin, daß er auch den Bund mit den widrigen Gewalten in der Schöpfung vermittelt (vgl. Ez 34 25–30 Gn 9 8–17). Ein solcher Akt könnte der ursprünglichen Bedeutung des Wortes ברית entsprechen, das möglicherweise mit akk. *birīt* als einer substantivierten Präposition (= „zwischen") in der Bedeutung „Vermittlung" zusammenhängt (so MNoth a.a.O. 438f.). כרת ברית (עם) ist hoseanisch: 12 2 vgl. 10 4.

Die Partner, mit denen Jahwe für Israel Frieden schließt, sind das Wild des Feldes, die Vögel des Himmels und die Kriechtiere des Ackerbodens, also diejenigen Tiere, die die Bevölkerung, ihre Weinberge und Äcker schädigen. Das Gericht von 2 14 wird aufgehoben. Paradiesische Eintracht zwischen Mensch und Tier wird hergestellt. Die dreigliedrige Tierreihe erinnert an Gn 1 30, wo Mensch und Tier vereint unter gleiche göttliche Speiseordnung gestellt werden (vgl. Jes 11 6–8 65 25). Hosea liebt solche Reihen: vgl. b. 7b. 10. 13. 21f.; s.u. S. 65 f. zu 23f. Hosea führt die endzeitliche Erneuerung der Schöpfungswelt ebenso auf eine ברית als einen göttlichen Befriedungsakt zurück wie die Begründung des Gottesvolkes Israel (6 7 8 1), zumal er ausdrücklich „zugunsten" Israels erfolgt. Hier ist der Sache nach erstmalig vom „neuen Bund" der Endzeit die Rede (vgl. Jer 31 31).

2) Auch vor den feindlichen Völkern wird Israel Ruhe haben. Der konkrete Bezug auf Israel ergibt sich zunächst vom Kontext her (להם = השכבתים), dann aber auch aus der Bedeutung von ארץ.

ארץ kommt bei Hosea außer in 2 20 noch 19mal vor. 10mal bedeutet es „Land" als Wohnraum eines einzelnen Volkes: der Ägypter 2 17 7 16 11 5 12 10 13 4, der Assyrer 11 11, Israels 1 2 (s.o. S. 15) 4 1 (2mal). 3 10 1 9 3 („Land Jahwes"); 6mal heißt es „Land" als Erdboden, Ackerland 2 2 (doch vgl. o. S. 32). 23. 24. 25 6 3 oder Ödland 2 5 13 5. Aber nie gebraucht Hosea das Wort in der Bedeutung „Erde", „Welt" als Gesamtwohnbereich der Völker im Unterschied zum Himmel und zum Ozean (Gn 11. 10 2 4). So wird man auch in 2 20 die Bedeutung „Land" als Wohnbereich Israels anzunehmen haben. Vgl. auch Lv 26 6b. Hosea sagt also noch nicht das kosmische Friedensreich der ganzen Völkerwelt an wie Jes 2 4 Sach 9 10. Jahwe verheißt einen konkreten Rettungsakt, der inhaltlich und historisch Jes 9 3 f. besonders nahesteht, s.o. S. 59.

3) Jahwes Ziel in der Beseitigung der Tierschäden wie der Kriegsschäden ist Ruhe und Geborgenheit für Israel. Statt לבטח „vertrauensvoll", „sorglos", „ungestört" (vgl. Textanm. 20c) sagt Lv 26 6 אֵין מַחֲרִיד „ohne daß einer aufschreckt". Liegen bleiben können, ohne von einem Störenfried in Angst gejagt zu werden, das ist die Wirklichkeit, die Jahwe heraufführt; vgl. Jes 32 18 Mi 5 3 Jer 23 6 33 16. Sie ist das Ergebnis einer doppelten Befriedungsaktion Jahwes. Tierfrieden und Völkerfrieden finden sich so verbunden nur noch Ez 34 25–28 und Lv 26 6. Tierschäden und Kriegsschäden nennt Jer 15 2 f. drohend nebeneinander, baut aber das Doppelmotiv schon zu einer Viererreihe aus. Hi 5 19–23 ist es einer weisheitlich gestalteten Sechserreihe von Rettungen aus Bedrängnis eingefügt. Das Hoseawort gehört formgeschichtlich in der Strenge der Jahwerede und der Prägnanz seiner Dreigliedrigkeit an den Anfang dieser Motivreihen. Es wird aus der Situation des Jahres 733 verständlich (vgl. Robinson 14), in dem Tiglatpilesers III. tiefer Einbruch in israelitisches Gebiet unmittelbar nach den Anstrengungen des syrisch-ephraimitischen Krieges im Vorjahre mit der Kriegsnot zugleich eine weitgehende Verwilderung und Verwüstung des bebauten Landes mit sich gebracht haben dürfte, die Tierschäden wie in allen Zeiten wirtschaftlicher Not besonders empfindlich werden ließ. In dieser Lage, die als Erfüllung der Drohung von 2 14 erschien, leuchtet unser Heilswort auf mit seiner Ansage ruhevollen Lebens in Geborgenheit.

Trotz des Personenwechsels schließt der Sammler 21 f. unmittelbar an (wie 19 an 18 und 25 an 23 f.). Er zeigt damit als Grund der kommenden friedvollen landwirtschaftlichen und politischen Verhältnisse die neue Verbundenheit Jahwes mit Israel und legt so 2 16–17 weiter aus. Ein letztes hoseanisches Bildwort von der Frau Israel muß dem dienen. Jahwe spricht sie nicht mehr als die alte, treulose Hure an (4–17), sondern ganz als den jungen Menschen, der ein neues Leben vor sich hat (17b). Jetzt erst wird die Wendung, die sich in 16 f. ankündigte, ganz deutlich: nicht wird die alte Ehe wiederhergestellt, sondern eine ganz neue wird

begründet. Denn das dreifache וארשתיך לי bezeugt feierlich den verbind-
lichen Rechtsakt einer Eheschließung. ארש pi. will zwar unterschieden
werden von לקח (1 2 Dt 20 7 „heimführen") und שגל (Dt 28 30 „be-
schlafen"), beschließt aber insofern endgültig die voreheliche Zeit, als
es den Akt bezeichnet, der durch Erstattung des Heiratsgeldes (מֹהַר) das
letzte Ehehindernis beseitigt, das im Einspruch des Brautvaters bestehen
könnte (Ex 22 15 f. Dt 22 23–29 Gn 34 12 1 S 18 25 2 S 3 14; vgl. FHorst,
Art. Ehe im AT: RGG³ II 316 f.; HJBoecker, Wiss. Monogr. z. A und
NT 14,²1970,170–175). Die übliche Übersetzung „verloben" trifft in ihrer
heutigen Bedeutung diesen Sinn nicht (vgl. Sehling, RE 5, 219 52–220 24).
Wie in 18 ist die Erwählte angesprochen, als würde ein neuer Satz des Liebeswerbens aus 16b mitgeteilt. Die Anrede würde im Profanen bedeuten:
„ich beseitige bei deinem Vater das letzte Ehehindernis und bezahle, was er
fordert; ich tue alles, um dich zur vollen und andauernden Lebensge-
21 meinschaft zu gewinnen". לעולם ist Rechtsterminus für lebenslängliche,
endgültige, unabänderliche Bindung (vgl. Ex 21 6 und EJenni, Das Wort
ʿōlām im AT: ZAW 64 [1952] 235–239). Das Wort עולם begegnet sonst
bei Hosea nie, fehlt bei Amos ganz, erscheint bei Micha nur einmal (2 9)
im gleichen Sinne und dreimal bei Jesaja, wobei 30 8 und 9 6 (vgl. 32 14)
auch rechtsterminologisch klingen; vgl. EJenni, ZAW 65 (1953) 13.

Die fünf mit ב eingeführten Nomina bezeichnen das „Brautgeld",
das Jahwe für Israel „zahlt". ב (pretii) führt in der Eherechtssprache den
מֹהַר ein (2 S 3 14), der im allgemeinen 50 Silbersekel beträgt (Dt 22 29).
Mit der Einführung der Brautgaben Jahwes wird die Bildrede von der
Sache abgelöst, die Israel Jahwe verdankt und die für das Leben des
Gottesvolkes konstitutiv ist, zumal an die Stelle des Vaters als Empfänger der Heiratsgabe Israel selbst tritt. Die fünf Begriffe dienen in ihrem
Miteinander dazu, u n l ö s l i c h e G e m e i n s c h a f t zu garantieren. Fahlgren
(ṣᵉdāḳā, 1932, 78) und Koch (ZThK 52, 1955, 2; ThLZ 79, 1954, 54 f.)
haben gezeigt, daß צדק gemeinschaftstreues Handeln meint, das durch
Zurechthelfen rettet (vgl. 10 12 Am 5 7.24 6 12 Ri 5 11 Ps 98 2). משפט
weist auf eine dementsprechende Lebensordnung, die durch Rechts-
entscheide Lebensgemeinschaft erhält und wiederherstellt (5 11 6 5 10 4
Am 5 7.24 6 12 Ez 20 11; vgl. LKoehler, Die hebräische Rechtsgemeinde
in: Der hebräische Mensch, 1953, 150 ff.). Mit den folgenden drei Worten
geht Hosea über das bei Amos dreifach belegte erste Wortpaar hinaus.
חסד bezeichnet ein gütiges Verhalten, das in treuer Pflichterfüllung oder
auch in spontaner Liebe Verbundenheit betätigt oder auch begründet
(4 1 6 4.6 10 12 12 7 Gn 20 13 Jer 2 2 Jos 2 12 1 S 15 6; vgl. NGlueck, Das
Wort ḥesed im atl. Sprachgebrauch als menschliche und göttliche ge-
meinschaftsgemäße Verhaltensweise: ZAWBeih 47, 1927, mit HJStoebe,
Die Bedeutung des Wortes ḥäsäd im AT: VT 2, 1952, 244–254 und Art.
Gnade I: EKL I 1604 f.). רחמים betont darüber hinaus liebevolles Empfin-

den, das sich auf Grund unlösbarer Zusammengehörigkeit besonders des Hilfsbedürftigen mitleidend erbarmt (vgl. zu 16 o. S. 22 und Stoebe a.a.O.). אמונה ist abschließend gesondert hervorgehoben und unterstreicht 22 zusammenfassend die wahrhaft göttliche Stetigkeit und Verläßlichkeit der endgültig gestifteten Lebensgemeinschaft (GQuell, ThW I 233, 28ff; AWeiser, ThW VI 185, 26ff.).

22b nennt die zu erwartende Wirkung der Brautgaben Jahwes. Israel erkennt Jahwe als den guten Herrn seines Lebens. Wie schon bei der Nennung der Brautgaben, so ist auch hier das Bild der Ehe zurückgetreten. ידע ist vom sonstigen Wortgebrauch Hoseas her zu verstehen: was Jahwe vorher schmerzlich vermißt hatte (10.15 41.6 66), wird sich dann ereignen. Jahwes Gaben bleiben nicht mehr unerkannt und ohne dankbares Echo (vgl. 9b. 17b. 25bβ, dazu EvTh 12, 1952/53, 548f.; 15, 1955, 429; anders EBaumann, EvTh 15, 1955, 420). Das Bundesverhältnis Jahwes mit Israel, das durch die Scheidung Israels (24) rechtsverbindlich gelöst werden sollte, wird durch den eschatologischen Rechtsakt Jahwes ebenso rechtsverbindlich in aller Form erneuert. Nicht von ungefähr steht in der Spruchkomposition das Wort von der Bundstiftung in 20 im Hintergrund. Der Sache nach ist in 21 f. sowohl den neuen Gaben Jahwes wie dem Echo Israels nach der neue Bund präfiguriert, den Jer 31 33f. verkündet.

Eingeleitet wie 18 (s.o. S. 59.), wird zur weiteren Beschreibung des 23f. Heilstages ein Erhörungswort eingeführt. Sein Kennwort is ענה, vgl. 14 9 Ps 34 5 118 5. 21 Jes 65 24 Sach 13 9. Es wird durch Wiederholung und unter Zufügung der Gottesspruchformel hervorgehoben (s.o. S.57 Textanm. 23b). נאם־יהוה wird auch sonst gern dem Eingang von Erhörungssprüchen eingefügt (Jes 41 14 Jer 30 10 u.ö.; vgl. JBegrich, ZAW 52, 1934, 87 und RRendtorff, ZAW 66, 1954, 31). Das vorausgesetzte Flehen Jesreels wird merkwürdigerweise nicht von Jahwe unmittelbar gehört, sondern durch eine Kette von Zwischeninstanzen vermittelt. Es sind die gleichen, durch die Jahwes Hilfe vermittelt wird. Liebt Hosea an sich schon die Reihenbildung (s.o. S. 62 zu 20), so zeigt sich hier der Einfluß didaktischer Motive, die von weisheitlicher Naturkunde bestimmt sind (vgl. Am 3 3–6 Jer 15 2f. 51 20–23 Jes 65 13f. und JLindblom, Wisdom in the OT Prophets: VT Suppl III, 1955, 192–204).[1] Die Reihe Jahwe–Himmel–Land–Korn,

---

[1] Oder soll man diese Reihenbildung von altem Zauberformelgut herleiten? „Der älteste deutsche Zauberspruch", den G.Eisler, FF 30 (1956) 104–111 als einen Zeugen urindogermanischer Dichtung behandelt und der bei einer auf Würmer zurückgeführten Pferdehufkrankheit angewendet wird, lautet in der Übersetzung der altsächsischen Fassung: „Geh hinaus, Nesso, mit neun Neßlein, hinaus von dem Mark an den Knochen, von dem Knochen an das Fleisch, hinaus von dem Fleisch an die Haut, hinaus von der Haut in die Hornsohle." Wenn hier der Weg der besprochenen Sache ähnlich exakt beschrieben wird wie in unserem Erhörungsspruch, so daß er unmöglich verfehlt werden kann, dann wird gewiß eine urtümliche Verwandtschaft von Zauber und „Weisheit"

Most, Olivensaft – Jesreel verfolgt den Weg der menschlichen Nahrung von Jahwe über den Regen spendenden Himmel, über den von oben her fruchtbar gewordenen Erdboden, über Korntennen, Traubenkeltern und Olivenpressen hin zum Menschen. Im Unterschied zu der Naturweisheit der altorientalischen Mirabilienliteratur und der enzyklopädischen Listenwissenschaft insbesondere Ägyptens, die spröde Aufzählungen bieten, steht hier im Hintergrunde eine echt naturkundliche Darstellung von Zusammenhängen, mit der Israel anscheinend seit Salomo wirklich Neues innerhalb des Alten Orients geleistet hat (vgl. AAlt, Die Weisheit Salomos: Kl. Schr. II, 90–99; GvRad, Hiob 38 und die altägyptische Weisheit: GesStud, ⁴1971, 262—271). Weisheitlich ist die Kettenbildung; denn daß Brot aus der Erde hervorgeht (Ps 104 14) und der Regen das Land fruchtbar macht (Ps 65 10f.), spricht Israel auch sonst aus. Im hoseanischen Zusammenhang ist es lehrreich zu sehen, wie mit der Befreiung Israels von den Naturmythologien des Baalkultus freies naturkundliches Beobachten aufkeimt (vgl. Gn 1). ארץ ist hier wie 6 3 der Erdboden, der den Regen vom Himmel erwartet. – Wenn „Korn, Most und Olivensaft" (s.o. S. 44 zu 10) erhörungsbedürftig flehen, so ist bei דגן an den (kärglichen) Körnerertrag auf der Tenne, bei תירוש und יצהר an das kümmerliche Ergebnis in den Kelterkufen gedacht; vgl. 9 1f. Nu 18 27, dazu Dalman, AuS III 161. So könnte man sinngemäß übersetzen: „das Land wird Tenne und Kelter erhören, und die werden Jesreel erhören." – Warum und in welcher Bedeutung steht Jesreel am Ende der Reihe? An die Jesreelebene als solche kann nicht gedacht sein (vgl. הארץ in 23b. 24a), sondern nur an hungernde Menschen in Israel. Andererseits wird man den Gedanken an die Jesreelebene als Fruchtebene gerade bei diesem Spruch nicht ausschließen dürfen. So wird man an die Menschen Israels denken, die aus der Jesreelebene ihre Lebensmittel beziehen. Erscheinen sie unter dem Namen Jesreel, so muß man sich zugleich des Symbolnamens erinnern, den Hoseas erster Sohn trägt (1 4). Er scheint im Zusammenhang der Eroberungen Tiglatpilesers III. im Jahre 733 nicht nur zum Hinweis auf den Ort des Gerichtes (1 5), sondern auch in Parallele zu den Namen des zweiten und dritten Kindes (1 6.9) zum Symbolnamen des gerichteten Volkes geworden zu sein. – Hier wird eine Dürre Anlaß sein, bei dem dem gerichteten Volk die Erhörung Jahwes zugesagt wird. Der Tag des Heils wird als der Tag der neuen Zwiesprache mit Jahwe (vgl. 16f. 18. 21f.) auch der Tag der Erhörung des Klageflehens in den Nahrungssorgen sein (vgl. 20).

Der mit 23 einsetzende Erhörungsspruch hat mit 24 einen klaren Abschluß gefunden, der nicht notwendig eine Fortsetzung verlangt. Wohl

sichtbar. Vgl. die neubabylonische „Beschwörung gegen Zahnschmerz": AOT 133; ANET 100. Aber gegen eine direkte Herleitung unserer Reihe aus altem Zaubergut erweckt Hoseas kritische Geistesart Bedenken.

aber verlangt 25a ein Kopfstück, da das Suffix in זרעתיה jetzt unerklärt 25
bleibt. Selbst wenn man es mit vielen seit Wellhausen bis Robinson und
Weiser maskulinisch vokalisiert und auf Jesreel in 24b bezieht, muß man
Themenwechsel feststellen. 23f. sprach von einer Erhörung Jesreels in
Hungersnot; in 25aα aber wäre Jesreel Objekt einer Aussaat. So kann
diese Konjektur die Schwierigkeit des durch 𝔐 und 𝔊 gemeinsam mit
suff. 3. fem. überlieferten Textes kaum beseitigen. Der Ausfall eines Vordersatzes wird darum wahrscheinlicher sein; er wird durch Homoioteleuton verständlich, wenn dieser Vordersatz mit יזרעאל schloß. An den
Namen des ersten Hoseasohnes muß man im Zusammenhang von 25
schon wegen der folgenden beiden Namen der Hoseakinder aus 1 6. 9
denken. Das suff. 3. fem. aber erinnert entsprechend den Bildreden
4–19. 21f. an deren Mutter. Hat der ausgefallene Vordersatz von der
Mutter Jesreels gesprochen? In jedem Falle wird man die erste Aussage
des Verses entsprechend der Fortsetzung als eine Umdeutung des Ge-
richtsnamens Jesreel im Sinne der Begnadung und Bundeserneuerung
verstehen müssen. Was bei den späteren Namen mit Aufhebung der
Negation bewirkt wird, geschieht hier mit Ablösung des historischen und
geographischen Sinnes von Jesreel (1 4f.) durch die Wortdeutung: Gott
sät. Was aber soll das Einsäen der „Mutter Jesreels"(?) in das Land
bedeuten? Die Verheißung der Volksmehrung (Nowack) wäre doch wohl
anders und deutlicher ausgesprochen (vgl. Jer 31 27f. und o. S. 32 zu 2 2).
Da der Ton auf בארץ liegt, wird man eher an die Heimkehr der durch
Tiglatpileser III. im Jahre 733 deportierten Bevölkerung der Jesreelebene
oder an die Wiedereinsetzung der enteigneten Bauern in ihre Acker-
besitzrechte denken. Jesreel steht dabei als hervorragender Landesteil
für das ganze der drei neuen assyrischen Provinzen auf altem israeliti-
schem Staatsgebiet (s.o. S. 59). Die Fortsetzung erklärt dieses Ereignis
mit zwei weiteren Allegorien als Gnadenakt Jahwes: die Tochter Ohne-
Erbarmen (s.o. S. 22 zu 1 6) findet Erbarmen, dem Sohn Nicht-mein-
Volk wird gesagt: Mein Volk bist du. Beide Sätze besagen, daß das ge-
richtete Israel aus Erbarmen aufs neue zum Bundesvolk Jahwes bestimmt
wird. Dazu gehört die neue „Einpflanzung" ins Land (vgl. 16f. 20). Der
Schlußsatz, der noch zum dritten Versglied gehört, nennt das neue Bekenntnis des Gottesvolkes zu Jahwe: „Mein Gott!" Er ist einer der bezeichnenden kurzen Schlußsätze Hoseas wie 22b (vgl. auch 9b. 17b. 18),
die das Echo Israels als Frucht der eschatologischen Heilstat nennen.
Gottes Erbarmen mit seinem Bundesvolk weckt dessen neues Bekenntnis.
Der Gebetsruf „mein Gott" spricht in seiner Knappheit das volle Vertrauen zu der verläßlichen Verbundenheit Gottes mit seinem Volke aus.
Vgl. OEißfeldt, „Mein Gott" im AT: ZAW 61 (1945/48), 3–16. 8! –
In Rm 9 25 und 1 Pt 2 10 werden Völker, die nicht zu Israel gehören, in
das Licht dieser Verheißung gerückt.

Ziel   Die Sammlung macht verschiedenartige Hoseasprüche dem einen
Ziel dienstbar, „jenen Tag" (18. 20.23) zu verdeutlichen, an dem die Gerichtsmaßnahmen an dem von seinem Gott gewichenen Volk (4–17) zu
ihrem erstrebten heilvollen Ende gelangt sind. Sie legt also vor allem
(9 und) 16f. aus. Der Sammler bietet die Einzelsprüche, als wolle er Einzelheiten des Liebeswerbens Gottes „in der Wüste" (16) mitteilen. Zweierlei zeichnet den neuen Heilstag aus:

1) Ein neuer Bund wird gestiftet.

a) Was immer als Jahwes Tat in diesen Worten angekündigt wird, es
ist auf eine neue Verbundenheit Jahwes mit Israel aus: am deutlichsten
die Worte von der neuen Eheschließung (21f.) und von der Erneuerung
des Gottesbundes (25), aber auch die Erhörung der Jesreelklage in der
Hungersnot (23f.). Die Ankündigungen der Entfernung der Baalnamen
(19) und der Beseitigung der Tier- und Kriegsnöte (20) erwähnen zwar
nicht direkt die neue Beziehung Gottes zu Israel, stehen aber sichtlich
in ihrem Dienst, hatte doch der Baaldienst den alten Bund zerstört und
wird die totale Befriedung des Landes ausdrücklich als „Bund zugunsten" Israels eingeführt.

b) Jahwes neue Bundestaten stiften insofern wirkliche Verbundenheit,
als sie Israels Antwort wecken. Der neue Bund setzt an keiner Stelle
Taten Israels als Vorbedingungen oder Gegenleistungen voraus. Israel
lebt in der Ruhe zubereiteter Geborgenheit (20b). Seine Sache ist das
Echo dankbaren Bekennens: Die Frau Israel „erkennt" (22b) die Gaben
des neuen Ehebundes; sie bekennt sich zu Jahwe: „mein Mann" (18),
„mein Gott" (25). Sie wird ihn nicht mehr anrufen, ohne erhört zu werden (23f.). Für Hosea gehört zur Vollendung des Heilstages wirkliche
Zwiesprache zwischen Israel und seinem Gott.

c) Der Bund ist ein wahrhaft neuer. Zu ihm gehört der neue Einzug
(25a) in ein neues Land (20). Eine neue Ehe wird in bräutlicher Liebe
begonnen (21f., vgl. Jes 62 5). Das wesentlich Neue gegenüber dem Alten
besteht aber darin, daß Jahwe alles mitbringt, was diesen Bund begründet und was ihm Dauer verleiht, auch das Erbarmen mit dem Schuldigen
(25 vgl. 21) und die Heilung der Schuld (19). Darum ist dieser Bund nicht
ein geflickter alter Bund; hier wird nicht neuer Wein in alte Schläuche
gefüllt; hier wird die Hochzeit angesagt, die eine neue, endgültige Lebensgemeinschaft zwischen Gott und seinem Volke begründet (vgl. Mk 2
18–22). Jer 31 31–34 bringt kaum mehr als das treffende Stichwort vom
„neuen Bund" hinzu; die Sache ist in den Grundzügen hoseanisch. Bei
Hosea beginnt jene Botschaft, die in der neutestamentlichen Allegorie
vom Bräutigam Christus und der Christusgemeinde als Braut zum Ziel
kommt (vgl. JJeremias, ThW IV 1097ff.).

2) Zum neuen Bund gehören neue Lebensverhältnisse. Es ist eine
Eigentümlichkeit dieser kleinen Sammlung, daß in ihr der innerste Bereich

des Gottesverhältnisses (18f. 21f.) und die öffentlichen Bereiche des wirtschaftlichen und politischen Lebens (20. 23f.) untrennbar nebeneinander stehen, ja ineinander verwoben erscheinen (25). Die Intimität der neuen Verbundenheit Israels mit seinem Gott bringt eine neue Weltordnung mit sich, so gewiß der Gott Israels Herr über Himmel, Erde und Lebensmittel (23f.), über die Tierwelt und über die Waffen der Völker ist (20). So unweigerlich der Abfall von Jahwe öffentliche Nöte nach sich zog (4–17), so unweigerlich wird der neue Bund alles neu machen (vgl. 2 Kor 5 17 Apk 21 5). Für das Volk des neuen Bundes bedeutet das aber, zuerst die Gottesherrschaft und ihre Gerechtigkeit zu suchen, alles andere wird dann hinzugelegt (Mt 6 33). So wie das Volk der Verheißung, das sich zu seinem Gott bekennt (18. 22b. 25b), von ihm versorgt (23f.), geschützt (20) und befreit wird (25a), so wird das Volk, das Jesus in die Wüste folgt, um ihn zu hören, von ihm versorgt (Mk 6 32–44). Hos 2 18–25 kann dem Volk des neuen Bundes helfen, die ihm geschenkte Existenz vor Gott und in der Welt nach allen Seiten glaubend und hoffend völliger zu ergreifen.

WIE JAHWES LIEBE WIRKT

(3 1–5)

Literatur JFück, Hosea Kapitel 3: ZAW 39 (1921) 283–290. – S.o.S. 6 (Literatur zu 1 2–9).

Text ¹Und Jahwe sprach zu mir:
„Geh nochmals, liebe ein Weib,
das einen Freund 'liebt'ᵃ und Ehebruch betreibt,
wie Jahwe Israels Söhne liebt,
obwohl sie sich an andere Götter wenden
und Rosinenkuchen lieben."
²Da kaufte ich sieᵃ mir für fünfzehn Silberstücke,
für einen Homer Gerste und einen Letek Gersteᵇ
³und sprach zu ihr:
„Viele Tage bleibst du mir zu Hause,
wirst nicht huren, keinem Mann gehören,
und auch ich 'verkehre nicht'ᵃ mit dir."
⁴Denn viele Tage bleiben Israels Söhne
ohne König und ohne Führer,
ohne Opferᵃ und ohne Malstein,
ohne Ephod und Teraphimᵇ.
⁵Dann kehren Israels Söhne zurück,
suchen Jahwe auf, ihren Gott, [und David, ihren König,]ᵃ
und nahen mit Bebenᵇ Jahwe und seiner Güte [am Ausgang der Tage]ᵃ.

1   **1 a** אָהֲבַת vokalisierten 𝔊 und 𝔖. 'A und Σ setzen 𝔐 voraus „Geliebte eines Freundes", lesen also neben dem pt. pass. רֵעַ, was 𝔊 und 𝔖 in רַע verlesen. Für das pt. act. spricht der Sinnzusammenhang: Der in 1a gebotenen prophetischen Zeichenhandlung steht streng parallel das Vorbild des Gotteshandelns in 1b, wo in bβγ die ptt. actt. (besonders וְאָהֵבִ א) ein als act. gelesenes אהבת voraussetzen. Pt. pass. mag von 2 7.12 her entstanden sein (מַאֲהֲבֶיהָ – מֵאֹהֲבִי).

2   **– 2 a** כרה impf. kal c. suff.; zum Dagesch forte dirimens vgl. Ges-K § 20h, Meyer³ § 14 2b, Grether § 9k. In Ugarit (Krt 102: *nkr*) liegt schwerlich ein entsprechendes Verbum vor, wie JGray (The KRT-Text in the Literature of Ras Shamra, 1955, 37) meint, vielmehr das substantiv. Adj. „ein Fremder" (JAistleitner, Wörterbuch der ugarit. Sprache, 1963, 206). – b 𝔊 bietet mit νέβελ οἴνου eine „wirkliche Variante" (Nyberg), die schwerlich auf Verlesung von 𝔐 zurückgeführt werden kann, auch wenn man statt יַיְן mit Ps

3   69 13 שֵׁכָר oder von 2 10. 24 her תִּירוֹשׁ annimmt. – **3 a** לֹא אֵלֵךְ (Meinhold, Sellin vgl. Am 2 7) mag als Homoioteleuton verlorengegangen sein. Schon Ibn Ezra und Kimchi setzten לֹא אָבוֹא ein. Der durch וגם unterstrichene Parallelismus zum vorausgehenden Satz fordert solche Annahme heraus. Sonst würde die Deutung von אֵלַיִךְ im Sinne von עָלַיִךְ genügen: „und auch ich will gegen dich sein" (Wünsche 115). Oder hat 𝔐 וגם adversativ verstanden (vgl. Neh 5 8): „ich dagegen (halte) zu dir"? Doch dieser Nominalsatz wäre nicht nur formal ungewöhnlich (vgl. Hag 2 17 𝔐), sondern ist auch inhalt-

4   lich im Deutewort 4f. nicht vorausgesetzt. – **4 a** 𝔊𝔖 setzen מִזְבֵּחַ statt מצבה

voraus, so daß wie 101f. Kultort neben Kultort steht. – b 𝔖 übersetzt erklä- 5
rend מְחֻדָּי (Verkünder, Deuter). – 5a Zusätze judäischer Redaktion (Wellhausen, Budde). Die Nennung Davids wirkt eingesprengt zwischen den Sätzen,
die nur von Jahwe wissen, paßt auch nicht als zweites Objekt zu בקשׁ. Die solenne Schlußformel stößt sich mit dem schlichten Eingangswort (אחר). –
b constructio praegnans s. Textanm. 1 2b.

Darf das Kapitel als eine ursprüngliche E i n h e i t angesprochen werden? Form
Behandelt nicht 5 ein Thema, das vorher fremd ist und nur locker, also
vielleicht nachträglich, mit „darnach" angehängt erscheint (Fück 290,
ähnlich Duhm, Harper, Nowack u.a.)? Ist nicht schon 4 mit 5 kraß abgehoben von 1–3 (ThHRobinson 16)? Die ersten Verse bringen einen
prophetischen Selbstbericht, die letzten ein Prophetenwort über Israel;
dort geht es ausschließlich um Jahwes Verhalten, wie es sich in Maßnahmen des Propheten spiegelt, hier dagegen ebenso ausschließlich um
Israels künftiges Ergehen, wie es auch ohne das vorher Erzählte verkündet werden könnte.

Aber nun ist 4 nicht nur oberflächlich mit 3 verknüpft. 4 greift eingangs mit drei betonten Worten auf das Vokabular von 3 zurück. Das ist
ein äußerer Hinweis auf den wesentlichen Tatbestand, daß die Negationen von 4 lediglich als Deutung der Negationen von 3 verstanden werden
können. Diese Verknüpfung von Bericht und Deutung entspricht der
speziellen Form der Berichte von prophetischen Zeichenhandlungen.
Man wird sie zusammen mit den Berufungsberichten der literarischen
Grundform der Memorabilien zuordnen.

Nach André Jolles, Einfache Formen (Sächs. Forschungsinstitute in Leipzig,
Neugermanistische Abtlg. 1930), entspringt das M e m o r a b i l e (ἀπομνημόνευμα)
der „Geistesbeschäftigung mit dem Tatsächlichen", so wie die Legende mit
dem Imitabile, der Spruch mit der Erfahrung beschäftigt ist. Als einfache
Form hebt es „aus der Reihe nebengeordneter Tatsachen eine übergeordnete
Tatsächlichkeit heraus, auf die nun einmalig alle Einzelheiten sinnreich bezogen" werden; so wird in der Form „aus freien Tatsachen" „eine gebundene
Tatsächlichkeit" (211). Mit ihren konkreten Angaben wird sie glaubwürdig.
Als „Geschichtsausschnitt" ist sie „bestrebt, aus dem allgemeinen Geschehen
etwas einmalig herauszuheben, das als Ganzes den Sinn dieses Geschehens
bedeutet; in diesem Ganzen sind die Einzelheiten in einer Weise angeordnet,
daß sie einzeln, in ihren Beziehungen, in ihrer Gesamtheit erklärend, erör-
ternd, vergleichend und gegenüberstellend den Sinn des Geschehens hervor-
heben" (203).

Als Hinweis auf Tatsächliches will der prophetische Selbstbericht mit
seinen konkreten Angaben gelesen sein. Gegen die Bezweiflung der Fakti-
zität des prophetischen Erlebens und die Annahme einer Vision [1] oder
Allegorie (PHumbert, HGreßmann, HGMay) sprechen nicht nur Einzel-

[1] Calvin, CR LXX, 256: Non dubium est, quin Deus depinxerit hic gratiam qualem
promittit Israelitis, idque sub figura aut visione. Nam nimis crassi sunt qui imaginantur
prophetam duxisse uxorem quae scortata fuerat.

heiten wie die Unmöglichkeit einer allegorischen Deutung von 2, sondern entscheidend die Erkenntnis der Zugehörigkeit zur speziellen Form des Zeichenhandlungsmemorabile.

1) Schon das Memorabile als solches unterscheidet sich von einem Novellenabschnitt, vom Gleichnis und der Allegorie. Hier ist Erdichtetes gefügt, dort ist Geschehenes geronnen. Im Memorabile als einem Geschichtsausschnitt setzt sich das Tatsächliche gegen die erzählerische Absicht durch (vgl. 1 mit 2f. und 2f. mit 4f.). So leitet den hoseanischen Bericht kein autobiographisches Interesse, vielmehr wird der Ausschnitt nur dazu geboten, um das übergeordnete Faktum des Gottesbefehls der Zeichenhandlung herauszustellen. Darauf sind alle Einzelheiten (2–3) bezogen. Sie wollen gerade in ihrer Genauigkeit nicht der Rekonstruktion des Lebens Hoseas, sondern dem Verständnis des einen bedenkenswerten Ereignisses dienen, zu dem die einzelnen Geschehnisse zusammenwachsen. Dieses concrescere geschieht im Memorabile, der Form, „in der sich für uns allerseits das Konkrete ergibt" (Jolles 211). Als Memorabile ist der Bericht ein rundes Ganzes „gebundener Tatsächlichkeit", unter biographischer Fragestellung dagegen bleibt es ein ärgerliches Fragment, wie es als Allegorie von undeutbaren Fakten überlastet wäre.

2) Zum andern ist zu bedenken, daß der Gegenstand dieses speziellen Memorabile die prophetische Zeichenhandlung ist. Zu ihr gehört die Durchführung wesenhaft, da sie auf göttlichen Befehl verkündigtes Geschehen eben als Ereignis im voraus darstellt (vgl. WZimmerli, Ezechiel: BK XIII 103f.).Dieser Inhalt wandelt die Grundform insofern ab, als das berichtete Geschehen zugleich kommendes Geschehen bezeichnet. Die Zeichenhandlung ist nur sinnvoll zwischen Gottesbefehl und angezeigtem Geschehen. So ergeben sich die drei Hauptelemente der Zeichenhandlungsberichte: Gottesbefehl (1), Ausführungsbericht (2f.) und Deutung (4f.) (vgl. GFohrer, Die symbolischen Handlungen der Propheten: AThANT 25,²1968,5). Wegen der besonderen Bezogenheit fehlt das dritte Element in den prophetischen Zeichenhandlungsberichten nie (s.o.S. 9f. zu 12).

Wie konnte dann die Einheit des Kapitels überhaupt fraglich werden? Weil sein eigentümlicher Stil nicht beachtet wurde. Die drei Formelemente sind nicht ihrem Inhalt nach deckungsgleich, wie z.B. in 12f. Jer 13 1–11 Ez 12 1–11 2 Kö 13 15–19. Es wird mehr ausgeführt, als der Befehl zu erkennen gab; und das Deutewort greift weiter aus, als zuvor zeichenhaft dargestellt war. Wohl ist die Handlung vom Befehl in Gang gesetzt und das Deutewort vom Dargestellten her bewegt, aber die sonst übliche Wiederaufnahme des Wortlauts geschieht nur andeutend in 4 (vgl. 3). An Stelle des gewöhnlichen Wiederholungsstils tritt ein Fortsetzungsstil. Fortsetzung bedeutet aber hier von Schritt zu Schritt Interpretation. Wird zuerst nur „Liebe" befohlen (1), so zeigt die Darstellung der prophetischen Gehorsamstat, ohne das Leitwort aufzunehmen, ihre überraschenden Konsequenzen (2f.); stellt die Zeichenhandlung Liebe zuletzt als Strenge dar (3), so führt das deutende Verkündigungswort darüber hinaus deren heilsame Folgen aus (5). So wird erst am Ende das abgebildete Handeln Jahwes als „Liebe" voll verständlich. Wer 5 abschneidet, verkennt nicht nur den eigentümlichen Stil des Ganzen, sondern wird auch genötigt, das in 1 vierfach wiederholte Leitwort des Kapitels אהב als „grimmigen Hohn" (Fück 288) mißzuverstehen, wobei auch 2 unverständlich bleibt.

Der prophetische Bericht wirkt bei allem eigenwilligen Vorwärtsdrängen zuweilen sprunghaft. Das Suffix „ich kaufte s i e mir" (2) ist von dem unbestimmten Auftrag „liebe ein Weib!" (1) nicht ausreichend vorbereitet. Beherrscht ist diese stürmische Lebendigkeit von einem eindeutigen Zeugniswillen, der 5 als der eigentlichen Erfüllung von 1 entgegendrängt. Entgegen den allgemeinen Regeln der Zeichenhandlungsberichte ist er schon in 1b durchgebrochen, indem in den Befehl eine Vorwegdeutung der Zeichenhandlung hineingenommen ist (vgl. 1 2. 4. 6. 9). 1b streichen (so Fohrer 23), hieße das Original zur Schablone zwingen. Hosea zeigt, daß sein Handeln von vornherein im Licht der Botschaft stand, die er dann deutend verkündigte.

Die direkten Reden zeigen Ansätze zum synonymen Gedankenreim: 1a//b; 1bβ//γ; 3//4; 4aβ//γ//b; unsicher 3aβ//b; 5aα//β//b. Ein regelmäßiges M e t r u m oder gar eine durchgeführte Strophenbildung vermag ich nicht zu erkennen (gegen GFohrer, ZAW 64, 1952, 106; vgl. SMowinckel, ZAW 65, 1953, 167–187). Der Prophet schreibt gehobene Prosa.

Der Text spricht sich nicht darüber aus, in welchem Zeitraum der Ort Wirksamkeit Hoseas er entstand und aus welchen konkreten Umständen er gedeutet sein will. Man wird sein Verhältnis zum Kontext danach befragen müssen.

Seit je hat man Kap. 3 mit Kap. 1 verglichen. Steht der Selbstbericht dem Fremdbericht parallel (JLindblom, ThHRobinson)? Das ist schon durch die Geburt der drei Kinder von 3 3 her ausgeschlossen. Geht das Geschehen von Kap. 3 dem von Kap. 1 voraus (vgl. HWhRobinson, The Cross of Hosea, 1949, 14ff.)? Wer bejaht, nähert sich dem Versuch, Kap. 3 als Parallele wenigstens von 1 2f. anzusehen. Das Fehlen des Artikels in 3 1a „liebe e i n Weib" und die Charakteristik der Frau als einer Ehebrecherin macht diese beiden verwandten Ansichten verständlich. „Wiederum" in 3 1 muß man dann allerdings als spätere Zutat ansehen. Aber für das Gleichnis ist unentbehrliche Voraussetzung, daß die Frau in 3 1 Hosea gegenüber die Ehe brach. Damit wird auch „wiederum" verständlich, ja notwendig. Dann muß die Handlung von Kap. 3 hinter den Geschehnissen von Kap. 1 liegen (KBudde, ESellin, AWeiser, JCoppens). Diese Erkenntnis hat man nun nur im Blick auf eine zweite Ehe

vollziehen wollen (AHeermann; ThCVriezen, Oud-israelitische geschrif-
ten, 1948; GFohrer, Symb. Handl. 52). Das unbestimmte אשׁה in 3 1 weise
ebenso auf eine andere Frau wie das Schweigen des Kap. 1 von einem
Entlaufen der Gomer. Beide Argumente sind angesichts des literarischen
Charakters und der ursprünglichen Funktion der beiden Kapitel nicht
zwingend. Ein Blick auf den Fortgang der Ehe liegt jenseits des Scopus
von Kap. 1 (s.o. S. 8 und 13). In Kap. 3 aber setzt Hosea als Berichterstatter
nicht die Kenntnis von Kap. 1 voraus. Als Niederschrift wird Kap. 3
älter sein als der die früheren Erfahrungen zusammenfassende Fremdbericht, dessen Entstehung wir mit der Redaktion und Herausgabe von
Kap. 2–3 zusammensehen möchten.

Man wird also Kap. 3 nicht von Kap. 1, sondern von Kap. 2 her verstehen müssen. Es ist sicher nicht zufällig seine unmittelbare Fortsetzung,
entspricht es doch völlig seiner Thematik. Man vergleiche nur 3 f. mit
den in 2 8 angekündigten Absperrmaßnahmen, 5 mit der in 2 9 erwarteten
Umkehr und 1 mit der in 2 16 f. verheißenen Liebe Jahwes zu der Unge-
treuen. Kap. 3 wirkt wie das persönliche Siegel des Propheten auf die
voraufgehende Kette der Drohungen und Verheißungen. Ursprünglich
hat es wahrscheinlich die hoseanische Niederschrift von 2 4–17 abgeschlossen (s.o. S. 59 zu 2 18–25). Die Gattungsbeobachtung ergab, daß der
Text auf eine Ganzheit von Verkündigung, nicht auf biographische Voll-
ständigkeit aus ist (s.o. S. 72). Auch insofern wurzelt die Zusammenschau mit Kap. 1 statt mit Kap. 2 in textfremder Fragestellung.

Wort   Bei dieser Sicht des Zusammenhangs von Kap. 2 und 3 vermißt man
1   vor dem ersten „Und" keine Schilderung der Umstände, unter denen
Jahwe dem Propheten erschien (ThHRobinson). Biographisches oder
Theophanieschilderung wären nur Aufenthalt gegenüber der allein wichtigen Bestätigung der Botschaft des Kap. 2 durch den Bericht eines besonderen Jahwewortes, das mit seinen Konsequenzen alles Voraufgegange-
ne zusammenfaßt und eindrucksvoll beschließt. „Und Jahwe sprach zu
mir" – so lautet die ältere Weise der Propheten, das ihnen zuteil gewordene eigentümliche Erleben zu beschreiben (vgl. Am 7 15. 8 8 2 Jes 7 3
81. 3 Jer 3 6. 11 11 6 u.ö.). Hinter der Frage nach dem Woher ihrer Erfahrung tritt alles andere zurück. „Die Offenbarungsmitteilung hat für
das erlebende Subjekt dieselbe eigentümliche Wahrnehmungsqualität
des von-einem-andern-Ich-Kommens, wie wenn jemand die Anrede
eines anderen Menschen erfährt" (IPSeierstad, Die Offenbarungserlebnisse der Propheten Amos, Jesaja und Jeremia, 1946, 196). Die spätere
Wendung „Es erging Jahwes Wort an mich" (Jer 1 4. 11. 13 u.ö.) bezeugt
nicht mehr ebenso einfach die Unmittelbarkeit des großen Widerfahr-
nisses. עוד gehört schon zum Inhalt der Gottesrede, wie 𝔊 richtig verstand und ein Vergleich von Sach 1 17 1 115 mit Ex 3 15 beweist. „Nochmals" muß nicht den Bericht einer erstmaligen Liebe voraussetzen, so

daß man in 1 2 (תחלת) Reste eines verdrängten Ichberichts anzunehmen genötigt wäre, wenn man es nicht als Glosse ansieht. Das Wort ist an dieser Stelle sinnvoll und nötig, weil es sicherstellt, daß die „wiederum" zu gewinnende Frau nicht irgendeine Ehebrecherin ist, sondern daß sie die Ehe mit Hosea gebrochen hat. לך unterstreicht als allgemeine Formel des Aufrufs, daß jetzt ein neuer Akt vom Propheten erwartet wird, עוד also nicht „weiterhin, immerzu" bedeutet, als erlaube das Gotteswort Hosea nur eine Liebe, die er unablässig hegte. MBuber fragt dagegen (Glaube der Propheten 162): „Kann man denn Liebe gebieten?" Der Gottesbefehl tut es. Denn אהב meint weder bloß Anknüpfung eines Liebesverhältnisses (Budde gegen Sellin) noch euphemistisch den Geschlechtsakt (Quell, ThW I, 22), noch den Rechtsakt der Heirat (לקח 1 2 Dt 24 1ff.; ארש 2 21f. Dt 22 23ff.), sondern wie sonst bei Hosea die helfende (11 1) und heilende (14 5) Freiwilligkeit, die den Gegensatz zu Zorn und Haß (9 15) darstellt. Beschreibt אהב in 11 1 die väterliche Erziehung des Kindes, in 14 5 die ärztliche Überwindung von Krankheit, so hier die männliche Tat der Rückgewinnung der untreuen Frau. Ist dort immer unmittelbar Gottes Tat der Berufung (11 1 9 15) oder Bekehrung (14 5) Israels gemeint, so soll hier nicht weniger in der befohlenen prophetischen Tat Gottes Handeln abgebildet werden. So darf der Befehl „liebe!" nur von den Aussagen über Gott her gedeutet werden. Der Prophet soll „eine Frau" lieben, die selbst „einen Freund liebt". רע ist auch Jer 3 1. 20 Cant 5 16 der begehrte Liebling; vgl. JFichtner, Der Begriff des „Nächsten" im AT: WuD 4 (1955) 25ff.; ders., ThW VI, 311. Die zweite Verwendung von אהב meint Liebe als lüsterne Begehrlichkeit, denn sie geschieht „im Ehebruch". Ein wirklicher Ehebruch der Frau wird hier vorausgesetzt, von dem in Kap. 1 keine Rede ist. Dagegen, daß die Schilderung der Frau nur die religiöse Treulosigkeit meine (Coppens 44), spricht vor allem 3.

Die liebevolle Tat Hoseas zu der ihm untreuen Frau wird erweckt als Spiegelung der Tat Jahwes: „wie Jahwe Israels Söhne liebt". Nicht also „geht dem Hosea an seiner eigenen Liebe zu seinem ehebrecherischen Weibe etwas von der unbegreiflichen und unzerstörbaren Liebe Gottes auf" (Weiser), sondern genau umgekehrt: an der Entdeckung der Liebe Gottes geht ihm auf, was er an seiner Frau zu tun hat. כאהבתי wäre innerhalb der Jahwerede eher zu erwarten. Ist das Suffix nachträglich irrtümlich ausgeschrieben (Budde, Sellin)? Oder betont die „Stilnachlässigkeit" (Allwohn; s.o. S. 16f.), daß Jahwe selber sich vor seinen Künder stellt „wie ein Modell zum Nachzeichnen" (Buber)? Mit der dritten Person bricht der Wille zur Verkündigung inmitten des Berichtsstils durch. Vor der Nennung der „anderen Götter" ist die Erwähnung „Jahwes" wichtig.

Die Liebe Jahwes ist unverdiente Liebe. Denn die von ihm Geliebten werden alsbald in einem konzessiven Nominalsatz (Ges-K § 141e) als anderweitig Verliebte charakterisiert. Die Hinwendung zu anderen Göttern ist ein echt hoseanischer Vorwurf: vgl. 13 4. אלהים אחרים entspricht בעלים in 2 15. 19 11 2. Hosea kennt offenbar den Dekalog (12 10 13 4 4 2) und daher auch die Wendung „andere Götter" (Ex 20 3). Bei Amos, Jesaja und Micha kommt sie nicht vor. Umso deutlicher wird wieder die Verbindungslinie von Hosea zum Deuteronomium: אלהים אחרים in Dt 5 7 6 14 7 4 8 19 11 16. 28 13 3. 7. 14 17 3 18 20 28 14. 36. 64 29 25; פנה אל־א″ א″ Dt 31 18. 20 (vgl. 29 17 30 17). Ebenso wenig wissen Amos, Jesaja und Micha von der „Liebe Jahwes", wohl aber wieder das Deuteronomium (4 37 7 8. 13 10 15. 18 23 6); dann erst wieder Mal 1 2! Ri 5 31 und das Vorkommen von „Liebe" in altorientalischen Verträgen sind keine zwingenden Belege für die Annahme, daß vor Hosea das Verhältnis zwischen Jahwe und Israel sofort mit dem Aufkommen des Bundesgedankens als „Liebe" gekennzeichnet worden sei (so WLMoran, The Ancient Near Eastern Background of the Love of God in Dt: CBQ 25, 1963, 77–87).

Die Liebe Jahwes findet keine Gegenliebe: ואהבי ist nicht als zweites Attribut zu אלהים zu verstehen (so nach Wellhausen, Duhm, Greßmann, Sellin, Lippl, Nötscher), sondern als zweites Prädikat zu והם (⅏, Wünsche, Nowack, Weiser, ThHRobinson). Nicht sind also die anderen Götter die „naschhaften Leckermäuler" (Budde), sondern die Israeliten. Denn ihnen soll ja die Frau entsprechen, die „einen Freund liebt" (aβ). Zudem werden die „Rosinenkuchen" auch 2 S 6 19 1 Ch 16 3 von den Kultteilnehmern verzehrt (vgl. Jes 16 7 Cant 2 5) und so wohl auch von Hoseas Zeitgenossen als Gaben des Baal genossen (vgl. 2 7. 14 und Dalman, AuS IV, 353 f.). Jer 7 18 44 19 sind „Opferkuchen (כַּוָּנִים) für die Himmelskönigin" genannt; sie gehören also zum Kult der Muttergöttin (vgl. WRudolph, Jeremia: HAT I/12, ³1968, 55f.). Das Wort greift scharf zu: nur aus sinnlicher Liebe zu einem süßen Genuß verläßt Israel seinen Gott; aber er verstößt nicht: Jahwes Liebe gilt dennoch den so erbärmlich Verliebten. So sieht das Modell für Hoseas Verhalten aus.

2   Wenn der Prophet von seinem Gehorsam berichtet, so heißt die verwirklichte Liebe zu der Untreuen: „sie für sich einhandeln". Das seltene כרה besagt nicht nur, daß er einen Preis zahlt (Dt 2 6), sondern darüber hinaus, daß er sie im Kaufhandel gewinnen muß (Hi 6 27 40 30). Die Frau befindet sich demnach rechtsgültig in anderen Händen. Der Gegenwert besteht aus Geld und Gerste. כסף meint שֶׁקֶל־כֶּסֶף (Gn 23 15), die im Handel üblichen Silberstücke, die etwa 11,5 Gramm schwer gewesen sein mögen (BRL 187). Zu den 15 Silbersekeln kommt eine Lieferung Gerste; Gerste hat nur den halben Wert des Weizens und wird in guten Zeiten mehr als Viehfutter als zur Brotbereitung verwendet (1 Kö 5 8 2 S 17 28 Ez 4 9 Kriegsbrot), kommt darum auch für das Heiligtum kaum in Frage (BRL 177. 183; Dalman, AuS II, 254). Ein חמר faßt als Hohlmaß 393,8 Liter, ein לתך die Hälfte (BRL 367); so liefert Hosea fast 600 Liter Getreide. Da

in Zeiten der Teuerung eine סְאָה Gerste (13, 1 1, der 30. Teil eines חמר)
einen Sekel kostet (2 Kö 71.16.18), hat man für normale Zeiten einen
Preis von etwa 15 Sekel für 1¹/₂ Homer errechnet (BRL 177f.). Der gesamte Kaufpreis betrug demnach etwa 30 Sekel. Das entspricht dem
Sklavenpreis nach Ex 21 32; vgl. Lv 27 4. Wem der Preis erstattet wird
und wo sich also die Frau aufhält, sagt Hosea nicht. Sie könnte sowohl als
Sklavin in privaten Diensten (Budde) wie als Tempelprostituierte (4 14
2 Kö 23 7 Am 2 7 Dt 23 17 f. Mi 1 7) verpflichtet sein (HSchmidt). אהבת רע
in 1a macht vielleicht das erste wahrscheinlicher; auf Rückkehr ins El-
ternhaus, woran Cornill, Nötscher u.a. nach Lv 22 13 Ri 19 2 denken, weist
im Zusammenhang nichts. Hoseas Bericht beschränkt sich auf das für die
Zeichenhandlung Entscheidende: die unverdiente Liebe muß sich obendrein zu Einsatz und Opfer bereit finden. Die Zusammensetzung der
Kaufsumme weist nicht nur auf die Geschichtlichkeit des Vorgangs hin
(s.o. S. 71), sondern läßt auch vermuten, daß Hosea nicht gerade zu
den Reichen gehört.

Im ganzen hat der Kaufbericht, so viele Fragen wir heute daran 3
knüpfen möchten, kein Eigengewicht; wie er einerseits die anhebende
Verwirklichung der in 1 gebotenen Liebe zeigt, so leitet er andererseits
über zu den Worten der Anrede an die Zurückgewonnene, die allein in
die Deutung der prophetischen Handlung (4a) hinüberwirken. Eine
Verordnung für „viele Tage" wird getroffen; das heißt hier nicht „für
immer" (so Humbert 162: „ironique et équivaut à: pour toujours"),
sondern „vorläufig". רבים kann zwar in inklusiver Bedeutung stehen für
die Gesamtheit, die vieles einzelne umfaßt: vgl. Jes 2 3a//2b; 52 14f. 53
11 ff.; dazu HWWolff, Jes 53 im Urchristentum (³1952) 29; vor allem
JJeremias, Die Abendmahlsworte Jesu (⁴1967) 171–174. Doch bei Hosea
heißt „für immer" לְעוֹלָם (2 21); zudem zeigt das Deutewort in 4f., daß
die Verordnung als eine vorläufige auf ein „Danach" aus ist. Das Wort
will also auch in der Symbolhandlung ganz im Sinne des hoseanischen
Gedankens vom vorübergehenden Gericht gedeutet sein, das der Erneuerung dient (vgl. 2 8f. 16f.). Die Frau, die der Versuchung nicht mehr
widerstehen konnte, wird ihr entrissen. So beherrscht Liebe diese harte
Maßnahme. ישׁב heißt hier wie Lv 12 4f. „zu Hause bleiben" und – statt
herauszugehen – ganz den häuslichen Pflichten hingegeben sein (1 S 1 23).
Sie ist nur noch für Hosea (לי) da. So ist ihr Huren, ihr Verkehr mit
irgendeinem anderen Manne, faktisch unmöglich gemacht. Sogar Hosea
selbst wird sich vorläufig jedes intimen Verkehrs (vgl. zu הלך אל Am 2 7
und Textanm. 3a) enthalten. Mehr als sein Wort und seine Gegenwart
erfährt die Frau nicht, wie jene Frau Israel in der Wüste, der die Genüsse
des Kulturlandes genommen sind und die erst später wieder die Weinberge
von Jahwe erhält (2 16f.).

כי leitet mit 4 die Deutung der Zeichenhandlung auf Israel ein (vgl. 4

1 2b. 4b. 6b. 9b) und damit den inneren Grund des prophetischen Verfahrens. Das tertium comparationis ist die vorläufige Absonderung. An Stelle der dreifachen (𝔐 zweifachen) Negation in 3 tritt in 4 ein fünffaches (sachlich sechsfaches) אין. Von 3 her wird man damit rechnen müssen, daß mit den drei Negationspaaren (die sachlich offenkundige paarweise Anordnung wird formal im Schlußglied unübersehbar) sowohl legitime wie illegitime Kontakte unterbrochen werden, so wie in 2 11 ff. dem abtrünnigen Israel auch die guten Gaben Jahwes (vgl. 10.17) genommen werden. Das Königtum fällt unter das Gericht wie in 1 4 5 1 8 4 10 15 13 10 f., weil es im Trotz gegen den Willen Jahwes existiert; ebenso die שׂרים, die sowohl Heerführer (5 10 7 16) wie Verwaltungsbeamte (13 10) umfassen und vom König nicht zu trennen sind (7 3 8 4 13 10). Israel wird also als erstes seine staatliche Ordnung verlieren, in der es sein Leben unabhängig von Jahwe glaubt sichern zu können. Ferner wird der Opferdienst unmöglich, den Jahwe nicht geboten hat und der darum auch Israels Schuld nicht zudecken kann (6 6 8 11.13; vgl. Am 5 25 und LKoehler, Theol. d. AT, ⁴1966, 171). Er fällt mit den geweihten Kultorten an den heiligen Malsteinen, um die Israel sich an seinen Festen schart und deren berühmteste in Sichem (Gn 33 20 Jos 24 26) und Bethel (Gn 28 18.22 35 14) stehen (vgl. BRL 368 ff.). Das Deuteronomium (16 22) verwirft sie in der Gefolgschaft Hoseas als von Gott verhaßt. Als zweites wird also dem Volke seine kultische Betätigung genommen (vgl. 2 13.15). Schließlich werden ihm die altvertrauten Möglichkeiten, den Willen Gottes zu erfragen, entzogen. Dem dienten nämlich sowohl der im einzelnen schwer bestimmbare Ephod (1 S 23 9 ff. 30 7 ff., vielleicht Priesterkleid mit Orakeltasche Ex 28 4.12.15.25–28), wie die als Gottesbild oder Gesichtsmaske vorzustellenden (Gn 31 19.34 1 S 19 13 ff. 15 23) Teraphim (Ez 21 26 Sach 10 2; vgl. Textanm. 4b sowie 4 12 Hab 2 18 f.), die im benjaminitischen Bereich besonders häufig erwähnt werden, wie KDSchunck, Benjamin: ZAW Beih 86 (1963) 11 zeigt. Ephod und Teraphim erscheinen auch sonst nebeneinander Ri 17 5 18 14.17 f.20. So wird sich mit allen Mittelinstanzen, die zum Abgott wurden, auch Jahwe selbst Israel entziehen. Es wird politisch und kultisch der Wüste preisgegeben (vgl. 2 8 f. 11–15).

5 Sinn und Ziel solcher Härte ist ein neues Leben. אחר bezeichnet aufs deutlichste die Zweiphasigkeit der Eschatologie Hoseas, die der Sache nach schon in 2 9.17 begegnete. Zwar wird hier eine Wurzel der Apokalyptik und ihrer Periodisierung der Geschichte sichtbar; aber sie ist darin echt prophetische Eschatologie, daß die zeitlich nicht fixierte erste Phase, die schon mit dem verkündigten Wort anbricht, ganz im Dienste der zweiten Phase steht, mit der „danach", „an jenem Tage" (2 18.20.23) das Eschaton als das Endgültige (vgl. לעולם 2 21) eintritt, das nicht in einen qualitativen Gegensatz zur Geschichte tritt, vielmehr die Anfänge der Heilsgeschichte zum Ziel führt. Vgl. EJacob, Der Prophet Hosea und

die Geschichte: EvTh 24 (1964) 289. Ja, die beiden Phasen überschneiden sich zeitlich: die zweite hebt in und mit der ersten an; denn sie ist in und mit der ersten nicht nur intendiert, sondern begründet und bewirkt, so gewiß die Tat Jahwes das neue Leben verursacht (2 8f. 16f. 21f. 25). So beginnt in 5 in der staatlichen und kultischen Nullpunktsituation die Rückkehr zu Jahwe. Indem Jahwe ihnen die Möglichkeit der Selbstsicherung nimmt, erkennen sie wieder, wer es ist, der Israel aus dem Nichts herausgeführt hat (vgl. 2 9). Solche Bekehrung als von Gottes Zugriff bewirkte Tat ist unter den Göttern des alten Orients ebenso unbekannt wie der Abfall von jenen Göttern (vgl. Jer 2 10f.).

Zwei weitere Aussagen verdeutlichen die Umkehr Israels. 1) „Sie suchen" Jahwe; בקש steht auch 7 10 parallel zu שוב, in 5 15 parallel zu שחר („sich zuwenden, auf etwas aus sein, suchen nach"). Hosea kennt das Wort noch als Kultterminus für das vergebliche Aufsuchen der Heiligtümer (2 9) mit Opfertieren (5 6). Die Prozessionen zu den heiligen Orten, an denen man die Gegenwart Gottes vorfindbar gegeben wähnt, die aber nicht mehr zum Ziel führen, werden abgelöst durch ein demütiges (7 10) Aufsuchen des verlorenen Gottes, der Israel seiner Kultorte beraubt und sich selbst ihm entzogen hatte (vgl. 5 15 mit 3 4). 2) „Sie zittern hin" zu Jahwe. Das Wort zeigt die dem alten Kultbetrieb fehlende äußerste Erregung im Vorgang der Rückkehr zu Jahwe, bei der Furcht (11 11 Mi 7 17 Jes 19 16) im Blick auf das Ziel (טובו) schließlich von Freude überwunden wird (Jer 33 9). So wird die Umkehr als die elementare Bewegung der Rückkehr zu Jahwe beschrieben, die von Jahwes Gericht heraufgeführt wird und die erstrebt und erreicht, was die politische und kultische Betätigung Israels bisher verfehlte.

Wie die Umkehrbewegung durch zwei Verben erläutert wurde, so auch im zweiten und dritten Satz ihr Ziel, „Jahwe", durch zwei Appositionen. 1) Jahwe, „ihr Gott", ist der alte Bundesgott (2 25 12 10 13 4 vgl. 1 7), der nicht an die Kulturlandheiligtümer gebunden ist (13 4–6 11 1 9 10 2 16). Die von Hosea verheißene und von Jahwe selbst bewirkte Bekehrung zielt auf den Initiator der Geschichte Israels selbst. 2) Das gleiche Ziel ist im letzten Satzglied durch Beifügung von וטובו verdeutlicht als Quellort glücklichen Lebens für Israel. Zu den Gaben „seiner Güte" mögen die vorübergehend entzogenen Weinberge, Äcker und Olivenhaine gehören (2 10f. 17. 23f.), aber nicht die nach 4 entzogenen staatlichen und kultischen Größen, die Hosea nie als Gaben der Güte Jahwes nennt. Andererseits bedeutet es eine unhoseanische Vergeistigung, in der Güte Jahwes nur sein „Wort" zu sehen. So hat RGordis (VT 5, 1955, 90) erwogen, ob טוב an unserer Stelle wie 14 3 Neh 6 19 Ps 39 3b wurzelverwandt mit דְּבָה sei (vgl. zur Sache Am 8 12). טובו wird konkret die Gaben des Kulturlandes umschließen, wie es denn auch in Jer 2 7 aufgenommen wird; primär aber faßt es als Bezeichnung der Verhaltensweise Jahwes die in 2 21 f. gegebenen Begriffe seiner unlöslichen Gemeinschaftstreue zusammen.

Die Ergänzungen des Textes (vgl. Textanm. 5a) entstammen judäisch-messianischer Eschatologie (vgl. 1 7). דוד מלכם kommt nur noch Jer 30 9 und auch dort in der sonst unbekannten Zusammenstellung mit יהוה אלהיהם vor; auch באחרית הימים gehört zur judäischen Eschatologie: Jes 2 2 Mi 4 1 Jer 23 20 30 24 Ez 38 16; in Schlußstellung Gn 49 1 Num 24 14 Jer 48 47; in Dt 4 30 verbunden mit dem Gedanken der Rückkehr zu Jahwe.

Ziel
Das Thema des Kap. ist in 1 mit vierfachem אהב eindeutig angezeigt. Dabei tritt Jahwes Liebe als Modell der Liebe Hoseas hervor, im Kontrast zu den anderweitig Verliebten, denen sie gilt. Ihre überwältigende Größe wird erst im Spiegel der prophetischen Zeichenhandlung erkennbar. Der Befehl an Hosea ist schon als persönliche Zumutung aufregend. Wie aber erst, wenn das in Dt 24 1ff. kodifizierte Recht schon in Hoseas Umgebung galt? Vgl. Lv 21 7. Nicht einmal die rechtmäßig geschiedene und wiederverheiratete Frau darf zum ersten Mann zurückkehren. Nun aber will die Liebe, die Jahwes Liebe darstellt, eine Ehebrecherin heimführen, die rechtskräftig in andere Hände geriet! Was dem Gesetz unmöglich ist, das tut Gott. Paulinische Erkenntnisse brechen hier auf (Rm 8 3). Jeremia hat sie als erster dem Hosea gründlich nachgedacht (vgl. Jer 3 1 mit 3 22–4 2), dann Ezechiel (16 32ff. 23 37ff.).

In der Entfaltung des Themas liegen die stärksten Akzente in 3 und 4, die die Maßnahmen der Liebe sowohl in Gleichnishandlung wie in Deutewort mit Ketten von Negationen beschreiben, die „viele Tage" gelten. Die wirksame Macht der Liebe Gottes zeigt sich eben darin, daß sie es weder sich (2) noch dem Geliebten (3) billig und leicht macht. Ihre langdauernden und harten Entzugsmaßnahmen wollen als notwendige Taten der Liebe erkannt sein.[1] Sie sind eingeklammert von dem in 1 betonten Leitmotiv „Liebe" und dem in 5 beschriebenen Ziel. Nichts anderes erstreben sie als Rückkehr Israels in die Gemeinschaft mit seinem Gott. Dieses Ziel ist in den drei synonymen Schlußsätzen ebenso betont wie der Beweggrund Gottes in 1. Einschneidend ist die Botschaft, daß das Gottesvolk nicht abseits von seinem Gott das Gute finden kann. Darum nötigt es die Liebe zu ihm selbst hin.

Nicht weniger wichtig als das Kerygma ist in diesem Kapitel seine Gestaltwerdung. Jahwe läßt seine Liebe durch den Propheten darstellen. Hosea ist jetzt nicht nur als Bote des Wortes Zeuge, sondern dadurch, daß er aus der vernommenen Kunde selbst Konsequenzen zu ziehen hat. Im gehorsamen Handeln bestätigt er den Ereignischarakter der verkündigten Liebe Jahwes, die Israel durch Gericht zum Heil führt.

[1] Calvin, CR LXX, 256: Summa huius capitis est, quod Deus vult retinere bona spe animos fidelium in exsilio, ne desperatione obruti, prorsus deficiant. Videmus itaque hoc vaticinium medium esse inter denuntiationem qua prius usus est propheta, et promissionem veniae. Hic Deus erigit animos fidelium, ut certo statuant se amari, etiam dum castigantur.

RECHTSSTREIT JAHWES MIT ISRAEL
(4 1–3)

K Budde, Zu Text und Auslegung des Buches Hosea [zu 4 1-19]: JBL 45 (1926) Literatur
280–297. – H Junker, Textkritische, formkritische und traditionsgeschicht-
liche Untersuchung zu Os 4 1-10: BZ NF 4 (1960) 165–173. – H J Boecker,
Redeformen des Rechtslebens im AT: Wiss. Monogr. z. A und NT 14 (²1970)
149–159. 183.

¹Hört Jahwes Wort, ihr Israelsöhne, Text
    denn Gericht hält Jahwe mit den Landesbewohnern.
Denn es fehlt Zuverlässigkeit, es fehlt Gemeinschaftssinn,
    es fehlt das Wissen um Gott im Lande.
²Verfluchen, Täuschen, Morden, Stehlen und Ehebrechen reißen ein 'im Lande'ᵃ,
    und Bluttat reiht sich an Bluttat.
³Darum soll das Land verdorrenᵃ,
    soll hinwelken, wer immer drin wohntᵇ,
mitᶜ dem Wild der Flurᵈ und mit den Vögeln des Himmels,
    selbst die Fische des Meeres sollen hingerafft werden.ᵉ

2 a 𝔊 κέχυται ἐπὶ τῆς γῆς liest פָּרָץ בָּאָרֶץ ; 3 macht Erwähnung des „Landes" 4 2
in 2 wahrscheinlich; 𝔐 kann aus ursprünglichem פרצו בארץ ו durch Homoioteleuton entstanden sein. וּפָרֹץ = „und Rauben" (Nötscher) ist (a) der
Bedeutung wegen bei Hosea unwahrscheinlich: auch 4 10 heißt פרץ „sich ausbreiten"; zudem (b) ist neben נגעו ein entsprechendes verbum finitum zu
erwarten, da die Subjekt-Kette der inff. abss. ein Prädikat verlangt. – 3a Die 3
Parallele אמלל (s.u. S. 85) beweist, daß hier wie Jer 12 4 23 10 Am 1 2 (vgl. Jl 1 10)
nicht I אבל = „trauern", sondern II אבל = akk. abālu vorliegt (vgl. KBL nach
Driver, Gaster Anniversary Vol.,1936, 73ff.). – b 𝔊 σὺν πᾶσιν τοῖς κατοικοῦσιν
αὐτήν gleicht an den pl. von 1 an (יֹשְׁבֵי). – c ב bezeichnet hier Gemeinschaft
(KBL 103f. Nr. 11; BrSynt § 106b); ב-essentiae (Robinson nach Ges-K § 119i)
ist vom Sinn her ausgeschlossen, da mit den Landesbewohnern wie in 1 zunächst
die Menschen gemeint sind. – d 𝔊 ergänzt nach 2 20 καὶ σὺν τοῖς ἑρπετοῖς
τῆς γῆς = וּבְרֶמֶשׂ הָאֲדָמָה. – e Geht 𝔊 ἐκλείψουσιν auf יָסֻפוּ zurück (Nyberg)?

Der Spruch hebt sich vom Folgenden durch seinen Adressaten ab. Form
Während in 4-6 der Priester angeredet wird, sind hier das Land und seine
Bewohner schlechthin betroffen. Er ist als Muster eines prophetischen
Gerichtswortes in sich gerundet und verlangt keine Fortsetzung. 1 bβ. 2
weisen den Rechtsfall nach, indem die Schuld negativ (1 bβ) und positiv
(2) festgestellt wird; der Rechtsfall wird mit כי eingeführt und im Nominalsatz (1 bβ) oder im perfektischen Verbalsatz (2) formuliert. 3 bringt
die Rechtsfolge; mit על-כן wird die Tatfolgebestimmung eingeführt und
durch imperf. angekündigt; vgl. Boecker 152f. Der Wechsel der Tempora
schließt zusammen mit dem Übergang von כי zu על-כן die beliebte (Sellin,
Lippl, Weiser, Robinson u.a.) Ansicht aus, 3 setze die Beschreibung der

„Zustände" fort. Zu dieser Deutung hat wohl vornehmlich die falsche Worterklärung von אבל verführt (vgl. Textanm. 3a). Schon die mittelalterlichen jüdischen Exegeten Raschi und Kimchi haben 3 als Gerichtsankündigung gedeutet (Wünsche 136), was insbesondere durch 3b gesichert wird. 3aβb als Glosse auszuklammern (Sellin, Lippl), kann (auch im Blick auf die von 𝔊 beobachtete Abweichung von 2 20; vgl. Textanm. 3d) nicht zwingend begründet werden.

Das Gerichtswort wird vom Propheten in 1bα als solches eingeführt, nämlich als Sinn und Ziel des „Rechtsstreites (ריב) Jahwes mit den Landesbewohnern". Die gleiche Formel erscheint in 12 3 zur Ankündigung des richterlichen Handelns Gottes (vgl. 12 3b). ריב wird hier von Hosea umfassender gebraucht als in 2 4 (s.o.S. 39), wiewohl zunächst der Tatbestand der Anklage folgt; er ist aber jetzt als Strafbegründung (1bβ.2) unlöslich mit der Strafzumessung (3) verknüpft. Jahwe steht als Richter vor Israel. Vgl. BGemser, The *rib*-Pattern in Hebrew Mentality: VT Suppl. III (1955) 120–137 (129!).

Damit rechnet wohl auch die das Wort heute eröffnende Proklamationsformel 1a: „Hört Jahwes Wort, ihr Israelsöhne!" Sie hat unter den Hoseaworten nur einen fernen Vorläufer in 5 1 (s.u.S. 122f.). In lebendiger, wandlungsfähiger Form kennen sie Amos (3 1 4 1 7 16 8 4), Micha (3 1. 9 6 1) und Jesaja (1 10); als erstarrte Rahmenformel taucht שמעו דבר־יהוה mit Vokativ der Angeredeten erst im Jeremia-(2 4 7 2 19 3 21 11, insgesamt 15mal) und im Ezechielbuch (6 3 13 2 21 3, insgesamt 10mal) auf; vollständige Übersicht bei OGrether, Name und Wort Gottes im AT: ZAWBeih 64 (1934) 69. Im Regelfall folgt bei Jer und Ez auf die Proklamationsformel die Botenspruchformel. Hier schließt entsprechend die Einleitung des Gerichtswortes an. Man beachte, wie sich diese sekundäre Verknüpfung der Proklamationsformel mit der (begründeten) Urteilsverkündigung von der genuinen Verbindung der das Gericht anredenden Aufrufformel mit der Anklage (Mi 6 2 Jer 2 12f.) unterscheidet; aber auch von der paränetischen Verkündigung des Gottesrechts im Kultus, die mit einem ähnlichen Aufruf zum Hören beginnt (Dt 6 4 Ps 50 7 81 9), ist sie zu trennen. Zwar erinnert die Identität von Kläger und Richter an die kultische Rechtsparänese, aber als „Sitz im Leben" dieses als ריב eingeführten und in Analogie zu den kasuistischen Rechtssätzen (vgl. Ex 21 1ff.) strukturierten begründeten Urteilsspruches wird man doch lieber die Urteilsverkündigung der im Tor der Städte verhandelnden Rechtsgemeinde annehmen, mit JBegrich, Studien zu Deuterojesaja (1938) = ThB 20 (²1969) 26–48, gegen EWürthwein, ZThK 49 (1952) 1ff.; vgl. HEvWaldow, Anlaß und Hintergrund der Verkündigung Deuterojesajas : Diss. Bonn (1953) 37ff.; HJBoecker 149–159.

Ort   Wenn sich uns mit Recht 1a als sekundär vom Folgenden abhob, dann wird im Eingang von 4 1 vermutlich die gleiche redaktionelle Hand sichtbar, auf die 11 zurückzuführen ist (s.o.S.2). דבר־יהוה kommt im Hoseabuch nur in 11 und 41 vor. Die Benennung בני ישראל bringen Kap.4–14 nie mehr, wohl aber unmittelbar vorher 31.4.5 (und 21.2); diese Beobachtung stützt die Annahme, ein Redaktor formuliere hier in Anlehnung an den voraufgehenden Kontext (vgl. LRost, Israel bei den Propheten: BWANT IV, 19, 1937, 24). Schließlich erklärt die Vermutung, daß 1a redaktionelle Zutat ist, die doppelte Schachtelung der nachgeordneten כי-Sätze besser als die Annahme einer prophetischen Redeeinheit.

Der Redaktor knüpft an die wörtliche Wiedergabe des alten Büchleins 12–35 andersartig überlieferte Hoseaworte. An die Spitze setzt er ein in jeder Hinsicht umfassendes Gerichtswort, das er mit der Proklamationsformel, Aufmerksamkeit heischend, hervorhebt. Da es nur Unheil und dieses in der Form einer katastrophalen Dürre anzeigt, könnte es aus der gleichen ersten Epoche stammen wie 12–4.6.8f. und 211–15. Die zweite Sammlung von Hoseaüberlieferungen setzt also wahrscheinlich ebenso wie die erste mit der Frühzeit ein.

Mit der einleitenden Proklamationsformel „Hört Jahwes Wort, ihr Wort Israelsöhne"! mahnt der Überlieferer noch einmal ausdrücklich, den 41 zweiten Teil der Hoseaworte ebenso als Wort Gottes aufzunehmen, wie es an der Spitze des ersten Teils schon für das Ganze des Hoseabuches angezeigt war. Der Neueinsatz erscheint nach 35 nötig, da der Gesamtweg der Verkündigung Hoseas von der Gerichtsandrohung zur Heilsansage schon einmal abgeschritten ist und nun ein zweites Mal angetreten wird. Zunächst soll Israel von dem „Rechtsstreit Jahwes mit den Landesbewohnern" Kenntnis erhalten. Die Verbindung von ריב mit der Präposition עם zeigt zwar, daß der Vorgang der Rechtsverhandlung vor Gericht noch lebendig vorgestellt ist; aber das Wort bezeichnet nicht mehr nur, wie ursprünglich, die Rede der klagenden Rechtspartei (24 Mi 62 Jes 313 Hi 93 3313), sondern die Rede eines einzigartigen Klägers, der sofort als Richter auftritt (ebenso 123; s.o.S.82; vgl. Jer 29). „Bewohner des Landes" heißen die Angeschuldigten und Verurteilten als die mit Jahwes Heilsgabe Beschenkten (93 210 136; vgl. בארץ in 1bβ [2b cj.] 3a).

Die Schuld besteht darin, daß sie sich in Jahwes Land der heilsamen Herrschaft Jahwes entzogen haben. „Im Lande" fehlt (a) אמת. Das Wort erscheint bei Hosea nicht mehr, ist aber mit אֱמוּנָה (222) verwandt und bezeichnet die unbedingte Verläßlichkeit, in der einer dem anderen trauen kann (vgl. Ex 1821 Jos 212), insbesondere dem Wort (1 Kö 106 2216) und dem Dienst (Jos 2414 1 S 1224) des anderen. Zugleich mit solcher Zuverlässigkeit fehlt (b) der „Gemeinschaftssinn" (zu חסד vgl. 221 o.S.64). Betont אמת die Dauerhaftigkeit des Gemeinschaftsverhältnisses, so חסד seine Intensität. Beide Worte werden gern formelhaft verbunden zur Darstellung unlöslicher Treuverbundenheit (Gn 4729 Jos

2 14 Ps 85 11), besonders der verläßlichen Verbundenheit Gottes mit seinem Volk (Ex 34 6 2 S 15 20 Ps 89 15). 2 zeigt, daß hier der Mangel an Gemeinschaft im Zusammenleben der Landesbewohner gemeint ist. Er wurzelt im Mangel an (c) „Wissen um Gott". Wieder zeigt der sachlich parallele Vers 2, daß damit nicht neben dem „ethischen" Bereich ein „religiöser" als ein zweiter, andersartiger Bereich erwähnt wird, als wäre die Verbundenheit mit Gott etwas Zweites neben der Verbundenheit mit den Nächsten. Vielmehr meint das „Wissen um Gott" als das Wissen um die Weisungen Gottes die Quelle des rechten Gemeinschaftslebens in Israel (vgl. 4 6 6 6). Daß in אלהים דעת keine hoseanische Formulierung vorliegt, die von seinem Ehegleichnis her verstanden werden müßte, sondern daß der Prophet hier eine alte Formel priesterlich-kultischer Prägung aufnimmt, ist aus der Wortwahl דעת אלהים (4 1 6 6; vgl. 4 6 הדעת/תורת אלהיך und 8 2 13 4) neben sonstigem ידע את־יהוה (2 22 5 4 6 3) zu ersehen. Vgl. gegen EBaumann, EvTh 15 (1955) 416–425 u.a. HWWolff, EvTh 12 (1952/53) 537f. 547 = Ges.St. z. AT: ThB 22 (1964) 186f. 197 und EvTh 15 (1955) 429f. 2 beweist vollends, daß דעת אלהים das Vertrautsein mit dem geoffenbarten Gottesrecht meint (s.u.). Schuld ist dieser Mangel an „Wissen" deshalb, weil er auf Verwerfung (4 6) und Verachtung (8 12) der geschenkten Offenbarung zurückgeht. So bezeichnet also 1 bβ als die Schuld Israels den Ausfall der Treuverbundenheit der Glieder des Gottesvolkes untereinander, der in der Verachtung des Gotteswillens wurzelt.

4 2   Entsprechend dem Ausfall des Wissens um Gott greift im Lande die Übertretung seiner Gebote um sich. Fünf absolute Infinitive nennen fünf Rechtsfälle, die das apodiktische Gottesrecht, also das genuin israelitische Recht, unter das Verbot des Gottes Israels gestellt hat (vgl. AAlt, Die Ursprünge des israelitischen Rechts: Kl. Schr. I, 302–332). Dabei richten sich Wortlaut und Reihenfolge nicht genau nach dem Dekalog als dem bekanntesten Beleg apodiktischer Reihen. Eine ähnlich freie Gruppierung bietet Jer 7 9; im Unterschied zu Jer 7 9 beziehen sich aber bei Hosea alle Verstöße auf den Nächsten, denn schon (1) אלה meint das Verwünschen und Verfluchen eines anderen (z.B. eines Tauben, der Eltern, der Fürsten oder Könige, Gottes) unter feierlicher, aber mißbräuchlicher Ausrufung des Namens Gottes (10 4 Ri 17 2; vgl. Ex 21 17 22 27 Lv 19 14 20 9 Ex 20 12 Dt 27 16); der Dekalog nennt das: „den Namen Gottes zum Bösen verwenden" (Ex 20 7). – (2) כחש meint das lügnerische Täuschen und das betrügerische Verraten des Nächsten (7 3 10 13 12 1; vgl. 9 2 12 8), das besonders bei der Rechtsprechung (apodiktische Reihe Ex 23 1–3. 6–9) und im Handel (12 8; vgl. apodiktische Reihe Dt 25 13–16) geübt werden kann; auch das Täuschen des Blinden wird im apodiktischen Recht unter den Fluch gestellt (Dt 27 18 Lv 19 14). Das Wort כחש erscheint in apodiktischen Reihen nur Lv 19 11; vgl. aber auch 12 Jer 7 9

Ex 2016. – (3) רצח meint den vorsätzlichen Mord (69; in apodiktischen Reihen Ex 2013; vgl. 2112. 14 Dt27 24). – (4) גנב bezeichnet im alten apodiktischen Recht zunächst den Menschendiebstahl, wie AAlt aus der Stellung des Verbotes im Gesamtbau des Dekalogs erwiesen hat (vgl. Kl. Schr. I 333–340); auch in der hoseanischen Reihe steht das Delikt zwischen solchen Vergehen, die die Person des Nächsten selbst, sein Leben und seine Ehe betreffen (vgl. auch Jer 79). Ex 2116 steht גנב in der apodiktischen Reihe todeswürdiger Verbrechen, meint also dort sicher auch Menschendiebstahl; vgl. Lv 1911 und Ex 2015 neben 17. – (5) נאף bezeichnet den Ehebruch wie 413f. 74 24 31; vgl. Jer 79 und in ˙den apodiktischen Reihen Ex 2014 Lv 2010.

Hosea stellt also solche Vergehen zusammen, die (a) den Mitmenschen betreffen und (b) vom Gottesrecht als todeswürdig bezeichnet sind, weil sie (c) schlechthin unvereinbar mit dem Leben des Gottesvolkes sind. Diese Verbrechen „greifen 'im Lande' um sich"; sie füllen den leeren Raum, der durch den Mangel an verläßlichem Gemeinschaftssinn und an Wissen um Gottes Willen entstanden ist. Der kurze Schlußsatz – „und Blutschuld reiht sich an Blutschuld" – unterstreicht, daß die vorangehende Reihe vor allem die todeswürdigen Verbrechen gegen die Person des Nächsten herausstellt; sie bilden eine lückenlose Kette. Zu דמים vgl. 1 4 o.S. 19. Daß Hosea bei den sich aneinander reihenden Bluttaten an die schnelle Folge von Thronrevolten des Jahres 746 (2 Kö 1510. 14) dachte(so van Gelderen), ist nach der Anrede von 1 kaum wahrscheinlich. Das vom Propheten herausgestellte böse Faktum zeigt die Kehrseite der wirtschaftlichen Blüte in Jerobeams II. Tagen, die eine frühe Form des Kapitalismus und damit eine soziale Krise schärfsten Ausmaßes heraufführte, ohne die die bald folgende politische Krise nicht zu verstehen ist; vgl. JHempel, Das Ethos des AT: ZAWBeih 67 (1938) 115; auch HJKraus, Die prophetische Botschaft gegen das soziale Unrecht Israels: EvTh 15 (1955) 298. Hosea sieht, daß die jetzigen Landesbewohner nicht mehr das Volk Jahwes sind.

Darum kündigt er das Gericht Jahwes in Gestalt einer großen Dürre 43 an. Das Land selbst trocknet völlig aus (zu אבל s. Textanm. 3a), so daß es kein Leben mehr tragen kann. Die Bevölkerung „welkt hin". אמל pul. bezeichnet zunächst das Hinwelken der Pflanzenwelt (Jes 168 Jl 112), bedeutet aber dann auch, im Gegensatz zu ילד = gebären (1 S 2 5), das Kinderloswerden (Jer 159). In diesem Sinne sieht Hosea die Bevölkerung hinwelken, schrumpfen (410 912. 14). Die allgemeine Dürre rafft auch das Wild und die Vogelwelt, ja selbst die Fische des Meeres hin. So zieht das Gericht eines Sintbrandes noch mehr ins Sterben hinein, als es einst die Sintflut vermochte (Gn 7 21–23). נֶאֱסָף ist elliptischer Ausdruck (wie Nu 2026 Jes 571 Dam 1935), der von נֶאֱסַף אֶל־עַמָּיו (Gen 258. 17 3529 u.ö.), אֶל־אֲבוֹתָיו (Ri 2 10), אֶל־קְבְרֹתָיו (2 Kö 2220) her als Ausdruck für „sterben"

zu verstehen ist. Die ihr Leben mit Gewalt gegen die Nächsten durchsetzen wollen, müssen erfahren, daß sie den Tod nur mit den unheim-
lichsten Folgen auch für ihr eigenes Leben beschwören (vgl. 4 9 5 5). Es
fällt auf, daß nicht Jahwes Ich im Gericht eingreift, sondern ein „orga-
nisches Ordnungsgefüge" „schicksalwirkender Tatsphäre", um das eine
„synthetische Lebensauffassung" weiß, von Jahwe in Kraft gesetzt wird.
Vgl. KKoch, Gibt es ein Vergeltungsdogma im AT?: ZThK 52 (1955)
1–42; FHorst, Recht und Religion im Bereich des AT: EvTh 16 (1956) 71f.
= Gottes Recht. Studien z. Recht im AT: ThB 12 (1961) 287f.

Ziel   Der kurze Spruch bringt als ein echtes Kopfstück in der Prägnanz
seines Aufbaus und seiner Ausdrucksweise die Einheit prophetischer
Theologie, Anthropologie und Kosmologie zum Ausdruck, die mit ihrer
Ekklesiologie gegeben ist. 1) Die von Jahwe begründete Lebensgemeinschaft des Gottesvolkes lebt aus dem Wissen um Gott (1b), das konkret
Wissen um Gottes Gebote ist (2). Verfällt das Wissen um den Bundesgott, der das Leben Israels heilsam ordnet, so zerfällt die Gemeinschaft
des Bundesvolkes. – 2) Jahwes Wille stellt sich schützend vor das Leben
des Nächsten. Gottes Volk kann nur leben als Gemeinschaft von Mitmenschen. Wird der Mitmensch in Israel angegriffen (2), so hört Israel auf,
Gottes Volk zu sein; damit aber hört es auf zu leben (3). – 3) Wie das Gottesvolk um der Lebensgemeinschaft willen lebt, so lebt das Land mit
seinen Pflanzen und Tieren um des Gottesvolkes willen. Das Gottesvolk
zieht darum die Schöpfungswelt mit in seinen Tod hinein (3; vgl. 2 10ff.).
So hängt das ganze Leben des Kosmos zuletzt am Wissen um Gott, d.h.
am Leben unter der Willenskundgebung dessen, der das Leben seines
Volkes zu hilfreicher Gemeinschaft geordnet hat; verstößt es diese Heilsordnung, so zieht es die Welt in seinen Untergang.

Damit ist ein Wort von umfassender Größe und tonangebender
Schärfe an den Kopf der zweiten Sammlung von Hoseaüberlieferungen
gesetzt worden. Zum Vergleich stehen vornehmlich die jahwistische Sint-
flutgeschichte (Gn 6 5ff.) auf der einen Seite und die apokalyptische Sicht
des Weltgerichts (Jes 24 1ff.) auf der anderen Seite. Zur Beeinflussung von
Jes 24 1ff. durch Hos 4 2f. vgl. OPloeger, Theokratie und Eschatologie:
Wiss. Monogr. z. A und NT 2 (³1968) 71. Das Bezeichnende für den
Rechtsstreit Jahwes im Prophetenwort bleibt die Konzentration auf die
Schuld des Gottesvolkes gegen die im Jahwewort heilvoll begründete
Lebensgemeinschaft, an der der Bestand des Lebens schlechthin hängt.
Darin präludiert das Gerichtswort in alttestamentlicher Weise dem neu-
testamentlichen Zeugnis, nach dem das Wort Gottes die Bruderliebe
begründet und an der Bruderliebe das Leben schlechthin hängt, so ge-
wiß das Leben nicht hat, wer den Sohn Gottes nicht hat (1 Joh 2 5 3 14ff.
5 12; vgl. Eph 1 9f.).

HURENGEIST IM GOTTESDIENST
(4 4–19)

JZolli, Hosea 4 17–18: ZAW 56 (1938) 175. – LRost, Erwägungen zu Hos 4 13f.:   Literatur
Festschrift Alfred Bertholet (1950) 451–460. – WLHolladay, „On every high
hill and under every green tree": VT 11 (1961) 170–176. – NLohfink, Zu Text
und Form von Os 4 4–6: Bibl 42 (1961) 303–332. – S.o.S. 81 (Literatur zu
4 1–3).

⁴Nein, nicht irgendeinen soll 'man'ᵃ verklagen,   Text
    zurechtweisen soll 'man'ᵃ nicht irgendeinen!
Aber 'mit dir gehe ich ins Gericht'ᵇ, Priester,
⁵daß du strauchelst am (hellen) Tage
    und [mit dir strauchelt auch der Prophet bei Nacht]ᵃ
        daß auch deine Mutterᵇ 'umkommt'ᶜ.
⁶Mein Volk kommt umᵃ, weil ihm das Wissen fehlt.
Denn du hast das Wissen abgelehnt,
    so lehne auch ich dichᵇ als meinen Priesterᶜ ab.
Du hast die Weisung deines Gottes vergessen,
    so werde auch ich deine Söhne vergessen.

⁷Je mehr ihrer wurden, desto mehr sündigten sie gegen mich.
    Ihre Ehre vertauschen 'sie'ᵃ gegen Schande.
⁸Von meines Volkes Sünde leben sieᵃ,
    nach ihrer Schuld lechzenᵃ 'sie'ᵇ.
⁹[Dann wird es dem Priester wie dem Volk ergehen:
Ich ahnde an ihmᵃ seinenᵃ Wandelᵇ,
    vergelte ihmᵃ seineᵃ Taten.]ᶜ
¹⁰Sie essen, doch werden nicht satt,
    treiben Unzucht, doch mehren sich nicht.

    Ja, Jahwe verließen sie, um 'Unzucht'ᵃ zu pflegen.

¹¹''ᵃDer Most nimmt meinem Volk den Verstandᵇ.
  ¹²''ᵇSein Holz befragt es,
    sein Stock soll ihm verkünden.

Ja, Hurengeist führtᶜ irre,
    daß sie sich treulos von ihrem Gott wegwenden.
¹³Auf Bergeshöhen halten sie Opfermahlzeiten,
    auf Hügeln bringen sie Rauchopfer dar,
unter Eiche und Storax und Terebinte,
    weil ihr Schatten so angenehm ist.
Darum huren eure Töchter,
    eure Schwiegertöchter brechen die Ehe.
¹⁴Nicht ahnde ichs an eurenᵃ Töchtern, daß sie huren,
    und an eurenᵃ Schwiegertöchtern, daß sie die Ehe brechen.
Denn die da gehen mit Huren abseits,

halten Opfermahlzeiten mit Tempeldirnen.
    So kommt das unwissende ᵇ Volk zu Fall ¹⁵ 'mit Huren' ª.
Du, Israel, sollst 'dich' ᵇ nicht strafbar machen! [und Juda]ᶜ
Kommt nicht nach Gilgal!

    Zieht nicht herauf nach Beth-Awän!
    Schwört nichtᵈ: "so wahr Jahwe lebt!"

¹⁶ Ja, wie eine störrische Kuh ist Israel störrisch. Nun sollte Jahwe sie weiden wie Lammvieh im freien Feld? ¹⁷ Verbündet mit Götzenbildern ist Ephraim. Laß es gewähren!ª ¹⁸ Ist ihr Zechen vorbei (?)ª, so treiben sie Unzucht, ja Unzucht. Sie 'lieben, ja sie lieben' ᵇ die Schande 'der' Schamlosenᶜ. ¹⁹ Ein Wind erfaßt 'sie' ª mit seinen Flügeln. So werden sie zuschanden an ihren 'Altären' ᵇ.

4 4   **4** a Ich lese mit Budde יָרֵב und יוֹכַח, da anders eine Antithese zwischen der negierten Aussage in 4a und der positiven in 4b kaum erkennbar wird. M vokalisiert geläufigere Formen: „Keiner soll klagen, keiner soll rechten!" – b Mit Oort, Guthe, Budde, Junker u.a. lese ich וְעַמְּךָ רִיבִי כֹהֵן, da die Fortsetzung in 5 an dieser Stelle Anrede des Priesters, und zwar Ankündigung eines Eingriffs Jahwes erwarten läßt, der den Sturz des Priesters bewirkt (s.u.S. 95 zu 5a). Der Artikel kann beim Vokativ fehlen (vgl. Jos 10 12 Mi 1 2 und BrSynt § 10). Dunkel bleibt, wie der Text um כמ vermehrt wurde. Liegt hier, durch Haplographie nachträglich verstümmelt, ursprüngliches כֹּמֶר vor (vgl. 10 5; KBL 442a), zu dem כֹּהֵן nur erklärende Glosse wäre? Oder war כֹּמֶר Glosse zu כֹּהֵן? Besser erklärt Junker den Textfehler aus einer Lesart וְעַמְּכֶם (vgl. van Gelderen nach van Hoonacker), die כֹּהֵן kollektiv verstand, „deren Suffix dann zuerst über der Zeile mit ך verbessert und später in den Text hineingenommen wurde", wobei jedoch fälschlich auch כמ beibehalten „und mit dem folgenden רִיבִי zusammengelesen wurde" (166). Lohfink möchte mit König und Robinson כ als Dittographie und daneben ein sonst nicht belegtes מָרִיב als Brücke zum
5   überlieferten Text annehmen. – **5** a Der Übergang zur 3. Pers. und die Einschaltung (גם) des Propheten, der im Kontext nie mehr neben dem Priester erscheint, weist den Satz als Glosse aus (vgl. Budde). Sie wird schon wegen der Stilverwandtschaft mit 5 5bβ (vgl. 6 11a גם) judäischer Herkunft sein; לַיְלָה wird zur Glosse gehören, da ein ursprünglicher Parallelismus wohl הַלַּיְלָה neben הַיּוֹם geboten hätte (Neh 4 16; vgl. Sach 1 8 und KBL 373 Nr. 9; 374); s.u.S. 95 und ThLZ 81 (1956) 89f. Gegenargumente erwägt Lohfink 328ff. – b Budde liest אֲרִיךָ (vgl. Num 27 21 1 S 28 6); Robinson, Weiser אוֹתְךָ; weitere Konjekturen sammelt Lohfink 304¹; M ist gestützt durch 𝔊𝔖𝔙 (𝔗: כְּנִשָׁה = Gemeinde, Synagoge = Deutung von „Mutter"). – c M („und ich bin still") läßt אמך beziehungslos. 𝔙 deutet es sinnvoll tacere feci; aber II דמה kennt diese Bedeutung sonst nicht; pi. (KBL schlägt וְדִמֵּיתִי vor) ist im AT unbekannt, bei Hosea nur von I דמה (12 11) belegt. Vielleicht ist וְנִדְמְתָה (Jer 47 5) zu lesen, da II דמה ni. hoseanischem Sprachgebrauch, gerade auch in der Fortsetzung, geläufig ist (6 10 7), auch mit Einzelperson als Subjekt (10 15);
6   ähnlich Nowack. – **6** a 𝔊 (ὡμοιώθη) kann durchaus M (pl.) voraussetzen, da sie (wie 'ΑΣΘ) oft sg. bietet, wo ein hebr. Kollektivum mit dem pl. konstruiert ist (Dingermann, Massora-Septuaginta der kleinen Propheten: Diss. Würzburg, 1948, 8; vgl. Ges-K § 145b). Der Plural unterscheidet die Aussage deutlicher von dem in 5b vermuteten sg. וְנִדְמְתָה. – b Schon die Randmassora nennt das letzte א in ואמאסאך überflüssig. Ist es nur ein Schreibfehler, wie alle Neueren meinen, oder erinnert es an eine verschollene Voluntativform

mit Suffix, woran man im 19. Jh. dachte (van Gelderen)? – c wörtlich: „für mich als Priester zu amtieren." – **7** a 𝔐 („ich vertausche") führt in Anlehnung an 6 ein Drohwort ein; הָמִירוּ, von der Massora als *tiḳḳun sopherim* überliefert und durch 𝔊𝔗 bestätigt, entspricht besser dem Zusammenhang 7a–8. 10. – **8** a „Die Imperfekta stehen für die Gewohnheit" (Budde); wörtlich: „essen sie" = „nähren sie sich" und „erheben sie ihre Kehlen". – b נֶפֶשׁ ist mit 20 MSS 𝔊𝔖𝔗𝔖Θ vorzuziehen, da נפשׁ als Objekt zu נשׂא stets das dem Subjekt entsprechende Suffix zeigt (Dt 24 15 Prv 19 18 Ps 25 1 86 4 143 8). – **9** a 𝔊 hat die Spannung der hebr. Singularformen zu den Pluralformen des Kontextes (8. 10) bemerkt und bietet deshalb pluralische Suffixe. – b Achmimische und sahidische Übersetzung: τὰς ἀνομίας; Cyrill v. Alex. τὰς ἀδικίας; vgl. 12 3. – c s.u.S. 103f. – **10/11** a Gegen 𝔐𝔗 ziehen wir mit 𝔊 die ersten beiden Worte von 11 zu 10 und lesen statt זנות ויין bzw. זנות יין in den besten Handschriften mit KBL זְנוּנִים, denn זנות kommt bei Hosea nur noch 6 10 (wahrscheinlich sekundär) vor; von Jeremia her (3 2. 9 13 27) mag es späteren Schreibern geläufig sein; זנונים ist Hoseas Hauptwort für die Sache: 1 2ᵇⁱˢ 2 4. 6 4 12 5 4; 𝔊 bietet hier wie überall πορνεία, 𝔙 nur hier sg. fornicatio, sonst pl.; יין erscheint sonst nie neben תירושׁ (KBL 1027f., hier aber schon in 𝔊); auch der sg. יקח spricht dafür, daß nur תירושׁ ohne יין Subjekt ist. Weil nach allem wahrscheinlich זנונים ursprünglich ist, nehmen wir den an sich diskutablen Vorschlag Buddes nicht auf, זֹנוֹת statt זנות zu lesen, wobei persönliches Objekt („Huren behalten sie") in Antithese zu 10bα stünde („Jahwe verlassen sie"). – **11/12** b wörtlich: „nimmt den Verstand meines Volkes". Gegen 𝔐𝔗𝔊𝔙 ziehen wir mit 𝔊 עמי zu 11, wofür die übliche Satzstellung spricht. – c 𝔗𝔊𝔙 fügen erklärend das Objekt „sie" ein, setzen also התעם voraus. 𝔊 kennt wie 𝔐 kein Suffix. – **14** a Der Vorschlag von Sellin, Budde u.a., im Blick auf 14aβ הם Suffixe der 3. Person zu lesen, verkennt, daß hier Angeredete und Angeklagte zu unterscheiden sind; s.u.S. 91f. 110f. – b לא־יבין ist asyndetischer Relativsatz. – **15** a 𝔊 zieht die ersten beiden Worte (μετὰ πόρνης) von 15 zu 14 und liest עִם זֹנָה statt אִם זֹנֶה. Darf man, da der sg. זֹנֶה neben den pl.-Formen in 14a befremdet, זֹנָה als ursprüngliche Vokalisation annehmen, obwohl Praepositionen mit abs. Infinitiv selten und unsicher belegt sind (vgl. BrSynt § 46)? Zu 𝔐 אם s.u. Textanm. c. – b 𝔊 (μὴ ἀγνόει) setzt die 2. Pers. אל־תֶּאְשַׁם voraus, was neben der Anrede an Israel im alten Zusammenhang ursprünglich sein wird, s.u.S. 112f. – c „Juda" ist in 𝔐 Subjekt des Satzes geworden, ist aber wahrscheinlich erst als Glosse in den Text gekommen; vielleicht hat dieser Einschub, der in 𝔊 als solcher noch erkennbar ist, in der in 𝔐 aufgenommenen Überlieferung die Abänderung in יאשׁם und die Verlesung von עם zu אם befördert. Vor אל־תבאו setzt 𝔊 kein ו voraus, das vielmehr zu der Einschaltung (καὶ Ιουδα) gehört. – d 𝔗 fügt לשׁקר ein, wohl im Gedanken an Jer 5 2. – **17** a 𝔊 (ἔθηκεν ἑαυτῷ σκάνδαλα) und 'ΑΘ (ἀνέπαυσεν ἑαυτῷ) setzen nicht impt. hi. wie 𝔐 voraus, sondern pf., womit sie sich den benachbarten Beschreibungssätzen angleichen. 𝔊 bietet dabei einen erweiterten Text: הִנִּיחַ לוֹ מֹקְשִׁים = „es stellt sich selbst Fallen". 'A bestätigt den Konsonantenbestand von 𝔐: ἀνέπαυσεν ἑαυτῷ ἄρχων συμποσιασμοῦ αὐτῶν, verknüpft aber mit 18a und deutet סר wie שׂר (ebenso 𝔗): „der Herr ihres Gelages ruht sich aus". – **18** a 𝔊 (ἡρέτισε Χαναναίους = בָּחַר סֹבָאִים? Hoonacker: בַּר von ברר; Zolli: 𝔊 und die alten Onomastiker verstehen unter den Kanaanäern von נוע oder כנע her die Berauschten) spricht vom Erwählen der Kanaanäer, 'ΑΣΘE' von Gelage (Σ ἐπέκλινε τὸ συμπόσιον αὐτῶν, Θ ἐπέκλινε τὸν οἶνον αὐτῶν), wobei הִטָּה (Gn 24 14 1 Kö 8 58) oder סָבָא statt סָר in 𝔐 vorausgesetzt ist: „er trinkt ihr

89

Bier". Seit Houtsma (1875) wird בְּסֹד סֹבְאִים konjiziert, womit die bei 17a notierte Lesart (pf.) die nötige Ortsangabe erhält: „im Kreise der Zecher". Den griech. Versionen näher bleibt der Vorschlag הִנִּיחַ לוֹ סָבָא סָבְאָם = „es läßt sich nieder, es trinkt ihr Bier", aber das sg. Subjekt befremdet neben 18b. Soll man eine noch stärkere Zerstörung des Textes annehmen und in Parallele zum folgenden סָבָא סָבְאוּ lesen? (vgl. HTorczyner, ZAWBeih 41, 1925, 277.) – b Das in 𝔐 dunkle אהבו הבו erklärt sich am einfachsten mit Σ und parallel der voraufgehenden figura etymologica als Verlesung von אָהֹב אָהֲבוּ (KBL). – c Das beziehungslose (wirkt das Bild von 16a noch nach?) Suff. 3. fem. kann aus der Pluralendung ים – verlesen sein. Wellhausen, Budde, Zolli u.a. wollen nach 𝔊 (ἐκ φρυάγματος αὐτῆς, GAQ u.a. αὐτῶν) מִגְאוֹנָהּ oder מִגְאֹנָם lesen: „sie lieben die Schande mehr als ihren Stolz", wobei der Stolz Israels „natürlich Jahwe" (Budde) sei. Nach Drivers Aufdeckung von II מֵגֵן (JThSt 34, 383f. vgl. KBL) erübrigt sich dieser fragwürdige Versuch. – 19a Suff. 3. fem. ist auch hier dunkel (s.o. Textanm. 18c); ich lese אוֹתָם wie Weiser, Nötscher u.a. – b Der fem. Plural von זֶבַח ist sonst nicht belegt. Die Form wird durch Haplographie aus ursprünglichem מִמִּזְבְּחוֹתָם (Wellhausen) entstanden sein, das 𝔊𝔖 voraussetzen.

Form   Der Beginn einer neuen kerygmatischen Einheit ist in 4 mit dem neuen Adressaten angezeigt; ein in 1–3 noch nicht genannter Priester wird angeredet. אך kann zwar Vorhergehendes einschränkend weiterführen („jedoch"), wie es die jetzige literarische Verknüpfung verstanden wissen will, aber die Partikel dient auch der Hervorhebung am Anfang lebendiger Rede, gerade bei Hosea (12 9; s.u.S. 94). Daß 4ff. nicht unmittelbar als Redeeinheit mit 1–3 zusammengehört, zeigt mit der Anrede des Priesters das neue Thema „Kultus" und damit die andere Sicht der straffälligen Schuld, wenn auch der Topos der fehlenden „Erkenntnis" aufgenommen wird (Junker 168f.), so daß 1–3 und 4ff. vielleicht zum gleichen Auftritt gehören, sicher aber zeitlich dicht zusammenzusehen sind. Doch wird jetzt das in 1–3 wegen gemeinschaftszerstörenden Handelns verurteilte Volk zu Lasten der für den Kultus Erstverantwortlichen entschuldigt.

Das neue Thema wird bis zum Ende des Kapitels nicht verlassen. Auch wird in 11ff. das einfache Volk (14b) als Jahwes Volk (עמי 12 wie in 6 und 8) gegenüber den verantwortlichen Kultrepräsentanten (14) in Schutz genommen. Zudem ist 16ff. durch כי mit dem Voraufgehenden verklammert; erst 19 bringt die nach 14 zu erwartende Strafansage. Das Schlußstück ist durch Stichworte mehrfach mit dem Anfang unserer Einheit verknüpft: die Angeschuldigten verfallen der Hurerei (זנה 18 vgl. 10–15aα¹) und der Schande (קלון 18 vgl. 7) und werden wie die Priester von 7f. 10 eben an ihren Altären zuschanden (19). Die רוח der Schuld (12) erweist sich in 19 als רוח des Gerichts. Im ganzen Stück finden sich keine Schluß- oder Eingangsformeln und somit kein klar erkennbarer Übergang zu einem anderen Adressaten. Ein eindeutiger Neueinsatz ist erst in 51 zu finden.

Doch ist die große Überlieferungseinheit 4 4-19 sicher nicht eine ursprüngliche rhetorische Einheit. Dazu zeigt sie zu viele Risse, vor allem im Übergang von der 2. Person der Beschuldigten (sg.: 4-6), der Beklagten (pl.: 13b. 14aα) oder Ermahnten (15) zur 3. Person (sg.: 12a. 14b. 16f.; pl.: 7f. 10. 12b. 13a.14aβ. 18f.), ferner im Wechsel der 1. (4-9. 12a. 14) und 3. (10b. 12b. 15b. 16) Person Jahwes. Auch geht nach den begründeten Gerichtsdrohungen in 5f. der Schuldaufweis (7f. 10b-15aα¹. 16-18) noch wiederholt zur Strafansage(9. 10a. 18a? 19) und einmal zum Mahnwort (15) über. Der tiefste Riß scheint am Ende von 10 zu liegen, denn bis dahin sind eindeutig der oder die Priester bedroht, nachher deutlich nur „Israel" (15aα. 16) bzw. „Ephraim" (17).

Die Unebenheiten gehen nur an drei Stellen auf einen späteren literarischen Eingriff zurück. Am deutlichsten ist יהודה in 15aβ als sekundär zu erkennen: diese judäische Glosse zog einen Personenwechsel in der Verbform von 𝔐 nach sich (s. Textanm. 15c). Gleicher Herkunft ist die kleine, mit Wechsel von 2. zu 3. Pers. verbundene Erweiterung in 5aβ (s. Textanm. 5a). Beide Ergänzungen möchten das tradierte Hoseawort für das spätere Juda aktualisieren, s.u.S. 95f. 111f. – Dagegen wird in 9 ein altes Hoseawort vorliegen (vgl. 12 3), das allerdings erst nachträglich zwischen 8 und 10 eingerückt worden ist, wo es mit der 3.sg. des Angeklagten einen alten Zusammenhang sprengt (s. Textanm. 9a), in dem eine Mehrzahl angeklagt ist und den das Stichwort אכל (8a. 10a) auch hinsichtlich der Gedankenverknüpfung bestätigt. Diese Beobachtungen sind von Junker (169) nicht genügend berücksichtigt, wenn er 9 als Drohung versteht, die ursprünglich mit 8 als Begründung zusammengehören soll. 9 kann als Nachtrag ursprünglich eher zu 6 als zu 7f. am Rande notiert und beim späteren Abschreiben fälschlich an der heutigen Stelle eingefügt worden sein. Im übrigen müssen die aufgezeigten Unebenheiten gattungsgeschichtlich und von der Eigenart der primären Hosea-Überlieferung her erklärt werden (s.u.S. 92f.).

Man kann versuchen, kleine Sprucheinheiten mit Hilfe der Gattungsmerkmale zu erkennen. So heben sich voneinander ab: die begründete Gerichtsandrohung an den Priester im Talionstil in 4-6; die Verkündung der Tatfolge über eine Mehrzahl von Priestern in 10 mit voraufgehender Anklage in 7f.; 11-15aα¹ wägen die Schuld des Volkes und seiner Verführer gegeneinander ab in Form der Anklagereden. Nach einem Warnwort an das Volk (15) (s.u.S. 112ff.) führen 16-18 die Anklage als Schuldaufweis der abschließenden Verkündung der Tatfolge entgegen. Beachtenswert ist die Einführung von Klagesätzen in die Anklageworte, am deutlichsten in 6a. 13b-14aα.b; sie beklagen die Folgen der Schuld der angeklagten Priester für das Volk, zum Teil so, daß die Betroffenen angeredet werden (13b. 14aα). Vielleicht muß auch 11-12a als in die Anklage eingestreute Klage (von 4a her) verstanden werden. Dieser

Wechsel wird von den Redeformen im Rechtsverfahren her verstanden werden müssen: der Ankläger im Tor wendet sich bald dem Angeklagten, bald dem Geschädigten zu. So erklärt sich manches, was jetzt literarisch als Unebenheit wirkt. Vgl. den Wechsel von Anklage und Klage in den Reden des Hiobdialogs (z.B. 7 12ff. 9 13ff. 22 5ff.); dazu CWestermann, Der Aufbau des Buches Hiob: BHT 23 (1956) 46 ff. und HRichter, Studien zu Hiob (Der Aufbau des Hiobbuches, dargestellt an den Gattungen des Rechtslebens): Theol. Arb. 11 (1969) 76 ff. (vgl. ThLZ 81, 1956, 629ff.). Doch das verschlungen fortgesetzte Thema mit seinen oben aufgewiesenen stilistischen Verknüpfungen macht es ebenso wie das Fehlen von klaren Grenzformeln unmöglich, kleine rhetorische Einheiten eindeutig abzugrenzen.

Auch die Stilbeobachtung führt hier nicht wesentlich weiter. Im ersten Teil ist die gehobene Sprache wegen der ebenmäßig gebauten Perioden unübersehbar. Zumeist stehen zwei dreitaktige Reihen im synonymen Parallelismus, am klarsten in 6–10a und 12b–13a. Eine dreigliedrige Periode steht an der Spitze in 4 (vgl.o.S. 38). Ist dementsprechend die dreireihige Periode in 11–12a, als Neueinsatz der Rede zu werten? Sie könnte auch wie die in 14aβ. b. 15aα¹ ein Schluß sein. In den dreireihigen Perioden stehen je zwei Reihen synonym parallel (4a. 12a. 14aβ); die dritte verhält sich dazu antithetisch (4b) oder synthetisch (11. 14b–15aα¹) und ist jeweils um einen Takt länger. Von 13 ab nimmt das Ebenmaß im Periodenbau ab. Von 16 ab sind Parallelismus und Metrum nicht mehr zu erkennen. Liegt das nur an der mangelhaften Textüberlieferung? Oder hängt dieser Mangel schon damit zusammen, daß die geprägte Form über dem Fortgang einer prophetischen Auseinandersetzung mehr und mehr prosaischen Aussagen weicht? Die Botenworte am Anfang sind offenbar klarer stilisiert als die späteren Disputationsworte. Der strenge Stil erleichtert die korrekte literarische Überlieferung. Daß er nachließ, könnte von einem diskussionsbedingten Wandel prophetischer Diktion verursacht sein (vgl. 7 3–6). Doch damit stehen wir wieder vor der Frage, in welchem Sinne unser Stück als Einheit angesehen werden kann.

Ort   Sie ist nicht zu trennen von der Frage nach dem überlieferungsgeschichtlichen Ort, an dem ein solch rissiges Gebilde als Traditionseinheit verständlich wird. Einerseits muß dieser Ort das Nebeneinander von Gottesrede und Prophetenrede, von Anrede- und Berichtsform erklären, andererseits den thematischen Zusammenhang, die Stichwortverzahnungen und das Fehlen der Grenzformeln verständlich machen. Die Annahme einer Revelationsniederschrift empfangener Offenbarung durch den Propheten selbst vor ihrer Verkündigung (Lindblom S. 71) erklärt eben diesen Zustand des Textes nicht ausreichend, insofern er sowohl den Wechsel von Botenrede und Disputationsstil wie den von 2. und 3. Person der Betroffenen unverständlich läßt. Die andere These, hier seien bereits verkündigte und zunächst selbständig überlieferte Einzelsprüche nachträglich literarisch komponiert worden, ist im Blick auf die durchgängige Verknüpfung der Worte unwahrscheinlich. Der Überlieferungsbestand erinnert am stärksten an eine schnelle Skizze eines prophetischen Auftritts, die recht bald nach dem Geschehen niedergeschrieben ist. Sie könnte von Hosea stammen, wenn man nicht nach 2 4–17 3 1–5 (s.o.S. 39) annehmen möchte, daß er selbst das Einzelwort stilistisch und gedanklich stärker eingeschmolzen hätte. Dann sind als Tradenten eher Glieder der Gruppe zu denken, die sich dem Propheten zugetan wußte (vgl. Jes 8 16) und die wir in jener prophetisch-levitischen Oppositionsgemeinschaft suchen, die sich aufs Überliefern verstand; vgl. HWWolff, Hoseas geistige Heimat: ThLZ 81 (1956) 94 = Ges.St. z. AT: ThB 22 (1964) 249f. Wenn hier verschiedene Redestücke einer bestimmten, noch lebendig vorgestellten Stunde schnell festgehalten sind, dann wird verständlich, daß ein Thema die Überlieferungseinheit beherrscht und warum diese Einheit durch die Einleitungsformeln in 4 4 und 5 1 von verwandten Sprüchen abgehoben ist. Zum andern erklärt sich, warum im Laufe der Auseinandersetzung Hosea vom Botenstil der Gottesrede (4–9. 12a. 14) zum Disputationsstil überwechselt, in dem der Prophet selbst für Jahwe das Wort ergreift (10b. 12b. 16b), und warum im lebendigen Wechsel des Blickes und der Anrede die Schuldigen teils in 2., teils in 3. Person erscheinen. Von den Gattungselementen her erscheint ja der Auftritt formal dem Prozeßverfahren im Tor am ehesten vergleichbar. Gegnerische Einwürfe, die unbedingt hinzuzudenken sind (vgl. HWWolff, Das Zitat im Prophetenspruch: EvThBeih 4, 1937, 20ff. 76ff. = Ges.St. z. AT: ThB 22, 1964, 47ff. 85ff.), erschienen der Aufzeichnung unwürdig. Eine Ausnahme ist 6 1–3 (s.u.S. 148). Hosea zitiert die Stimmen der Gegner (9 7) seltener als andere Propheten; vgl. Am 2 12 (7 10–13) 9 10 Jes 5 19 28 9f. 15 29 15 30 10–11. 16 Mi 3 11 Jer 5 12ff. Ez 21 5. Erfolgte die Niederschrift der wichtigsten Prophetenworte des Auftritts kurz nach dem Geschehen, so ist sowohl die Rissigkeit des überlieferten Textes wie auch die Aufnahme des gleichen Themas in späteren Überlieferungseinheiten erklärlich. Naturgemäß fallen dann auch Überlieferungseinheit und kerygmatische Einheit zusammen. Die erschütternde innere Entwicklung des Auftrittes bis zum bitteren Ende kann zur baldigen schriftlichen Fixierung geführt haben (vgl. Jes 8 16).

Über den Ort des Auftritts kann man nur vermuten, daß er an einem der großen Höhenheiligtümer auf dem Gebirge Ephraim (13. 17) zu suchen ist. Von der Priesterschaft in Bethel könnte man eher als von der in Samaria verstehen, daß sie beschuldigt wird, „die Weisung deines Gottes" vergessen zu haben (6), lebt hier doch ältere israelitische Jahwetradition; vgl. Ri 20 18 1 S 7 16 mit 1 Kö 16 32 2 Kö 10 27.

Für die Datierung vermag ich nur wenige einleuchtende Anhaltspunkte zu entdecken. Politische Katastrophen werden noch nicht sichtbar. Dagegen herrscht das Stichwort von der Hurerei (10–15. 18) vor, das wir aus der Anfangszeit Hoseas kennen (1 2 2 6f. 3 3) und das später zurücktritt (nur noch 5 3f. [6 10] 9 1). So hindert uns nichts, diesen Auftritt in den letzten Jahren Jerobeams II., in zeitlicher Nähe von 4 1–3, zu suchen, zumal das wichtige Stichwort דעת (1. 6) beide verbindet und der Eingang 4a mindestens im Sinne der literarischen Komposition auf 1–3 bezogen werden muß, wenn nicht der Prophet selbst damit an 1–3 als ein kurz vorher verkündetes Wort erinnert, das er antithetisch präzisiert.

Wort 44 Mit אך setzt nach dem gerundeten Gerichtswort 1–3 ein neuer Spruch ein. Die Partikel findet sich oft im Einsatz der Rede (12 9 Gn 26 9 29 14 1 S 25 21 Ps 73 1 Jes 19 11 36 5 45 24 Jer 10 19 16 19 Lv 23 27). Sie hebt das unmittelbar folgende Wort hervor, zumal das in der Diskussion umstrittene Wort (12 9 Jes 45 14; vgl. Gn 34 15 Jes 14 15). So leitet אך gern einen Satz ein, dem alsbald eine Antithese folgt (12 9 Jer 5 4ff. Jes 45 14ff.). Das ist hier vorauszusetzen, wenn in dem schlecht überlieferten Text ein Sinnzusammenhang erkannt werden soll. ריב in b nimmt negiertes ריב in a auf. Dabei wird ריב in a mit seiner primären Bedeutung „anklagen", „prozessieren" (2 4 s.o. S. 39) ergänzt durch יכח hi. Hat ריב von Haus aus Prozeßpartner zum Subjekt, so stellt יכח den Unparteiischen (Gn 31 37 Hi 9 33 16 21), der leidenschaftslos (Lv 19 17) zunächst feststellt, was recht ist, und so Rechtsbelehrungen oder Rechtsvermahnungen spricht (Am 5 10 Jes 29 21 Ez 3 26) und nach Möglichkeit durch gerechtes Urteil endgültige Entscheidungen trifft (Gn 31 42 Prv 9 8 Mi 4 3). Vgl. HJBoecker, Wiss. Monogr. z. A und NT 14 (²1970) 45–47. In der vorliegenden Paarung kommen die beiden Begriffe aufeinander zu (vgl. Mi 6 2), indem in der antithetischen Parallele (b) ריב Rechtsklage und Rechtsentscheid umfaßt (wie 4 1 vgl. 1 S 25 39; s.o. S. 83) und so für beide steht, wahrscheinlich sogar schon stärker in Richtung „Strafentscheid" tendiert, wie 12 3 und die Fortsetzung (s. zu 5aα) lehren.

Doch nun ist der Rechtsvorgang einmal negiert und dann bejaht. In welcher Front steht der Prophet mit dieser Antithese? Bleibt man in a bei 𝔐, dann könnte man darin prophetisches Zitat eines priesterlichen Redeverbotes sehen (ähnlich deuten 𝔗 und Raschi nach Wünsche 139f.; vgl. auch Sellin), das Hosea durch ein Wort wie 4 1–3 ausgelöst habe; vgl. ריב in 4 1. Warum sollte Hosea in Bethel nicht Ähnliches widerfahren sein wie Amos (7 12f.)? Hosea hätte dann das Verbot aufgenommen: „Gewiß, keiner soll streiten, keiner soll strafen" – um alsbald wie Amos (7 16f.) überzugehen zu einem um so gezielteren Streit- und Strafwort an die Adresse des Priesters, der ihm das Wort verwehrte: „aber ‚mit dir führe ich meinen Rechtsstreit', Priester!". Doch diese Deutung ist deshalb unwahrscheinlich, weil nach Ausweis der Fortsetzung in 5f. auch in 4 als redendes Ich Jahwe und nicht der Prophet anzunehmen ist, also

Botenspruch und nicht Disputationswort vorliegt. Auch wird im doppelten אִישׁ von 4a kaum indirekt der Priester gemeint sein, der es versäumt
hätte, die Anklage von 4 1b–2 zu erheben, wie Junker unter Hinweis auf
2 Kö 6 27 (166) annimmt, wobei אַךְ als Konditionalpartikel gedeutet werden müßte („Wenn aber niemand anklagt – nicht einmal du Priester! –
dann gilt mein Rechtsstreit dir selbst!"). Bei dieser Sinndeutung müßte
gegenüber dem doppelten אִישׁ in a das Ich des Propheten oder Jahwes in
b betont sein. Die vermutliche Lösung wird davon ausgehen dürfen, daß
אַךְ im Redeeingang vor allem das umstrittene Wort heraushebt (s.o.S.
94). Danach sollte man erwarten, daß das doppelte אִישׁ in a als Objekt in
antithetischer Parallele zu dem in b genannten Partner des Rechtsstreites
zu deuten wäre: „Gewiß! nicht irgendeinen ‚soll man anklagen‘, ‚strafen
soll man‘ nicht irgendjemanden (s. Textanm. 4a). Aber ‚mit dir gehe ich ins
Gericht‘, Priester!" Angesichts des Textzustandes muß natürlich auch
diese Deutung unsicher bleiben. Sie hat aber für sich, daß sie als Jahwerede in der Linie des Kontextes liegt. Die neue Botschaft des Propheten
präzisiert dann insofern die frühere (1–3), als jetzt unter den Landesbewohnern der Priester zuerst unter Anklage gestellt wird und nicht
irgendein Glied des Volkes. In dem angeredeten כהן wird die Gestalt
eines Oberpriesters an einem Hauptheiligtum wie die Amazjas von Bethel
(Am 7 10) zu sehen sein. Gegen die Deutung auf ein collectivum (zuletzt
Junker 168ff.) spricht die Erwähnung seiner „Mutter" (5) und seiner
„Söhne" (6), ferner, daß כֹּהֵן als Vokativ mit kollektiver Bedeutung nie
belegt ist; dazu vgl. Lohfink 305ff.

Der Ankündigung des Eingriffs Jahwes folgt sofort dessen Ergebnis. 4 5
וכשלת hat als perf. cons. futurischen, konsekutiven Sinn, beschreibt also
nicht die Schuld des Priesters (so Sellin, Harper, Deden), sondern deren
Folge. Auch sonst bezeichnet כשׁל bei Hosea nur, was durch die Schuld
heraufgeführt wird (5 5 14 2). Überhaupt beschreibt in Prophetensprüchen כשׁל im perf. cons. gern den Sturz als die Strafe, die von einer unmittelbar vorher angekündigten Tat Jahwes bewirkt ist (Jes 8 15 28 13
31 3 Jer 6 21; vgl. Jes 3 8). So fordert 5aα eine Konjektur von 4b im Sinne
unseres Vorschlags (s. Textanm. 4b). Weil Jahwe ihn straft, wird der
Priester „am hellen Tage" (vgl. Neh 4 16, auch 𝔊𝔖𝔍; 𝔙 übersetzt fälschlich hodie; s. auch Textanm. 5a) stürzen, wo man gewöhnlich nicht
stolpert wie im Dunkeln (Joh 11 9f.); 5aβ, schon durch den Stil als Glosse
ausgewiesen (s. Textanm. 5a), verkennt diesen Sinn und kommt im Gedanken an nächtlichen Offenbarungsempfang der Propheten (Mi 3 6 Jer
23 25f. Sach 1 8 4 1) zu der Aussage, der Prophet stolpere „des Nachts".
Hosea kennt so wenig wie der Oberpriester Amazja von Bethel (Am
7 12f.) Propheten, die an Heiligtümern des Nordreichs offizielle Funktionen übten (vgl. HWWolff, Hoseas geistige Heimat: ThLZ 81, 1956,
83–90 = Ges.St. z. AT: ThB 22, 1964, 232–243 und RHentschke, ZAWBeih

75, 1957, 153). Dagegen stehen im Jerusalemer Tempelpersonal neben den Priestern Propheten (Jes 28 7 Mi 3 11 Jer 2 8 4 9 5 31 6 13 8 10 14 18 18 18 23 11). So liegt dem judäischen Überlieferer offenbar daran, das Hoseawort als gültig auch für die prophetischen Gegner Jeremias und ihre Nachfahren zu bezeugen.

In b befremdet beim überlieferten Text (וְדָמִיתִי) der unvermittelte Übergang zur 1. Pers., bei dem auch אִמֶּךָ beziehungslos bleibt und Anlaß zu Konjekturen gibt (s. Textanm. 5b). Sollte nicht parallel zu 5aα eine weitere Folge des richterlichen Einschreitens Jahwes verkündet sein und so hoseanischem Sprachgebrauch besser entsprechendes וְדִמְּתָה ursprünglich sein (s. Textanm. 5c)? Wie Amos neben Amazjas Kindern seine Frau bedrohte (Am 7 17), so kann Hosea dem von ihm bedrohten Priester neben dem Untergang seiner Söhne (6b) auch den seiner Mutter angekündigt haben. Auch Jeremia bedrohte mit dem König Jojachin zugleich dessen Mutter (Jer 22 26; vgl. 13 18 Ps 109 12ff. und 1 S 15 33; zum „Dreigenerationenschema", in dem im Alten Orient und AT auch sonst mit dem vom Fluch Bedrohten die noch lebenden Vorfahren und Nachkommen getroffen wurden, s. Lohfink 308–311. II דמה ni. heißt zunächst „zum Schweigen gebracht werden", „verstummen müssen" (Jes 6 5 Jer 47 5 Ez 32 2 Ps 49 13. 21), nimmt aber auch den allgemeineren Sinn „umkommen", „vernichtet werden" an (Zeph 1 11 // כרת ni.; Jes 15 1 // שדד pu.; Ob 5)[1]. Wenn für Hosea nicht ein uns unbekannter konkreter Anlaß bestanden hat, dem schuldigen Priester das Verstummen oder Umkommen seiner Mutter anzusagen, so mag er mit ihrer Erwähnung ähnlich wie mit 6bβ die Totalität des Gerichts über das Priesterhaus unterstrichen haben[2]. Schwerlich wird an den Kultort gedacht sein, so wie in 2 S 20 19 eine Stadt „eine Mutter in Israel" genannt wird; vgl. Ps 149 2 בְּנֵי צִיּוֹן. Bei aller Unsicherheit der Textüberlieferung sollte man doch nicht an Stelle der konkreten Aussage über die „Mutter" des Propheten ein allzu blasses אֹתְךָ (dich) oder ein allzu gewagtes אָרִיךְ (s. Text-

---

[1] MLuther, WA 13, 17: Tacere faciam. Silere est in hebraeo et significat proprie styll syn. Unde et Virgilius silentes umbras nominat, quod nihil sint. Significat autem hic proprie nihil esse, ut sit silentia: compescam hodie matrem tuam, synagogam, atque adeo eam in nihilum redigam, ut de ea nihil audiatur, cultum quidem suum.

[2] JCalvin deutet ähnlich wie 𝔗 (s.o. Textanm. 5b) und Luther (s.o. Anm. 1) die Mutter auf die Gemeinde (CR XLII, 273): Matris nomen hic accipitur pro ipso ecclesiae nomine, quo scimus Israelitas solitos fuisse superbire adversus deum, quemadmodum hodie faciunt papistae: jactant matrem suam ecclesiam: et hic est ipsis clypeus Aiacis, ut loquuntur. Si quis corruptelas eorum ostendat, statim confugiunt ad illam umbram, Quid? annon sumus ecclesia Dei? Quum ergo Israelitas videret propheta abuti fallaci hoc titulo, dicit, Ego simul perdam matrem vestram: hoc est, Non impediet vestra ista gloriatio, et nobilitas generis Abrahae, et ecclesiae sacer titulus, quominus sumat Dominus de omnibus horrendam vindictam, quia ab ipsa radice avellet et abolebit ipsum quoque nomen matris vestrae, hoc est, discutiet fumum illum quem jactatis, quum tegitis vestra flagitia sub ecclesiae titulo.

anm. 5b) oder eine Allegorie auf das Volk (nach 2 4) vermuten, zumal dem Parallelismus „du // deine Mutter" in 5aα–b der Parallelismus „du// deine Söhne" in 6bα–β entspricht (vgl. auch u. S. 99).

Erst in 6 wird die Schuld des Priesters erwähnt. Sie ist wie im Spiegel 4 6 am Zustand des Volkes zu erkennen. Im Ton der Klage spricht Jahwe zunächst vom Untergang seines Volkes. Dazu nimmt נדמו das vermutete וְנִדְמְתָה aus 5b auf. (Die seltene Voranstellung des Verbum ohne ו ist besonders häufig in Klageliedern zu beobachten, vgl. Thr 1 2. 3. 7 u.o., auch 10 7 und Jer 47 5, dazu K Schlesinger, Zur Wortfolge im hebräischen Verbalsatz: VT 3, 1953, 386.) Was dem Priesterhaus eben angedroht wird, ist für das Volk schon vollendete Wirklichkeit vor Jahwe, wie es Hosea vorher (4 1–3) verkündet hat. Jetzt aber leidet Jahwe mit seinem Volk. עמי ist für Hosea immer Ausdruck des Erbarmens oder des Mitleidens Gottes (2 3. 25 4 8. 12 6 11b 11 7, vgl. 4 14b). Der Grund der Katastrophe ist wie in 4 1–3 das fehlende Wissen um den überlieferten Gotteswillen (s.o.S. 84; zur Formulierung vgl. Jes 5 13). Jahwes Klage über seines Volkes Not ist Anklage gegen die Priester. Eine solche berichtende Klage über einen persönlichen Verlust (ein Sich-beklagen) als Element der Anklage ist eine Form der Rede vor Gericht: Ri 20 5b. Wie in 5b–6a die Strafe über das Priesterhaus der Not des Volkes entspricht, so entspricht sie in 6bαβ der Schuld des Priesters. Talionartig werden hier wie dort die entscheidenden Tätigkeitsworte wiederholt (vgl. die Talionsformeln Ex 21 23–25. 36 Lv 24 18–20 Dt 19 21). Dem schuldhaften Handeln des betont angeredeten Priesters (אתה 6bα[1]) entspricht die Strafe des ebenso betonten Ich Jahwes (גם־אני 6bβ[2]). Während die Talionsformeln der Rechtssätze nominal gefaßt sind und die Entsprechungen in allen Worten durchführen (vgl. auch Gn 9 6a), deckt bei Hosea nur die Identität des Tätigkeitswortes die Strafe auf, die frei verkündete Tat Gottes ist, während „sich die wirklichen Talionsformeln und auch Gn 9 6a mit einer von vornherein im Wesen der Tat angelegten und daher auch aus ihr sprachlich ableitbaren Nemesis" befassen (Lohfink 313). Hoseas Stil erinnert stärker an Fluchworte wie Ps 137 5 Jos 7 25 1 S 15 33, die in ao. Staatsverträgen ihre Entsprechungen haben und vielleicht zur altisraelitischen Bundestradition gehören, auf die Hosea ja in unserem Zusammenhang anspielt (den Nachweis versucht Lohfink 314–325).

Was ist die Schuld des Priesters? Er hat Gottes Volk dadurch ums Leben gebracht, daß er „das Wissen abgelehnt" und „die Wegweisung seines Gottes vergessen" hat. Der in 4a und vor allem in 6a erkennbare Sinnzusammenhang mit 1–3 läßt schon vermuten, daß הדעת dem in 1 mit דעת אלהים bezeichneten Wissen um die Offenbarung des Gotteswillens entspricht, auf dessen Inhalte 4 2 zurückgriff. Zu den Materialien dieses Wissens um Gott werden im Sinne Hoseas außer dem Gottesrecht auch die grundlegenden Heilstaten Jahwes in der Frühzeit Israels gehören, die Herausführung aus Ägypten (1 11), die Erwählung und Führung in der Wüste (9 10 13 5f.), die Gabe des Landes und seiner Güter (2 10); in dem allen sollte der „Bund" Jahwes mit Israel (8 1 6 7) Gegenstand jenes „Wissens" sein. Man hat allerdings דעת häufig subjektiv deuten wollen als die Haltung der „Hingabe des Herzens" und der „Innerlichkeit des Gottesverhältnisses" (Weiser 41. 45), in der der Priester vorbildlich sein sollte. Demgegenüber ist außer an den hoseanischen Gesamtzusammenhang (vgl. dazu EvTh 12, 1952/53, 533ff. = Ges. St. z. AT: ThB 22, 1964, 182ff.) hier daran zu erinnern, daß מאס das „Ablehnen" und „Verschmähen" eines konkreten Gegenübers bedeutet (bei Hosea nur noch 9 17; vgl. Am 5 21 und besonders Jes 5 24 30 12 Jer 6 19) und daß תורה als Sachparallele zu דעת nicht die Funktion des Weisung erteilenden Priesters meint, sondern die ihm anvertraute „Weisung deines Gottes", die er „vergessen" (!) hat. Da Hosea zudem geschriebene תורה kennt (8 12), bleibt es mir das Wahrscheinlichste, daß er die Schuld des Priesters in der bewußten Vernachlässigung der Überlieferungs- und Lehraufgaben sah, die mit der frühen Offenbarung Jahwes als des Bundesgottes Israels gegeben waren. Vgl. Dt 33 10 Ez 44 23 Mal 2 7. Da die Tora Gottes Wegweisung zum Leben für Israel war (Dt 32 47), trägt der Priester mit der Unterlassung seiner vornehmsten Aufgabe Schuld am Untergang des Gottesvolkes.

Hosea hat demnach ein überraschend positives Leitbild von der Aufgabe des Priesters. Für ihn trifft jedenfalls zu, was André Neher (L'essence du prophétisme, 1955, 295) allgemein formuliert: «Les prêtres ne sont pas attaqués par les prophètes parce qu'ils sont prêtres, mais parce qu'ils ne le sont plus.» Sein Bild ähnelt dem des Chronisten von den lehrenden Leviten (2 Chr 15 3 17 7–9 19 8ff. 35 3 Neh 8 5–8). Dt 33 10 und 31 9ff. stärken die Vermutung, daß es seine Vorgeschichte, wenigstens dem Programm nach, in oppositionellen Priestergruppen des Nordreichs hatte, denen Hosea zugetan war. Weitere Belege ThLZ 81 (1956) 90–94; vgl. auch ANeher a.a.O. 166–175; anders RRendtorff, ZThK 59 (1962) 151f. Ob die für uns heute dunkle Bedrohung der Mutter des Priesters in 5b damit zusammenhängen könnte, daß der rechte Priester nach dem Bilde der Leviten Vater und Mutter „nicht kennt" (Dt 33 9) und in eine Reihe mit der Waise und dem Fremdling gehört (Dt 14 29), darüber lassen sich nur noch Vermutungen aufstellen. WFAlbright (Die Religion Israels im Lichte der archäologischen Ausgrabungen, 1956, 124) sieht in „Samuel, der dem Jahweh zu Siloh von seiner Mutter angelobt wurde, noch ehe er geboren war," „das klassische Beispiel der Bibel für einen ‚Leviten'." Daß zugleich die S ö h n e des Priesters unter das Gerichtswort fallen, läßt auf erbliches Priestertum schließen, was vielleicht wiederum nicht dem Modell des Leviten entsprach, der auch „seine

Söhne nicht kennt" (Dt 33 9). Es wird nicht gesagt, daß für die Söhne ein konkreter Anlaß der Drohung nach Art von 1 S 2 29-34 vorlag. Undenkbar wäre es nach 4 8 nicht.

Mit der doppelten, begründeten Strafandrohung in 6b, zu der die den Priester indirekt anklagende Klage in 6a überleitete, ist der Gerichtsspruch für den Priester, der auch mit einer doppelten Strafandrohung in 5aαb anhob, ebenmäßig gerundet. Das seltsame, strafbegründende Mittelstück der Gottesklage entspricht dabei dem einleitenden Warnwort, das der Gerichtsankündigung für den Priester voraufgeschickt ist und das Jahwes Mitleid mit seinem Volke zeigt. Jahwe verurteilt den Priester, weil er den Ruin des Gottesvolkes verschuldet, indem er ihm in beruflicher Untreue die Verkündigung der hilfreichen Weisung Gottes vorenthielt [1].

Ein neuer Prophetenspruch setzt ein. Auch ihm geht es um Prie- **4 7** ster; aber er redet nicht mehr einen einzelnen an wie 4-6, sondern spricht – auch in seiner Fortsetzung in 8 und 10 – in der 3. pl. von ihnen. Schuldaufweis und Strafandrohung sind nach Form und Inhalt neuartig, so daß man 7f. 10 nicht als unmittelbar anschließende weitere Ausführung über die Söhne (6b) des in 4-6 bedrohten Priesters deuten darf. Allerdings führt dieses Wort zunächst ebenfalls in der Form des Botenspruchs – das Ich Jahwes tritt in 7 und 8 hervor, wird aber in 10b durch die 3. Person Jahwes abgelöst – das Generalthema „Schuld der Priesterschaft" weiter. Der unvermittelte Neueinsatz wird von den Überlieferungsverhältnissen her verständlich. Der Tradent notiert ein weiteres Wort des Propheten aus dem gleichen Auftritt, das gesprochen sein könnte, nachdem etwa der Priester die erste prophetische Rüge 4-6 mit dem Hinweis auf die weit und breit bei vielen Priestern im Lande übliche Praxis abgetan hatte oder nachdem für die zuletzt in 6b bedrohten „Söhne" ein entschuldigendes Wort gefallen war. So kann man sich erklären, daß das jetzt folgende Wort unvermittelt von den vielen spricht und von der Form der persönlichen Gerichtsandrohung (4-6) zum anklagenden Schuldaufweis (7.8.10b) mit öffentlicher Verkündigung der Rechtsfolge (10a) übergeht, vor den Ohren aller, die sich inzwischen am Kultort um den Priester und den Propheten geschart haben. Bezeichnend für diesen zweiten Spruch ist es, daß der Schuldaufweis weit überwiegt, während im ersten Spruch die Strafandrohung im Vordergrunde stand; war in 4-6 nur vorübergehend von der Schuld die Rede, so hier nur vorübergehend von den Folgen der Schuld.

Der Spruch setzt mit einem Vergleichssatz ein, in dem an die Stelle von כַּאֲשֶׁר mit verb. finit. (vgl. Ex 1 12) כְּ mit inf. constr. und suff. getreten ist. רֻבָּם ist also als Verbform der Wurzel רבב „zahlreich sein oder werden" zu deuten. „Entsprechend ihrem Zahlreichwerden ist die Tatsache,

---

[1] MLuther, WA 13, 17 z.St.: Sacerdotium dei est, ubi est vera cognitio dei.

daß sie gegen mich sündigen", d.h. „je zahlreicher sie wurden, desto mehr sündigten sie gegen mich". Es könnte auch übersetzt werden: „So viele sie sind, so sündigen sie gegen mich", was dann bedeutet: „sie alle sündigen gegen mich" (ähnlich Robinson). Schon Targum hat den Satz auf die Priesterschaft bezogen. Die Berechtigung geht aus dem Zusammenhang mit 8 hervor, wo die Beschuldigten vom Volk unterschieden werden. Wo nicht formgeschichtlich gefragt wird, deutet man 7 isoliert auf das Volk; man könnte dabei 9 10-15 zum Vergleich heranziehen. Wir vermuten, daß Hosea ein Stichwort des Priesters aufnimmt, der sich in Abwehr des prophetischen Angriffs 4–6 auf die Masse seiner Kollegen berufen hat. Ihm wird in echt prophetischer Antithese entgegnet, daß die Vielzahl von Priestern die Sünde nicht rechtfertigt, sondern vervielfältigt. Hält man das Wort vom zahlenmäßigen Wachstum der Priesterschaft zusammen mit den Sprüchen 10 1 und 8 11 über die Vermehrung der Kultstätten, so wird man vor allem aus 10 1b schließen dürfen, daß die aufblühende Wirtschaft der friedlichen Jahrzehnte unter Jerobeam II. eine rege Blüte vielseitigen kultischen Lebens mit sich brachte. Menschen hatten Zeit, Feste zu feiern und sie auszugestalten nach altkanaanäischen Mustern und ausländischen Vorbildern, die der Handel näher brachte. Dieser Ausbau religiöser Betriebsamkeit mit vermehrtem Kultpersonal bedeutet für Hosea nur Vervielfältigung der Sünde. Jahwe verfehlt man um so öfter. חטא heißt primär: (ein Ziel) verfehlen; vgl. Prv 8 36 19 2 Hi 5 24 Jes 65 20 Ri 20 16 und LKoehler, Theol. d. AT⁴ 158f. Daß die große Zahl die Gefahr des Abfalls von Jahwe steigert, ist ein typisch hoseanischer Gedanke (vgl. 8 11 10 1, auch 13 6), der im Dt (8 13 vgl. 32 15) wiederkehrt und aus der Zugehörigkeit des Propheten zu einer kleinen Oppositionsgemeinschaft besonders gut verständlich wird.

In der Pflege der דעת אלהים hätte „ihre Ehre" bestanden. Darin hätten sie für Jahwe gelebt (כהן לי 6 als Konträrbegriff zu חטא ל 7a.). Diese eigentliche Priesterehre hätte zugleich das segensreiche Wachstum Israels gebracht (vgl. 9 11). Sie haben sie „gegen Schande eingetauscht". Die Fortsetzung verdeutlicht, wie Hosea diese Schande versteht: sie leben von des Volkes Sünde (8); sie versprechen sich von den Hurenriten Kanaans Leben und Gedeihen und werden doch betrogen (10). Jeremia deutet seinen geistlichen Vater Hosea so, daß die Ehre Israels Jahwe selbst und die Schande der nichtsnutzige Baal ist (2 11).

4 8   Darin besteht also die Sünde und Schande der Priesterschaft, daß sie geradezu auf die Vergehen des Volkes erpicht ist. חטאת wird hier nicht unmittelbar das Sündopfer meinen, obwohl es sprachlich möglich wäre und in der prophetischen Bildrede als Objekt des „Essens" der Priester sogar naheliegen könnte. Aber עון im parallelen Gliede zeigt, daß hier, wie 8 13 9 9 13 12, auch 10 8, der Verstoß gegen Gottes Willen gemeint ist (Harper). Von der Wurzelbedeutung her betont חטאת mehr

die objektive Seite sündhafter Verfehlung, während עָוֹן mehr die subjektive Seite schuldhaften Vergehens zum Ausdruck bringt (vgl. L Koehler, Theol.d.AT³ a.a.O.). In ihrem Verhalten zur Sünde des Volkes wird die Schuld der Priester offenbar. „Sie essen sie," „sie lechzen mit gieriger Kehle danach". נֶפֶשׁ hat hier seine urtümlich konkrete Bedeutung „Kehle, Schlund", wie auch in Prv 27 7 Mi 7 1 Jes 5 14 29 8; נשׂא נפשׁ beschreibt deshalb anschaulich das sehnsüchtig begierige Verlangen (vgl. Dt 24 15 Jer 22 27 Ps 86 4). Die Verben erst lassen erkennen, worin die mit חטאת und עָוֹן allgemein bezeichnete Sünde des Volkes besteht, nämlich in einem von Jahwe nicht gewollten Opferdienst und dem, was ihn nach priesterlicher Lehre notwendig macht. Beim Schlachtopfer und Mahlopfer erhalten die Priester ihren Anteil (vgl. 13a u.S.107f.).Ob für Hosea bei חטאת schon die Nebenbedeutung „Sündopfer" mitschwingt (Keil), bleibt unsicher (vgl. Lv 6 23).

8 11 zeigt die gleiche Zusammenschau von Sünde und Opferdienst wie 4 8, vgl. ferner 4 13 und 5 6. Hosea denkt hier ebenso wie Amos (4 4f.). Genau wie in 6 6 tritt der Opferdienst als das von Jahwe nicht Gewollte in Gegensatz zu der eigentlichen Aufgabe der Priester, die mit דעת אלהים und תורת אלהיך in 4 6 positiv gekennzeichnet war. Als Stachel der Kritik am Opferkult wird sichtbar, daß die Priester darin auf ihren privaten Profit aus sind. Jahwe steht im Botenspruch wieder wie in 6a mitleidend auf der Seite Israels, das er aufs neue „mein Volk" nennt. Im Opferkult dienen die Priester nicht dem Volke Gottes mit den anvertrauten Gaben Gottes, sondern machen auf des Volkes Kosten ihre Geschäfte und heimsen Gewinne ein. Wie in 6 fällt die Sünde der Priester gegen Gott (7a) mit ihrem Vergehen an Israel (8) zusammen.

Die von Gott gesetzte und vom Propheten verkündete Rechtsfolge 10 eines solchen Verhaltens bezeichnet 10a. Zum Zusammenhang mit 7f. über 9 hinweg s.o.S. 91. Wer so wie die Priester in 8 auf das Sattwerden aus ist, wird hungrig bleiben. Wer sich so wie die Priester nach 7 der Schande des Baalkultes ausliefert und sich vom ἱερὸς γάμος Fruchtbarkeit und Volksmehrung verspricht, wird ein sterbendes Geschlecht sein (vgl. 9 11 13 1). זנה hi. heißt hier wahrscheinlich nicht „zur Unzucht verleiten", wie 5 3 Ex 34 16 Lv 19 29 2 Chr 21 11. 13, sondern „Unzucht treiben", „mit einer זוֹנָה verkehren" (wie 18), da im Unterschied zu den genannten Stellen hier ein Objekt fehlt und das folgende יפרצו das gleiche Subjekt hat. Da es sich um die Priester handelt, wird in erster Linie an den offiziellen Umgang des Priesters mit der Qedesche (s.u.S. 110f. zu 14) in der Darstellung der „heiligen Hochzeit" zu denken sein (s.o.S. 16). פרץ heißt hier wie 4 2 und Ex 1 12 „sich ausbreiten". Was man vom Fertilitätskult erwartet, die Vermehrung des Geschlechts, wird gerade nicht eintreten.

10b begründet die innere Notwendigkeit der Rechtsfolge. Das Leben der Priester verfällt notwendig, „weil sie von Jahwe abfielen, um die Hurerei zu verehren". Daß יהוה erscheint, überrascht nach dem Botenstil in 7f. Diese Unebenheit könnte auf die Konzeption des Auftritts durch den Tradenten zurückgehen, der ein neues Hoseawort, das von Haus aus Disputationswort war, mit כי an den voraufgehenden Botenspruch anschloß (so ist anscheinend 12bf. mit dem vorhergehenden Spruch verknüpft worden). Oder es könnte vom Überlieferer die 1. Person Jahwes in die 3. umgesetzt sein, um eine lehrhaft klare Antithese zu bilden. Es muß aber schließlich auch damit gerechnet werden, daß Hosea selbst innerhalb eines Spruches vom Botenstil zum Disputationsstil übergeht (vgl. 1 2 3 1), zumal im Begründungswort, das bei anderen Propheten nachweislich vom Propheten selbst dem empfangenen Gerichtswort Jahwes zugefügt wird (z.B. Am 4 1–2 7 14f.–16f. Jes 5 8–9f.; vgl. HWWolff, Die Begründungen der prophetischen Heils- und Unheilssprüche: ZAW 52, 1934, 6f. = Ges.St. z. AT: ThB 22, 1964, 14ff. und EWürthwein, ZAW 62, 1950, 22f.). In jedem Falle dient die ausdrückliche Nennung Jahwes dazu, den schrillen Gegensatz herauszustellen: „Jahwe verlassen, um Hurerei zu pflegen". So haben sie ihre „Ehre" gegen „Schande" eingetauscht (7b).

Mit עזב erscheint zum ersten Male in der Prophetie und in der allgemeinen Religionsgeschichte überhaupt der Begriff des „Abfalls". Die Sache ist schon dem alten Israel vertraut und mit dem Jahweglauben selbst gegeben. Bezeichnenderweise bringen alle alttestamentlichen Gesetze, zumeist an hervorragender Stelle, das Verbot der Verehrung anderer Götter, was allen sonst bekanntgewordenen altorientalischen Gesetzen und Rechtsbüchern fremd ist. Vgl. MNoth, Die Gesetze im Pentateuch (1940) 42 = Ges.St. (1957) 70ff. Hosea bringt den Begriff עזב nur hier, aber in der für ihn charakteristischen Zusammenstellung mit זנה, die Dt 31 16 (vgl. 28 20) wiederkehrt. Jeremia nimmt ihn mehr als zwölfmal auf, meist in Verbindung mit der Hinwendung zu anderen Göttern (1 16 2 13. 17. 19 5 7. 19 u.ö.).

Dem Abfall von Jahwe entspricht die Hurerei. לשמר זנות ist offenbar nicht ohne ironischen Unterton. שמר kann speziell die Gottesverehrung bezeichnen (Ps 31 7 Prv 27 18), so daß זנות (oder זנות; s. Textanm. 10/11a) für Israel an die Stelle Jahwes selbst träte. Wahrscheinlicher aber ist die Wendung לשמר mit sachlichem Objekt in den Kreisen um Hosea zu Hause und hat dort wie im Deuteronomium (16mal) die Inhalte der דעת אלהים zum Objekt (wie Dt 17 19 לשמר את־כל־דברי התורה; vgl. Dt 32 46 13 19 15 5). Dieser wahre Gegenstand sorgfältiger Beachtung und kultischer Pflege ist von der Priesterschaft durch זנות, d.h. durch die Pflege der kanaanäischen Sexualriten ersetzt, die nur in der Untreue gegen Jahwe möglich sind (s.o.S. 13f. und u.S. 280 zu שמר in 12 13f.)

So ist der Spruch mit seinen Antithesen in 7b und 10b eine scharfgeschliffene Antwort auf Einwürfe des Priesters gegen die Gerichtsandrohung 4–6. Er geißelt die Hingabe der Priesterschaft an selbstsüchtigen Opferkult und schändliche Sexualriten als fruchtloses Ergebnis des Abfalls von Jahwe, dessen heilvoller Wegweisung sie eigentlich leben sollten (46).

In den überlieferten Text ist nachträglich eingesprengt das Strafankündigungswort 9. היה als Verknüpfungsformel, die einen überkommenen Text erweitert, ist aus 15 21.18.23 bekannt (s.o.S. 29). Meint das Wort den Priester oder das Volk? Die Entscheidung ist hier deshalb schwierig, weil die Antwort sowohl vom Satzton wie vom Satzzusammenhang abhängt. Bei doppeltem כ kann sowohl das Bezeichnete voranstehen und das Verglichene folgen („es wird dem Volk wie dem Priester ergehen", so Gn 18 25 44 18 Dt 1 17 1 Kö 22 4 Hg 2 3), wie auch umgekehrt das Verglichene voranstehen und das Bezeichnete folgen („es wird dem Priester wie dem Volke ergehen", so Lv 7 7 Ri 8 18). Die Voranstellung des Bezeichneten ist häufiger, weil von ihm meist schon vorher die Rede war; so steht es als „psychologisches Subjekt" (Brockelmann, Syntax § 27 ab) vor dem eigentlichen Ziel der Aussage, dem Vergleich. Dementsprechend steht bei Hoseas zahlreichen Metaphern die Sache häufiger vor dem Bild (21.5.17 31 510.12.14 64 74.7.16 88.12 91.4.9 107 118.11 1210.12 133.7.8 146.7b.8.9) als nach dem Bild (47.16 63 76.12 910.11 104 147a). Nach der Häufigkeitsregel sollte demnach eher das Volk Subjekt sein (so Brockelmann, Syntax § 109 d) als der Priester. Aber angesichts der genannten Ausnahmen kann Gewißheit nur der voraufgehende Kontext geben bzw. derjenige Text, den unser Vers glossiert; denn der Sprachton ist für uns nicht mehr zu ermitteln. Als vorgegebener Text, auf den sich 9a bezieht, ist am ehesten 4–6 anzusehen, da hier wie dort (1.) כהן im sg. steht, (2.) das Schicksal des Priesters mit dem des Volkes verglichen wird und (3.) die Strafe als Rückkehr der Schuld zum Täter beschrieben wird. Was in 6b durch Wiederholung der gleichen Verben in Schuld- und Strafbeschreibung zweifach verdeutlicht ist, faßt 9b begrifflich scharf: Jahwe läßt „seine Taten zu ihm zurückkehren". Wer Jahwe verlassen und seine Heilsgabe verworfen hat, der hat sich selbst die Strafe hilfloser Verlassenheit und Verworfenheit bereitet. Jahwe ist nur insofern der Strafende, als er sich um den inneren Zusammenhang des Lebenswandels als Tat (דרכיו) mit dem Lebensweg als Schicksal tatsächlich kümmert (פקד; dazu s.o.S.19 u. 48f.), ja, er stellt ihn her (vgl. 1 Kö 8 32: לָתֵת דַּרְכּוֹ בְּרֹאשׁוֹ) und läßt die böse Tat als Bumerang wirken, der zum Täter zurückkehrt (אשיב; vgl. Jl 4 4b. 7b Ob 15b). Vgl. zur Sache KKoch, Gibt es ein Vergeltungsdogma im Alten Testament?: ZThK 52 (1955) 10ff. und FHorst, Recht und Religion im Bereich des Alten Testaments: EvTh 16 (1956) 71ff. Wenn im aufgezeigten Sinne 9 ursprünglich Glosse zu 4–6 gewesen ist, die später fälschlich hinter 8 eingeschaltet wurde, dann muß ככהן als Subjekt angesehen werden. Das Ergehen des Priesters wird im Gerichtswort Jahwes entsprechend 6 und entsprechend dem Nebeneinander von 1–3 und 4–6 identifiziert mit dem des Volkes. Beachtet man schließlich, daß 9b wörtlich 12 3b (vgl. auch 15b) entspricht, so versteht man vollends, daß unsere Glosse ein altes Wort Hoseas über das Volk nachträglich auf den Priester überträgt. Der Glossator hat bemerkt, daß 4–6 den Priester ebenso bedroht wie 12 3 das Volk. Während Hosea im vorgegebenen Zusammenhang in Kap. 4 betont, daß die Priester für die Zustände in Volk verantwortlich sind (6. 14), stellt der Glossator nur die Identität der Gerichtsverfallenheit fest. Der Priester darf nicht auf eine Vorzugsstellung bei Gott hoffen.

4 11   Nach dem Übergang zum objektiven Berichtsstil in 10b (אֶת־יהוה) kehrt die Rede in 11f. zur Form des Botenwortes zurück (עַמִּי; vgl. 4–8 [9]), womit ein neuer Redegang angezeigt ist. Wenn ursprünglich nur תִירוֹשׁ Subjekt des Satzes war (s. Textanm. 10/11a), was ist dann gemeint? Die Erklärung von LKoehler in ZAW 46 (1928) 218–220, תִירוֹשׁ stehe archaisch für יַיִן, läßt sich von Hosea aus schlecht halten. Hosea kennt nicht nur auch das Wort יַיִן (7 5 9 4 14 8), sondern unterscheidet es dazu als Getränk (7 5 9 4) deutlich von תִירוֹשׁ, der als Rohprodukt der Ernte (2 11; s.o. S. 45) und des Kelterns (9 2) meist neben Korn- und Olivensaft steht (2 10. 24 7 14), durchaus nicht nur in formelhaften Reihen. Hosea versteht also unter תִירוֹשׁ im Unterschied zum Wein entweder wie Jes 24 7 65 8 Ri 9 13 den Saft in der Traube oder wie Mi 6 15 Prv 3 10 den Frischmost in der Keltergrube (vgl. BRL 538). Die Herleitung des Wortes von der Wurzel יֵרֵשׁ (treten, keltern) bestätigt die von יַיִן als fertigem Getränk zu unterscheidende Bedeutung: (ungegorener) Keltersaft. Dieser Traubensaft „nimmt das Herz". לֵב ist bei Hosea Sitz des Lebenszentrums (13 8) und Ort des Selbstbewußtseins (13 6), vor allem aber das Organ des besonnenen Nachdenkens (7 2), des Orientierungsvermögens (7 11), das Empfangsorgan wahrhaft vernehmenden Hörens (2 16), das Subjekt besonnener Entschlüsse (11 8, im Gegensatz zum Glutbrand des Zorns, vgl. 7 6) und damit der Ort wohlbedachter Entscheidungen (7 14 10 2). Dem Volk „das Herz nehmen" (לָקַח = wegnehmen 2 11 13 11) heißt also: ihm das besonnene Orientierungsvermögen rauben, es Täuschungen preisgeben. Im gleichen Sinne sagt Gn 31 20 „das Herz stehlen"; vgl. in der Fortsetzung 12b הַתְעָה und ARJohnson, The Vitality of the Individual in the Thought of Ancient Israel (1949) 79ff.; WSchmidt, Anthropologische Begriffe im AT: EvTh 24 (1964) 384f. Das geschieht „meinem Volk", עַמִּי sagt der Bote Jahwes im Ton mitleidigen Beklagens (wie 6a).

Wieso aber kann „Traubensaft" um klare Besonnenheit bringen? Wäre das nicht typische Folge des Weins (Prv 23 29–35), von dem unser Text erst literarisch sekundär redet, Hosea aber ursprünglich wahrscheinlich nicht geredet hat?! Die Erklärung bringt 7 14: Hosea denkt hier wie dort bei תִירוֹשׁ an die Traubenernte und deren Ergebnis in der Keltergrube als Gegenstand besinnungslos-leidenschaftlichen Begehrens. Die heiße Sehnsucht nach guten Weinernten treibt das Volk in das Gebaren kanaanäischer Fruchtbarkeitskulte statt in das Gebet zu Jahwe. Man beachte, daß in 7 14 das Schreien zu Jahwe „mit ihren Herzen", d.h. mit recht orientierter Besonnenheit, im Gegensatz zu den ekstatischen Riten des Kanaanäertums steht, daß auch dort Gegenstand des Verlangens Most (neben Korn) ist und daß auch dort die Unbesonnenheit gepaart ist mit Abtrünnigkeit von Jahwe.

Wie in 7 14 an die Stelle der besonnenen Anrufung Jahwes (בְּלִבָּם) 4 12 baalistische Bräuche treten, so ist in 12 die Folge besinnungsloser Erntegier kanaanäische Orakelpraxis. Hoseas Wortwahl bringt die in 11 vorweg charakterisierte Unvernunft der Benommenen ironisch zum Ausdruck. „Sein Holz" und „seinen Stock" befragt Jahwes Volk. שׁאל ב bezeichnet das Einholen von Orakeln Ri 1 1 2 S 2 1 Ez 21 26. Stummes Holz soll Auskunft erteilen, toter Stock soll „verkünden" (vgl. Hab 2 18f. Jes 44 9–20), etwa in Sachen der Landbestellung und der Ernteaussichten. Die hoseanische Entmythisierung der kanaanäischen Kultobjekte läßt nicht mehr erkennen, ob das „Holz" den Kultpfahl Aschera, den man neben dem Altar aufstellte (Dt 16 21 Ri 6 25ff.; vgl. BRL 35 und OEißfeldt, RGG³ I 637f.), meint oder das Gottesbild nach Art der Teraphim (s.o.S. 78 zu 3 4, ferner Ez 21 26 Hab 2 18f.) oder einen Orakelbaum wie Gn 12 6 Dt 11 30 Ri 4 5 9 37 (vgl. 2 S 5 23f.). Ebenso schwierig ist zu entscheiden, ob der „Stock" die Klein-Aschera (Harper, vgl. Meyer G II, 2 149; Philo nennt Ascheren ῥάβδοι wie 𝔊 מקל), die zum Ephod gehörigen Urim und Tummim (Num 27 21 Dt 33 8; s.o.S. 78 zu 3 4) oder sonstige Stäbe der Rhabdomantie (schon Cyrill von Alexandrien, vgl. Keil und van Gelderen) meint. Jedenfalls bringt Hosea mit den Suffixen „sein" Holz, „sein" Stab scharf zum Ausdruck, daß die Befragung jener Orakelspender Zeichen eigenwilligen Abfalls von Jahwe sind.[1]

Das jetzt als Begründungssatz angeschlossene Wort (b) geht der Ursache einer solchen falschen Praxis auf den Grund. כי fügt ein neues Redefragment an, das im Unterschied zu 11–12a im Disputationsstil (אלהיהם) gehalten ist. Es redet in 3.pl. wie 7f.10 und 13a. 14aβ wahrscheinlich nicht mehr vom Volk wie die eingeschalteten Verse 11–12a mit 3.sg. Das neue Wort התעה hat denselben Vorgang der Täuschung und Irreführung vor Augen wie 11 (s.o. zu יקח לב). Wie ein verirrtes Tier (Ex 23 4), wie ein Betrunkener, der die Nüchternheit und damit Haltung und Richtung verlor (Jes 28 7), so lebt das Volk. Die Schuld daran deckt das neue Wort tiefer auf als 11. Geradezu lehrsatzähnlich heißt es: „Hurengeist führt irre", „macht schwanken". Jahwes Volk ist einer verführerischen höheren Macht ausgeliefert; ähnlich wie Micha (3 5) und Jeremia (23 13.

---

[1] Luther, WA 13, 19: Ita fit et hodie, ut responsa feramus ex nostris studiis: tam diu portasti hanc vestem, tam diu orasti, ergo sanctus eris.

32) sieht Hosea sie in der von Jahwe abgefallenen geistlichen Führerschicht. Es sind ja die Priester, die Ehre in Schande vertauschen (7) und Hurerei zum Gegenstand der Kultpflege machen (10f.). Deren Geist verwirrt das Volk. רוח זנונים meint also nicht den Geist, der den Verführten innewohnt, so wie der Eifersuchtsgeist Nu 5 14. 30 den Ehemann erfüllt, sondern er bezeichnet als Kraft des Abfalls die von außen die Menschen überwältigende Macht, so wie der von Jahwe ausgehende Geist der Verwirrung in Jes 19 14, dessen Tätigkeit als רוח עועים auch mit תעה hi. beschrieben wird, oder der Geist des Tiefschlafs in Jes 29 10. Vgl. Johnson a.a.O. 34ff.; DLys, «rûach» le Souffle dans l'AT: Études d'Histoire et de Philosophie Religieuses 56 (1962) 75; WSchmidt a.a.O. 383. Nur sieht Hosea den Hurengeist nicht von Jahwe ausgehen, wie er andererseits auch noch nicht ein selbständiges Geistwesen annimmt (vgl. AJepsen, Nabi, 1934, 21[1]); vielmehr ist er für ihn schuldhaft in der Priesterschaft inkorporiert. Vgl. 1 Kö 22 22ff. Sach 13 2, auch u.S. 126 zu 5 4. Dabei ist wichtig, daß Hosea die schuldigen Personen direkt im Aspekt ihrer eigentlichen Wirksamkeit sieht, wenn er vom „Geist der Unzucht" spricht (vgl. GPidoux, L'homme dans l'Ancien Testament: Cahiers théologiques 32, 1953, 21: der Geist ist ein Aspekt der Seele oder ihre Kraft: er bezeichnet die Seele, wenn sie tätig ist.). (Zu זנונים s.o.S. 13ff.) Als ansteckende Verführungsgewalt macht er ganz Israel orientierungsunfähig, daß „sie von ihrem Gott weghuren". Im literarischen Zusammenhang muß man jetzt bβ auf das Volk von a beziehen. Im alten rhetorischen Zusammenhang mit 13f. (beachte 3. pl.!) dagegen wäre bβ auf die Priester zu beziehen, als Interpretation von רוח זנונים, da in 13b. 14aα das Volk angeredet wird. Noch stärker als מאחרי in 12 bringt hier die Doppelpräposition מתחת die Emanzipationsbewegung zum Ausdruck (vgl. BrSynt § 119a). מאחרי bezeichnet die Kündigung der Gefolgschaft (vgl. 2 15), מתחת aber den rebellischen Verrat an dem gebotenen Gehorsams- und Untertanenverhältnis (פשע מתחת 2 Kö 8 20. 22; vgl. Ex 6 7 18 10; vgl. מעל in 9 1) und nennt somit noch klarer als 11 die Abtrünnigkeit der falschen Kulte den unbesonnenen Akt eines bösen Rausches. Rebellion gegen den Gott der Offenbarung bedeutet für Hosea Abschied vom vernünftigen, täuschungsfreien, zielklaren Leben.

4 13 Die mit 12b neu einsetzende Anklagerede findet in 13f. ihre unmittelbare Fortsetzung. Die gleiche 3.pl. ist in 13a Subjekt. Der weitere Zusammenhang zwingt zu der Annahme, daß darin die Priester zu sehen sind. Schon 12b wies uns inhaltlich und stilistisch auf den Zusammenhang mit 7. 8. 10; vom Volk war nur zwischenhinein in 11–12a mehr klagend als anklagend die Rede (ähnlich 6a). Auch in der Fortsetzung sind die primär angeklagten Priester (14aβ) deutlich unterschieden von den nunmehr direkt angeredeten Vätern 13b. 14aα und dem sonstigen Volk (14b). Hier wird in der Anrede das Forum sichtbar, vor dem die Anklageworte gegen

die Priester (in 3. Person) seit 7 gesprochen sind. HSchmidt (ZAW 42, 1924, 266) hat darauf hingewiesen, „daß man den seltsam erregten Ton dieser Klage und Anklage beachten muß", um die auch hier eigentlich Beschuldigten richtig zu bestimmen. Vgl. GRichter, Erläuterungen zu dunklen Stellen in den kleinen Propheten (1914), dazu van Gelderen 118. Hat man die lebendige Szene mit ihren verschiedenartigen Redegängen und dem Blickwechsel des Propheten vor Augen, so wird man den plötzlichen Übergang zur Anrede recht bewerten und ihn nicht durch Umsetzung der Suffixe in 3. Person oder Streichung von 13b tilgen (Budde 291, Robinson u.a.).

Sind die Priester die eigentlich Angeklagten, so überrascht es nicht, daß das Thema von 7f. 10. 12b hier fortgesetzt wird: der hurerische Treubruch, der sich in Opferkult und Sexualriten vollzieht. Neu erscheint das Bild der Kultorte, und zwar der Höhenheiligtümer, das in den Grundzügen identisch ist mit dem von Dt 12 2. Sie liegen auf den Spitzen höherer Berge (הרים) oder auch auf geringeren Anhöhen (גבעות); vgl. ASchwarzenbach, Die geographische Terminologie im Hebräischen des Alten Testaments (1954) 9f.: 31mal steht הר//גבעה; גבעה erscheint 60mal, davon 39mal in den prophetischen Büchern. Die Höhen haben „ein Minimum an Inventar" (Noth, WAT[4] 163f.; ausführliche Darstellung Barrois II 345–355). Neben einem Altar für das Hinlegen oder Verbrennen der Opfer und den Ascheren und Mazzeben (als Orakelplätzen; s.o.S. 105 zu 12a) gehörten vor allem einzelne oder mehrere heilige Bäume dazu. Statt der allgemeinen Wendung „unter jedem grünen Baum" (Dt 12 2 1 Kö 14 23 Jer 2 20 u.ö., 10mal im Alten Testament in Verbindung mit Fremdkulten) nennt Hosea die wichtigsten Baumarten. אלון ist die schattenreiche Eiche, deren berühmteste Exemplare im Hauran gedeihen und deshalb Jes 2 13 Ez 27 6 Sach 11 2 „Basanseichen" genannt werden. לבנה kommt nur noch Gn 30 37 vor; wahrscheinlich ist dabei an den Storax zu denken (Gn 30 37 ⅏: στύραξ, Styrax officinalis, arab. libne, auch 'abhar), nicht an die Silberpappel, denn diese kommt nur in feuchten Gründen vor, jener dagegen allenthalben im palästinischen Bergland und gerade auch auf den Höhen. „Der liebliche Duft seiner weißen Blüten konnte in der Tat in seinen freilich unbedeutenden Schatten locken" (Dalman, AuS I 67, anders van Gelderen, der wie ⅏ 'A an λεύκη = Silberpappel denkt). אלה meint die Terebinte (Pistacia palaestina, arab. buṭm, Dalman, AuS I 66), die wie die Eiche mächtige Kronen bildet, die tiefe Schatten werfen.

Was geschieht an den Höhenheiligtümern? Die iterativen Imperfekte (BrSynt § 42d) schildern das beständige Treiben. זבח pi. und קטר pi. beschreiben gemeinsam regelmäßig die Baalopfer der Höhenkulte (11 2; vgl. Am 4 4f., zu קטר s.o.S. 48 zu 2 15), vor allem im deuteronomistischen Geschichtswerk (1 Kö 3 3 11 8 usw.; vgl. KBL 249a). זבח pi. meint nicht nur das Schlachten der Opfertiere (זבח ḳal 8 13), sondern vor allem das Essen des Opferfleisches (8 13), das communio stiftet (14 זבח עם; vgl. Ex 34 15 Gn 31 54). Daneben kann קטר pi. das Verbrennen bestimmter nicht verzehrter Teile des Opfertiers vor den Götterbildern (11 2) meinen; der Zeitgenosse Amos (4 5) kennt das Räuchern von „Gesäuertem", vgl. Ex 23 18; daneben nennt Lv 2 11 Honig als im Jahwekult verboten; Cant 4 6 erwähnt einen Myrrhenberg (vgl. Prv 7 17) und einen Weihrauchhügel (vgl. Lv 2 1f. 15f.). Der „Schatten" der Bäume wird gepriesen, weil er den Genuß der Opfermahlzeiten erhöht. Wie in 8 geißelt hier Hosea mit Ironie das Lustverlangen der Priester.

Daneben aber dient der Baumschatten dem anderen Akt des Höhenkultes, den Sexualriten, deren hoseanisches Stichwort schon in 10f. und 12b aufklang und die nun in 13b. 14 ausdrücklich erwähnt werden. Das Nebeneinander von Opfermahlzeiten und Sexualriten wird noch 5 6f. Ez 18 6. 11. 15 22 9 Jes 57 5. 7 Prv 7 14ff. bezeugt. Treffende Gesamtbilder baalistischen Kultlebens malen Ex 32 6 Nu 25 1f.

Innerhalb der Sexualriten unterscheidet Hosea die Kultakte der Priester (14aβ) von den Bräuchen der übrigen Kultteilnehmer (13b. 14aα). In 13b ist an die letzteren, und zwar wahrscheinlich zunächst an die Brautriten, gedacht. Das geht schon daraus hervor, daß Hosea die anwesenden Väter zugleich auf ihre Töchter und Schwiegertöchter hinweist. Daß כלה zugleich Braut und Schwiegertochter bedeutet, hat Rost (453) vom Familienrecht her erklärt. Es handelt sich zunächst (und das ist für unseren Zusammenhang wichtig) „um die aus dem Stand der Jungfrau durch die Heirat in den der Ehefrau übergehende Braut", die der paterna potestas des Schwiegervaters unterstellt wird. Das „Huren" und „Ehebrechen" der Töchter und Schwiegertöchter wird zunächst jenen je einmaligen Akt eines ersten Verkehrs im heiligen Hain meinen, der o.S. 14 im Anschluß an GBoström und LRost beschrieben ist. Hoseas Abscheu dagegen wird voll verständlich, wenn wir die ausführliche Beschreibung dieses Brautritus lesen, die wir Herodot (I 199) verdanken:

„Die häßlichste Sitte bei den Babyloniern ist aber die folgende: eine jede Frau des Landes muß, im Tempel der Aphrodite sitzend, einmal in ihrem Leben sich einem Fremden preisgeben. Viele Frauen nun, die es unter ihrer Würde halten, sich unter die übrigen zu mengen, weil sie sich auf ihren Reichtum etwas zugute tun, lassen sich in bedeckten Wagen nach dem Heiligtum fahren und verweilen daselbst; im Gefolge haben sie eine zahlreiche Dienerschaft. Die Mehrzahl aber macht es auf folgende Weise: sie setzen sich in den heiligen Hain der Aphrodite mit einem Kranz von Schnüren um das Haupt, und es sind der Weiber viele: denn die einen kommen herzu, während die anderen weggehen. Nach allen Seiten hin ziehen sich durch die Frauen schnurgerade Durchgänge, durch welche Gänge die Fremden gehen und ihre Wahl treffen. Wenn sich nämlich eine Frau hier gesetzt hat, so entfernt sie sich nicht eher in ihre Wohnung, als bis einer der Fremden ihr ein Stück Silber in den Schoß geworfen und dann außerhalb der geheiligten Stätte mit ihr Umgang gepflogen hat. Beim Zuwerfen des Geldes hat er nur so viel zu sagen: „Fürwahr, ich rufe die Göttin Mylitta an!" Mylitta aber nennen die Assyrer die Aphrodite. Das Silberstück mag so groß sein, wie es will, denn man darf es nicht von sich weisen; dies wäre unerlaubt, weil das Silber ein geweihtes ist. Die Frau folgt dem, der ihr zuerst zugeworfen, und darf keinen verschmähen. Wenn sie aber Umgang gepflogen und auf diese Weise mit der Göttin sich abgefunden hat, kehrt sie in ihre Wohnung zurück, und von dieser Zeit an wird man ihr noch so viel bieten können, sie wird sich nicht mehr dazu hergeben. Alle diejenigen nun, welche auf Schönheit und Größe Anspruch machen, kommen schnell weg; diejenigen aber unter ihnen, welche häßlich sind, haben lange Zeit zu warten, bis sie das Gesetz zu erfüllen imstande sind: manche warten drei und vier Jahre lang. An einigen Orten in Cypern besteht eine ähnliche Sitte."

Daß auch die kanaanäischen Brautriten ähnlich aussahen, geht daraus hervor, daß Dt 23 19 Ez 16 31. 34 das (Geld-?) Geschenk kennen, das im Alten Testament „Hurenlohn" heißt; daß ferner Jeremia das begierige Warten der jungen Frauen auf die „Fremden" (2 25) auf den Höhen im heiligen Hain (2 20 3 2) vor Augen hat, wobei nach Ez 16 15 auch hier das Maß der „Schönheit" wichtig war. Der Verkehr selbst wird entsprechend Herodots Bericht auch im kanaanäischen Bereich im abseitigen Gebüsch außerhalb des Heiligtums erfolgt sein, wie 14aβ (יפרדו) erkennen läßt. Der Einbruch solcher Brautriten, die zudem auf Grund von Gelübden wiederholt werden konnten (Lv 19 29 Dt 23 19 Prv 7 14), in den Bereich der israelitischen Stämme muß eine allgemeine Verwilderung der Sitten mit sich gebracht haben (vgl. Ez 18 5ff.), wo doch die Jahwegemeinde unvergleichlich streng auf die Reinheit und Unversehrtheit der Ehe bedacht war; vgl. MNoth, Die Gesetze im Pentateuch (1940) 45 = Ges.St. 74ff. Neben den genannten, mehr oder weniger einmaligen Brautriten wird man schon hier daran denken müssen, daß Töchter israelitischer Väter als זונות oder קדשות öffentliche Dauerfunktionen übernahmen (s. dazu u.S. 110 f. zu 14). Eben vom Jahwerecht her muß Hosea unseres Wissens als erster dieses ganze Treiben „Huren und Ehebrechen" nennen; in seiner Gefolgschaft bringt das Deuteronomium (22 14ff.) als Abwehrmaßnahme ein Gesetz über die Anfechtung der Jungfräulichkeit (vgl. Rost 458).

Nun entschuldigt aber Hosea diese so streng verurteilten Bräuche bei den Töchtern und Schwiegertöchtern und bei den für sie verantwortlichen und hier angesprochenen Familienhäuptern, da er bei ihnen nur die böse Folge des schlechten Vorbildes sieht, das sie an den für das kultische Leben verantwortlichen Priestern haben. Indem 13b mit על-כן an 12b–13a anschließt, charakterisiert er jenen Abfall vom Eherecht der Jahwegemeinde als eine unausbleibliche Konsequenz des „Hurengeistes" der Priesterschaft, so wie er vorher die Erkenntnislosigkeit des Volkes (6a) und seine Orakelpraxis (12) charakterisiert hat. Daß hier im Sinne von 4a eine indirekte Entschuldigung mit על-כן angezeigt ist und also auch

hier mehr klagend als anklagend gesprochen wird, bestätigt vollends die
Fortsetzung.

4 14   Im feierlichen Neueinsatz der Jahwerede, wobei weiterhin wie in
13b die Väter angesprochen sind, verkündet der Bote, daß die Töchter
und Schwiegertöchter nicht gestraft werden; zu פקד s.o.S. 19 u. 48f.
Die Deutung von 14aα als Frage (Nyberg) verdirbt den klaren Sinnzusammenhang und verdunkelt vor allem die Rückkehr des Propheten
zur ursächlichen Schuld der Priester in 14aβ, die mit כי־הם unüberhörbar
ist. Indem der Ankläger wie mit ausgestrecktem Finger auf die Priester
zeigt, findet die Anklage von 12b–13a ihre Verdeutlichung, nachdem
die drastischen Folgen im Volk schon vorweg in 13b bei Namen genannt
sind. Daß hier vom Handeln des beamteten Kultpersonals die Rede ist,
geht auch aus dem erstmalig erscheinenden terminus קדשות hervor.
Damit sind die Dauerprostituierten von Dt 23 18 genannt, mit denen die
„heilige Hochzeit" offiziell im Kult durch die Priester vollzogen wird
(s.o.S. 16 u. 47). Die geweihten Dirnen sind außerbiblisch für den syri-
schen und phönizischen Bereich belegt. Ägyptische Darstellungen aus der
Zeit des Neuen Reiches zeigen die syrische Göttin ḳadeš neben dem zum
Zeugungsakt bereiten Gott Min auf einem Löwen stehend, wohl ein
Urbild der Kedeschen und der heiligen Hochzeit (vgl. ANEP Nr. 473.
474. 470; schlechtere Wiedergaben AOB 270. 272; dazu RÄRG 362.
462 und Albright, Die Religion Israels, 1956, 90f.). In Ugarit sind ḳdšm
in Parallele zu Priestern mit einem festen Einkommen wiederholt bezeugt (Gordon, Ug. Manual Nr 63 u. 81; vgl. Barrois II 341). Für das
Zweistromland belegen der Codex Hammurabi §§ 110. 127. 182 und die
mittelassyrischen Gesetze (A § 40) Hierodulen (AOT 391ff.; ANET 170ff.).
„Nichts kann besser die Entartung des Gottesdienstes in Israel bezeichnen
als dieses eine Wort קדשות" (Bleeker), das den Einbruch des Kanaanäertums in Israel grell beleuchtet. Daneben wirft Hosea den Priestern vor, daß
sie, auch abgesehen von den offiziellen Kultfeiern mit den Tempelprosti-
tuierten (zu זבח pi. s.o.S 107f. zu 13a), „sich mit den Huren absondern".
Das könnte nach dem in 13b beobachteten Sprachgebrauch Hoseas
heißen, daß auch die Priester sich unter den Bräuten, die sich zu den
Initiationsriten auf den Höhen einfinden, gern eine Schöne suchen und
sich mit ihnen ins Gebüsch schlagen, wenn nicht gar offiziell die (nach 7
zahlreich gewordenen) Priester die Funktion wahrnehmen, die nach
Herodot „die Fremden" üben (aber vgl. Jer 2 25). Außerdem wird man
bei זנות an von den קדשות zu unterscheidende Gruppen von öffentlich
Prostituierten denken müssen; vgl. die Dirne Rahab Jos 21ff.; Cod.
Hammurabi § 178 (vgl. Mittelassyrisches Gesetz A § 40) kennt verschiedenartige Dirnengruppen: die Braut (oder Schwester) Gottes als Hohe-
priesterin (entum), die Priesterin (nadîtum), die Hierodule (ḳadištum), die
Jüngerin (kulmašitum), die Laienschwester (šugê/itum) und die (SAL)-

ZIKRUM (was eher „eine eigenartige Schreibung für die *sekertum*, die ‚Abgesperrte' " [v Soden] als ein Mannweib nach Art von Dt 22 5 [Driver-Miles] sein wird); daß Väter ihre Töchter solchem Tempeldienst weihen, belegt § 181. Vgl. GRDriver-JCMiles, The Babylonian Laws I, ²1956, 358–383 (Women of Religion). Der Lipit-Ischtar-Codex aus frühnachsumerischer Zeit (19.Jh.) erwähnt in § 27 (ANET 160) eine „Hure aus dem öffentlichen Viertel" (*kar-kid*), mit der ein Mann Kinder zeugt, dessen Frau unfruchtbar geblieben war.

Der schroffen Anklage der Priester, solcherlei heidnischem Getriebe in Israel Eingang verschafft zu haben, folgt (b) ein letztes Mal ein kurzer Satz der Klage im Blick auf das Volk (vgl. 4a. 6a [11–12a] 13b–14aα): „das unverständige Volk kommt zu Fall". לבט ni. „niedergetreten werden" kommt nur noch Prv 10 8. 10 vor. Die Wortwahl ילבט scheint zusammen mit dem asyndetischen Relativsatz לא־יבין der dreifachen Alliteration zuliebe getroffen zu sein. Der Satz wirkt sprichwortartig (Pfeiffer, Introduction 572, van Gelderen). Im Sinne Hoseas wird man aber hier nicht nur mit den meisten Auslegern das an sich unerfahrene Volk, die Jugend, beklagt finden, sondern darüber hinaus Israel im ganzen, sofern es nämlich nicht belehrt ist, weil ihm die Priesterschaft die Einsicht in den Willen Jahwes vorenthalten hat. Man wird also im עם לא־יבין von 14b den עם מבלי הדעת von 6a wiedererkennen müssen, so wie in Dt 4 6 die בינה Israels auf die Unterweisungen in Jahwes Rechten und Satzungen zurückgeführt wird und in Jer 9 11 der Einsichtige (יבן) durch den „Mund Jahwes" unterrichtet ist; beachte die Parallele בין//ידע in 14 10 Jes 1 3 11 2.

Vielleicht gehört der Anfang von 15 noch zu 14b (so 𝔊, s. Textanm. 15a): eben mit der Hure oder mit dem Huren(?) erfolgt der böse Sturz Israels. Dieser Tatbestand gehört zur Schuld der Priester, ist Tatfolge ihrer Versäumnisse (6) und ihres bösen Vorlebens (12b–14a). Mit dieser seiner Feststellung hat Hosea auf dem Höhepunkt des Auftritts die Antithese des Anfangs (4) und das Recht des Gerichtswortes (5f) endgültig begründet.

Die hoseanische Herkunft von 15, oder doch mehr oder weniger großer 4 15 Teile des Verses, ist umstritten. Anlaß ist vornehmlich die Erwähnung Judas. Sie befremdet in der Tat im Zusammenhang (anders Engnell, SBU, Art. Hosea, für den auch 4 15 wie 1 7 2 2 3 5 6 11 ein Beleg für Hoseas projudäische Einstellung ist), zumal im Wortlaut von 𝔐: „Wenn du, Israel, hurst, soll sich Juda nicht versündigen", wobei auch die folgenden Verwarnungen Juda zum Adressaten hätten. Die hier schon vorausgesetzte gänzliche Preisgabe Israels entspricht nicht unbedingt der voraufgehenden Anklage des Priesters, die doch das Volk nicht in gleicher Weise straffällig sah (4a. 14aα). Ferner kennt Hosea selbst die in 𝔐 getroffene Unterscheidung von Israel und Juda nicht; er sieht vielmehr entweder beide unter einem Gericht (5 10. 12–14 6 4) oder beide unter einer

Hoffnung (2 2). Erst ein judäischer Glossator unterscheidet ähnlich (1 7). Daß schließlich das Juda der Hoseazeit versucht war, die Nordreichsheiligtümer aufzusuchen, ist kaum zu erweisen, nachdem der Judäer Amos die entsprechende Warnung (5 5) nicht an seine Landsleute, sondern an Israel richtete (anders van Gelderen 121).

Man wird aber nicht mehr als eben das Wort יהודה Hosea absprechen müssen. Das legt einmal der in 𝔊 überlieferte Text nahe (s. Textanm. 15c), zum andern die Formulierung von b. Sie lehnt sich zwar deutlich an Am 5 5a an in der Dreigliedrigkeit der Warnung und der Reihung der Kultorte (Hosea „hatte gewiß als Knabe den harten Reden des judäischen Künders gelauscht", MBuber, Glaube der Propheten 159), zeigt aber keine starre literarische Übernahme, sondern eine freie Neufassung und im letzten Glied sogar inhaltliche Abwandlung; vgl. zu 13 7f. u.S. 294 und o.S. XIV. Wenn sie im Zusammenhang hoseanischer Verkündigung verständlich ist, sollte man sie ihr nicht absprechen. Dann empfiehlt sich aber auch die von Budde (292) vorgeschlagene Umdeutung des von 𝔊 vorausgesetzten Konsonantentextes nicht (עַם זֹנֶה אתה ישראל). Vielmehr ist mit 𝔊 אתה ישראל אל־תֶּאְשַׁם als Auftakt des ingesamt vierreihigen Warnwortes anzusehen.

Ein solches Warnwort überrascht nun im Rahmen unseres Auftritts durchaus nicht. Noch die letzten Anklagesätze gegen die Priester hatten das Volk im ganzen entschuldigt (13b. 14b), ja, als vom Strafgericht Jahwes verschont bezeichnet (14aα; vgl. 4a). Die durchgehende Unterscheidung von schuldigen Priestern und verführtem Volk (vgl. auch 6. 12) tendiert geradezu darauf hin, am hörbarsten in der Anredeform 13b. 14aα, das Volk auch faktisch von der Priesterschaft zu trennen. Eben das geschieht in der jetzt ausgesprochenen Warnung vor dem Besuch der Heiligtümer. Eine ähnliche Durchbrechung des Kollektivdenkens liegt in dem ultimativen Mahnwort 2 4f. vor. In seiner Frühzeit zeigt sich Hosea leidenschaftlich bemüht, das Volk Jahwes von der dem kanaanäischen Kult hoffnungslos verfallenen Priesterschaft loszureißen. Die Form des Warnwortes ist gattungsgeschichtlich herzuleiten von den Redeformen im Rechtsverfahren, die auf Schlichtung aus sind (vgl. LKoehler, Die hebräische Rechtsgemeinde, in: Der hebräische Mensch, 1953, 150ff.; Hi 22 21ff. Ri 11 13b 21 22 Jer 26 13). Im feierlichen Neueinsatz wird Israel zunächst im sg. angeredet; danach geht die Rede wieder zu den Pluralformen von 13b. 14aα über, wohl auch unter dem Einfluß des Amoswortes 5 5. Hosea sucht zunächst mit einem allgemeinen Wort Gottes Volk von dem dem Gericht verfallenen Kultus zu trennen. אשם heißt: in kultischer Hinsicht straffällig werden, sich vor Gott endgültig strafbar machen (vgl. Ri 21 22 Jer 2 3 50 7 Lv 4 13. 22. 27 u.o.). In diesem Sinne verwendet Hosea das Wort durchweg, und zwar ausschließlich im Blick auf die Verschuldung, die Israel mit dem Baalkult auf sich zieht

(10 2 13 1 14 1). Um die einheitliche Grundbedeutung von אשם zu erfassen, muß man sehen, daß das Wort mehr der fälligen Strafe als der vorausgesetzten Schuld zugewandt ist (vgl. WZimmerli, BK XIII 508; anders Nyberg und KBL). Hosea mahnt also zunächst Israel generell, dem drohenden Strafgericht zu entgehen. Dazu sollte es die Wallfahrten nach Gilgal und nach Bethel unterlassen. Nach Gilgal im Jordangraben bei Jericho (zur Lage s.o.S. 52 und KGalling, ZDPV 66, 1943, 145) „kommt" man; בוא ist Terminus der Wallfahrt (Jes 1 12 Am 4 4 5 5; vgl. Hos 9 4. 10). Das in Israel altberühmte (Jos 5 2-9) Gilgal nennt Hosea auch 9 15 12 12 Ort der Bosheit. Nach dem über 800 m hochgelegenen Bethel (bētīn, vgl. BRL 98ff.; WAT⁴ 80. 119. 128) steigt man hinauf (עלה). Hosea gibt dem ebenfalls altberühmten (Gn 28 10-22) Kultort hier wie 5 8 10 5 12 5 𝕲 (anders 𝔐) den entstellten Schandnamen, den es wahrscheinlich dem Amoswort 5 5 verdankt und der in deuteronomistischen Kreisen auch später noch beliebt ist (vgl. Jos 7 2 18 12 1 S 13 5 14 23). Es bezeichnet zunächst das dem Baalkult verfallene Heiligtum, das östlich der Stadt (Gn 28 19 Jos 16 1f.) bei burdsch bētīn lag, und danach den ganzen Ort als „Haus unheimlicher Bosheit". Daß Hosea den Namen im Sinne des Amos meint, ist seiner entsprechenden Benennung der Höhenheiligtümer (במות און 10 8) und der Stadt Gilead (6 8 12 12) wegen wahrscheinlich. Unsicher dagegen ist, ob die Namensentstellung auf ein ursprüngliches בית און zurückgeht, das als „Haus des Reichtums" (van Gelderen 122; vgl. die entsprechende Umvokalisierung in Ez 30 17) oder besser als „Haus der Wehklage" zu verstehen wäre; vgl. 9 4 und Jer 16 5 בית מרזח (Haus der Kultfeier), dazu TWorden, The Literary Influence of the Ugaritic Fertility Myth on the OT: VT 3 (1953) 290, der daran denkt, daß Hosea selbst den Ort der rituellen Klage mit ihren kultischen Verwundungen im Sinne habe, vgl. 7 14 1 Kö 18 28 Jer 48 37; ferner wäre an Ri 2 1 (𝕲!). 5 (dazu HWHertzberg, ATD 9, ⁵1974, 155f.) und Gn 35 8 zu erinnern. Unsere Deutung von 4 11 in Zusammenschau mit 7 14 läßt diesen Vorschlag zwar erwägenswert erscheinen, zustimmen können wir aber im Blick auf den vernehmlichen Anklang an Am 5 5 und auf Gilead als die Stadt der פעלי און (6 8; vgl. 12 12 10 8) nicht. Zu den Traditionen von Gilgal und Bethel vgl. KGalling, ZDPV 66 (1943) 140 ff. u. 67 (1944) 21ff., jetzt auch ENielsen, Shechem (1955) 296ff. 310ff. und KDSchunck, Benjamin: ZAWBeih 86 (1963) 155f.

In das letzte Glied der Warnung בְּבְאֵר שֶׁבַע nach Am 5 5 8 14 einzuschalten, wie Wellhausen, Nowack, Budde, Harper wollen, muß im Blick auf die Textgeschichte als Willkür gelten, zumal dann, wenn die Herleitung des Wortes von Hosea wahrscheinlich ist. Hosea muß nicht wie der Judäer Amos Veranlassung gesehen haben, den tief im Südreich gelegenen Wallfahrtsort zu nennen, er kann sich vielmehr durch das von Amos (5 5 8 14) her tradierte 3. Glied pluralischer Warnungen angeregt gesehen haben, abschließend den Grund seiner Warnung vor den beiden nahe gelegenen und häufig besuchten Heiligtümern anzugeben. Dort schwört man חי יהוה und legt damit den Bekenntniseid ab, etwa beim Betreten des Heiligtums oder auch bei Verträgen, die am Heiligtum geschlossen werden, oder in der kultischen Klage (vgl. Ps 24 4 Am 8 14 Jer 5 7 12 16 Zeph 1 5 Ps 18 47 119 106 Dt 6 13 10 20 Jos 23 7, dazu entsprechende Formeln des ugaritischen Rituals, in denen die Wendung *ḥy aliyn bᶜl* wiederholt wiederkehrt: „Laß die Himmel Öl regnen, / die Täler mit Honig fließen, / daß ich erkenne, daß Aliyn Baal lebt, / daß der Herrscher, der Herr der Erde, da ist", 49:III:6–9; vgl. 2 u. 20, Gordon, Ug. Manual 138; Übers. Gordon, Ug. Lit. 46, dazu TWorden a.a.O. und GWidengren, Sakrales Königtum im Alten Testament und im Judentum, 1955, 69f., zum Bekenntniseid jetzt vor allem FHorst, Der Eid im AT: EvTh 17, 1957, 371). Nennt man so in Bethel oder Gilgal den Namen Jahwes, so geschieht es trügerisch (לשקר fügt darum 𝔖 hinzu); denn in Wahrheit (vgl. Jer 4 2 5 2) dient man ja dort dem Baal; die Formel erscheint vom kanaanäischen Ritual her verdächtig. Man schwört bei einem paganisierten Jahwe (s.o.S. 60f. zu 2 18f.). So ist Hosea im Warnwort darauf aus, Israel aus der Gefolgschaft der kanaanisierten Priesterschaft zu lösen.

4 16   Sehen wir auf Grund der Stichwortverknüpfungen (s.o.S. 90) und der Überlieferungsform des ganzen Stückes (s.o.S. 92f.) mit Recht in 16–19 ein letztes Redestück im gleichen Auftritt wie 4–15, dann ist zwischen dem letzten Warnwort 15 und 16, ähnlich wie zwischen 6 und 7, eine Einrede anzunehmen, mit der sich das Volk entschlossen auf die Seite der Priester statt auf die des Propheten stellt. כי eröffnet mit seiner alten deiktischen Funktion den Neueinsatz des Prophetenwortes: „ja, so ist's!" „genau!" So knüpft der Sprecher in der Rede vor Gericht gern an Worte der Gegner an (Hi 12 2 2S 12 5 Gn 31 31). Schon in 10b und 12b mußten wir es wegen des Personenwechsels innerhalb der Rede für möglich halten, daß כי einen neuen Redegang einleitet. Als Kausalpartikel bleibt כי unverständlich. Das Bild von der „störrischen Kuh" läßt erkennen, daß das vorhin mahnend angesprochene Israel nicht vom baalisierten Kult an den Heiligtümern lassen will. Das unbelehrte Volk (6. 14) erweist sich als unbelehrbar, im Gegensatz zur Frühzeit (10 11; vgl. auch Jer 31 18). Die Unbesonnenheit von 11 hat sich unter dem Prophetenwort zur Verstocktheit gesteigert. Unser Bild gehört in den Anschauungsbereich der Verstockungsterminologie: die störrische Kuh sträubt sich „hartnäckig", sich das Joch auflegen zu lassen; vgl. Sach 7 11f. und FHesse, Das Verstockungsproblem im Alten Testament: ZAWBeih 74 (1955) 13.

Der Vers b kann nach a nur als Frage verstanden werden. Die Unsicherheit des Verständnisses ist darin begründet, daß die frühe Niederschrift noch den Tonfall der Rede und die Kenntnis der Gegenrede voraussetzt. A Weiser rechnet damit, daß der Prophet an ein Kultlied nach Art von Ps 23 anknüpft (vgl. Mi 7 14 Jer 31 10 Jes 40 11), das Jahwe als den Hirten seines Volkes besang. Der Widerspruch aus dem Volke kann zitierend darauf verwiesen haben, daß man an den Heiligtümern seiner sicher ist. Wenn dabei auch das Stichwort „Lamm" fiel, so konnte das Hosea anregen, im Gegenschlag des Disputationswortes Israel mit der störrischen Kuh zu vergleichen. Zu מרחב, das noch zum Zitat gehören wird, vgl. Hab 1 6.

Auch der Hinweis auf Ephraims Bündnis mit den Götzenbildern wird 4 17 am besten auf dem Hintergrund des vorher verkündeten Warnwortes (15) verständlich, das vergeblich versuchte, Israel vom abgöttischen Kultus zu trennen. חבר bezeichnet das Leben in Bündnisgemeinschaft, vgl. Gn 14 3; חֶבֶר in 6 9 ist die Priestergemeinschaft; s.u.S. 156. Israels Bundesgenossen sind עצבים, tote Bilder, wobei Hosea etwa an das Jungstierbild (8 4f. 13 2 14 9) oder auch an die Ascheren (11) und Teraphim (3 4) denken mag. „Ephraim" steht als führender Stamm oder auch als Landschaftsname („Gebirge Ephraim") in Parallele zu „Israel" (16), wie 5 3. 5 11 8. Hosea scheint in ihm beheimatet zu sein (s.o.S.3) und vornehmlich aufzutreten. Daß Ephraim hier schon den Rumpfstaat nach 733 meine (Alt, KlSchr II 319[1], anders 166[4]), ist deshalb nicht notwendig anzunehmen, ja nach der wahrscheinlichen Datierung unseres Stückes nicht einmal naheliegend (s.o.S. 94).

Der Ausruf הנח־לו (s. Textanm. 17a) „laß es unbelästigt!" (ähnlich 2 S 16 11 2 Kö 23 18 Ex 32 10) könnte die Anwesenheit einer kleinen Schar aggressiver Getreuer voraussetzen. Hosea winkt ab; er kennt die zur Zeit unaufhebbare Verstocktheit.

So müssen sie in ihr Gericht rennen. Der mit vielen textkritischen 18 Fragen belastete Vers 18 muß vom Zusammenhang her über diesen unaufhaltsamen Lauf ins Verderben Aussagen machen. Man könnte im Anschluß an Houtsma (s. Textanm. 18a) in den ersten beiden Worten das Objekt zu 17b lesen: „Laßt sie, die Runde der Zecher!", oder auch das Subjekt zu 18b. Aber der gutbezeugte massoretische Text verlangt auch seine Deutung. סר als perf. proph. (Hitzig) „ihr Bier wird verschwinden", ist zwar von 17b her verständlich; der Prophet würde auf die Ernüchterung im kommenden Gottesgericht hinweisen. Aber für die Perfecta in 18a und b ist die gleiche Zeitstufe anzunehmen. So bleibt nur van Gelderens Vorschlag, ein Nacheinander anzunehmen: „ist ihr Bier, d.h. das Zechen, vorüber (zur Deutung von סור vgl. Jes 28 7, auch 1 S 1 14, zu סבָא BRL 110f.), so treiben sie Unzucht usw.". Die absoluten Infinitive unterstreichen die Leidenschaft der Hingabe. Die Leute wollen für sich nichts anderes, als was Hosea als Schuld der Priester verkündet hat (10a; zu אהב s.o.S. 42). Sie lieben mehr als alles Warnen des Propheten „die Schande der Schamlosen" (s. Textanm. 18c), d.h., Israel will sich nicht trennen von der „Schande" der Priesterschaft (7), wie Hosea es in 15 forderte, sondern an ihr teilhaben. Die Voraussetzung der Einheit des Auftritts 4–19 und die Zugehörigkeit von 15 klärt den Sinn von 18bβ hilfreich.

4 19   Auch die Rede von der רוח, in der im Hebräischen Wind und Geist zusammenfallen, greift auf Früheres zurück. Hatte der Prophet in 12b dem Volke zeigen wollen, daß der „Hurengeist" der Priesterschaft es nur in die Irre führt, so muß er jetzt feststellen, daß diese רוח als Übermacht sie wie ein Windwirbel ergriffen hat. צרר (auch 13 12) heißt eigentlich „einwickeln" (z.B. in einen Gewandbausch Ex 12 34 Prv 30 4); die Metapher „Flügel der רוח" trägt die Vorstellung vom Forttragen und stürmischen Mitgerissenwerden hinzu (vgl. 2 S 22 11 Ps 18 11 104 3). So stellt Hosea von 16–19a den Tatbestand eines vom falschen Kult hingerissenen Volkes fest. Darin lebt tiefe Enttäuschung von seinen vorherigen Versuchen her, Priester und Volk zu scheiden. So bleibt nur die Gerichtsfolge, die im konsekutiven Schlußsatz aufs kürzeste genannt wird: „sie werden zuschanden an ihren 'Altären'" (s. Textanm. 19b). Alle müssen erleben, was den Priestern längst angedroht war (7. 10a). Der Übergang von einem erwartungsvollen Mahnwort (15) zu einer Gerichtsankündigung (19b) ist dem in 2 4f.–6f. (s.o.S. 54) vergleichbar.

Ziel   Überblicken wir den erschütternden Verlauf dieses prophetischen Kampfes wider den falschen Gottesdienst, so sehen wir ihn sich entwickeln aus einer exakt gezielten Drohung gegen den Priester des Ortes. Sie deckt den Grundschaden auf: der Priester in Israel hat seine eigentliche Berufspflicht, die Pflege des Wissens um Gott, vernachlässigt. Indem er den anvertrauten Schatz der „Weisung seines Gottes" vergrub, hat er Gottes Volk um sein Leben gebracht. Darum wird er mit seinem Hause als Priester verworfen (6).

Der gezielte prophetische Angriff in Form eines göttlichen Botenwortes löst ein Streitgespräch nach Art der Gerichtsverhandlungen im Tor aus, das den Hurengeist der Priesterschaft (12b) und seine Auswirkungen zum Gegenstande hat. Drei Gruppen von Verhandlungspartnern sind dabei zu unterscheiden: der Prophet (und sein Kreis 17b?) als Ankläger; die Priesterschaft als angeklagte Verführer (4–14) und die Männer des Volkes als beklagte (6a. 8. 12a. 13b) und gewarnte (15) Verführte (13b. 14b).

Dabei führt die prophetische Anklage aus, daß sich infolge jener Grundschuld des Priestertums Opferkult (7f. 10. 13a), Orakelpraxis (12a) und Fruchtbarkeitsriten (7. 10. 13f.) nach kanaanäischem Vorbild im Gottesdienst Israels breitgemacht haben. Die gegen Jahwe und sein Wort treulose Hurerei findet gottesdienstliche Pflege (10b). Geistliche und fleischliche Unzucht sind dabei unlöslich verfilzt. Nicht deshalb also werden die Priester angegriffen, weil sie Priester sind, sondern weil sie es nicht mehr sind. «Ce n'est pas le prophétisme contre le sacerdoce, mais la tradition hébraïque contre l'opportunisme clérical» (ANeher a.a.O. 296; s.o.S.97f.).Jahwes Wort und der Baalismus liegen in Fehde. Die von den Priestern vernachlässigte Tradition des Jahwewortes tritt im aktuellen Prophetenwort neu auf den Plan und deckt den Schaden auf. Bei Hosea zeigt sich, daß der „Jahwismus" aggressiver ist als der Baalismus, der in seiner Bereitschaft zum Synkretismus den Jahwenamen in sich aufnehmen kann; vgl. GÖstborn, Yahweh and Baal, Studies in the Book of Hosea and related Documents: LUÅ 51,6 (1956) 27, vgl. 30f. Die Ursache dieses Unterschiedes ist in dem Wort Jahwes zu suchen, das sich ein Volk (15, vgl. 2 18) und einzelne Sprecher beruft und aktiviert.

Hosea als Ankläger der Priester beklagt das Volk Jahwes. Er versteht es, Hauptschuldige und Verführte zu unterscheiden (vgl. 2 4). Israel ist zunächst der durch die Angeklagten geschädigte Teil. Wie es um die Weisung seines Gottes kommt, so wird es ausgebeutet beim Opferkult (8), um seine wahre Orientierung gebracht in der Orakelpraxis (11f.) und zu unzüchtigen, ehebrecherischen Handlungen in breitem Ausmaß verführt (13f.). Im Laufe des Disputs verlagert sich dabei die Tendenz. Der Kampf gegen die Priester wird immer stärker ein Ringen um das Volk. War zunächst der Priester angeredet und vom Volk in 3. Person die Rede (4a–b. 6a–b), so wendet sich der Blick Hoseas mehr und mehr den Männern des Volkes zu, die in 13–15 zuerst noch beklagt und entschuldigt, dann aber direkt gewarnt werden. In 15 ist – wenn die Probleme der Überlieferungsbildung und des Textes einigermaßen richtig getroffen sind – der dramatische Höhepunkt erreicht.

Bis zu ihm hin ist im Tenor des Prophetenwortes ein bewegtes Ringen zu bemerken. Die Strafansage Jahwes, die in 5–6 alles weitere ausgelöst hat, tritt – von der Einschaltung 9 abgesehen – auffallend zurück hinter den Worten der Anklage, der Klage und der Warnung, die schließlich in einem äußerst wortkargen Aufzeigen der Tatfolgen münden (10a. 19b), womit nur noch dasjenige Gericht bezeichnet wird, das die Angeklagten sich selbst bereiten (so wie es in 9 theologisch präzise formuliert wird). Das Ringen des Propheten scheitert. Enttäuscht muß er feststellen, ähnlich wie in 2 4ff., daß sich auf Grund von Anklage und Mahnung keine Umkehr ereignet (16–19a). Die vom Geist der Hurerei Hingerissenen sind nicht mehr ansprechbar (11. 17f.). Er hat eine totale Atrophie des Willens bewirkt; vgl. 5 4 und HWhRobinson, The Cross of Hosea (1949) 41. Bittere prophetische Erfahrung steht so hinter der Fixierung des Auftritts. Der, dem das alte Wort Jahwes unbekannt ist(6), kann auch das neue nicht verstehen. Nur die neue Gottestat strenger Liebe wird noch eine Wende schaffen können (2 8f. 16. 21f. 3 1–5). Doch davon ist hier nicht die Rede. Hier ist vielmehr als Ertrag diese Erkenntnis zu buchen: Wer das anvertraute Wissen um den Gott der Weisung verstößt, bringt sich und die ihm Anbefohlenen in hoffnungsloses Unglück. Die vom Geist der Treulosigkeit Eingefangenen gehen zugrunde an ihren Taten (9. 19). Auch die tüchtigste Abgötterei mit ihren verlockendsten Praktiken kann nicht vor Hunger, Tod und Schande bewahren (10a. 19).

Ein vergleichbarer Angriff auf den falschen Gottesdienst und seine Priester liegt Jahrhunderte später in Mal 2 1–9 vor. Vor den dort Angeklagten wird ein ganz ähnliches Leitbild wahren Priestertums ausgebreitet wie es Hosea vorschwebt. Der rechte Priester erteilt verläßliche Weisung, wandelt in aufrichtiger Gemeinschaft mit seinem Gott und bringt viele zur Abkehr von der Schuld (6). Für den Gottesbund dieser Priester kennt Maleachi die Bezeichnung „Levibund" (4. 8). Die Sprache Maleachis verrät in dieser Sache nicht nur deuteronomischen Einfluß (FHorst, HAT I 14, ³1964, 268), sondern darüber hinaus (vgl. Dt 33 8–11) in der Konzentration auf die Pflege der Tora, die Treue zum Gott Israels und die Bußpredigt unverkennbare Verwandtschaft mit jenen vordeuteronomischen Kreisen, als deren Sprecher uns Hosea entgegentritt und die wir darum als prophetisch-levitisches Oppositionsbündnis bezeichnet haben (ThLZ 81, 1956, 91; vgl. ANeher, L'essence du prophétisme, 1955, 166–175).

Wo gibt es eine wirkliche Analogie zu dem von Hosea verkündeten Worte Gottes, das von der Priesterschaft und in ihrer Gefolgschaft vom Volk so diskreditiert und schließlich abgewiesen wird? Im Evangelium von Jesus Christus ist es gegeben; vgl. Joh 11 47ff. Mk 15 11ff. Dieses Hosea-Kapitel will als Niederschlag typischen Geschehens im Zusammenhang dieser den Menschen aller Zeiten betreffenden Geschichte des Evangeliums gesehen sein. Der prophetische Kampf unseres Kapitels gegen den Einbruch des Baalismus in das Volk Jahwes, gegen die Verführer um die Verführten, das Ringen um ein Volk Gottes unter Gottes Weisung hat im Neuen Testament sein Gegenstück am apostolischen Kampf gegen den Einbruch des Heidentums und der Irrlehrer in die Gemeinde Jesu. Dem Verhältnis Israels und seiner Priester zur דַּעַת אֱלֹהִים bei Hosea entspricht das Verhältnis der neutestamentlichen Gemeinde zum εὐαγγέλιον in seiner ganzen Tragweite. „Laßt euch nicht an ein fremdes Joch spannen zusammen mit Ungläubigen! Was für eine Übereinkunft hat Christus mit Belial? Wie verträgt sich Gottes Tempel mit den Götzen?!" (2 Kor 6 14ff.; vgl. Eph 4 14 1 Joh 2 18ff.). Diese neutestamentliche Warnung zu verdeutlichen, wird der Kirche die Besinnung auf Hosea 4 heilsam sein. Wann wäre die Gefahr nicht hochaktuell, daß die Verantwortlichen allerlei Aktivität dem anvertrauten Wort vorzögen? Wann müßte im Blick auf gegenwärtige Menschen nicht als letzter Tatbestand festgestellt werden: „wie eine störrische Kuh", „völlig verliebt in die Schande"? Jedenfalls heißt es von den Mitmenschen Jesu Christi: „sie liebten die Finsternis mehr als das Licht" (Joh 3 19; vgl. Lk 13 34). Es ist schon gut, wenn Schande Schande genannt und der trügerische Stolz abgeschminkt wird, wenn so herauskommt, daß allein vom „Wissen um Gott" her wirklich gelebt werden kann.

DER ERZIEHER DER UNBEKEHRBAREN
(5 1–7)

KBudde, Zu Text und Auslegung des Buches Hosea (cp. 5 1–6 6): JPOS 14 (1934) 1–41. – KElliger, Eine verkannte Kunstform bei Hosea: ZAW 69 (1957) 151–160. *Literatur*

Text

¹ Hört dies, ihr Priester!
  Merkt auf, ihr vom Haus Israel!
  Ihr vom Königshof, lauschet!
  Denn ihr habt das Recht zu wahren.
Ja, eine Falle seid ihr für Mizpaª,
  ein Netz, auf dem Tabor gespannt,
    ² ein 'Fangloch'ª in Schittim' ᵇ, das man tief grub ᶜ.
  Doch ich bin 'euer' ᵈ aller 'Zuchtmeister' ᵉ.

³ Ich, ich kenne Ephraim,
  Israel ist nicht vor mir verborgen.
Weil du ª Ephraim Hurerei lehrtest ᵇ,
  ist Israel verschmutzt.

⁴ Ihre Taten gestatten (ihnen) ª nicht,
  zu ihrem Gott zurückzukehren.
Denn Hurengeist wirkt in ihrer Mitte,
  so daß sie Jahwe nicht kennen.

⁵ Israels Stolz zeugt gegen ihn selbst,
  [und Israel] ª und Ephraim 'stolpert über seine Schuld' ᵇ.
  [auch Juda stolpert mit ihnen].ᶜ

⁶ Mit ihrem Kleinvieh und ihrem Großvieh werden sie ziehen,
  um Jahwe zu suchen.
Doch sie finden ihn nicht.
  Er hat sich ihnen entzogen.
⁷ An Jahwe haben sie treulos gehandelt,
  denn sie zeugten bastardische Söhne.
Jetzt wird 'die Heuschrecke' ª ihren Landbesitz fressen.

1a 𝔊 (σκοπία = 𝔙 speculatio und 𝔊 דּוּקָא observatio oder observator) 5 1
liest מִצְפֶּה, 𝔗 (מַלְפֵּיכוֹן = Lehrer) wahrscheinlich מְצַפֶּה (vgl. Hab. 2 1 und
van Gelderen); gegen die appellativische Deutung spricht der Parallelismus
(Tabor). – 2 a 𝔐 ist schon durch ΣΘΕ′ gedeckt, aber noch 𝔊 führt das Bild 2
von der Jagd aus 1 weiter, so daß wir שַׁחַת lesen, wozu auch das Verbum besser
paßt. Überschüssiges ה kann zum folgenden Wort gehören und aus ב verlesen
sein (Weiser). Driver, JThSt 33, 40 (KBL) deutet שָׂטַ als „Unzucht". – b 𝔐
(Buber: „Ausschweifende") ist ganz unsicher. Der Ortsname שִׁטִּים (Nu 25 1)
liegt in Parallele zu 1bαβ und graphisch nahe. – c Die Konjektur תַּעֲמִיקוּ
(Umbreit, Robinson), die dem Kontext angleichen will, erübrigt sich, wenn
man העמיקו als asyndetischen Relativsatz versteht (vgl. 4 14b). – d 𝔊 setzt לָכֶם
voraus. 𝔐 und 𝔊 können von einem schlecht lesbaren ursprünglichen לְכֻלְּכֶם

her verstanden werden, das mit der 2. Pers. zum Kontext paßt; in 𝔐 (3. Pers.) kann העמיקו nachwirken, wenn es als Relativsatz nicht mehr verstanden war. – e 𝔊 (παιδευτής = 𝔙 eruditor) setzt fast die gleichen Konsonanten (מְיַסֵּר) wie 𝔐 voraus. 𝔐 („Züchtigung") kann nach Jer 2 30 5 3 7 28 u.o. verlesen sein. Der Vorschlag, מוֹסֵר = „Fessel" zu lesen (Guthe, Weiser), scheint als Antithese zum Vorausgehenden echt prophetische und in seiner Bildkraft hosea-nische Sprache zu treffen, aber Hosea führt solche Bilder mit כְּ ein (vgl. 5 13 f. 13 8 f.). מוסר als pt. ho. von סור anzusehen (Ehrlich; van Gelderen: „ich bin für sie alle ein abgedankter Gott"), hat Textgeschichte und Zusammenhang gegen sich. – **3** a Ist אתה statt עתה zu lesen (Lippl, KBL, BHK)? – b הִנֵּה lesen 𝔊 (ἐπόρ-νευσεν) 𝔖𝔗 und stellen so einen synonymen Parallelismus her. Nyberg (Weiser) sucht 𝔐 als Nebensatz zu halten: „denn als du, Ephraim, Hurerei triebst, wur-de Israel verunreinigt", wobei עתה Konjunktion sein soll; aber meist leitet עתה bei Hosea eine Schlußfolgerung ein, vgl. 7 7 2 4 16 2 12 (dazu o.S.45). – **4** a Der Sprachgebrauch (vgl. Gn 20 6 31 7 Ex 3 19 12 23) läßt 𝔐 als Haplographie für יתגום מ" vermuten (Oettli, Weiser, KBL). – **5** a Glosse, weil im Parallelismus von Hoseas Sprachgebrauch aus unsinnig, vgl. 3 4 16 f. – b יִכָּשֵׁל בַּעֲוֹנוֹ. Die plur. For-men von 𝔐 sind Folge der Zufügung von וישראל. – c Judäische Glosse, die wie 1 7 und 4 5 aβ vom Wortschatz des glossierten Textes lebt; עמם stimmt mit der sekundären Erweiterung von bα überein. – **7** a 𝔐 („ein Neumond wird sie fressen, ihre Grundstücke") ist wegen des fraglichen Sinnes und des dop-pelten Objektes (oder soll es heißen: „mit ihren Grundstücken"?) höchst un-wahrscheinlich. 𝔊 hat 7b ausgelassen. 𝔊 setzt וְאֵת voraus und übersetzt das Subjekt ἡ ἐρυσίβη, was nach 1 Kö 8 37 Ps 78 46 Jl 1 4 2 25 הֶחָסִיל wiedergibt, in 5 12 bei Θ הָעָשׁ. FDingermann (30) nimmt חֶרֶס = חָרֶס (Krätze) an, was aber in Dt 28 27 κνήφη übersetzt ist. Ich lese יֹאכַל הֶחָסִיל nach 𝔊. Der Vorschlag מַשְׁחִית (Oort, Robinson, Weiser) steht graphisch 𝔐 nicht näher, aber sachlich 𝔊 ferner. ᾽ΑΣΘ setzen schon חדש voraus.

Form Mit dem Aufruf an die Führungskreise beginnt ein neuer Überliefe-rungskomplex, der bis 7 reicht. Erst in 8 setzen mit neuen Impera-tiven ein neuer Ton und wirklich neue Inhalte ein. Aber 1–7 ist kein einheitliches Redestück. Es setzt in der Form der Gottesrede ein (1–3). Der Inhalt erlaubt nicht, in dem Ich von 2b. 3a den Propheten zu sehen (vgl. 7 12. 15 10 10 8 4). Erst 4–7 gehen vom Botenstil zu Formen des Dis-putationsworts über. Die Botenworte sind in direkter Anrede gehalten (vgl. 4 4–6. 14α); sie wechselt aber von der pluralischen in 1–2 zur sin-gularischen Form in 3b (vgl. 4 13 f. und 15b mit 15a). In 4–7 erscheint der Adressat durchweg in 3. plur. 3 ist als Übergang wichtig, wenn 𝔐 den alten Text bewahrt hat. Denn hier treten die Angeredeten als Ver-führer (3bα) neben die Verführten (3a bβ; vgl. 4 6. 13 f.).

Darum muß man vielleicht trotz des Wechsels vom pl. zum sg. 1–7 zusammensehen, zumal 1–2 mit Aufruf zum Aufmerken und Selbst-vorstellung des göttlichen Ich (2b) im wesentlichen Einleitungscharakter zeigen. Daneben sind Tatbestände nur verdeckt in dunkler Bildrede, gleichsam parenthetisch, angedeutet. Sollten sie nicht ihre Aufdeckung erst in 3ff. finden? Dagegen scheint zu sprechen, daß 1f. die Führungs-kreise bei ihrer Verantwortung für den משפט behaftet, ab 3 aber von dem

120

hurerischen Kult des ganzen Volkes die Rede ist (Weiser). Aber muß das im Sinne Hoseas wirklich zweierlei sein? מִשְׁפָּט ist bei Hosea nicht wie bei Amos (5 7. 15 6 12) nur speziell auf das Verfahren im Tor bezogen, (vgl. 10 4), sondern umfaßt als Gabe Jahwes (2 21 6 5) die ganze Lebensordnung Israels (5 11), gerade auch hinsichtlich des kultischen Lebens vor seinem Gott (10 4 12 7, ähnlich Robinson 22). Nur dieser umfassende Sinn macht die dreifache Anrede an Priester, „Haus Israel" (s.u.S. 123) und Königshof verständlich. Sie sind am Anfang ähnlich als Verführer herausgestellt wie der Priester in 4 4–6. Auch in 3b tauchen sie, wenn auch in singularischer Anrede, nochmals als solche auf.

Die Unebenheiten werden wie in 4 4–19 nicht damit zu erklären sein, daß von Haus aus verschiedene Sprüche nachträglich komponiert sind, sondern daß prophetische Redestücke eines Auftritts ohne Übergänge und ohne Mitteilung der Einreden bald nach dem Geschehen skizziert sind. So werden der Übergang vom Botenwort zum Disputationswort und der Wechsel in den Anredeformen ebenso verständlich wie die Einheit des Themas und das Fehlen von Grenzformeln beim Übergang von Spruch zu Spruch. Zwischenreden der Hörer können wegen des eintretenden Personenwechsels und gewisser Variation des Themas vor 3. 4. 5 und 6 angenommen werden.

Die Folge der Formelemente der Prophetenworte legt es nahe, in der Skizze der Tradenten den vermutlichen Ablauf des Auftritts wiederzuerkennen. Nach der einleitenden Anrede und Selbstvorstellung des Sprechers (1a. 2b) wird der eingangs (1b–2a) nur dunkel skizzierte Tatbestand der Anklage in 3 und 4 entfaltet (meist perf.). Die Sätze 5 und 6 gehen schon zu den Tatfolgen über (meist impf.). Nach erneuter Nennung der Schuld (7a) endet der Auftritt mit einem präzisen Strafankündigungswort (7b). Der Grundton, der mit der dreigliedrigen Lehreröffnungsformel (s.u.S. 122f.) angeschlagen wird, ist der der Rechtsbelehrung. Dabei erweist sich Jahwe selbst als der Rechtslehrer und Zuchtmeister (2b) Israels. Dementsprechend treten im Gefälle der kerygmatischen Einheit Klage und Anklage zurück gegenüber dem sachlichen Aufweis von Tatbeständen und Rechtsfolgen. Während Hosea in 4 4–19 als Kläger und Ankläger im Namen seines Gottes in einen noch laufenden Prozeß eingreift (רִיב 4 4), schlägt er hier von vornherein den Ton des Verkündigers (3 Imperative 1a) auf Grund unabänderlicher Tatbestände an.

Die dichterische Struktur ist wieder (vgl. 4 4–19 s.o.S. 91f.) im ersten Teil besser bewahrt als in den abschließenden Disputationsworten. In 1–5 finden sich meist dreitaktige Reihen. In der Einleitung 1 und 2 wird je einem synonym gebauten Tripeldreier (1aα bzw. 1b–2a) ein Einzeldreier synthetisch (1aβ) oder antithetisch (2b) zugeordnet. Der Tatbestand der prophetischen Anklage wird in 3 und 4 mit synonymen (3a) oder synthetischen (4) Doppeldreiern herausgestellt; 3b fällt durch ein kürzeres zweites Glied in ebenfalls synthetischem Parallelismus auf (vgl. 6b). Die Tatfolgen werden von dem noch klaren Doppeldreier 5abα ab in unregelmäßigen Reihen verkündet, die als solche den stürmischen Höhepunkt des Auftritts erkennen lassen. Überlieferungsschäden können die Unregelmäßigkeit noch gesteigert haben.

Ort   Daß in 51-7 ein von 44-19 zu unterscheidender Auftritt festgehalten ist, geht aus dem erweiterten Adressatenkreis hervor. Neben Priestern und anderen Vertretern Israels steht hier der königliche Hof (1). Dementsprechend ist der räumliche Radius der Anklagen weiter gespannt; statt der nahe gelegenen Kultorte Bethel und Gilgal (4 15) als Knotenpunkte der Gefahr für die Bevölkerung Ephraims werden drei sehr viel weiter entfernt liegende Orte (s.u.S.124f. zu 1b-2a) besonderer Vergehen der Führerschaft genannt. Als Ort des Auftritts kommt des Hofes wegen zuerst Samaria in Betracht.

    Zeitlich wird man den Auftritt nicht weit von 44-19 entfernt sehen dürfen. Die Hauptstichworte der Anklage sind die gleichen: הזנה 3 vgl. 4 10. 18, zu רוח זנונים 4 vgl. 4 12, zu את־יהוה לא ידעו 4 vgl. 4 6, zu כשל 5 vgl. 4 5, zu den Anspielungen auf Schlachtopfer (6) und Sexualriten (7a) vgl. 4 13f., zur Unterscheidung von Verführern und Verführten (1-3) vgl. 4 6. 14 u.o.S. 91. 117. Doch wird kein Versuch mehr gemacht, Volk und Führung zu trennen. So werden wir den Auftritt 51-7 bald nach 44-19 vermuten. Es spricht nichts dagegen, beide Überlieferungskomplexe in Hoseas Frühzeit, noch in den Tagen der Dynastie Jehus, anzusetzen (Deden). Das in 7b angekündigte Gericht könnte eine ähnliche Katastrophe wie 2 11-15 aus der gleichen Zeit meinen.

    Die Vermutung Alts (KlSchr II 187[1]), 51-2 setze den Ausgang des syrisch-ephraimitischen Krieges voraus, geht von der Annahme aus, 1-2 sei ein selbständiger Spruch neben 3-4 und 5-7, und Mizpa, Tabor und Schittim seien politische Zentren der inzwischen von Tiglatpileser III. annektierten Landschaften. Abgesehen davon, daß letzteres schwerlich zu erweisen und die Trennung von 3ff. unwahrscheinlich ist (s.o.S. 120f.), erweckt das Wort als genuines Hoseawort weniger den Eindruck nachträglicher Geschichtsdeutung als vielmehr aktueller Verkündigung, die Jahwes Wort und Tat gegen noch durchaus akute Schuld ansagt. Dann aber wird man der erwähnten Orte wegen gerade 5 1f. keinesfalls nach dem syrisch-ephraimitischen Krieg ansetzen dürfen (ähnlich Budde).

Wort   Der dreigliedrige Aufruf zum Hören läßt ein solennes Wort erwarten.
5 1 Mit solchen mehrgliedrigen Aufrufen beginnen die alten Sänger ihre Lieder (Ri 5 3 Gn 4 23) und vor allem die Weisheitslehrer ihre Sprüche (Prv 7 24 Ps 49 2 Jes 28 23 Dt 32 1; vgl. die Eröffnung der Sprüche des Amen-em-ope Kap. 1 [AOT 39; ANET 421] und die babylonische Klage eines Weisen über die Ungerechtigkeit der Welt Kap. XXV [AOT 290; ANET 440]). Die Form wurde von daher speziell zur Eröffnung der Rechtsbelehrung verwandt (Prv 4 1 Hi 13 6 33 1. 31 34 2. 16 Jes 49 1 51 4)

und ist so auch Auftakt prophetischer Worte geworden (Jes 1 2.10 32 9 Mi 1 2 Jer 13 15 Jl 1 2). Zur Topik dieses Aufrufs gehört neben den unten genannten parallelen Aufforderungen zum Hören hervorragend das Stichwort משפט (1aβ; vgl. Jes 28 23–26 32 9–16 Hi 34 2–6. 16f. Jes 49 1–4 51 4); vgl. תורה Prv 4 2 Jes 1 10 51 4, ירה hi. Jes 28 26, יכח hi. und ריב Hi 13 6, aber auch מוסר bzw. יסר pi. (2b vgl. Prv 4 1 Jes 28 26) und ידע (לא) (4b; vgl. Hi 33 1–3 34 2–4 Jes 1 2f). Der aufgezeigten formgeschichtlichen Herkunft und der Topik wegen möchten wir den Doppelaufruf zum Hören nicht mit LKoehler (Deuterojesaja stilkritisch untersucht: ZAW Beih 37, 1923, 111f.) den „Zweizeugenruf" nennen, sondern den Lehr-eröffnungsruf. Sekundär kann sie dem Zeugenaufgebot (z.B. Jes 1 2; vgl. Dt 31 28b) dienen. Wer als Prophet so zu reden beginnt, tritt vornehmlich mit dem Anspruch des (höfischen) Rechtslehrers auf, der nicht immer von dem des Anklägers zu unterscheiden ist. Hosea braucht die Formel nicht zur Einführung eines nachfolgenden Gotteswortes (wie Jes 1 2. 10 Jer 13 15), geschweige denn einer Prophetenrede (Jes 28 23), sondern stellt sie schon in die Gottesrede selbst, bezeugt also seinen Gott als den Rechtslehrer Israels. Der Lehreröffnungsruf ist fast immer zweigliedrig שמעו//הקשיבו) Mi 1 2 Jes 28 23b Hi 13 6 33 31 Prv 4 1 7 24 Jes 49 1; שמעו//האזינו Dt 32 1 Ri 5 3 Jes 1 2. 10 28 23a 32 9 Jer 13 15 Jl 1 2 Ps 49 2 Hi 34 2, vgl. Gn 4 23; האזינו//הקשיבו Jes 51 4). Die Dreigliedrigkeit darf also in unserem Hoseawort keinesfalls von einem Formzwang her gedeutet werden.

Sie muß vielmehr von drei verschiedenen Gruppen der Angeredeten her verstanden werden, von denen der Prophet keine aus der Aufmerksamkeit entlassen kann. Die Anrede des בית ישראל zwischen Priestern und Königshof kann daher sicher nicht als Füllsel und ebensowenig auf das Volk schlechthin gedeutet werden, eher könnte der Formzwang der Dreitaktigkeit der Reihen zu einer abgekürzten Redeweise geführt haben. Von Mi 3 1.9 her kann man an die קציני בית ישראל (ראשי), von 1 S 11 3 1Kö 21 8 Dt 19 12 her für das Nordreich noch eher an die זקני בית ישראל als für den משפט verantwortliche Sippenhäupter denken, die sich gelegentlich versammelten (vgl. 12 1 10 15 cj. 1 4. 6; ferner Dt 31 28; vgl. Noth, GI 104, auch FHorst, EvTh 10, 1951/52, 267f.; für die nachexilische Zeit vgl. Jl 1 2 und BK XIV/2, 28f.); dagegen sollte man nicht an die שרים (Lindblom, Lippl, Robinson) denken, die vielmehr zum בית המלך hinzugehören dürften (3 4 7 3. 5; vgl. Jer 26 10. 17), und noch weniger an die נביאים (Richter, Procksch, BHK), die Hosea nie unter seinen Gegnern nennt (vgl. 6 5 9 7 12 11. 14; zu 4 5 s.o.S. 95f.).

Hosea spricht Priester, Sippenhäupter und Hof auf ihre gemeinsame Verantwortung an: „denn euch obliegt der משפט", vgl. Jer 4 12 39 5. Aus der syntaktischen Parallele Dt 1 17aγ (vgl. Jer 32 7 Ez 21 32) geht hervor, daß der Sinn nicht sein kann: „euch gilt der (folgende) Urteilsspruch" (Nowack, Greßmann, Schumpp). Jeder der drei Führungskreise ist in seiner Weise für den משפט mitverantwortlich. Den Priestern obliegt nach Hosea die Verkündigung des Gottesrechts (vgl. 4 6 mit 4 1f u.o.S. 97f., dazu Horst a.a.O. 268: דעת אלהים und דעת משפט gehören zusammen, Jer 9 3. 6 22 15f. Dt 33 10). Die Sippenhäupter haben für die Ortsgerichtsbarkeit im Tor zu sorgen (1 Kö 21 8ff. Rt 4 2ff.). Der Hof ist vielleicht oberste Gerichtsinstanz (2 Kö 15 5), hat aber vor allem das Recht Israels gegenüber feindlichen Übergriffen zu verteidigen (5 11). Hosea denkt an das Miteinander der Instanzen und also bei dem ihnen gemeinsam (vgl. Hi 34 4) anvertrauten משפט an die rechte heilsame Lebensordnung im Ganzen, die mit dem Recht Jahwes in Israel gegeben ist (12 7 6 5, s.o.S. 64 zu 2 21).

Diese Verantwortung haben die Führungskreise nicht wahrgenommen. Statt das friedliche Leben in Israel zu fördern, haben sie das Volk 5 1-2 listig gefangen. In drei Bildern aus dem Jagdleben werden sie als Zerstörer der Freiheit Israels hingestellt. פח ist die Falle, die vornehmlich den Vögeln gestellt wird (Am 3 5 Ps 124 7 Prv 7 23); רשת wird ebenfalls als Netz für den Vogelfang ausgespannt (7 12), doch auch Löwen werden Fangnetze gelegt (Ez 19 8). שחת wird als Fanggrube für allerlei Wild, Gazellen, Füchse oder Hasen gegraben, auch für Löwen nach Ez 19 4; je tiefer sie ist, desto sicherer ist der Fang (vgl. Prv 22 14 23 27). Zu den Fanggeräten vgl. Dalman, AuS VI 322f. 334–340.

Die Führer Israels wirken (הייתם) wie solche Fallen, Netze und Gruben; das will sagen: sie rauben Freiheit und Leben. Es wird nicht gesagt, welche Menschen insbesondere betroffen werden (vgl. 9 8). Stattdessen werden drei Orte angeführt. Mizpa könnte die an der Grenze gegen das Südreich, 13 km n von Jerusalem gelegene Festung sein (*tell en-naṣbe*); vgl. Alt, ZDPV 69, 1953, 1ff.; zum Problem des Grenzverlaufs vgl. A Jepsen, Die Quellen des Königsbuches (1953) 97 und u. S. 143 zu 5 8. Für Hos 5 1 denkt auch FM Abel, Géographie de la Palestine II (1938) 388f. an das benjaminitische Mizpa. Daß die „Falle für Mizpa" ein dort erbauter Astartetempel war, hat sich bei den amerikanischen Ausgrabungen nicht nachweisen lassen. Vgl. J Hempel, ZAW 53 (1935) 302; CC McCown-JC Wampler, *Tell en-naṣbeh* excavated under the direction of the late William Frederic Badè I (1947) 8. Dagegen belegt eine große Anzahl aufgefundener Astarte-Statuetten vom Typ des 8. Jh. (Mittel-Eisenzeit), daß die Fruchtbarkeitskulte hier blühten (McCown-Wampler a.a.O. 245ff.). Es könnte auch an Mizpa in Gilead (Ri 11 29 = *el-mischrefe* n von Gilead, vgl. Noth, ZDPV 73, 1957, 32f., oder *tell ramīt* n des Jabbok, vgl. N Glueck, AASOR 25–28, 1951, 100ff.) gedacht werden, was jedoch für Hosea an dieser Stelle ferner liegt, zumal mit Schittim schon ein Ort des Ostjordanlandes erwähnt wird: *tell el-ḥammām* am östlichen Gebirgsrand des Jordangrabens gegenüber Jericho; vgl.

NGlueck, AASOR 25–28 (1951) 378. Mit ihm wäre an den 9 10 erwähnten Abfall zum Baal Peor (Nu 25 1ff.) erinnert, der eine Erneuerung
erlebt haben könnte. Schittim gehörte jedenfalls in Jerobeams II. Tagen
zum Reiche Israel (Noth, BBLAK 68, 1951, 49f.). Auch der Tabor, der
500 m hoch am Nordostrande der Jesreelebene aufragende Bergkegel des
dschebel eṭ-ṭōr (WAT³ 16. 23), könnte als Stätte besonderen gottesdienstlichen Vergehens Israel vom rechten Gottesdienst weggelockt haben;
vgl. Dt 33 19, auch Ri 4 6. 12. 14 setzt den Tabor als heiligen Berg voraus;
vgl. HWHertzberg, JPOS 8 (1928) 174–176. OEißfeldt, Der Gott des
Tabor und seine Verbreitung: ARW 31 (1934) 14–41 nennt griechische
Zeugen für einen Baal Tabor (Ζεὺς 'Ιταβύριος, Sanchunjaton bei Philo
Byblius, FHG III, fr. 2, 7, 566); vgl. auch FMAbel, Géographie de la
Palestine I (1933) 353ff. und JBoehmer, ZS 7 (1929) 161–169. Doch haben
wir keine Gewißheit, welche Zerstörung des „Rechts" sich die „Rechts-
wahrer" an den drei Plätzen zuschulden kommen ließen. Die Fortsetzung
legt es nahe, in erster Linie an das kultische Gebiet zu denken. Dann
würden auch die in allen drei Fällen gemeinsamen Jagdbilder verständlich: die Führer haben das Volk verlockt. Der Bildwahl könnte die bittere
Erfahrung Hoseas von 4 15–19 zugrunde liegen, daß das Volk hoffnungslos
von seinen Verführern eingefangen ist (s.o.S. 114).

Aber Israels Führung soll hören, daß Jahwe als der Herr Israels 5 2
nicht dazu schweigt. Er selbst stellt sich als der מִיסָּר für sie alle vor (s.o.
Textanm. 2e). Mit diesem Wort, dessen Wurzel auch in der massoretischen
Überlieferung (מוסר) bewahrt ist, erscheint Jahwe als der Erzieher Israels, der seinen משפט durchsetzen wird (6 5). Diese Selbstvorstellung
macht erst die Solennität der dreigliedrigen Lehreröffnungsformel voll
verständlich. Die Wurzel יסר gehört zum Wortschatz der Erziehung in
der Familie (Dt 8 5 21 18 Prv 4 1 19 18), insbesondere bezeichnet sie die
Arbeit des Vaters am Sohn zunächst durch lehrhafte Unterweisung
(Prv 31 1 Dt 8 5; vgl. 4 36), dann auch durch Strafen. Im letzteren Sinne
verwendet sie Hosea, ohne doch den erziehlichen Grundsinn auszu-
schalten; sie ist geeignet, einen typischen Wesenszug des von ihm verkündeten Gottes zu markieren (vgl. 11 1ff.). Jahwe setzt wohl die rechte
Lebensordnung durch (vgl. Jes 28 26 Jer 10 24 30 11 46 28), ist damit aber
eben auf das Leben, nicht auf den Tod der Gezüchtigten aus (Jer 30 11
Ps 118 18), weil „Züchtigung" den neuen Gehorsam zum Ziel hat (Dt
4 36 8 5f. 21 18 Prv 4 1f. 19 18). So wird יסר ein Kennwort hoseanischer Theologie (vgl. 7 12. 15 10 10; zur Sache vgl. 2 8f. 16f. 3 4f. und JASanders,
Suffering as Divine Discipline in the Old Testament and Post-Biblical
Judaism: Colgate Rochester Divinity School Bulletin 28, 1955, 7f. 41f. 117).

3a schließt ohne Kopula unter betonender Voranstellung des Subjekts 3
perfektische Aussagen an; sie konstatieren die Voraussetzungen für
Jahwes Erziehungswerk, vielleicht nachdem ein Zwischenruf Hoseas

Information über die zitierten, entfernt liegenden Orte bestritten hat. Jahwe ist vertraut mit Israels Geschick. Er unterliegt nicht jenen Täuschungen, mit denen das Vogelfängerwerk der Verführer Israels arbeitet. Zur Parallele Ephraim-Israel s.o.S. 115.

3b nennt den Gegenstand seiner Kenntnis, der zugleich Ursache seines angekündigten Erziehungswerks ist. Dabei erwähnt bα nochmals das Werk der Verführer, in direkter Anrede wie 1b. 2a, doch im Singular (ist der Zwischenrufer gemeint? zur Anrede eines einzelnen vgl. 4 4–6) und jetzt ohne Bild: der betrügerische Volksfang besteht im hurerischen Gottesdienst. זנה hi. steht hier wie in der Regel mit persönlichem Objekt (anders 4 10. 18; s.o.S. 101). bβ nennt das Ergebnis des Verführungswerks im Volk; טמא ni. (auch 6 10; vgl. 9 4 hitpa.) bezeichnet das kultische Schuldigwerden Israels, wie אשם sein kultisches Straffälligwerden (s.o.S. 112f. zu 4 15). Hoseas kultische Terminologie entspricht seinem positiven Leitbild vom Priestertum und seinem Kontakt mit oppositionellen Priestergruppen (s.o.S. 97f.).

54 An die Stelle der Botenrede mit dem Ich Jahwes tritt nun das prophetische Disputationswort. 4 betont zunächst, daß die Verderbnis, in die Israel gebracht wurde, irreparabel ist. Damit wird die bittere Erfahrung mit dem Volk 4 16ff. (im Auftritt 4 4–19) zum Gegenstand der Rechtsbelehrung vor der Führung Israels. Die Unverbesserlichkeit Israels wird Thema. „Umkehr" von den Götzen zu Gott ist für Hosea keine menschliche Möglichkeit mehr (s.o.S.43f.und 79 zu 2 9 und 3 5). „Ihre Taten" haben diese Möglichkeit geraubt. Vollzogener Abfall nimmt die Freiheit; נתן heißt „zulassen", „freigeben" auch Gn 20 6 Ez 4 15; zur Sache vgl. 7 2. Der im Kult erzeugte Rausch der Täuschung bringt Orientierungsunfähigkeit mit sich (vgl. 4 11f. und o.S. 104f.). מעללים bezeichnet bei Hosea nur die bösen Taten Israels (7 2 9 15; vgl. 12 3 4 9).

Warum Israels Taten die conversio verhindern, klärt b. „Hurengeist" waltet בקרבם. Das heißt nicht: „er beseelt sie" (Nötscher), sondern „er waltet in ihrer Mitte", so gewiß die Führungsschicht inmitten Israels wirkt. קֶרֶב ist hier nicht das „Innerste" des einzelnen Menschen, (das ist für Hosea לֵב, s.o.S. 104f.), sondern die „Mitte" des Volkes wie Gn 24 3 Nu 5 27 1 S 16 13. So wie vorher die Führer als Verführer Israels bezeichnet sind (1b. 2a. 3b), so regiert der Hurengeist in Gestalt der Führung wie eine Fremdmacht mit ihren Täuschungsmanövern inmitten Israels (vgl. 4 12b; התעה; s.o.S. 105). Indem sie als רוח זנונים vorgestellt wird, ist sie in ihrer unwiderstehlichen und unbezwinglichen Aktion bezeichnet. Die Auswirkung ist, daß Israel „Jahwe nicht kennt". Warum sagt Hosea nicht „liebt"? Wäre אהב nicht besserer Kontrastbegriff zu זנה als ידע? אהב mit menschlichem Subjekt ist Israels Liebe zum Baalkult vorbehalten (4 18 9 1 8 9 2 7. 9. 12. 14f. 3 1 und o.S. 75). ידע aber kennzeichnet jenes Verhältnis zu Jahwe, das der rechte Priesterdienst vermitteln sollte

(4 1.6 6 6). Der Hurengeist der Priester, der offenbar in gleicher Weise die Ältesten und den Hof beherrscht, hat Israel um die Kenntnis seines Gottes, dessen Heilstaten (1 13 2 10) und dessen Wegweisung gebracht (4 1) und damit um den heilvollen Kontakt mit Jahwe. Die Zurechtweisung der Verantwortlichen hat damit den entscheidenden Punkt erreicht, der mit den Jagdbildern vom Abfangen (1 b. 2 a) nur bildhaft und in den Stichworten Hurerei und Unreinigkeit (3) nur indirekt bezeichnet war: die Verführer haben Israel endgültig von seinem Gott getrennt, so daß Umkehr zu (dem unbekannt gewordenen) Gott der gegenwärtig geübten Lebenspraxis wegen unmöglich ist.

Der Zeuge des Züchtigers Israels klärt die Rechtslage weiter. Viel- 5 5 leicht hat ein verächtlicher Zwischenruf das neue Wort vom „Hochmut Israels" herausgefordert. Vgl. auch 7 10. An eine solche Gegenrede erinnert ב עֲנָה, das die belastende Aussage eines dem Schuldigen konfrontierten Zeugen bezeichnet (Ex 20 16 Nu 35 30 1 S 12 3 2 S 1 16 Hi 32 12; vgl. LDelekat, VT 14, 1964, 39 f.). Die Verteidiger belasten sich selbst (בְּפָנָיו). Die Hybris Israels und seiner Honoratioren ist endgültiger Beleg für die verkündete Wahrheit: sie beweist die Unbekehrbarkeit der Hörer.

5 b führt das Thema von 4 a vollends durch: die Taten Israels geben nicht nur die Rückkehr zu Jahwe nicht mehr frei, sie werden auch zum Selbstgericht: „über ihre Schuld stolpern sie" wie über ein Fallnetz, vgl. 4 5 14 2. 10, ferner 4 9 12 3. 15 und o. S. 95 und 103, zum Bild vgl. Prv 29 5 f. Die böse Tat bedarf keines strafenden Vergeltens; sie bestraft sich selbst, so gewiß die Abkehr von Gott die Abwendung vom heilvollen Leben ist; vgl. Ez 4 17. Der judäische Glossator in b β erinnert daran, daß das, was Israel galt, ebenso dem Gottesvolk späterer Generationen am anderen Ort gilt (ebenso zu 4 5 und 15).

Vielleicht hat die stolze Einrede (s. zu 5 a) auf die Vielzahl von Op- 6 fertieren hingewiesen, mit denen man zu den Kultstätten zieht und „Jahwe sucht" (vgl. 1 S 15 14. 21). Für Hosea gehört aber das Schlachtopferwesen auf die Schuldseite Israels (4 8. 13). Im baalisierten Opferkult ist „das Opfer aus einem Zeichen der äußersten Hingabe zu einem Loskauf von aller wirklichen Hingabe" geworden (MBuber, Glaube der Propheten, 171). So wird dem Aufsuchen Jahwes kein Finden entsprechen (vgl. dagegen 3 5 und o. S. 79). Vielleicht klingen in der Rede vom „Suchen und (Nicht-) Finden" spezifische Züge des Baalmythos vom abwesenden Gott mit (vgl. Gordon, Ug. Manual 49: IV: 44 [bqṯ!]; Ug. Lit. 46; für den Ištarkult AOT 206 ff.; für den Osiriskult RÄRG 569 und HGreßmann, Tod und Auferstehung des Osiris: AO 23, 3, 1923, 3 ff.), wie Hosea auch sonst auf die Sprache kanaanäischer Riten polemisch eingeht; zu 2 4–17 s. o. S. 40 f.; vgl. HGMay, The Fertility Cult in Hosea: AJSL 48 (1932) 77. Jedenfalls geht die Rede vom Suchen und Finden Gottes im AT nicht erst auf Jeremia (5 1 29 13) und das Deuteronomium (4 29) zurück (so Fohrer, VT 5, 1955, 244), sondern auf Hosea (2 9 5 6; vgl. Am 8 12b). Man gibt vor, „Jahwe" zu meinen im hurerischen Kult (vgl. 2 18f. und 4 15b). Jahwe aber läßt sich nicht nach kultischen Terminen finden, sondern nur in seiner Freiheit. „Er hat sich ihnen entzogen". חלץ bezeichnet sonst (transitiv) das Ausziehen von Kleidungsstücken (Dt 25 9f. Jes 20 2), nur hier (intransitiv) das Ausziehen = Sichentziehen einer Person. Die Aussage ist aber eben im Blick auf Jahwe durchaus hoseanisch (vgl. 5 15a). Mit diesem Satz nennt der Zeuge des „Erziehers" Israels (2b) eine erste Zuchtmaßnahme (vgl. 15 2 9f. 16f.), deren Folge 7b ausführt. Man kann Jahwe nicht finden wollen, indem man sich faktisch von ihm entfernt (4). So stolpert man über seine Schuld (5b). Bleibt Israel nicht den falschen Kultstätten fern (4 15), so entfernt sich Jahwe von ihm.

5 7   a verdeutlicht mit neuen Worten die Schuld des Abfalls. Im wiederholten Schuldaufweis (vgl. 3b–5) zeigt sich das erziehliche Moment des prophetischen Wortes. בגד ב bezeichnet das bundbrüchig treulose Handeln Israels (auch 6 7), wie in 4 10 עזב. Es besteht im „Zeugen fremder Kinder". Damit werden die Sexualriten noch einmal bei Namen genannt. Denn die בנים זרים sind die im „Umgang mit Fremden" im fremdartigen Kult gezeugten Kinder (vgl. 4 13f. Jes 2 6b Jer 2 25 und o.S. 108ff.). Das Wort זר hat einen lebhaften Gefühlswert; es bezeichnet nicht nur den Ausländer als solchen (7 9 8 7 Jes 61 5), sondern überhaupt das Fremdartige gegenüber der Verbundenheit Israels mit seinem Gott (8 12 Jes 1 4 Jl 4 17). Bei Hosea ist der ethisch-kultische Ton stärker als der ethnisch-politische; vgl. LASnijders, The Meaning of זר in the OT: OTS 10 (1954) 1–154; ferner PHumbert, La femme étrangère du livre des Proverbs: RES (1937) 49–64; ders., Les adj. zâr et nokri: Mélanges Syriens I (1939) 275ff. in Auseinandersetzung mit GBoström (s.o.S. 13). בנים זרים und ילדי זנונים bezeichnen anscheinend für Hosea synonym „Kinder, die ihr Leben dem fremden Kult verdanken" (s.o.S. 15). Wenn 2a an Schittim erinnert, so ist jedenfalls für diesen Ort von 9 10 Nu 25 1ff. her deutlich, daß Hosea von Anfang an in diesem Auftritt die Führer Israels vor allem hinsichtlich der Sexualriten der Verführung bezichtigt; vgl. הזנית 3b; רוח זנונים 4b.

     b kündigt diesem ganzen Treiben abschließend die Strafmaßnahme Jahwes an. Die Zeile, von 𝔊 nicht übersetzt, gehört zu den dunkelsten des Hoseabuches. Wenn man den massoretischen Text für ursprünglich hält, dann kann man einen alten, uns nicht mehr erkennbaren Zusammenhang zwischen dem Neumondfest und den Sexualriten annehmen (so GBoström 124 mit wenig überzeugendem Hinweis auf Jer 2 24) und etwa daran denken, daß an einem Neumondtag Kinderopfer dargebracht wurden (vgl. 2 13 13 2 und OEißfeldt, Molk als Opferbegriff im Punischen und Hebräischen, 1935), so daß die illegitimen Kinder nach Jahwes Willen an einem Neumondfest sterben mußten (vgl. auch LRost, Festschrift Bertholet, 1950, S. 456f.). Doch das hoseanische Wort klingt nicht wie die Deutung eines feststehenden Brauchtums, sondern wie eine unheimliche Drohung. Sie läge vor, wenn man den Tod der „legitimen Kinder" (so deutet Nyberg חלקיהם) als Strafe für das Erzeugen der fremden Kinder angekündigt sehen dürfte. Aber חלק ist in diesem Sinne weder zu belegen noch zu erwarten, meint es doch immer den sachlichen Besitzanteil, meist am Ackerland. Zudem macht selbst Nyberg das Suff. in יאכלם neben dem Objekt את־חלקיהם Schwierigkeiten (er will es dativisch deuten: „das Neumondsfest verzehrt ihnen...''); die Übersetzung „Der Neumond wird sie mit ihren legitimen Kindern fressen" kommt schließlich gerade für unseren Zusammenhang schwerlich in Betracht, da der „Erzieher" Jahwe kaum mit dem Tode bedrohen will. Die Deutung wäre erleichtert, wenn חדש eindeutig als Bezeichnung des Neujahrsfestes verstanden werden dürfte, so daß der Tag der Ankündigung neuer Fruchtbarkeit vom Propheten als Tag des Anbruchs großer wirtschaftlicher Not verkündet würde; vgl. ACaquot, Remarques sur la fête de la néoménie dans l'ancien Israel: RHR 158 (1961) 1–18; EJacob, L'Héritage cananéen: RHPhR 43 (1963) 257. Da dies Verständnis undeutlich bleibt, zumal Caquot 16 חדש als Akkusativ der Zeitbestimmung deuten muß („Er – Jahwe – wird ihre Felder am Neujahrstag verschlingen"), wird man wahrscheinlich den 𝕲-Text für ursprünglich hälten müssen, der eine Heuschreckenplage ankündigt (s. Textanm. 7a), also eine mit 2 11–15 vergleichbare Katastrophe. Klar ist in dem dunklen Spruch, daß der Prophet Jahwes Zucht in der Gestalt eines unheimlichen Geschehens anzeigt, in dem Israel erfährt, daß Jahwe, der Gott des Heils und des Lebens, nicht in den Riten des Baalkultes zu finden ist (6).

Das Ziel der Züchtigung Jahwes wird in diesem Auftritt nicht sichtbar   Ziel (vgl. aber 2 9 3 5), sondern in der Hauptsache ihr Grund und ihre Notwendigkeit, nur am äußersten Rande die Maßnahmen. Der Gott Israels begegnet in seinem Propheten den Führern Israels als der παιδευτής (2 𝕲), der sie für den unverbesserlichen Abfall Israels von seinem Gott (1–3) verantwortlich macht. Im Stil feierlicher Rechtsbelehrung müssen sie erfahren, daß Jahwe um die Unumkehrbarkeit der Taten weiß. Sie ist zentrales Thema des Auftritts, wahrscheinlich durch die abschließende Erfahrung des vorigen Auftritts (4 16ff.) verursacht. Die Praktiken des falschen Kultes (4–7a) sind nicht Bosheiten, von denen sich Israel selbst wieder abwenden könnte. Denn sie haben die Israelsöhne des Zieles echter Rückkehr beraubt: sie kennen Jahwe nicht mehr (4b), er hat sich ihnen entzogen (6b). So fallen sie ihrer Schuld zum Opfer. Conversio und renovatio sind, sofern die Schuld im „Hurengeist" falscher Liebe wurzelt, nicht mehr Sache des Menschen. Unüberhörbar prägt eben das der Zuchtmeister Israels ein; vgl. Jer 13 23 Joh 8 34 Rm 6 6 Hb 6 4–6. Es ist sinnlos geworden, seinen guten Willen anzusprechen (2 4f. 4 15). Dennoch überläßt der Gott Israels sein treuloses und unverbesserliches Volk nicht sich selbst, sondern spricht es durch seinen Propheten an. Aber nicht mit dem Ruf zur Besserung; vielmehr tritt neben die feierliche Rechtsbelehrung über die Schuld vor allem die Ansage der Folgen der bösen Tat (5-7), die trotz aller kultischen Bemühungen Unheil bedeuten. Der Hintergrund dieser harten Folgen wird nur angedeutet in der Bezeugung der neuen Verhaltensweise Jahwes, der sich und sein Heil zurückzieht (6b. 7b). Daß dieses sein Tun die Umkehr bringen könnte, wird nicht hier gesagt, sondern 3 3ff. (2 8f.). Die Botschaft dieses Auftritts hat ihren Akzent darin, daß der verstoßene Gott die Schuldverstrickung seines treubrüchigen Volkes und deren Folgen aufdeckt. Gottes Volk soll sehen, daß es sich nicht selbst von seiner Schuldgeschichte lösen kann und daß es ohne die züchtigende Tat Gottes den Fallen der Verführer hoffnungslos ausgeliefert bliebe (Hb 12 4-11). Daß Gott sein unbelehrbares Volk rettet, wenn er selbst sich ihm entzieht, das sagt erst das Evangelium von Jesus Christus (Joh 16 16ff.). Doch es gibt auch Verführung vom Evangelium weg. Wer immer zu einer für das Evangelium von Jesus Christus taub gewordenen Generation gesandt ist, sollte Hos 5 1-7 meditieren und sich von Hosea sowohl die ersten Adressaten zeigen als auch sich selbst vom falschen Bekehrungseifer heilen lassen, vielmehr neben die nüchterne Lehre über die Tatfolgen die Ankündigung der neuen Tat Gottes stellen.

UMKEHR IM ZUSAMMENBRUCH?
(5 8–7 16)

WWBaudissin, Adonis und Esmun (1911) 403–416. – KBudde, Hosea 7 12: Literatur
ZA 26 (1912) 30–32. – PHumbert, Der Deltafürst So' in Hosea 5 11: OLZ 21
(1918) 224–226. – AAlt, Hosea 5 8–6 6, ein Krieg und seine Folgen in prophetischer Beleuchtung (1919): KlSchr II 163–187. – HSchmidt, Hosea 6 1–6: Sellin-Festschrift (1927) 111–126. – WBaumgartner, Der Auferstehungsglaube im
Alten Orient: ZMR 48 (1933) 193–214 = Zum AT und seiner Umwelt (1959)
124–146. – KBudde, Zu Text und Auslegung des Buches Hosea (6 7–7 2): JBL
53 (1934) 118–133. – SSpiegel, A Prophetic Attestation of the Decalogue:
Hosea 6 5 with some Observations on Psalms 15 and 24: HThR 27 (1934)
105–144. – PRuben, Hosea 7 1–7: AJSL 52 (1936) 34–40. – JJStamm, Eine
Erwägung zu Hosea 6 1–2: ZAW 57 (1939) 266–268. – IZolli, Hosea 6 5: ZAW
57 (1939) 288; ders., Note on Hosea 6 5: JQR 31 (1940/41) 79–82. – NHTorczyner, Gilead, a City of them that Work Iniquity: BJPES 11 (1944) 9–16. –
FKönig, Die Auferstehungshoffnung bei Osee 6 1–3: ZKTh 70 (1948) 94–100. –
GRDriver, Hosea 6 5: VT 1 (1951) 246. – ThHGaster, Zu Hosea 7 3–6. 8–9:
VT 4 (1954) 78f. – FNötscher, Zur Auferstehung nach drei Tagen: Bibl 35
(1954) 313–319. – RBach, Die Aufforderungen zur Flucht und zum Kampf
im atl. Prophetenspruch: Wiss. Monogr. z. A und NT 9 (1962) 59ff. – S. auch
o.S.119 (Literatur zu 5 1–7).

Text

5 8 Stoßt ins Horn zu Gibea,
in die Trompete zu Rama!
Alarmiert Beth-Awän,
'schreckt' Benjamin 'auf'! [a]
9 Ephraim wird verwüstet
am Tage der Züchtigung.
In Israels Stämmen
verkünde ich, was feststeht.

10 Judas Führer handeln
wie Leute, die Grenzen verrücken [a].
Über sie schütte ich aus
wie Wasser meine Wut.

11 Unterdrückt [a] ist Ephraim,
mißhandelt das Recht.
Denn es war erpicht,
dem Nichts [b] zu folgen [c].
12 Aber ich bin wie Eiter [a] für Ephraim,
wie Fäulnis für Judas Haus.
13 Als Ephraim seine Schwäche sah
und Juda seine Eiterwunde,
da ging Ephraim nach Assur
und schickte zum Großkönig [a].
Doch er, er kann euch nicht heilen,

euch nicht helfen von eurem Geſchwür.
¹⁴Denn ich bin wie ein Löwe für Ephraim,
    wie ein Jungleu für Judas Haus.
Ich, ich zerreiße und gehe,
    ſchleppe weg, und keiner entreißt.
¹⁵Ich zieh mich zurücka an meinen Platz,
    bis ſie 'verwüſtet ſind'ᵇ und mein Antlitz ſuchen.
Wenn ſie in Not ſind, werden ſie nach mir fragen.ᶜ

6¹„Kommt, wir wollen zurück zu Jahwe,
    denn er zerriß, er wird uns heilen;
        ᵃer ſchlug, er wird uns verbinden, ²wird uns am Leben erhaltenᵃ
Nach zwei Tagen, am dritten Tage
    wird er uns aufſtehen laſſen, daß wir leben vor ihm.
³Laßt uns erkennenᵃ, ja drauf aus ſein,
    zu erkennen Jahwe.
Wie das Morgenrot (kommt, ſo) feſt ſteht ſein Aufbruchᵇ.
    Er kommt uns ſo ſicher wie der Regen,
        wie Spätregen, der das Land 'labt'ᶜ.“

⁴Was ſoll ich dir tun, Ephraim?
    Was ſoll ich dir tun, Juda?
Da dein Bundesſinn wie Morgennebel,
    wie Tau, der früh verſchwindet.
⁵Drum ſchlag ich drein durch Prophetenᵃ,
    erſchlage ſie durch meines Mundes Worte.
        'Mein'ᵇ Recht bricht dann 'wie'ᵇ Licht hervor.
⁶Denn Bundesſinn will ich, nicht Schlachtopfer,
    Wiſſen um Gott ſtatt Brandopfer.
⁷Aber ſie, ſie brachen 'in'ᵃ Adam den Bund,
    dort wurden ſie mir untreu.
⁸Gilead iſt eine Stadt von Übeltätern,
    'deren Fußſpuren'ᵃ blutig ſind.
⁹'Es lauert wie'ᵃ ein Räuber
    die Rotte der Prieſter.
Unterwegs nach Sichem morden ſie,
    ja, ſchändlich handeln ſie.
¹⁰Im Hauſe Iſraelᵃ ſah ich Gräßliches.
    [Da geſchieht die Unzuchtᵇ Ephraims,
        es beſchmutzt ſich Iſrael.]ᶜ
¹¹[Auch dir, Juda, hat man eine Ernte gerichtet.]ᵃ

Sooft ich das Geſchick meines Volkes wendeteᵇ,
  7¹ſooft ich Iſrael heilte,
zeigte ſich Ephraims Vergehen
    und Samariens 'Bosheit'ᵃ.
Denn ſie handeln trügeriſch:
    Der Dieb dringt ein,ᵇ
        und draußen zieht die Räuberbande los.
²Aber ſie machen ſich nicht klarᵃ,
    daßᵇ ich all ihrer Bosheit gedenke.

132

Jetzt umzingeln sie ihre Taten,
   vor meinem Angesicht wirken sie sich aus.

³Mit ihrer Bosheit beglücken sie ᵃ einen König,
   mit ihren Lügen Beamte.
⁴Sie alle treiben Ehebruch ᵃ,
   'sie' ᵇ sind wie ein Ofen, der ohne Bäcker brennt;
der hört auf zu heizen,
   vom Kneten des Mehlteigs, bis er durchsäuert ist.
⁵Den Tag 'ihres' ᵃ Königs 'beginnen' ᵇ die Fürsten damit,
   daß 'sie sich erhitzen' ᶜ vom Wein,
      dessen Gewalt die Schwätzer ᵈ hinreißt ᵉ.
⁶Denn sie sind 'entflammt' ᵃ wie ein Backofen,
   ihr Herz 'brennt in ihnen' ᵇ.
Die ganze Nacht schläft ihre 'Leidenschaft' ᶜ,
   am Morgen brennt sie lichterloh.
⁷Sie alle sind erhitzt wie ein Ofen,
   sie fressen ihre Richter.
All ihre Könige stürzen.
   Von ihnen ruft keiner mich an.

⁸Inmitten der Völker
   läßt Ephraim sich verrühren.
Ephraim ist ein Kuchen,
   der ungewendet ᵃ bleibt.
⁹Fremde fressen seine Kraft,
   aber er selbst merkt es nicht.
Auch graue Haare haben sich bei ihm eingeschlichen ᵃ,
   aber er selbst merkt es nicht.

¹⁰[Israels Stolz zeugt ins Gesicht gegen ihn selbst.] ᵃ
Und sie kehren nicht um zu Jahwe, ihrem Gott,
   nicht suchen sie ihn [bei alledem] ᵇ.

¹¹'' ᵃ Ephraim ist einer Taube gleich,
   die sich verleiten läßt, ohne Verstand.
Ägypten rufen sie,
   nach Assur laufen sie.
¹²So wie sie laufen,
   werfe ich über sie mein Netz.
Wie Vögel des Himmels hole ich sie herunter.
   Ich züchtige sie ᵃ entsprechend der Kunde von ihrer 'Bosheit' ᵇ.

¹³Weh ihnen ᵃ, sie fliehn ja vor mir!
   Nieder mit ihnen, sie begehren ja auf wider mich!
Und ich, ich soll sie loskaufen?
   Wo sie doch Lügen über mich reden
¹⁴und nicht zu mir in ihren Herzen schreien,
   sondern heulen auf ihren Lagern;
wegen Korn und Most 'ritzen' ᵃ sie sich,
   und sind 'ganz widerspenstig' ᵇ gegen mich.
¹⁵Und ich, ich [erzog] ᵃ stärkte ihre Arme.
   Aber sie planten Böses gegen mich.

¹⁶ Sie wenden sich, 'doch'ᵃ nicht 'zu mir'ᵃ.
Sie sind wie ein schlaffer Bogen.
Ihre Fürsten fallen durchs Schwert
wegen der Frechheit ihrer Zunge.
Das bringt Spott über sie
im Lande Ägypten.

5 8   8a ⑤ (ἐξέστη) läßt eine Form von חרד (Dingermann 31: הֶחֱרִד), der
Parallelismus einen Impt. erwartet, also הַחֲרִידוּ (Wellhausen, Alt, KBL). 𝔐
will wohl wie 'ΑΣΘ (ὀπίσω σου) die Alarmbotschaft nennen: „(Man ist) hinter
dir (her), Benjamin!" (Buber), „die Gefahr ist dir auf der Ferse" (Orelli), oder
sie charakterisiert die Angeredeten als „deine Gefolgschaft, o Benjamin!", vgl.
10/11   Ri 5 14 6 34f. und Bach 59⁴. – 10a Zu סוג hi. vgl. Ges-K § 72ee; Grether § 45w. –
11a ⑤ versteht die Verben aktiv (κατεδυνάστευσεν ... κατεπάτησε; vgl. Am 4 1)
und fügt dem ersten ein Obj. entsprechend parallelem מִשְׁפָּט (κρίμα) bei (τὸν
ἀντίδικον): „Ephraim unterdrückt seinen Gegner, tritt das Recht mit Füßen".
– b ⑤ (τῶν ματαίων, ähnlich ⑤𝔗) läßt in צַו einen mit שָׁוְא gleichbedeutenden,
„lautäffenden" (KBL) Vulgärausdruck vermuten (vgl. Jes 28 10. 13). Seit
Duhm wurde meist צָרוּ konjiziert. Humbert sieht in שָׁוְא der ⑤ den Ägypter
סוא (2 Kö 17 4) = Sib'u, vgl. Kittel, GVI 365, was nach Alt, Kl. Schr. II 174
und Bauernfeind, ThW IV 526f. unwahrscheinlich ist. Vgl. auch HGoedicke,
The End of ''So, King of Egypt'': BASOR 171 (1963) 64–66 und WFAlbright,
The Elemination of King ''So'': ebd. 66. – c Zur Asyndese הוֹאִיל הָלַךְ vgl. 9 9
12   Dt 1 5 Zeph 3 7 1S 2 3 und Br Synt. § 133b. – 12a Nach GRDriver, Difficult
Words in Hebrew Prophets: Studies in OT Prophecy (1950) 66f. und KBL ist
II עש = „Eiter, Fäulnis" anzunehmen; vgl. עָשָׁשׁ Ps 31 11 und Σ εὑρώς; vor
allem die Bilder von 13 machen den Vorschlag überzeugend, im Gegensatz zu
13   der üblichen Übersetzung „Motte"; s.u.S.146. – 13a יָרֵב ist vielleicht als Ge-
heimname des Assyrerkönigs verstanden worden (KBL; ⑤ bietet Ιαριμ oder
ιαρειβ), nachdem das alte מַלְכִּי רָב falsch getrennt war. מלך רב (so sefire I
B 7 = Donner-Röllig, KAI I, 42) entspricht akkad. šarru(m) rabû(m) und
nimmt hier in einer engen Wortverbindung ein י-compaginis an, ohne daß
eine cstr.-Verbindung vorliegt; s.u. Textanm. 10 6b. Für 'ΑΘ bezeugt Hieronymus iudicem, Σ überträgt φονέα, Θ nach Syh κρίσεως; Buber „Streithans".
15   – 15a ⑤ setzt entsprechend 2 9 6 1 וּתְשׁוּבָה voraus; 𝔐 kann aber einer gelegentlich sichtbar werdenden hoseanischen Neigung zur Asyndese entsprechen (s.
Textanm. 11c und 6 2a. 3a). – b יֶשְׁמוּ (Wellhausen) oder יָשֹׁמוּ (Procksch, Fohrer)
setzt ⑤ (ἀφανισθῶσιν) voraus, ebenso in 10 2 14 1; JKoenig sieht in ⑤ eine be-
wußte Interpretation von ursprünglichem יאשמו auf Grund der Homonymie
(L'activité hermeneutique des scribes dans la transmission du texte de l'AT:
RHR 162, 1962, 18ff.). 'ΑΣΘ theologisieren „Buße tun", bei Hosea heißt אשם
aber „straffällig werden",s.o.S. 112f. zu 4 15; vgl. 13 1. Oder sollte אשם hier die
Bedeutungsnuance „gestraft werden" (vgl. 10 2 14 1) gewonnen haben? – c ⑤
6 1   zieht 15b zu 6 1 und fügt λέγοντες = לָאמֹר ein; s.u.S. 148. – 1a Die Copula
in וְיַךְ muß früh (vor ⑤) ausgefallen sein, ist aber vom par. membr. gebo-
2   ten (Wellhausen). – 2a יְחַיֵּנוּ ist als 3. Takt zu 1b zu ziehen (Stamm); zur
3   Deutungsgeschichte vgl. ⑤ ὑγιάσει, 'ΑΣ ἀναζωώσει. – 3a וְנֵדְעָה könnte man
zur Herstellung eines Dreiers als „ergänzende Glosse" (Fohrer) ansehen;
aber warum sollte sie eingeschaltet sein? – b 𝔐 ist durch E' und inhaltlich
durch 5 15a gestützt und unerfindlicher als ⑤ (εὑρήσομεν αὐτόν), deren
Text als Verlesung (נִמְצָאֵנוּ) erklärt werden kann; der Satz kann asyndetischer
Relativsatz zu יהוה sein: „Dessen Aufbruch wie Morgenrot feststeht." –

134

c 𝔐 „Frühregen" ist neben מלקוש naheliegende, aber sinnraubende Verlesung von ursprünglichem יָרֶה (Perles, Analekten zur Textkritik des AT,
1895, 90; KBL). – 5a 𝔊 διὰ τοῦτο ἀπεθέρισα τοὺς προφήτας ὑμῶν vermißt 6 5
in 𝔐 unnötig (vgl. Jes 651 Ps 35 5f. nach GRDriver VT 1, 1951, 246) ein
Objekt und zerstört den par. membr. In Ugarit ist ḥṣb mehrfach im Sinne
von „kämpfen" (// mḫṣ) belegt: Gordon, Ug. Manual 'nt II 6f. 19f. 23f. 29f.;
131, 4.6. – b Wer soll in 𝔐 („und deine Rechte sind Licht, das hervor-
kommt") angeredet sein? 𝔊𝔖𝔗 lassen den alten Text erkennen: ומשפטי כָאור,
dessen Worte nur falsch getrennt wurden. – 7a בְּאָדָם ist als Ortsangabe vom 7
folgenden שם gefordert; auch wenn שם temporal (Nyberg) zu deuten wäre,
befriedigt 𝔐 „wie Adam" (= „wie die Bevölkerung von Adam"? so ENielsen, Shechem, 1955, 290) oder „wie ein Mensch" nicht. – 8a 𝔐 „bespurt mit 8
Blut" ist sprachlich unsicher; ich vokalisiere 𝔐 עֲקֻבָּה דָּם עִקְּבֵיהֶם (mit Sellin, KBL).
– 9a Der Text ist völlig unsicher überliefert: 𝔊𝔖 lesen Formen von כֹּה mit ver- 9
schiedenen Suffixen, Σ 𝔙 pl. von חֵךְ; 𝔐 (inf. constr.? Ges-K § 75aa) 𝔗 חכה
pi.; 𝔊ᴹˢˢ 𝔖 (vgl. Ziegler) lesen כְּ vor dem folgenden Wort. כֹּה und חֵךְ können
leicht in eine verstümmelte Form von חכה hineingelesen sein; das Umgekehrte
ist unwahrscheinlicher. Am Anfang der Textgeschichte kann etwa וּמְחַכֵּה כְּאִישׁ
gestanden haben, das sich dem Sinn des übrigen Verses gut einfügt. – 10a 10
Häufig wird בְּבֵית־אֵל (Marti) nach den Ortsnamen Adam 7, Gilead 8 und
Sichem 9 und vor שם b vermutet, das voreilig verallgemeinert sein soll, wie
in 1015 𝔊, Am 5 6 𝔊. – b GRichter, Erläuterungen zu dunklen Stellen in den
kleinen Propheten: BFChTh 18, 3.4 (1914) liest זָנִית אפרים; der Glossator
kann aber das Hosea fremde, seit Jeremia geläufige Nomen verwandt haben
(s. Textanm. 4 10/11a). – c Glosse nach 5 3 (vgl. Textanm. 7 10a) mit Hosea
fremder Ausdrucksweise (s. Textanm. b) und Anschluß durch שם nach 7b.
– 11a Eine vielleicht zweiphasige Glosse; die knappe Notiz „auch Juda" 11
(vgl. 4 15), die noch in 𝔊 zu 10 gehört, scheint nachträglich erweitert zu sein.
Der judäische Glossator fügt seine Bemerkungen gern mit גם an (vgl. 4 5 5 5).
– b 𝔊 zieht 11b und die ersten beiden Worte von 7 1 zu 11a. – 1a 𝔊 setzt 7 1
רָעַת voraus statt „Bosheiten", was zwischen עון und שקר wahrscheinlicher ist,
vgl. auch 3a. – b 𝔊 fügt πρὸς αὐτόν ein, weshalb Oettli annahm, בַּבַּיִת oder
בְיָתָה sei ausgefallen, vgl. Ez 7 15a u. FHorst, ThB 12 (1961) 168⁶. Der Übergang
vom Impf. zum Perf. läßt an einen Textschaden denken, der aber kaum
noch aufzuklären ist. – 2a wörtlich: „Nicht sprechen sie zu ihrem Herzen".
𝔊 ὅπως συνάδωσιν ὡς συνάδοντες τῇ καρδίᾳ αὐτῶν las vielleicht יְזַמְּרוּ statt
יאמרו; aber 'A bestätigt 𝔐. – b Br Synt § 144 hält es für möglich, hier כל
(= sooft) mit abhängigem Genetivsatz zu sehen (vgl. 1 S 2 13; Ps 74 3).
Dann wäre zu übersetzen: „Sie kommen nicht zur Besinnung, sooft ich auch
ihrer Bosheit gedenke"; doch sperrt sich der Zusammenhang mit 6 11b–
7 1a gegen dieses Verständnis. – 3a Seit Wellhausen wird oft יְמַשְּׁחוּ מְלָכִים 3
gelesen, ohne Stütze in Texttradition und Kontext. – 4a Sellin liest אֹנְפִים 4
und gleicht so an 6 (𝔊𝔗 s. Textanm. 6c) an, verdirbt aber einen spezifischen
Ton im Zusammenhang mit 3 und 5. – b תנור als masc. gibt ה von בערה
für einzuschaltendes הם frei, dessen מ durch Haplographie ausgefallen sein
mag. 𝔊 hat „Wort für Wort übersetzt, ohne sich viel um den Zusammenhang zu kümmern"; sie liest תנור בֹּעֵר לְמָאֲפֶה שֶׁבֶת מֵעִיר (FDingermann 37).
– 5a מַלְכָּם statt 𝔐 „unser König" gebieten 𝔗 und Kontext; in 𝔊 ist inner- 5
griechisch ἡμῶν in ὑμῶν verderbt (vgl. Ziegler und JWWevers, ThR 22, 1954,
106). – b Statt „sie schwächen" haben noch 𝔊𝔖𝔙 und 𝔐ᴹˢˢ הֶחֵלּוּ vokalisiert. – c Nach החלו und vor מן ist entsprechend 𝔊 eher ein inf. constr. (חֲמֹת

Gaster) als das Nomen („Erregung") zu erwarten. – d Zu ליץ pol. vgl. HNRichardson, Some Notes on ליץ and its Derivates: VT 5 (1955) 166f. –

7 6 e wörtlich „zieht"; vgl. 114 und ugaritisch *mšk* = „fest zupacken". – 6a ⑤ setzt קָדְחוּ voraus (Nowack), was graphisch dichter bei 𝔐 liegt als Nybergs יְקַד. – b 𝔐 „in ihrem Hinterhalt" kann aus בֹּעֵר בָּם entstanden sein, woran par. membr. 6aα//β denken läßt. – c אֲפֵהֶם ist durch ⑤𝔗 und die Fortsetzung

8 geboten; 𝔐 vokalisiert von 4 her („ihre Bäcker"), ⑤ liest אֹפְרִים. – 8a בְּלִי

9 als Wortnegation auch 2 S 121 Hi 811; vgl. BrSynt § 125b. – 9a so JBlau, VT 5 (1955) 341 nach Ges-Buhl auf Grund des weitverbreiteten vulgärarabischen *zrk* = „sich heimlich einschleichen"; diese Deutung überzeugt im Zusammenhang mehr als GRDrivers Vorschlag, II זרק = „hell werden"

10 anzunehmen (vgl. KBL). – 10a Glosse, die wörtlich 55a aufnimmt; s. Textanm. 610c. – b fehlt in ⑤ und ist auch wegen seiner Blässe in gebundener Rede als sekundär anzusehen; die Formel gehört in zusammenfassende Schluß-

11 sätze von Prosaerzählungen, vgl. Hi 122 210. – 11a vielleicht redaktionelle Verknüpfung, die den Doppelzweier stört; kein Hoseawort beginnt mit וַיְהִי;

12 zu היה s.o.S. 58. – 12a Statt des ungewöhnlichen hi. ist wahrscheinlich pi. zu lesen אֲיַסְּרֵם (vgl. Textanm. 5 2e). – b ⑤ τῆς ϑλίψεως könnte לְרָעָתָם (Nyberg לְצָרָתָם) voraussetzen. 𝔐 denkt an die Verkündigung „ihrer Versammlung",

13/14 wie ʼA κατὰ ἀκοῆς τῆς συναγωγῆς αὐτῶν. – 13a vgl. BrSynt § 11c. – 14a ⑤ (κατετέμνοντο) und 𝔐MSS lassen ursprüngliches יִתְגּוֹדָדוּ erkennen, wofür der par. membr. spricht. 𝔐 (= ⑤) hat „sie treiben sich umher" verlesen. – b 𝔐 „sie weichen" ist vor בִּי unwahrscheinlich, ebenso ⑤ (ἐπαιδεύϑησαν = יֻסָּרוּ; vgl. 12b. 15a und FDingermann 40); der durch ⑤ gesicherte Konsonanten-

15 text ist wahrscheinlich יְסֹרוּ (Marti; vgl. 416) zu vokalisieren. – 15a 𝔐 („ich erzog") ergänzt deutend (ohne Copula!) den von ⑤ bewahrten kürzeren

16 Text. – 16a Der Zeilenanfang ist verderbt. ⑤ (εἰς οὐϑέν) Σ (εἰς τὸ μὴ ἔχειν ζυγόν) setzen sowohl praep. אֶל wie Negation voraus, was אֶל־לֹא יוֹעִיל (vgl. Jer 28.11) vermuten läßt (ζυγόν = עֹל!); einfacher ist nach 7. 10. 15 anzunehmen וְלֹא אֱלָי oder וְלֹא עָדִי (Am 46ff. Jl 2 12), was auch den nachstehenden Vergleich verständlicher macht.

Form Mit 58 ist nach Form und Inhalt ein klarer Neueinsatz der Hosea-überlieferung gegeben. Der doppelte Alarmruf ist als Auftakt den Eingangswendungen 41. 4 51 durchaus ebenbürtig; er ist in keiner Weise mit dem Vorhergehenden verknüpft und führt mit neuen Orten neue Nöte ins Blickfeld, nämlich Kriegsereignisse. Schwierig ist die Frage, wie weit der neue Überlieferungskomplex reicht. Ein 58 vergleichbarer Neueinsatz liegt erst in 81 vor. Von 58 bis 716 erscheinen die Sprüche syntaktisch-stilistisch und thematisch verzahnt.

Zwar sind kleine r h e t o r i s c h e   E i n h e i t e n nach den Merkmalen der Prophetenspruchgattungen im allgemeinen verhältnismäßig leicht abzugrenzen. In 58f. leitet der Alarmruf eine Gerichtsdrohung über Ephraim ein (vgl. RBach 59ff.), die durch eine originelle Schlußformel bekräftigt wird (s.u.S. 144), in 10 folgt ein begründetes Drohwort über die Heerführer Judas; ein Wort der Klage über Ephraims Not in 11a führt zu weiteren Worten begründeter Drohung für Ephraim und Juda zugleich (12–14), denen ein anderes mit hoffnungsvoller Zielbestimmung in 15 angeschlossen ist. In 6 1–3 unterbricht ein priesterliches Bußlied die prophetischen Gattungen. Als Antwort darauf setzt die prophetische Gottesrede in 6 4 wieder ein; sie gilt wie in 5 12–14 Ephraim und Juda. Statt eines zu erwartenden Erhörungszuspruchs bringt sie im wesentlichen Anklagen (4b. 7–10a), die nur vorübergehend von Droh-(5) und Lehrsätzen (6) unterbrochen sind und zur Hauptsache der Priesterschaft gelten (9). 6 10b erinnert lebhaft an 5 3b und scheint in Erinnerung an jene Stelle zur Deutung des dunklen שַׁעֲרוּרִיָה in 10a nachgetragen zu sein. 6 11a ist judäische Glosse im Stil von 5 5bβ. In 6 11b 7 1a setzt eine neue Anklage gegen Ephraim und Samarien ein, die zunächst bis 7 2 reicht, aber in 7 3–7 als Anklage gegen die höfischen Befehlshaber weitergeführt wird. In 7 8–9 ist ein Klagewort über Ephraims Geschick angefügt, das erst in der Klage über Ephraims Verhalten in 10b zu seinem Ziel kommt. 10a dagegen ist aus 5 5a nachgetragen (vgl. 6 10b). In 11f. und 13–16 folgen begründete Drohworte.

Doch diese lange Kette von Sprüchen, die bei der Einzelinterpretation noch weiter zu zergliedern sind, macht durchaus nicht den Eindruck einer erst literarischen Reihung von Haus aus selbständiger Einzelworte. Wenigstens gehören sie gruppenweise zusammen. Schon 5 10 sieht neben 5 8–9 nicht wie ein selbständiger Spruch in anderer Situation aus. Der gleiche metrische Bau verbindet beide. Hier und dort steht ein Fünfer (3 + 2) neben einem Vierer (2 + 2). Wenn 5 10 auch nicht mehr über Ephraim, sondern über die Befehlshaber Judas handelt, so ist doch von beiden in 3. Pers. die Rede, so daß die gleiche Menschengruppe in gleicher Stunde angeredet sein kann, zumal am Ende von 9 schon von den „Stämmen Israels" die Rede war. Der Einsatz mit הָיוּ wird besser verständlich, wenn man in ihm ein Eingehen des Propheten auf einen Einwurf der Hörer gegen die Drohung von 8f. vernimmt, als wenn man ein selbständiges Wort in späterer Zeit (Alt) annimmt. Die folgende Klage über Ephraim (11) mit Zustandsschilderung und -erklärung könnte voraussetzen, daß der in 9 angedrohte Schlag inzwischen erfolgt ist. Doch setzt der Prophet kaum ganz neu an, nur um geschehene Geschichte zu deuten, eher spielt er disputierend darauf an, um Widerworte aufzunehmen. Es bleibt nur die Frage, ob 9 als Drohung und 11 als Klage aus derselben geschichtlichen Stunde erklärt werden können. Sieht man daneben 12–14, so erscheint das ohne weiteres möglich. Denn hier steht in einem ziemlich ebenmäßig in Doppeldreiern einhergehenden Spruch eine schon eingetretene Not (12f.) neben einer neu angedrohten (14). Zudem bezieht sich das Wort auf Juda und Ephraim zugleich, was wiederum für die Herleitung von 8–11 aus einer Stunde spricht. 15 kann 14 unmittelbar gefolgt sein (HSchmidt). Von der Form und der Thematik her wird man also lieber in 5 8–15 verschiedene Prophetenworte aus einer Stunde sehen, als sie zeitlich auseinanderzuziehen.

Wie ist daneben das Bußlied in 6 1–3 anzusehen? Durch die Stichworte טרף und רפא ist es mit 5 13f., durch das Bild in 3aβ lose mit 5 15aα
verbunden. Soll man deshalb in ihm ein fingiertes Zitat des Propheten
sehen? Der Neueinsatz in 6 4, der offenbar Antwort auf das Bußlied ist,
wird verständlicher, wenn in 1–3 ein echtes Zeugnis der Zeitgenossen aufbewahrt ist, das etwa die Priester dem Propheten entgegengehalten haben
(s.u.S. 148f.). Dann wäre uns hier einmal ein Stück Gegenrede der Hörer
überliefert, mit dem sie etwa die Erwartung von 5 15b als bereits gegenwärtig erfüllt nachweisen wollten. Die Tradenten haben es aufgenommen, weil sonst die Frage von 4a und der Vorwurf von 4b als Entgegnung
dunkel blieben. Ähnliches hätte man vor 4 16b gewünscht (s.o.S. 114f.). Zur
prophetischen Entgegnung gehören nicht nur die folgenden mit על־כן und
כי angefügten Sätze, sondern ebenso noch 7–10a. Denn mit והמה fängt
niemals ein neues Prophetenwort an; vielmehr führt Hosea gern seinen
Gedanken durch ו mit Personalpronomen adversativisch fort: 5 12. 13b
7 13b. 15.

In 6 11b–7 2 ist die Erwägung von 6 4 in anderer Weise fortgesetzt.
רפא in 7 1a erinnert noch an 6 1 (5 13b), 7 2a an 6 4b, als erfolge hier eine
weitere Kritik des Bußliedes 1–3. Mindestens bis hierher nehmen also die
Prophetenworte konsequent zu der Frage Stellung, wie es nach einer
eingetretenen Not und vor einer angedrohten Not (vgl. 5 8–14) mit der
Rückkehr Israels zu Jahwe (5 15b–6 3. 4b. 7–10a 7 2) und mit der rettenden
Rückkehr Jahwes zu Israel (5 15a 6 4a. 5–6. 11b–7 1a) bestellt sei.

Die Anklageworte gegen die Befehlshaber in 7 3–7 scheinen ein neues
Thema anzuschlagen. Es wird aber von der Bestimmung der geschichtlichen Stunde her zu klären sein, ob nicht auch dieses andere Thema in
genau die gleiche Situation mit dem bisherigen gehört (s.u.S. 140f.), zumal
7 3a mit ברעתם stichwortartig an 2 anknüpft, und der Schluß 7bβ das
Thema der fehlenden Wendung zu Jahwe aufgreift (5 11. 13. 15 6 4b 7 2).
Schon im Beginn dieser prophetischen Auseinandersetzung in 5 8–13 waren
die Angelegenheiten der politischen und militärischen Führung Gegenstand der Verkündigung. Waren die innenpolitischen Wirren in 3–7 im
Blick, so beherrschen die außenpolitischen Nöte die Klage 7 8f. 10b und
die begründeten Drohungen in 11–16. Sie zeigen formal keine Neu-
einsätze, dagegen erinnern sie an das Hauptthema der mangelnden Einsicht und der unechten Umkehr Israels (vgl. 7 8–10 mit 5 15–6 4, 7 11
mit 5 11. 13, 7 13–16 mit 6 4 7 2. 7). Doch auch hier bleibt zu prüfen, ob die
Worte aus der gleichen geschichtlichen Stunde herleitbar sind (s.u.S. 140f.).
Thematisch rundet der Weheruf 7 13ff. mit der Drohung in 7 16aβ den
Kranz der Sprüche insofern vollkommen, als hier die Drohung der Verheerung Ephraims, die in 5 8f. den Auftritt ausgelöst hat, auf die Verantwortlichen zugespitzt wird. Man wird demnach die Reihe der Sprüche
in 5 8–7 16 eine kerygmatische Einheit nennen müssen.

Die überwiegende Grundgattung unseres Überlieferungskomplexes ist die der Gottesrede. Außer in 7 10b erscheint Jahwe nur in erster Person. Allerdings gibt es genug Sätze ohne das Ich Jahwes, wie 5 11 6 8–9 7 3–6. 8–9, die als Disputationsworte verstanden werden können.

Der Wechsel der Anredeformen ist aus der lebendigen Szenerie des Auftritts zu verstehen. Wie in 4 4 und 5 1 wird er ausgelöst durch ein Wort mit direkter Anrede in 5 8, das die Aufmerksamkeit weckt. Im übrigen ergehen die Sprüche zumeist in der dritten Person der Klage und Anklage (5 10a. 11. 13a 6 7–10a. 11b–7 2a. 3–7. 8–9. 10b. 11. 13–16aα), der Strafverkündung oder der Tatfolgefeststellung vor Gericht (5 9. 10b. 12. 14. 15 6 5 7 2b. 12. 16). Es ist zu erkennen, daß die Gerichtsverkündigung im wesentlichen am Anfang des Auftritts steht und die weiteren Auseinandersetzungen über die Schuld als Grund des Gerichts auslöst, das dann abschließend noch einmal verkündet wird. – Die direkte Anrede in zweiter Person tritt nach dem Eingangswort 5 8 nur noch in 5 13b und 6 4 auf. An der letzten Stelle ist zu erkennen, daß sie durch den priesterlichen Hinweis auf das Bußlied (6 1–3) ausgelöst ist; sie nimmt vorübergehend den Stil des Erhörungszuspruchs auf (vgl. J Begrich, Das priesterliche Heilsorakel: ZAW 52, 1934, 81ff.).

Soweit metrische Struktur erkennbar ist, weisen die Sprüche den Wendungen des Auftritts entsprechend einen lebhaften Wechsel der Form auf. Im Eingang finden wir drei Strophen (5 8–10), die in seltener Symmetrie je einen Fünfer und einen Vierer zusammenstellen. Die gleiche Doppelperiode begegnet am Schluß des Überlieferungskomplexes in 7 16aβb, wo ja auch das Thema zuspitzend zum Anfang zurückkehrt (s.o.S. 138). Qinaperioden bieten 6 11b–7 1aα. 8–9. 10b, Doppelzweier 5 11 7 11.13a. Am häufigsten sind wie immer Doppeldreier: 5 12. 13a. 14 6 4. 6 7 2. 3. 7. Wir nennen damit nur diejenigen Perioden, die wenigstens paarweise auftreten. Vereinzelte Perioden der genannten Muster (auch ein Tripeldreier in 6 5) finden sich neben unregelmäßigen oder doch schwer bestimmbaren Gefügen, insbesondere in den textlich stärker beschädigten Stücken 6 8–10 und 7 4–6. Das Bußlied 6 1–3 weist vornehmlich Dreier auf; je ein Tripeldreier am Anfang (1–2aα) und am Schluß (3aβb) schließen einen Doppeldreier (2aβb) und einen Doppelzweier (3aα) ein; dieses Mittelstück würde bei Streichung von תדעה auch zu einem Tripeldreier (aber siehe Textanm. 6 3a). Unter den Formen des Parallelismus ist der synonyme der bei weitem häufigste (5 8. 11–14 6 4–6. 11b–7 1.2b. 3. 7–9. 10b. 11b. 13), ganz selten ist der antithetische (7 14a. 15), dazwischen stehen die freieren synthetischen Formen (5 9. 10 6 7–9 7 2a. 16).

Die Formprobleme haben uns wiederholt vor die Frage gestellt, Ort ob die Sprüche unserer kerygmatischen Einheit aus der gleichen geschichtlichen Situation hergeleitet werden können. Wenn wir feststellen mußten, daß sich nach 5 8 kein deutlicher Neueinsatz vor 8 1 zeigen wollte und daß von 5 8f. bis 7 16 einerseits die gleiche Drohung einer militärischen Katastrophe und andererseits das gleiche Problem der Umkehr Israels verhandelt wurden, so könnten diese Beobachtungen auch zu der Folgerung führen, daß hier eine literarische Reihung von Sprüchen vorläge, die ursprünglich zu recht verschiedenen Zeiten vom Propheten verkündet worden seien, so wie das in 2 18–25 der Fall ist (s.o.S. 58).

Das ist allerdings von vornherein hinsichtlich des Überlieferungsbefundes in unserem Falle unwahrscheinlich, da redaktionelle Formeln fehlen (Ausnahme s.o. Textanm. 7 11a). Wenn Worte so nahtlos wie hier nebeneinandergestellt sind, dann muß man eher damit rechnen, daß sie aus der gleichen Stunde stammen und bald danach festgehalten wurden, als daß Wochen und Monate zwischen ihnen liegen, wie Alt es bei 5 8f. 10. 11. 12–14. 15–6 5 angenommen hat, oder gar Jahre, wie Budde, Robinson es zwischen 5 8ff. und 11ff. und Alt mit vielen anderen zwischen 6 6 und 7ff. vermutet haben. Nur zwingende Beobachtungen, die Einzelworte an verschiedene historische Situationen binden, könnten unsere Arbeitshypothese widerlegen.

Nun läßt sich aber gerade im Gegenteil zeigen, daß die Worte unseres Traditionsblocks besser aus einer bestimmten geschichtlichen Stunde als aus weit auseinanderliegenden Zeiten zu deuten sind. Es ist ein Zeitpunkt des Jahres 733, in dem Tiglatpileser III. von Norden her in den obersten Jordangraben eingefallen war und von dort aus einerseits die ostjordanischen Gebiete Israels (Gilead) und andererseits das galiläische Bergland und die Jesreelebene (Megiddo) erobert hatte; schon im Vorjahr hatte er die israelitische Küstenebene (Dor) auf seinem Philisterfeldzug erobert (vgl. AAlt, Tiglathpilesers III. erster Feldzug nach Palästina: Kl.Schr. II 157; Noth, GI 235 und o.S. 59). In diesem Augenblick ist Ephraim vergewaltigt und sein Recht zertreten (5 11). Den Grund der Katastrophe sieht Hosea nach 5 11b im Pakt mit dem gegenüber Assur schwächlichen Aramäerfürsten Rezon von Damaskus (2 Kö 16 5 Jes 7 1ff.), der im nächsten Jahre (732) von Tiglatpileser III. endgültig vernichtet werden wird. Vielleicht denkt 7 9a auch an die aramäischen Truppen, die auf dem gemeinsamen Feldzug gegen Jerusalem Ephraims Kraft verzehrt hatten (Jes 7 2). Diese Stunde des Zusammenbruchs des syrisch-ephraimitischen Krieges durch den Einfall Tiglatpilesers spiegelt sich in unserem Text noch in mehrfacher Hinsicht.

1) Jetzt wird der König Pekah von seinen eigenen Leuten gestürzt (vgl. Tiglatpilesers Annalen von 734/3 Z. 228: TGI 52f.; ANET 283), und zwar wird er von einem gewissen Hosea ben Ela ermordet, der daraufhin selbst den Thron einnimmt (2 Kö 15 30). Wenn dieser Umsturz dem Propheten in 7 7b vor Augen steht, dann wird der Ausdruck „alle ihre Könige fallen" besser verständlich als bei jedem der drei vorherigen Königsmorde in den zwölf vorausgehenden Jahren (Sacharja 2 Kö 15 10;

Sallum 2 Kö 15 14; Pekahja 2 Kö 15 25). Die Thronerhebung Hoseas ist dann auch hinter 7 3 zu sehen.

2) Der König Hosea hat sich alsbald Tiglatpileser III. unterworfen und ihm Tribut gezahlt (Tiglatpilesers III. Steintafelinschrift von 734/3 Z. 17f.: TGI 53). Auf diesen Vorgang spielt 5 13 an. Juda hatte durch Ahas wenige Monate vorher das gleiche getan (5 13aα[1]; vgl. 2 Kö 16 7ff.). Jetzt aber steht für Hosea vordringlich der jüngste ephraimitische Unterwerfungsakt zur Debatte (5 13aβb). Ferner wird insbesondere 7 11b („nach Ägypten rufen sie, nach Assur laufen sie") wegen des Nebeneinanders von Ägypten und Assur in dieser Reihenfolge nur aus jener Stunde verständlich. Daß ägyptische Rückendeckung hinter der antiassyrischen Koalition des syrisch-ephraimitischen Krieges stand oder doch gesucht wurde, ist schon ohnehin zu erwarten (vgl. Kittel, GVI II 365), kann aber auch aus der Flucht des Philisterfürsten Hanun von Gaza nach Ägypten im Jahre 734 geschlossen werden (Annalenfragment Tiglatpilesers III. Z. 14ff.; DJWiseman, Iraq 13, 1951, 21ff.; Alt, KlSchr II 157.159). Ägypten selbst ist im Übergang von der 22./23. libyschen Dynastie zur 24./25. äthiopischen Dynastie durch innere Kämpfe weithin zerrissen und kann daher keine wirksame Hilfe leisten; vgl. AScharff–AMortgaat, Ägypten und Vorderasien im Altertum (1950) 172ff. und WZimmerli, BK XIII, 698f. Wie man kurz vorher von Israel aus (vergeblich) nach Ägypten rief, so läuft man jetzt zum Assyrer. Eben in dieser Stunde ist Ephraim offenbar zwischen den Völkern hin- und hergeschüttelt (7 8a).

3) Der Prophet droht jetzt unmittelbar nach dem Einfall Tiglatpilesers III., nach dem Umsturz in Samaria und nach der Unterwerfung unter Assur weitere Katastrophen an. Das ist der wesentliche Inhalt seiner Gerichtsverkündigung. Den jetzigen Nöten (5 11-13 7 8f.) folgen noch schlimmere (5 14f.), so daß den neuen Befehlshabern Samarias der Tod durchs Schwert bevorsteht (7 16aβ) und die Ägypter deshalb ihren Spott haben werden (7 16b) über die jüngste Schwenkung Samarias nach Assur, durch die man sich besser zu retten meinte als durch den früheren Anschluß an Ägypten. Hosea sieht die totale Katastrophe, die nun auch dem Kernland Ephraim, dem samarischen Bergland, gilt (5 9), von Süden heraufziehen. Darum läßt er der Reihe nach von Süden nach Norden Gibea, Rama und Bethel alarmieren (5 8). Alt (KlSchr II 168ff.) hat gezeigt, daß dabei nur an ein Vorrücken der bisher durch die syrischephraimitische Koalition in Jerusalem belagerten judäischen Truppen des Ahas zu denken ist. Dabei meint Alt, diesen judäischen Vorstoß für die Stunde vermuten zu sollen, in der „das Auftreten der Assyrer den Abbruch der Belagerung von Jerusalem und die Entsendung der Hauptstreitkräfte an die gefährdete Nordgrenze von Israel und Aram erzwang" (a.a.O. 169); in 5 10, einem nach Alt zu einem späteren Zeitpunkt ver-

kündeten Wort, sei bereits der judäische Gegenstoß erfolgt (a.a.O. 172); aber erst in 5 11 soll Tiglatpilesers III. Eroberung der Nordgebiete vollzogen (a.a.O. 176) und in 5 12–14 der syrisch-ephraimitische Krieg mit dem Thronwechsel in Samaria und der Unterwerfung unter die Assyrer beendet sein (a.a.O. 179ff.).

Nun erlauben es, wie auch Alt betont, die sonstigen Quellen nicht, genauer zu sagen, wann Juda im Zuge des Eingriffes Tiglatpilesers III. nach Norden vorstieß (a.a.O. 173). Sollte es nicht angesichts der Schnelligkeit der Operationen der Streitwagenkorps Tiglatpilesers III. wahrscheinlicher sein, daß die lange Zeit bedrängten Judäer erst vorrückten, nachdem Tiglatpileser III. die Nordgebiete erobert hatte? Sollte nicht deshalb, auch historisch gesehen, 5 8f. und der Beginn des judäischen Gegenangriffs besser in die gleiche Stunde angenommen werden, in die 5 11. 13 mit dem Blick auf den assyrischen Sieg gehört? So war es uns ja schon überlieferungsgeschichtlich gesehen wahrscheinlicher. Dann würde 5 10 sich entweder auf ältere Vorgänge beziehen oder nur eben den Anfang des judäischen Vorrückens konstatieren (s.u.S. 145).

Alles in allem erklärt sich uns historisch der Befund, daß der Überlieferungskomplex 5 8–7 16 eine kerygmatische Einheit darstellt, aus der Annahme, daß die Sprüche insgesamt in die erregten Tage des Jahres 733 gehören, in denen Tiglatpileser III. die Nordgebiete Israels eingenommen hat, Pekah ermordet ist, der König Hosea den Thron usurpiert und dem Assyrer Unterwerfung und Tributleistung angeboten hat. Nicht mit der gleichen Evidenz sprechen die Texte in der Zeit Menahems, in die man neuerdings wieder den Hauptteil der Worte in Hos 4–14 versetzen wollte (HTadmor, The Historical Background of Hosea's Prophecies: YKaufmann Jub. Vol. 84–88; ders., Azriyau of Yaudi: Scripta Hierosolymitana 8, 1961, 232–271, besonders 249ff.).

Die Bedeutung, die neben den politischen Führern (5 13 7 3ff. 16) die Priester (6 7ff.) und neben dem Kriegsgeschehen der Kultus (6 6 7 14) gewinnen, kann mit dem Zitat des Bußliedes 6 1–3 zu der Vermutung Anlaß geben, der Auftritt des Propheten habe sich anläßlich einer großen Kultfeier in Samaria ereignet (7 1, s. auch u.S. 159 zu 7 4), mit der man die Unterwerfung unter Assur durch den neuen König Hosea (7 3. 5), den Tiglatpileser III. eben als Vasallenkönig bestätigt hatte (Steintafelinschrift Z.18: TGI 53, dazu Noth, GI 236), in Buß- und Opferakten beging.

Man kann verstehen, daß der Kreis um Hosea (s.o.S. 93) angesichts der Feindschaft, die Hosea entgegengeschlagen sein mag (7 5b; vgl. 9 7), die Worte des Propheten alsbald festgehalten hat (vgl. Jes 8 16 30 8ff.). Die Nähe der Niederschrift zum Auftritt selbst erklärt wieder das Fehlen aller Rahmenformeln, vielleicht auch den schlechten Zustand mancher Stellen des Textes; er hatte einen langen und gefährdeten Weg bis zur

Aufnahme ins deuteronomistische Hoseabuch zurückzulegen; manches situationsbezogene Wort mag schwer lesbar gewesen oder geworden sein und beim Schwinden der Situationskenntnis schon früh nicht mehr voll verstanden worden sein.

Hosea tritt mit der erregenden Aufforderung auf, A l a r m zu blasen. **Wort** Bei Kriegsgefahr wird in die Hörner und Trompeten gestoßen (Nu 10 9), **5 8** damit sich die Bevölkerung, die auf den Feldern bei der Arbeit oder mit den Herden unterwegs ist, durch den Lärm aufgeschreckt, in der ummauerten Stadt sammelt und abwehrbereit hält (Jer 4 5; vgl. Jl 2 1 und Noth, WAT⁴ 133). Der Prophet erscheint mit dem Alarmruf als Stimme des Wächters Israels (vgl. 81).

Der Feind, der in Schrecken versetzt, stürmt offenbar von Süden nach Norden heran, über G i b e a (*tell el-fūl*, 5 km n von Jerusalem) und R a m a (*er-rām*, 8 km n von Jerusalem) nach B e t h e l (*bētīn*, 18 km n von Jerusalem; vielleicht haben an dieser Stelle erst die Tradenten den Scheltnamen בית און eingesetzt, denn Hosea meint jetzt die Siedlung, nicht das Heiligtum, s. o. S. 113 zu 4 15). Die Gefahr rückt also von Jerusalem her auf der Höhenstraße heran, die ins ephraimitische Gebiet (9a) führt. Ganz B e n j a m i n wird bis zum nördlichsten Punkt von Grauen gepackt. In Josias Zeit werden alle drei genannten Siedlungen zu Benjamins Orten gezählt (Jos 18 21–28, dazu Noth, HAT I 7, ²1953, 111f.). Im 8. Jh. haben sie vielleicht alle zum Nordreich gehört, seit dem erfolgreichen Angriff des Königs Joas von Israel auf Jerusalem im Anfang des Jahrhunderts (2 Kö 14 8–14; dazu Noth, GI 216f.; AJepsen, Die Quellen des Königsbuches 97; KDSchunck, Benjamin: ZAWBeih 86, 1963, 154–161). Daß Hosea die Orte vom Nordreich her alarmiert, leuchtet unter dieser Voraussetzung besser ein, als wenn sie erst in den letzten Wochen beim Vormarsch des syrisch-ephraimitischen Heeres auf Jerusalem eingenommen worden wären (Alt, Kl. Schr. II 168f.). Tiglatpilesers III. Erfolg im Norden ermutigt Ahas, nach Jahrzehnten endlich wieder, dem alten Sicherheitsbedürfnis Jerusalems entsprechend (vgl. 1 Kö 15 16–22 und Alt, ZDPV 69, 1953, 4ff.), die Grenze nach Norden vorzuschieben. Oder hat gar Tiglatpileser III. seinem älteren Vasallen Ahas einen Vorstoß bis nach Ephraim eingeräumt?

Hosea jedenfalls verkündet als Bote seines Gottes, daß sich mit jenem **9** judäischen Vormarsch die V e r w ü s t u n g E p h r a i m s anbahnt. Hier sitzt der Kern seiner Drohung. „Es scheint, als sollte Benjamin mit dem Schrecken davonkommen und erst in Ephraim, dem alten Zentrum des Nordreichs, der Krieg sich wirklich austoben" (Alt a. a. O. 170). Als Gottesgericht wird es ein „T a g der Z ü c h t i g u n g" sein. LKoehler (Theologie des Alten Testaments⁴ 211) hat den יום תוכחה mit dem „Tage Jahwes" zusammensehen wollen. Die Formulierung ist aber singulär. (תוכחה kommt nur noch 2 Kö 19 3 = Jes 37 3 und Ps 149 7 vor). Vielleicht hat Hosea sie gewählt, um den positiven Sinn der Verheerung als einer „Zurechtweisung" Israels anklingen zu lassen (s.o.S. 94 zu יכח hi. und S. 125 zu יסר pi., ferner u.S. 148 zu 15).

Den „Stämmen Israels" gilt die Botschaft. Hosea denkt im Ansatz großisraelitisch, nämlich vom alten Stämmebund her (1 11; zu 2 1–3 s.o.S. 31; zu 3 4 o.S. 78; zu 10 11 u.S. 240). So vermeidet er im ganzen Auftritt geflissentlich die Benennung „Israel", wenn er den Staat des Nordreichs als solchen meint; sie bleibt reserviert für jene Größe, die Jahwes Volk ist (7 1//6 11 עמי) oder doch sein sollte (6 10a; 6 10b und 7 10a sind im Zusammenhang sekundär, s. Textanm. 6 10c und 7 10a). Der Staat dagegen heißt ausschließlich „Ephraim" (5 11 7 8. 11), insbesondere in Parallele zum Staat Juda (5 13 6 4) oder zur Hauptstadt Samaria (7 1); das ist um so begreiflicher, als sein Gebiet inzwischen als Rumpfstaat auf den Mittelteil des westjordanischen Gebirges beschränkt ist, der seit alters „Ephraim" heißt (Noth, WAT⁴ 52f.) und dessen Bewohnerschaft Hosea auch früher schon vornehmlich ansprach, damals noch in Parallele zu „Israel" (4 16f. 5 3, s.o.S. 114). Ebenso wie Hosea im Nordreich denkt zu gleicher Zeit Jesaja in Jerusalem über die Staatsgrenzen hinweg (8 14 9 8; vgl. 7 17).

Dieser Tatbestand darf aber nicht zu einer vergangenheitlichen Deutung von 9b verleiten, als solle gesagt sein, Jahwe habe früher schon im Süden wie im Norden „Verläßliches verkünden lassen" über das kommende Gericht. Einmal ist hier nur an die Katastrophe Ephraims gedacht (9a), und sodann wissen wir nicht, ob Hosea selbst vor diesem Wort schon einmal zum Bruderkrieg in Israel Stellung nahm. So wird הודעתי als konstatierendes Perfektum wie in 6 6. 10a 7 2 u.ö. präsentischen Sinn haben (vgl. Am 5 21 Jer 2 2 und BrSynt § 41c). נאמנה weist darauf hin, daß das verkündete Wort sich verwirklicht (vgl. 1 Kö 8 26 Jes 55 3 und Weiser, ThW VI 185). Das redende Ich ist wie in 5 12ff. 6 4ff. und meist bei Hosea Jahwe; vgl. 2 4ff. 4 4ff. 5 1ff. Der Satz bekräftigt die Gerichtsdrohung. Er bildet eine deutliche Redeschlußformel, die an die Sprache des Rechtslehrers erinnert, vgl. Prv 22 19. 21 1.S 10 8 und o.S. 122f. zu 5 1. Mit einleitendem Alarmruf und abschließender Bekräftigungsformel ist somit die knappe Ansage der Verheerung Ephraims am Züchtigungstag wie selten ein einzelnes Hoseawort vollendet gerahmt.

5 10   Es ist darum anzunehmen, daß das folgende Wort erst durch eine Zwischenrede der Hörer ausgelöst worden ist, die im Anschluß an die Erwähnung der „Stämme Israels" (9b) die Schuld der feindlichen Brüder zur Sprache brachte. 10a wirkt wie die Aufnahme gegnerischer Einwürfe, der in 10b die Gerichtsdrohung Jahwes angefügt ist.

היה כ heißt „wirken als", „handeln wie"; vgl. 7 16 8 8 9 10 11 4 13 7 14 6 Ex 22 24 Ez 16 31 und CHRatschow, ZAWBeih 70 (1941) 11–13. Die kritisierten שרי יהודה sind in diesem Falle (s.o.S. 78) die militärischen Befehlshaber. Ihr Handeln wird der böswilligen Änderung der Ackergrenzen verglichen, die im Bundesvolk unter den Gottesfluch gestellt ist (Dt 27 17), weil Gott den Bundesgliedern ihre Anteile gab und weil gerade auch der schwächere Nächste in Israel unter Jahwes Schutz lebt (Dt 19 14 Prv 22 28 23 10 Hi 24 2). Der Krieg zwischen Juda und Israel wird also am Recht des Jahwebundes gemessen. Hosea entzieht sich dem Verdacht, projudäische Politik zu treiben. Er ist Bote Jahwes, der aller Stämme Israels Gott ist (9b). Wollte man 10a vergangenheitlich deuten, so müßte man an Vorgänge erinnern, die um Jahrhunderte zurückliegen, nämlich an die Grenzverrückung Asas von Juda bis Mizpa (1 Kö 15 22; vgl. Noth, GI 215). Sie scheint aber seit Jahrzehnten überholt zu sein durch israelitische Gegenmaßnahmen (s.o.S. 143 zu 5 8). So wird man היו als konstatierendes perf. praes. verstehen müssen und an die eben jetzt erfolgende Grenzverletzung beim Vorrücken der Truppen des Ahas denken (s.o.S. 141), die die Hörer Hoseas nach seinem Alarmruf 5 8 empört als Schuld gekennzeichnet haben mögen.

Jahwe wird auch über sie seinen „Zorn ausgießen", der damit wie ein Werkzeug von seinem Meister unterschieden wird; vgl. 13 11 8 5 11 9 14 5 Ez 7 3 und Zimmerli, BK XIII 171. Mit Wasser wird der Zornerseguß verglichen, weil man nichts sonst in solcher Fülle und Gewalt sich ergießen sieht wie die prasselnden Wasser winterlicher Regengüsse in Palästina. Hosea gesteht also seinen Opponenten in Gottes Namen zu, daß auch Jahwes Gerichtshelfer nicht dem Gericht über ihr Vergehen entrinnen; vgl. Jes 10 5ff. 12ff.

Er gesteht ferner zu, daß Ephraim bereits böse „Gewalt erlitten" hat, 5 11 nämlich eben in diesen Wochen durch Tiglatpilesers III. Einbruch in die Nord- und Ostprovinzen, so daß mit seinen Nord- und Ostgrenzen seine „rechtliche Lebensordnung niedergetreten" ist; zu משפט s.o.S. 64 und 2 21f. Wieder wendet Hosea Begriffe der israelitischen Sozialordnung auf die Kriegsvorgänge an, wie in 10 הסיג גבול (s.o.) so hier עשק und רצץ; vgl. Lv 19 13 Dt 24 14 28 29. 33 Am 4 1 Mi 2 2. Mit der Assonanz der passiven Partizipien verschafft er der Klage über die schon vorhandene Not bewegenden Ausdruck; vgl. Dt 28 33 und PPSaydon, Assonance in Hebrew as a Means of Expressing Emphasis: Bibl 29 (1955) 294. Wie kein zweiter Prophet weiß er einzugehen auf die Nöte seines Volkes und für sie einzustehen (vgl. 4 6. 8. 15b 5 1).

Aber er bleibt dabei der Bote seines Gottes, der sofort auch die schuldhafte Ursache der Not aufdeckt. Sie liegt nach 11b darin, daß man sich in einer des Gottesvolkes unwürdigen Weise abhängig machte. Wahrscheinlich meint צו (s. Textanm. 11b) das Aramäerreich von Damaskus, mit dessen König Rezon der soeben gestürzte Pekah paktierte (s.o.S. 140). Man könnte auch an Ägypten denken, das aber in 7 11. 16 mit seinem

Namen erwähnt wird, während die ebenfalls geschlagenen Aramäer von Hosea sonst keines Wortes gewürdigt werden; so können gerade sie mit dem verächtlichen Ausdruck bedacht sein.

5 12 So lächerlich jener politische Bündnispartner war, so entscheidend für Israels Leben ist sein Gott, und zwar für Ephraim wie für Juda. Der Parallelismus der Aussagen gibt den amphiktyonischen Standort Hoseas jenseits des Staatsdenkens klar zu erkennen, vgl. 9b. 10 und o.S. 143f. Der Gott des Propheten bringt seine auch für das bundbrüchige Volk ausschlaggebende Bedeutung in furchtbarer Feierlichkeit zum Ausdruck, indem er es in der Weise der alten Theophanie- und Selbstvorstellungsformel anredet; vgl. Lv 18 2b Ex 20 2, dazu WZimmerli, Ich bin Jahwe, in: Festschrift Alt: BHT 16 (1953) 179–209; zum Wechsel von אני (12. 14b 5 2 und ausschließlich bei Ezechiel, im Heiligkeitsgesetz und in der Priesterschrift) und אנכי (14a 12 10 13 4 und ausschließlich beim Elohisten und im Dt [außer 12 30]) vgl. a.a.O. 193²; ferner KElliger, ZAW 67 (1955) 24f. Hosea kennt die den alten Bund begründende Selbstprädikation Jahwes (12 10 13 4). Jetzt aber verwandelt er die Huldformel in eine Gerichtsformel.

Jahwe ist wie „Eiter" und „Fäulnis" für Israel. Daß עש (s.o. Textanm. 5 12a) hier nicht „Motte" heißen kann, geht auch daraus hervor, daß die Motte im Vergleich mit Personen nur deren schnelle Vergänglichkeit bezeichnet (Ps 39 12 Hi 4 19); ferner zerstört sie nicht Menschen, sondern Gewänder (Jes 50 9 51 8). Daß hier vielmehr die Bedeutung „Eiter" gegeben ist, bestätigt vollends die Fortsetzung 13a, die „Krankheit" und „Geschwür" als Folge der Gerichtstheophanie Jahwes nennt. Auch רקב als „Fäulnis" gefährdet nicht Sachen, sondern Menschen; er dringt nach Hab 3 16 Prv 12 4 14 30 in die Gebeine. Die Bilder „beweisen, wie wenig die profetische Sprache von ‚ästhetischen' oder ‚dogmatischen' Rücksichten gezügelt" ist (JHempel, Worte der Profeten, 1949, 308), wie sehr sie dagegen die Aufmerksamkeit reizt und auf unüberhörbare Deutlichkeit bedacht ist, wo der Heilsgott für das bundbrüchige Volk zum Richter wird (s.o.S. 23ff. zu 1 9).

Sachlich ist 12, anders als 14, streng präsentische Aussage, die in adversativem Anschluß an die negative Erklärung von 11b den beklagenswerten Zustand von 11a positiv deutet. Nicht Tiglatpileser III., sondern Jahwe ist der Herr der Geschichte Israels. Ihn muß Israel in den Vorgängen am Werke sehen.

13 Aber Israel sah es anders. Ephraim kann seine „Schwäche" (חלי) natürlich nicht verkennen, da nach der Küstenebene nun auch Galiläa und das Ostjordanland erobert sind. Ähnlich sah sich Juda schon vorher mit der Belagerung Jerusalems durch das syrisch-ephraimitische Koalitionsheer gefährlich verwundet. (Das Bild der Krankheit und Verwundung des Körpers für Kriegsnöte des Volkes brauchen auch Jes 1 5ff.

Jer 30 12f.). Doch Samaria stellt die falsche Diagnose. Man hält Assur für den eigentlichen Urheber des Schadens und schickt darum zum „Großkönig" (s. Textanm. 5 13a) Tiglatpileser III. Beide Staaten taten nacheinander das gleiche (s.o.S. 141), aber Hosea hat es vornehmlich mit Ephraim zu tun. Darum muß man nicht auch in 13aβ im parallelen Glied Juda rekonstruieren (Alt 177f.; Harper 277; Weiser 53). 13b beweist mit der Anrede in 2. pers. pl. (לכם—מכם), daß der Prophet sich an dieser Stelle speziell seinen Hörern zuwendet, also in erster Linie die eben erfolgte Unterwerfung des jungen Königs Hosea im Auge hat. Der Anredesatz bringt heraus, woran ihm im ganzen Zusammenhang liegt: die neueste Vasallitätspolitik führt nicht zur Heilung des Schadens. Man wird die Reihenfolge Ephraim-Juda in 13a nicht historisch pressen dürfen und nicht nur ihretwegen für Ephraim an den fünf Jahre zurückliegenden Tribut Menahems von 738 denken (2 Kö 15 19f.; Noth, GI 233). Denn die Reihenfolge entspricht 12 und damit dem Vorrang des Interesses an Ephraim (13aβb).

Bis hierher ist das Bild der Krankheit durchgehalten zur Deutung der gegenwärtigen Not (13aα), ihrer wahren Ursache (12) und der falschen Versuche ihrer Bewältigung (13aβb). Der Irrweg macht die zu Beginn des Auftritts angedrohte weitere תוכחה (9a) notwendig. Israel hat sich nicht seinem wahren Züchtiger Jahwe zugewandt. So wird er sich nicht nur als die heimliche Ursache der Schwächung Israels zeigen, sondern als der übermächtige Gegner.

Wieder dient die Selbstvorstellungsformel (s.o.S. 146 zu 12) dazu, den **5 14** Grund für die Vergeblichkeit des Hilfegesuchs bei Assur zu nennen (כי). Und wieder ist sie grundsätzlich gesamtisraelitisch formuliert, worin deutlich wird, daß Hosea über den Anfang der weiteren Katastrophe hinaus, nämlich über den Vormarsch des Ahas (8), eine völlige Katastrophe für Ephraim (9a) wie für Juda (10b) kommen sieht. Darin wird sich Jahwe als „Löwe" erweisen. שחל (vgl. auch 13 7) und כפיר sind Bezeichnungen der besonders kraftvollen und beutehungrigen Junglöwen; vgl. L Koehler, ZDPV 62 (1939) 121. Nicht weniger kühn als in 12 stellt Jahwe sich im Theriomorphismus als der vor, der „zerreißt" und „wegschleppt", ohne daß einer ihn hindern kann. 14b geht mit seinen Imperfekta zu einer Drohung über, die für die Zuhörer der von 9a entspricht. Man denkt unwillkürlich an die bis zur Eroberung Samarias fortgesetzte Zerreißung Israels durch Assur und seine Einverleibung ins assyrische Provinzialsystem. Der Nachsatz ואין מציל unterstreicht, daß die Gerichtsansage nur die Kehrseite des Bekenntnisses zu Jahwe als dem einzigen Retter Israels ist (vgl. 2 12b). Keiner vor Hosea hat gewagt, Jahwes Wesen und Taten in solcher Direktheit denen wilder Tiere zu vergleichen. Amos verglich nur Jahwes Reden dem Brüllen des Löwen (1 2 3 8); von ihm kann Hosea angeregt sein.

5 15   15 führt noch einen Zug der Bildrede von 14 unter Aufnahme des
Stichworts אלך aus. Der Löwe zieht sich (mit der Beute) in sein Versteck
(מקום) zurück. Neben dem Bild können Züge des kanaanäischen Mythos vom scheidenden Gott in der Drohung wirksam sein (s.o.S. 127 zu
5 6 und HGMay, AJSL 48, 1932, 83). Hinsichtlich des Beuteopfers wird
nämlich das Bild verlassen. An seine Stelle tritt die Vorstellung, daß mit
der Abkehr Jahwes Land und Volk verwüstet werden (vgl. Ps 104 29).
Welches der Aufenthaltsort Jahwes sei, sagt Hosea nicht. Er verwendet
den Mythos ebenso fragmentarisch wie das Löwengleichnis. Beides dient
nur vorübergehend zur Verdeutlichung der Zuchtmaßnahme Jahwes
(יום תוכחה 9a), deren positives Ziel zum vorläufigen Abschluß 15aβb
nennt. Der finale Zeitsatz mit עד אשר („bis daß") zeigt, wie die prophetische Verkündigung Vorstellungen naturhaft-zyklisch denkender Mythologie dem geschichtlich-eschatologischen Jahwezeugnis dienstbar macht.
Jahwe zieht sich jetzt zurück und überläßt sein Volk den weiterrollenden
Kriegsereignissen, bis die in 9a angedrohte Verheerung Ephraims vollstreckt ist. יֶשְׁמוּ (s. Textanm. 5 15b) erinnert an לשמה in 9a. Im Zuge der
kriegerischen Ereignisse wird vollendet eintreten, was schon in Jerobeams
II. Tagen (2 12) angekündigt war.

Erst die totale Verwüstung wird erreichen, was den bisherigen Schlä-
gen noch nicht gelang (13): daß man statt der Werkzeuge den Meister
aufsucht. Dieses erwartete „Aufsuchen seines Antlitzes" wird nicht
nach kultischen Terminen des kanaanäischen Opferdenkens geschehen
(5 6), sondern den schon in der Frühzeit verheißenen Aufbruch zum
Bundesgott Jahwe selbst aus der nackten Wüstensituation verwirklichen
(3 5). In diesem Sinne wird בקש durch das Parallelwort שחר pi. interpretiert, das in der nichtkultischen Sprache der Weisheit beheimatet ist
(Hi 7 21 8 5 24 5 Prv 1 28 7 15 8 17) und auch im Psalter (63 2 78 34) die
unmittelbare Hinwendung zu Jahwe aus notvoller Bedrängnis heraus
beschreibt. (Es ist viel zu solenn, als daß es jemals in Einleitungsformeln
vorkäme, darf also schon deshalb nicht, wie ⑥ will [s.Textanm. 5 15c], als
Auftakt zu 6 1–3 gezogen werden). Die Wendung zu Jahwe ist also das
Ziel des angekündigten Tages der Züchtigung und seines leidenschaftlichen Zorns.

6 1–3   Das nun folgende Bußlied kann nicht als Beispiel solcher Wendung im
Sinne Hoseas gewertet werden, wie 6 4ff. einerseits und 14 3f. andererseits zeigen. Es ist aber auch weder an einer entsprechenden Einleitungs-
formel (vgl. 8 2 10 3 14 3; zu ישחרנני 5 15 s.o.) noch am Inhalt von 6 1–3 zu
erkennen, daß der Prophet es fingiert und dem Volk als ein Zeichen allzu
flüchtiger Bekehrung in den Mund gelegt habe (Alt, Schmidt, Lindblom,
ThLZ 87, 1962, 835). Vielmehr wird es ein in jenen notvollen Tagen
von der Priesterschaft angestimmtes Bußlied sein; vgl. Jos 7 6ff. 1 S 7 6
und Gunkel-Begrich, Einleitung in die Psalmen (1933) 117ff. Die stich-

148

wortartigen Berührungen seines Anfangs mit den voraufgehenden Pro-
phetenworten (zu טרף und רפא in 1 vgl. 5 13b. 14b, zum Bild des Kranken 5 12f.) machen es nur geeignet, Hosea entgegengehalten zu werden
mit dem Bemerken: „Was du für spätere Zukunft erwartest (5 15b),
geschieht schon jetzt unter uns!" Wollte man den Zusammenhang
zwischen 5 8–15 und 6 –3 direkter sehen – auch die Erwartung der
Wiederkehr Jahwes in 6 3 entspricht ja der seiner Abkehr in 5 15a –,
so müßte man annehmen, das Bußlied und vielleicht ein ganzer Bußtag sei durch Hoseas Worte 5 8–15 ausgelöst worden. 6 4ff. würde dann
zu einem späteren Auftritt an eben diesem Bußtage gehören. Aber außer
den genannten Anspielungen wirken Sprache und Bildschatz des Liedes
selbständig. Es wird „ganz aus der durch den kanaanisierten Jahwekult
geprägten Volksfrömmigkeit zu verstehen sein" (R.Hentschke, Die Stellung der vorexilischen Schriftpropheten zum Kultus: ZAWBeih 75,
1957, 91), die in anderer Weise auch Hoseas Verkündigung mitprägt
(s.o.zu 5 15), so daß sich die Stichwort- und Vorstellungsverwandtschaft
von gemeinsamen Voraussetzungen her erklärt.

Vermutlich fügten die Tradenten das Lied ihrer Niederschrift der
Hoseaworte bei, weil es zum Verständnis der folgenden Frage unentbehrlich erschien, so wie die Amazjaworte in Am 7 10–13 als Verständnishilfe
für das Amoswort 7 14–17 überliefert wurden, nur daß die Rahmennoti-
zen hier entsprechend der allgemein in Kap. 4–14 beobachteten Eigenart der Hoseatradition fehlen (s.o.S. 92f.).

Das formgeschichtlich charakteristische Merkmal dieses zweistrophi-
gen Bußliedes ist das starke Zurücktreten der Klage-, Schuldbekennt-
nis-, Gelübde- und Bußmotive, die nur im zweimaligen kohortativischen
Strophenbeginn in knapper Form erscheinen (1aα. 3aα), hinter breiten
Vertrauens- und Zuversichtsaussagen im Hauptteil beider Strophen
(1aβ–2. 3aβb), die, zumal die Anrede an Jahwe fehlt, den Charakter der
Selbstbeschwichtigung haben.

Israel kann sich mit diesem Lied als ein dem Propheten gehorsames 6 1
Volk verstehen, nimmt es doch mit שוב ein Hauptstichwort seiner Verkündigung auf (2 9 3 5 5 4) und in den Kohortativen im Eingang beider
Strophen (1aα. 3aα) die Zukunftserwartung von 5 15aβb. Ferner greift
es in der Vertrauensaussage das Bild der Verwundung eines vom Raub-
tier angefallenen Menschen auf mit dem in 5 13 vermißten Bekenntnis,
daß Jahwe zerrissen und geschlagen hat. Das Bekenntnis ist unlöslich
verknüpft mit der Zuversicht, daß er auch heilen und verbinden werde;
vgl. Dt 32 39 Ez 30 21 Hi 5 18.

Zum letzten Dreier von 1 gehört wahrscheinlich noch יחיו in 2a 2
(Stamm). Da es sich um die Geschichte eines Verwundeten und nicht um
die eines Getöteten handelt, heißt חיה pi. hier nicht „lebendig machen"
(Luther, vgl. Dt 32 39), sondern wie gewöhnlich „am Leben erhalten"

(Nu 31 15 Jos 9 15 Jes 7 21, vgl. KBL 293a). Die folgenden Zeitbestimmungen bilden dann die erste Reihe des die erste Strophe beschließenden Doppeldreiers. Sie bezeichnen tautologisch (Stamm) den Termin „nach zwei Tagen" als den „dritten Tag". An ihm, also nach kurzer Frist, wird Jahwe den Verwundeten und Gepflegten wieder „aufstehen lassen", nämlich vom Krankenlager (vgl. Ps 41 4.11). Damit ist sicher, daß er „vor Jahwe leben bleibt". Die Wendung kommt von der Anschauung her, daß der Tod von Jahwe trennt (Ps 6 6 30 10 88 11ff; vgl. vRad, ThW II 844ff. und ThCVriezen, Theologie des AT in Grundzügen, 1957, 173). Von Totenauferstehung ist demnach nicht die Rede.

Allerdings hat man in Hos 6 2 einerseits von der altorientalischen Religionsgeschichte und andererseits vom Neuen Testament her ein Zeugnis für die Auferstehung am dritten Tage finden wollen.

Die Umwelt Israels kennt sie in der Tat. Lukian (De syria dea § 6) bezeugt für Byblos den Mythos von der Auferstehung des Adonis; am Tage nach dem für ihn dargebrachten Totenopfer lebe er wieder: μετὰ δὲ τῇ ἑτέρῃ ἡμέρῃ ζώειν τέ μιν μυθολογέουσι. Vom ägyptischen Gott Osiris berichtet Plutarch (De Iside et Osiride 13, 356 C; 19, 366F), sein Todestag falle auf den 17. Athyr, seine Auffindung auf den 19. Athyr (vgl. Baudissin 408ff.). Zum Tammuzkult, der in Israel nicht unbekannt war (Ez 8 14; vgl. Zimmerli, BK XIII, 219f.), vgl. Fragmente einer ältern sumerischen Dichtung von der Höllenfahrt der Inanna, die einen Zeitraum von drei Tagen und drei Nächten nennen (SNKramer, BASOR 79, 1940; WFAlbright, Von der Steinzeit zum Christentum 193f.; Nötscher 314ff.; H. Schmökel, Heilige Hochzeit und Hoheslied, 1956, 31; weitere Literatur zur Sache bei GFohrer, ThZ 1955, 167 und WvSoden, Sterbende und auferstehende Götter: RGG³ I 688f.; für Al'iyan Ba'al von Ugarit s.o. S. 47).

Wenn die neutestamentliche Urgemeinde auch für den Termin der Auferstehung Jesu „am dritten Tage" einen Schriftbeweis hat führen wollen (1 Kor 15 4; vgl. Lk 24 7), dann kann kaum an eine andere Stelle gedacht sein als an Hos 6 2 (𝕲: ἐν τῇ ἡμέρᾳ τῇ τρίτῃ ἀναστησόμεθα καὶ ζησόμεθα ἐνώπιον αὐτοῦ). Das Targum spricht allerdings an Stelle der Zahlenangabe von den „Tagen der Tröstung, die zukünftig kommen werden" und den „Tagen der Auferstehung"; vielleicht hat es damit dem urchristlichen Schriftbeweis den Text entwinden wollen (vgl. Delling, ThW II 951ff.). Es muß aber beachtet werden, daß ein ausgeführter Schriftbeweis mit Hos 6 2 weder im Neuen Testament noch bei den Apostolischen Vätern oder den ältesten Apologeten geführt wird. Er findet sich erst bei Tertullian[1]; vgl. SVMcCarland, The Scripture Basis of

---

[1] adv. Marcionem IV 43,1f. (CChr Tert. op. I, 661): Oportuerat etiam sepultorem domini prophetari ac iam tunc merito benedici, si nec mulierum illarum officium praeterit prophetia, quae ante lucem conuenerunt ad sepulcrum cum odorum paratura. De hoc enim per Osee: et quaerent, inquit, faciem meam; ante lucem uigilabunt ad me dicentes: eamus et conuertamur ad dominum, quia ipse eripuit (dixit) et curabit nos, percussit et miserebitur nostri, sanabit nos post biduum, in die tertia resurgemus. Quis enim haec non credat in recogitatu mulierum illarum uolutata inter dolorem praesentis destitutionis, qua percussae sibi uidebantur a domino, et spem resurrectionis ipsius, qua restitutuiri se arbitrabantur. – adv. Iudaeos XIII, 23 (CChr Tert. op. II, 1389): ...post resurrectionem eius a mortuis, quae die tertia effecta est, caeli eum receperunt secundum prophetiam (ab) Osee emissam huiusmodi: ante lucem surgent ad me dicentes: eamus et reuertamur ad dominum deum nostrum, quoniam ipse eripiet et liberabit nos post biduum in die tertia. Quae (est) resurrectio eius gloriosa de terra in caelos eum recepit, unde et uenerat ipse spiritus ad uirginem.

„On the third day": JBL 48 (1929) 124—137. Auch Luther meint im Anschluß an die Kirchenväter, Paulus habe sich in 1 Kor 15 4 auf unsere Stelle bezogen, und legt selbst aus (WA 13, 27): Vivificabit Loquitur de resurrectione Christi, während Calvin die Stelle lieber sinngemäß ekklesiologisch deuten möchte (CR 42, 320f.).

Das alte Bußlied spricht lediglich die Erwartung aus, daß der zerschundene Volkskörper von Jahwe der Genesung zugeführt wird, und zwar in kürzester Frist, wobei die Zeitbestimmung „nach zwei Tagen, am dritten Tage", wenn sie überhaupt den Göttermythos im Ohre hat (so HGMay, AJSL 48, 1932, 84f.), allenfalls „sprichwörtlich" gebraucht ist (Baudissin 410), denn die Aussage ist (1.) vom Volk und nicht von einem Gott gemacht und bezieht sich (2.) auf die Wiederherstellung eines Verwundeten und nicht auf die Auferstehung eines Toten.[1] Jahwe ist „der lebendige, aber nicht der sterbende und auferstehende Gott" (JHempel, „Ich bin der Herr, dein Arzt": ThLZ 89, 1957, 820; ders., Heilung als Symbol und Wirklichkeit im biblischen Schrifttum: NAG 1958, 271ff.).

Deutlicher klingen dagegen Motive des Mythos in der zweiten 6 3 Strophe an. Schon die kohortativische Einleitung erinnert vor allem mit נרדפה an das Suchen des abwesenden oder schlafenden Gottes (1 Kö 18 27; s.o.S. 127 zu 5 6 und S. 148 zu 5 15). Die Vergleiche mit der hervorbrechenden Morgenröte, den jahreszeitlich wiederkehrenden ersten Herbstgüssen (גשם) und den späten Frühjahrsregen (מלקוש) offenbaren naturmythologisches Denken, das vom Kanaanäertum infiziert ist. Die Kette der Vergleiche unterstreicht die securitas der Hoffnung Israels (beachte dazu נכון in 3aβ). Sie mag an dem in der Not von 733 kultisch begangenen Bußtag genährt sein von der Anerkennung Hoseas ben Ela als Vasallenkönig durch Tiglatpileser III. (s.o.S. 142).

Hosea antwortet im Ich-Stil der Gottesrede auf die vorgetragene 4 Bußklage, so wie sie der Erhörung zusprechende Priester im Kultus übt; vgl. Ps 85 9 und JBegrich, Das priesterliche Heilsorakel: ZAW 52 (1934) 81—92; Gunkel-Begrich, Einleitung in die Psalmen (1933) 137. An dieser Stelle überrascht das allgemeine Fehlen der Botenformel bei Hosea am wenigsten, da der Erhörungszuspruch sie gewöhnlich im Unterschied zum Prophetenspruch nicht kennt (Begrich 87). Die Tradenten haben die Hoseaworte anscheinend durchgängig nach Art der priesterlichen Verkündigung verstanden, der die Botenformel fremd ist; vgl. IPSeierstad, Die Offenbarungserlebnisse der Propheten Amos, Jesaja und Jeremia (1946) 208f. So könnte sich sowohl ihr überraschendes Fehlen im Hoseabuch wie auch die Zugehörigkeit der Überliefererkreise zu oppositionellen priesterlichen Kreisen erklären (s.o.S. 92f. 98).

Inhaltlich ist die priesterliche Orakelantwort schon mit ihrer Ein-

---

[1] Dem entspricht die Behutsamkeit des Schriftbeweises bei Tertullian, der unser Wort den Frauen am Ostermorgen in den Mund legt; s. die vorige Anm.

gangsfrage außerordentlich merkwürdig. In ihr bezeugt sich der mit sich selbst ringende Gott (vgl. 11 8). Sie entspricht ganz der besonderen Verkündigungsweise Hoseas, die zwischen mitleidender Klage und strenger Anklage hin- und herschwankt (zu 5 10. 11 s.o. S. 145 und zu 4 4–15 o.S. 91.116f.).Wie in 5 10–14 (s.o.S. 144) redet der Gott aller Stämme Israels. Er erkennt an, daß sich in der Buße Israels חסד beweist, nämlich eine Gesinnung der Verbundenheit mit Jahwe (s.o.S. 64), die sich ihm zuwendet, eine Haltung der Ergebenheit; vgl.ARJohnson,Hesed and hāsîd, NTT 56 (1955) 100–112. Dieser Bundessinn ist aber allzu flüchtig. Daß hier und 6 חסד die Liebe meine, die „Ephraim und Juda einander erweisen sollten" (so AJepsen, Gnade und Barmherzigkeit im AT: KuD 7, 1961, 269), ist vom Kontext her ausgeschlossen, in dem die Beziehungen von Ephraim und Juda zueinander keine Rolle spielen, vielmehr die Hinwendung zu Jahwe Hauptthema ist (5 15 6 1ff. 7; s.u.S. 165f.). – Entsprechend der zweiten Strophe des Bußliedes wählt Hosea den Naturvergleich: ihr meint, Gott müsse pünktlich wie die Morgenröte hervorkommen, indes euer Bundessinn alsbald wieder verschwinden wird. ענן־בקר meint den Bodennebel, der am Sommermorgen ebenso wie Frühtau vor der steigenden Sonne schwindet (vgl. RBScott, Meteorological Phenomena and Terminology in the Old Testament: ZAW 64, 1952, 21.24 und Dalman, AuS I 193f.). Beides ist darum als Bild flüchtigen, unbeständigen Wesens geeignet. Warum wird Israel so beurteilt? Im Blick auf das Lied wird man mangelnde Schulderkenntnis (vgl. dagegen 14 3f., auch 7 2) und allzu naturgesetzliche Zuversicht nennen müssen, die Jahwe mit den Baalen verwechselt. Die Fortsetzung wird den Grund der Abweisung noch verdeutlichen.

6 5   על־כן führt zunächst die Konsequenz aus, die Jahwe aus der immer schon festzustellenden Unbeständigkeit der Bundesgesinnung Israels zieht. Jahwes Kampf durch Propheten will sie überwinden; zu חצב in Ugarit s.o. Textanm. 6 5a. Die Perfekta lassen zusammen mit dem Plural נביאים sowohl an frühere Propheten des Nordreichs wie Ahia von Silo, Elia, Elisa, Micha ben Jimla und Amos als auch an Hoseas jetzt ergehendes Wort (5 8f. 14) denken (vgl. ThLZ 81, 1956, 84f. und weiterführend RRendtorff, ZThK 59 (1962) 149f. 153ff. Sie konstatieren die Funktion der Prophetie schlechthin zwischen Israels Bundesbruch (4b) und dem neuen Durchbruch der Heilsordnung Jahwes (5b). Daß die Propheten insofern Werkzeuge Jahwes sind, als sie „Worte des Mundes Jahwes" (אמרי־פי; vgl. Jes 30 2 Jer 1 9 15 19) verkünden, entspricht dem Tatbestand, daß das Ich der Worte Hoseas immer das Ich Jahwes ist. Diese Worte sind tödliche Kampfwaffen; vgl. Am 7 10 Jes 9 7 Jer 5 14 23 29 Jes 49 2 55 10f.. Hosea mag an den eben erfolgten Zusammenbruch der Heere Israels vor den Streitwagen Tiglatpilesers III. als an eine Erfüllung früherer Prophetenworte denken (z.B. Am 2 13–16 4 2 5 27), aber zugleich an die

von ihm selbst soeben angekündigte noch größere Katastrophe (5 8f. 14).

Mit „Töten" als einer Maßnahme gegen den unbeständigen Bundessinn Israels will Jahwe nicht auf das Ende Israels hinaus, sondern auf den Durchbruch der von ihm gewährten Lebensordnung. Das Imperfektum יצא beschreibt die beabsichtigte Folge. Der Vergleich mit dem hervorbrechenden (Sonnen-) „Licht" bezeichnet die Überlegenheit und Beständigkeit dieses משפט gegenüber dem flüchtigen Nebel des חסד Israels (4). Ps 37 6 führt das Bild weiter aus. Der משפט Jahwes (zum ursprünglichen Suffix משפטי s.o. Textanm. 6 5b) will dem Israels verglichen sein und ist ihm auch in der Bedeutung verwandt, wie in 2 21, bezeichnet also hier zunächst das richtige Gemeinschaftsverhältnis (vgl. Fahlgren, ṣᵉdāḳā, 1932, 129f.) und bezieht sich damit zuerst auf Jahwes Verhalten; da es Lebensordnung stiftet, erneuert es auch Israels Existenz und Verhalten (5 11). Dieser wirklichen Erneuerung wegen kann der angekündigte „Tag der Züchtigung" (5 9) dem flüchtig reuigen Volk nicht erspart werden.

Daß die prophetische Gerichtspredigt und damit Jahwes gegen- 6 6 wärtiger Kampf gegen Israel mit der Absicht seines durchbrechenden משפט ein Heilsziel im Sinne hat, ist wie von 4 her so von dem Lehrsatz 6 her zu erkennen. Dieser Vers stellt insofern einen Höhepunkt dar, als er sowohl die Kritik an Israels Buße (4) als auch die Sinndeutung der prophetischen Gerichtspredigt (5) mit der gleichen Grundsatzerklärung beschließt. Das Perfektum חפצתי konstatiert allgemeingültig den Willen Jahwes. Das Wort חפץ gehört wie רצה zur Topik der priesterlichen Anrechnungstheologie; vgl. Jes 1 11 Mal 1 10 Ps 51 18 und RRendtorff, ThLZ 81 (1956) 342. Jahwe erklärt, was vor ihm gilt. Der Satz wirkt wie ein Zitat aus einer bestimmten Lehrtradition (vgl. 1 S 15 22), die ihre Position durch Negation klärt. In Parallele zu לא will מן privativ verstanden sein und ebenfalls negieren; vgl. Prv 8 10, Ges-K § 119w, anders HKruse, Die „dialektische Negation" als semitisches Idiom: VT 4 (1954) 385–400. Nicht Mahl- und Brandopfer sind Gegenstand der Freude Jahwes (vgl. 4 8. 13f. 8 13), sondern חסד und דעת אלהים. Der Zusammenhang mit 4 lehrt, daß חסד hier in erster Linie das Bundes- und Treueverhältnis zu Jahwe bezeichnet, das sich weder mit Koalitionspolitik (5 11b) und Unterwerfung unter die Großmächte (5 13) noch mit dem Bruderkrieg zwischen Epraim und Juda (5 8. 10) verträgt. חסד zeigt als Begriff, wie völlig für alttestamentliches Denken das rechte Bundesverhältnis zu Gott das Ethos begründet; vgl. 4 und 4 1f.. Daß das Gottesverhältnis grundlegend ist, und zwar als Gemeinschaft mit dem wirkenden, schenkenden, redenden Gott, zeigt der Parallelbegriff דעת אלהים. Er weist mit seiner kognitiven Komponente darauf hin, daß man um den Gott der Bundestreue aus seiner Offenbarung im Wort (4 1f. 6) und Werk (11 1–3 2 10 13 4) wissen kann. Da es Wissen um den Gott ist, der fortwirkend Israels Gott ist, setzt es in Relation zu ihm. Indem man um ihn weiß, erfährt man ihn, lebt man vertrauend und gehorchend in Gemeinschaft mit ihm. Diese existentielle Komponente gehört für hebräisches Denken unabtrennbar mit der kognitiven zur Struktur der דעת; vgl. EvTh 15 (1955) 426ff. und ThCVriezen, Theologie des Alten Testaments in Grundzügen(1957)104f.

Es ist deutlich, daß Hosea mit dieser Lehrerklärung zugleich den Sinn des israelitischen Kultus wie den der israelitischen Geschichte enthüllt. Der Gottesdienst, den Jahwe will, kann Gott nicht mit frommem Werk befriedigen, sondern er erfährt die Verbundenheit mit Gott, indem seine Geschichtstaten und Lebensweisungen vergegenwärtigt werden. Solcher Gottesdienst würde – anders als die zitierten Bußopferfeiern – auf das politische Verhalten Israels zu den fremden Mächten und zum Brudervolk Juda einwirken. Nach Hoscas Meinung sollten die Priester in den Tagen des Zusammenbruchs etwa vom Auszug aus Ägypten erzählen (2 17b 11 1ff.) oder aus der Wüstenzeit (9 10 13 5) und von der Landgabe (2 10.17a). Solange Israel seine Geschichte und seinen Gottesdienst nicht allein an den in Israel verkündeten Gott gebunden sieht, wird Jahwe durch die harte Waffe der Prophetie, die Gerichtsgeschichte schafft, weiter an ihm arbeiten. Da es Hosea um die Verbundenheit mit dem für Israel wirkenden Jahwe geht, ist sein Lehrsatz um eine wichtige Nuance verschieden von dem überraschend ähnlichen Satz ägyptischer Weisheit: „Die Sinnesart des Rechtschaffenen nimmt Gott lieber entgegen als den Ochsen dessen, der Unrecht tut. Handle für Gott, daß er ebenso für dich handle" (Lehre für Merikare 129: AOT² 35; ANET² 417; vgl. SMorenz, Ägyptische Religion, 1960, 103f. 142f.). Die grundlegende Willenserklärung Jahwes liest sich wie das Programmwort der schon hinter 4 6 vermuteten prophetisch-levitischen Oppositionsgemeinschaft (s.o.S. 98), die gleichzeitig den Kultus und die Politik des gegenwärtigen Israel bekämpft. Daß ihr ein offizielles höfisch-priesterliches Bündnis seit langem gegenübersteht, war aus 5 1 zu erkennen und wird nun bei den Kultfeiern nach dem Zusammenbruch in kritischer Stunde offenbar.

6 7   Daß dem in 6 bezeugten Willen des Gottes Israels die amtierende Priesterschaft nicht entspricht und daß eben darum die in 6 1–3 offenbar gewordene Buße unzureichend ist, wird in 7–10a durch ein „Sündenregister" (Weiser) verdeutlicht. והמה knüpft adversativ an 6 an (s.o.S. 138). Ähnlich wie die Vergehen von 5 1b–2 sind die unter Anklage gestellten Vorgänge im einzelnen kaum noch aufzuklären. Schon von daher muß es als wahrscheinlicher gelten, daß Hosea bestimmte zeitgenössische Einzelfälle vor Augen hat, als daß er an Geschehnisse ferner Vergangenheit erinnert, die durch Tradition auf ihn gekommen wären.

Zwar könnte man gerade beim ersten Fall von „Adam" an ein Ereignis der Landnahmezeit denken. Vgl. Ps 78 60b! Denn mit „Adam" wird an die alte Ortslage des heutigen *tell ed-dāmje* an der Jabbokmündung erinnert, die auch Jos 3 16 erwähnt wird (vgl. NGlueck, BASOR 90, 1943,

5f.). Es müßte dann mit dem Jordanübergang bei Adam ein Bundesbruch erfolgt sein, der mit dem von Baal-Peor in 9 10 zu vergleichen wäre. Doch die sonstige Überlieferung weiß wohl von diesem, nicht aber von jenem. Auch sonst greift Hosea in unserem Zusammenhang anscheinend nie tief in die Geschichte zurück. So wird er eher ein Geschehen jüngster Vergangenheit meinen, bei dem sich die Kultgemeinde Israel als bundbrüchig erwies. Daß ברית hier nicht irgendeinen Vertrag meint, sondern die Gemeinschaft mit Jahwe, beweist b: „gegen mich handeln sie treulos". Mit ברית fällt das Stichwort, das die Voraussetzung des Gemeinschaftsverhaltens nennt, das in 5 mit משפט, in 6 mit חסד und דעת אלהים bezeichnet war. Die Nennung dieses Stichworts am Anfang des Sündenregisters spricht dafür, daß 7ff. ursprünglich mit 4–6 zusammengehört. Es meint jenen Zusammenschluß Jahwes mit Israel, durch den „Gott in freier Souveränität sich selbst hat binden wollen, zum Schutz und Gedeihen der Seinen herrscherlich einzustehen" (FHorst, Recht und Religion im Alten Testament: EvTh 16, 1956, 67; vgl. o.S. 61f.). Die Begründung des Bundes gehört für Hosea zum Auszug aus Ägypten (12 10 13 4 11 1; vgl. Jer 31 32) und zur Wüstenzeit (9 10). Mit ihm verbunden ist die Gabe der תּוֹרָה (8 1.12 41f. 6). So wenig Israel „einen klagbaren Rechtsanspruch" auf das „Leistungsversprechen" des Bundes hat, so gewiß „steht Gott ein Forderungsrecht zu gegen alle vom Bund Umschlossenen" (Horst a.a.O.). Unsere Anklage setzt das voraus, ohne auszuführen, inwiefern man sich verging.

Auch die Tat von G i l e a d bleibt im Dunkeln; vgl. 12 12. Die Stadt ist 6 8 knapp 10 km südlich des Jabbok und 25 km östlich des Jordan im Bergland zu suchen (*chirbet dschel'ad*; vgl. MNoth, Beiträge zur Geschichte des Ostjordanlandes I: PJ 37, 1941, 59ff.). פעלי און kann „Übeltäter" mancher Art meinen, doch schwingt in dem im Phönizischen beliebten פעל im Alten Testament immer der Unterton des Jahwefeindlichen oder Fremdkultischen mit (PHumbert, L'emploi du verbe pā'al: ZAW 65, 1953, 35–44 = Humbert, OH 175–186; vgl. Jes 31 2 und Prv 30 20, dazu Hoseas kultkritisches Stichwort זְנוּנִים, s.o.S. 106 zu 4 12ff.). Taten, die Blutspuren hinterließen, sind gemeint. Man hat in dem Wort עקב eine Anspielung auf eine uns unbekannte Jakobtradition finden wollen (zuletzt ENielsen, Shechem, 1955, 291). Doch auch hier sind aktuelle Vergehen wahrscheinlicher, wobei פעל און sowohl an verwerfliche militärische und politische Handlungen (Jes 31 2; bei der Verschwörung des Pekah im Jahre 734 wirkten nach 2 Kö 15 25 fünfzig Gileaditen mit) wie an spezifisch kultische Vergehen erinnern kann (vgl. Prv 30 20), die Hosea sonst mit dem Stichwort זְנוּנִים belegt; Blutspuren könnten dann an Kinderopfer erinnern (s.o.S. 128 zu 5 7).

Als dritter Ort im Sündenregister erscheint der „W e g n a c h S i - 9 c h e m". Hier ist ausdrücklich die „Priestergemeinschaft" angeklagt, die des Zusammenhangs wegen ebenso in 7 und 8 als in erster Linie angeklagt anzunehmen ist. Als wegelagernde Räuberbande macht sie sich des Mordes schuldig. חבר, ein aramäisches Lehnwort, das auch im Wortschatz der Marileute vorkommt (ḫibrum), bezeichnet eine kleinere soziologische Einheit: den Verband, die Verbindung, die Gemeinschaft (MNoth, Die Ursprünge des alten Israel im Lichte neuer Quellen: AFLNW 94, 1961, 16. 30; in Ugarit meint ḫbr den „Gefährten": Gordon 62, 48). Vielleicht hat das Fremdwort im Munde Hoseas einen abfälligen Unterton; vgl. die Bedeutung „Bann" in Dt 18 11 Ps 58 6 Jes 47 9. 12 und die Verwendung von חבר in 4 17. Die Bezeichnung der Tat als זמה, das meist Sittlichkeitsverbrechen meint, könnte ähnlich wie in 8 an spezifisch kanaanäische Kultakte erinnern, jedoch machen die Ausführungen von 9a eine staats- oder kultpolitische Aktion wahrscheinlicher: man könnte an ein brutales Vorgehen gegen die oppositionelle priesterlich- (levitisch?-) prophetische Gruppe denken (vgl. 9 7–9), die im altehrwürdigen Bundeszentrum von Sichem ihren Hauptsitz gehabt haben kann; vgl. ThLZ 81 (1956) 94[70]. Es bleibt nämlich zu beachten, daß Hosea gegen Sichem nie polemisiert wie gegen Bethel, Gilgal, Mizpa, Tabor, Samaria. Darauf wies schon EMeyer, G III³ 16f. II 2³. 311f. hin. Dt 27 14 kennt den Dienst der Leviten am Bundeszentrum in Sichem. Noch 1 Kö 12 1 ist die Stadt Hort gesamtisraelitischen Denkens, wie Hosea es in seiner Weise vertritt (2 1–3 5 10ff.), und wird in 1 Kö 12 29 nicht wie Dan und Bethel mit dem Stierkult ausgerüstet, für den zudem nach 1 Kö 12 31 nichtlevitische Priester herangezogen werden. Schließlich ist Sichem Asylstadt (Jos 20 7), so daß ein Grund der Anklage mehr besteht, wenn auf dem „Weg" dorthin Menschen überfallen werden (vgl. Dt 19 3). Ob die Priester dabei in eine der Thronrevolten verwickelt waren (Alt 186 s.u.), läßt sich nicht mehr ausmachen. Unwahrscheinlich aber ist auch hier, daß Hosea an uralte Vergehen wie die von Gn 34. 49 5ff. gedacht haben sollte (ENielsen a.a.O. 291).

6 10   10a wirkt wie eine Zusammenfassung, wenn nicht „Bethel" zu lesen ist (s. Textanm. 6 10a). Für die Generalfrage, ob die Schuldliste in 7–9 Taten ferner Vergangenheit oder aktuelle politische oder kultische Vergehen aufgreift, gibt der Schlußsatz Hilfen. Das typisch hoseanische konstatierende Perfektum (s.o.S. 144) kann durchaus gegenwärtige oder doch jüngst vergangene Ereignisse bezeichnen (vgl. aber daneben 9 10); die Nominalsätze in 8 und 9aα sowie das Imperfektum in 9aβ sprechen im Zusammenhang für die präsentische Deutung des Perfekts (auch in 7 und 9b). שערוריה (vgl. Jer 18 13) läßt eher an kultische als an politische Vergehen denken. Dafür spricht außerdem 1) der Zusammenhang der Anklagesätze 7–10a mit 6; 2) die ausdrückliche Erwähnung der Priester in 9 und 3) die nach 5 3 deutende Glosse in 10b (s. Textanm. 6 10c). Alt (186¹) meint, die Verse schilderten in echt hoseanischer Art den Verlauf

einer von Gilead ausgehenden, über den Jordan (Adam) bis nach Sichem usw. herübergreifenden Revolution. Dagegen spricht aber außer den soeben genannten Beobachtungen 1) die Reihenfolge der Orte und 2) die Tatsache, daß zu jedem Ort ein besonderes Vergehen ohne erkennbaren Zusammenhang mit dem vorigen erzählt wird.

Die judäische Glosse (s. Textanm. 6 11a) ist schwer deutbar (שׁת 6 11a unpersönlich?); sie spricht die Sprache der Exilszeit: „Ernte" als Gerichtsterminus im Sinne der „letzten Stunde" erscheint auch Jer 51 33 (vgl. Jl 4 13; zur Sache schon Am 8 2). Sie ist zusammen mit den anderen judäischen Glossen (5 5bβ 4 5aβ. 15aβ² 1 7) und den redaktionellen Überschriften 1 1 und 4 1a ein Beleg dafür, wie wichtig auch das Hoseabuch in der Exilszeit für Juda geworden ist; vgl. EJanssen, Juda in der Exilszeit: FRLANT 69 (1956) 88ff. 91.

Das folgende Stück – vielleicht ausgelöst durch die Einrede, Jahwe 6 11b–7 2 habe doch sonst Schuld vergeben, wenn Israel zu ihm schrie – setzt im Ton der Klage ein (zu עמי vgl. 4 6. 8. 12 und o. S. 97; ferner 5 10 und o. S. 145) und hält ihn über die neuen Anklagesätze hin bis zu den konstatierenden Perfekta in 2b durch. Die Anklagen greifen anscheinend auf das Schuldregister in 6 7–10 zurück: vgl. פעלו שׁקר 7 1a mit פעלי און 68; גדוד 7 1b mit אישׁ גדודים 6 9. Darüber hinaus aber verknüpfen sie den Zusammenhang 6 7–7 2 mit 5 8–6 6, indem die von der Bußliturgie ausgelöste Frage Jahwes in 6 4a in neuer Weise in 6 11b–7 1 erwogen, die Echtheit der Buße weiter geprüft (vgl. 7 2 mit 5 15 6 4b–6) und festgestellt wird, daß Jahwes Erfüllung der zuversichtlichen Erwartung Israels das Volk nicht zu der von Gott gewollten Rettung führen würde; vgl. 6 11b–7 1a mit 6 1–3.

Der Gott Hoseas fällt seine Entscheidung im Blick auf die Geschichte 6 11b–7 1 seiner Taten an seinem Volk. שׁוב שׁבות bezeichnet in Parallele zu רפא die Wiederherstellung des verwundeten Volkskörpers (vgl. 5 13 6 1), die sich im Laufe der Geschichte wiederholt ereignete. Die Wendung wird also an dieser Stelle eher im Sinne einer restitutio in integrum (nach ELDietrich, ZAWBeih 40, 1925, der שׁבות von שׁוב herleitet) als im Sinne einer Aufhebung der Schuldhaft (nach EBaumann, ZAW 47, 1929, 17–44, der es von שׁבה herleitet) zu deuten sein (zur Schwierigkeit der Phrase zuletzt RBorger, ZAW 66, 1954, 315f.). רפא = „heilen" schließt den Sinn von „vergeben" ein (vgl. 14 5), wofür Hosea kein anderes Wort kennt (vgl. JJStamm, Erlösen und Vergeben im AT, 1940, 81).

Was geschah, wenn Jahwe die Not wendete? „Vergehen" und „Bosheit" kamen neu zum Vorschein. Samaria als selbständiger Stadtstaat und für die diskutierten politischen Entscheidungen verantwortliche Hauptstadt des Landes (noch 10 5. 7 14 1) steht parallel zu „Ephraim" wie bei Jesaja Jerusalem neben Juda (Jes 3 8 5 3). – „Sie handeln heimtückisch". Statt des geläufigen עשׂה שׁקר (2 S 18 13 Jer 6 13 8 10) braucht Hosea wieder das jahwefeindlich klingende פעל (s. o. S. 155 zu 6 8).

157

Es kann sich im weiteren Zusammenhang sowohl auf trügerische Buße (6 1–4) wie auf verräterische Bündnisse (5 11b. 13) beziehen. Das erstere ist im näheren Zusammenhang wahrscheinlicher, zumal sich die Wendung auch in Jer 6 13 8 10 auf den Kultus bezieht, ist aber eben im Sinne Hoseas gar nicht vom zweiten zu trennen. Dem frommen Schein entsprach wie jetzt (6 7–10a) so früher, wenn Jahwe sich seines Volkes erbarmte, nicht die nachfolgende Tat, vielmehr geschah Diebstahl drinnen und Raub draußen.

7 2   Das ist kennzeichnend für den Mangel an wahrhaft besonnener Buße; zu לב s.o.S. 104f. zu 4 11. Sie besinnt sich nicht darauf, daß Jahwes Gerichte Israel von seiner Bosheit losreißen und in den Bund zurückholen wollen (vgl. 6 5). Das im Verlauf des Auftritts zurückgewiesene Bußlied 6 1–3 ist deshalb so flüchtig (6 4b), weil ihm jegliche Schulderkenntnis fehlt (im Unterschied zu dem in 14 3–4) und damit die Befreiung vom verkehrten Weg und die echte Rückkehr in den Jahwebund ausbleibt. עתה leitet den Schluß ein, der zu ziehen und als Ergebnis zu beklagen ist: sie sind von ihren Taten eingekreist (vgl. 5 4 und o.S. 126). Wie in 4 9 5 4. 5b zeigt der Mensch sich eingefangen in die Gesetze „schicksalwirkender Tatsphäre", die der Mensch durch sein Tun sich selbst schafft (s.o.S. 103f., Koch a.a.O. 12). Doch wirkt sie sich nicht selbständig aus (zu היה s.o.S. 144 zu 5 10), sondern „vor dem Angesichte Jahwes". Vor ihm erscheinen eben nicht die, die die Gemeinschaft mit ihm aus der Not heraus wahrhaft suchen (5 15 6 6), sondern die Gefangenen und Gezeichneten ihrer Taten. Sie nötigen zu der angekündigten weiteren Züchtigung (5 9. 14).

3–7   Das wiederholte Stichwort „Bosheit" (7 1. 2) und der Vorwurf „Trug" (1) mag im Laufe des Auftritts die empörte Gegenfrage herausgefordert haben, wieso der Vorwurf in der jetzigen Stunde das geschlagene Volk treffe, das doch Bußgesinnung zeige. Das mag Hosea veranlaßt haben, auf das jüngste Ereignis der Thronbesteigung Hoseas, des Mörders seines Vorgängers Pekah, in neuer Scheltrede einzugehen (s.o.S. 140ff.). Er weist zunächst in anklagender Disputation die „Bosheit" und den „Betrug" nach (3), verwendet dann das Bild des Backofens für die erregten Vorgänge (תנור 4. 6. 7a), um am Schluß im Stil der Gottesrede den Hauptpunkt der Anklage zu formulieren (7bβ), der auch dieses Stück des Auftritts mit dem ganzen verbindet.

3   Die „Bosheit", die „einen König fröhlich" macht, wird die vom Propheten verworfene Selbsthilfeaktion durch einen Thronwechsel vor Augen haben. Da die antiassyrische Politik des Pekah gescheitert ist, versucht man es mit dem zur Unterwerfung bereiten Hosea ben Ela. Mit dem König sind auch die militärischen und zivilen „Befehlshaber" (שרים) am Hof ausgewechselt. Freude gehört zum Krönungstag (1 S 11 15b 2 Kö 11 14). ישמחו, das man nicht durch das blasse und zum zweiten Ob-

158

jekt שׂרים schlecht passende יִמְשָׁחוּ ersetzen sollte (s. Textanm. 7 3a), gibt den Grundton des Übermuts (vgl. 4–7) der Angeklagten an. Es ist nicht mehr auszumachen, ob die vordem genannten Priester (6 9; s.o.S. 155f.) hier als Träger der Revolte gescholten werden. Die „Bosheit" und der „Betrug" (כחשׁ auch 10 13 12 1) bestehen darin, daß man inmitten der Not des Zusammenbruchs auch innenpolitisch zu Manövern (vgl. 5 11b. 13) statt zum neuen Gehorsam gegen Jahwe und zu einem neuen Gottesdienst aufgebrochen ist (6 6 7 1). – Im מלך den Baal und in den שׂרים seinen mythischen Hofstaat sehen zu wollen (Nyberg, noch GÖstborn, Yahweh and Baal, 1956, 34. 37), sollte schon vom Kontext her (vgl. 7bα), aber auch von Hoseas kultischer und politischer Gesamtanschauung und seinem Sprachgebrauch her (vgl. 3 4 8 4 13 10f.) unmöglich geworden sein, zumal nach JBegrichs Kritik in OLZ 1939, 481f.

כלם faßt nun die in 3 gescholtenen, für den Thronwechsel mitverant- 7 4 wortlichen Kreise zusammen mit dem neubestallten Hof. Daß sie „Ehebrecher" heißen, paßt zum Vorwurf des Betrugs (3, vgl. 1a) und zu Hoseas Gleichnissprache (3 1 4 13f.). Wie im Kultus so handelt man in der Politik treulos gegen Jahwe (vgl. 7bβ mit 2 15). Die abgöttische Leidenschaft wird, soweit es die schlecht überlieferten Textstücke erkennen lassen, der flammenden Glut eines unkontrolliert brennenden „Backofens" verglichen. Der תנור, im allgemeinen ein nach oben sich verjüngender und geöffneter Tonzylinder bis zu einem Meter Größe, kann wie eine gewaltige Fackel brennen (Gn 15 17), wenn er am frühen Morgen mit Holz angeheizt wird (6b). Erst wenn das Feuer nach Stunden heruntergebrannt und unterdes der Teig mit Sauerteig geknetet ist und einige Stunden gestanden hat, werden die Fladen an die innere Wand des Backofens geklatscht und dort gebacken. Im allgemeinen hat jedes Haus seinen Backofen (Lv 26 26), aber für den Hof (1S 8 13 Gn 40 1ff. 41 10) und in den großen Städten (Jer 37 21 Neh 3 11) kennt man Berufsbäcker; vgl. Dalman, AuS IV 88ff. 104ff.; BRL 75ff.; Noth, WAT³ 125f.; Barrois I 320ff. Fand also der Auftritt in der Königsstadt Samaria (vgl. 7 1) statt, so wird die Erwähnung des „Bäckers" verständlicher als an einem anderen Ort.

Die Hitze der Leidenschaft wird durch den Wein gesteigert, der 5 die „Schwätzer" packt. In den לצצים erscheinen möglicherweise die, die den Propheten schwatzhaft verspotten (vgl. 9 7). Die Wendung läßt die Zwischenrufe ahnen, die sich Hosea während seines Auftretens gefallen lassen muß. „Der Tag ‚ihres' Königs" mag der Tag der Thronbesteigungsfeier des Vasallen Tiglatpilesers sein. Hosea distanziert sich: „ihr König" (s. Textanm. 7 5a). Man spürt auch durch den unsicheren Text hindurch den Atem übermütiger Erregung nach Assyrereinfall und Königsmord, nach Tributleistung und Anerkennung des Mörders als Vasallenkönig. Bosheit und Trug stürzen sich in den Rausch.

7 6   Auch 6 verharrt noch in der Schilderung des leidenschaftlichen Treibens. Der Backofen, der „nachts" allenfalls schwach raucht, „flammt am
Morgen hell auf", wenn ein neuer Holzstoß entzündet wird. So lodert
die „Leidenschaft" (s. Textanm. 7 6c) der Vertreter Israels plötzlich
auf. Denkt Hosea an die neuerliche Begeisterung am Hof nach den be-
drückten Katastrophenwochen (5a)? Oder an die Erregung, die durch
sein prophetisches Auftreten unter denen entbrannt ist, die schon ihren
Rausch ausschlafen wollten (5b)? Oder blickt er im neuen Ansatz des
Bildes auf den Anfang der Revolte zurück, die aus heimlichem Hinterhalt plötzlich offen ausbrach (7a)? Der Text bleibt für uns dunkel.

7   Aber die Fortsetzung bezieht klar die noch einmal mit dem Backofen
verglichene hitzige Leidenschaft auf die Königsmorde und sieht darin
zugleich tierische Wildheit (vgl. אכל 2 14 13 8): „sie fressen ihre Richter". So ist das Bild vom Backofen in wiederholtem Ansatz verschiedenartig gewendet: es bezeichnet die brünstige Leidenschaft ehebre-
cherischer Abwendung von Jahwe (4), die glühende Begeisterung der
Thronfeiern und die heiße Erregung der Auseinandersetzungen (5),
schließlich das Auflodern der Thronwirren (7). Mit 7 ist der Prophet von
den schwer durchsichtigen aktuellen Tagesereignissen zum Allgemeinen
und Grundsätzlichen übergegangen (vgl. den ähnlichen Übergang von
6 7–9 zu 10a). Im Jahre 733 schaut man auf eine Kette von Thronwirren
zurück; innerhalb von zwölf Jahren fielen vier Könige einem Umsturz
zum Opfer (s.o.S. 140). שפטים scheint bei Hosea nur ein anderes Wort für
(eine Gruppe von) שרים zu sein (vgl. Textanm. 13 10d), vielleicht besonders wichtige Hofbeamte, die jeweils mit ihren Königen gestürzt wurden.
    Der knappe Nominalsatz trifft zum Schluß eine fortwährend geltende
Feststellung: keiner unter den Königsmördern ruft zu Jahwe. Damit
ist der rote Faden des Auftritts wieder aufgegriffen: wie man nach Assur
(5 13) und Ägypten (7 11) ruft statt nach Jahwe (vgl. 11 7 2 18), so ruft
man nach neuen Königen statt nach Jahwe. Wieder zeigt sich der Gott
Hoseas als der Gott der enttäuschten Liebe (2 15 5 15 7 1). Das Gericht
muß noch ärger kommen (5 9.14 6 5 7 2), damit die Heimkehr Israels zu
Jahwe erfolgt (5 15).

8   Mit dem Stichwort „Ephraim unter den Völkern" scheint eine
ganz neue Spruchreihe zu beginnen, die das innenpolitische Thema
„Thronwirren" durch außenpolitische Fragen ablöst. Doch in der Stunde,
in der sich der Auftritt wahrscheinlich ereignete, sind die beiden Themen
unlöslich verzahnt. Der König Hosea hatte Pekah eben deshalb beim
Vormarsch Tiglatpilesers beseitigt, weil die Bündnispolitik mit Aram,
Philistäa und Ägypten abgelöst werden sollte durch die Unterwerfungspolitik unter Assur. Schnell kann der Kreis um den jungen König
Hosea nach den Anklageworten in 7 3–7 den Propheten gefragt haben:
konnten wir denn etwas anderes tun, als von Aram, Philistäa und

Ägypten zu Assur umzuschwenken und also Pekah auf Seite zu schaffen? Wir stellen damit für diesen Übergang zum anderen Thema nur Vermutungen an; doch ein doppeltes läßt sich feststellen: 1) mit 8 beginnt nicht im eigentlichen Sinne ein neues Thema, vielmehr kehrt der Prophet zum Ausgangsthema des Auftritts in 5 8—13 zurück, das nur zwischenhinein zu spezielleren Auseinandersetzungen mit priesterlichen (6 1—7 2) und höfischen (7 3—7) Gruppen geführt hatte; 2) die Bildsprache von 8 zeigt, daß das beim Thema Thronwirren verwandte Gleichnis vom Backofen noch nachwirkt.

Wie öfter, wenn Hosea auf Einwürfe der Gegner eingeht, setzt er, Verständnis beweisend, mit der Klage ein (8—9; vgl. 5 11 6 11b—7 1a). Ephraim hat sich unter die Völker „vermengen lassen", so wie man Öl unter die Mehlteig rührt (בלל Ex 29 2 Lv 2 5; in 4 hatte Hosea noch vom Zubereiten des Brotteigs gesprochen). Das Bild trifft vorzüglich das politische und militärische „Umgerührtwerden" Israels im Jahre 733 zwischen Aram und Juda, zwischen Ägypten und Assur.

8b entfaltet eine neue Seite des Bildes. Der Brotfladen, der auf den erhitzten Stein geworfen wird, muß bald gewendet werden, wenn er nicht verbrennen soll (Dalman, AuS IV 35f.). Das Bild denkt wohl daran, daß die notwendige Umkehr zu Jahwe ausbleibt (10b). Das Volk bleibt ruhig auf der verkehrten Seite liegen, so böse auch die Folgen sind (Wellhausen).

Vielmehr „fressen die Fremden seine Kraft". Zu זרים s.o.S.128 **7 9** zu 5 7. Hier mag sowohl an die verbündeten aramäischen Truppen gedacht sein, die im Laufe des Jahres 733 zur Eroberung Jerusalems das Land durchzogen und „in Ephraim lagerten" (Jes 7 2; s.o.S. 140), wie auch an die im Vorjahr in die Küstenprovinz Dor, jetzt in die Provinzen Megiddo und Gilead eingezogenen Assyrer. Über den sich überschlagenden Ereignissen des Katastrophenjahres haben sich bei manchem „graue Haare eingeschlichen" (s. Textanm. 7 9a), sie sind plötzlich erschreckend gealtert. Was Hosea an diesem verhängnisvollen Kraft- und Lebensschwund zumeist beklagt, ist, daß man sich dessen nicht bewußt wird. Das wiederholte והוא לא ידע wird verständlich, wenn dies Wort in der gleichen Situation gesprochen ist, in der Hosea den Rausch und Freudentaumel um den jüngst bestätigten Vasallenkönig rügt (3—5).

Der Interpolator, der hier wie in 6 10b ein älteres Hoseawort (5 5a) **10** einfügt, führt den Mangel an Erkenntnis der wahren Lage Israels auf den ungebeugten „Stolz" Israels zurück.

Auch 10b könnte sekundär von 5 4a. 15 her eingetragen sein, zumal hier „Jahwe ihr Gott" statt des im Kontext üblichen göttlichen Ich (7 7. 12 und s.o.S. 139) steht. Doch die beiden Reihen stehen den vergleichbaren Worten viel selbständiger gegenüber als 10a und bilden zudem eine zu 8—9 passende Qinastrophe. Der Stil der Disputationsrede paßt zwar nicht zum folgenden Wort, aber durchaus zu 8—9, worauf die

Glosse (s. Textanm. 7 10b) בכל־זאת mit Recht zurückverweist, weil 8–9 thematisch 10b vorbereiten (s.o.). Der Übergang von singularischen (8f.) zu pluralischen (10b) Formen kommt häufig innerhalb der Sprucheinheiten vor (vgl. 5 13. 14f. 6 4) und kann damit erklärt werden, daß sich der Prophet erst beim Übergang zur Anklage von dem durch das Bild in 8b bedingten Singular löst. In jedem Falle aber ist zu sehen, wie vorzüglich 10b in die kerygmatische Thematik des ganzen Auftritts hineinpaßt (vgl. 5 13. 15 6 4b. 6 7 2. 7. 14. 16). Sollte das Wort ursprünglich nicht in den Auftritt gehören, so formuliert es doch treffend den Skopos der hier vorgebrachten prophetischen Anklagen.

7 11 Ein neues Wort (11–12) zum gleichen Thema „Israel zwischen den Völkern" (8a) ist durch das neue Bild von der „törichten Taube" bestimmt. Zu פתה = „unerfahren, leicht verführbar" s.o.S. 50; zu אין לב = „unbesonnen, orientierungsunfähig" s.o.S. 104f. Praktische Gottlosigkeit ist für Hosea zugleich Dummheit und Haltlosigkeit (vgl. 4 11f.)[1]. Sie kommt in Israels Schaukelpolitik zum Vorschein. Das Nacheinander des Hilferufs nach Ägypten und der Unterwerfung unter Assur paßt nicht zum Thronwechsel Pekahja-Pekah (so Procksch); denn Pekahja setzte wohl die Politik seines Vaters Menahem fort, der 738 Tiglatpileser tributpflichtig wurde (2 Kö 15 19f.; Noth, GI 233), Pekah dagegen betrieb antiassyrische Politik (s.o.S. 140f.). Ebensowenig paßt die Reihenfolge zu den Ereignissen des Jahres 724 (2 Kö 17 4; Noth, GI 237), allenfalls zu Vorgängen bald nach der Thronbesteigung Salmanassars V. (727), die aber nicht durchsichtig sind (2 Kö 17 3; vgl. GRicciotti, The History of Israel I, 1955, 353f.; WvSoden, Assyrien: RGG³ I 652), sicher aber in das Jahr 733 (s.o.S. 140f.). – Das Bild vom flatternden Vogel (auch 11 11) erscheint übrigens wiederholt in Texten Tiglatpilesers III. aus dem gleichen Jahr; vgl. TGI 51 (Annalen Z. 203). 53 (Steintafelinschrift 12), Alt, KlSchr II 157 (Annalenfragment Z. 17).

12 Der bis zur Stunde geübten Schaukelpolitik zwischen den Großmächten gilt die neue Gerichtsansage, die zu der Drohung im Eingang des Auftritts zurückkehrt (5 9. 14): Jahwe wird sein „Netz ausspannen" und sie einfangen (zum Bilde vgl. 5 1 und o.S. 124; zur Kennzeichnung des Gottesgerichts wird es schon im großen Hymnus an Schamasch gebraucht, s. AFalkenstein-WvSoden, Sumerische und Akkadische Hymnen und Gebete, 1953, 243), wobei an die Verheerung des Kernlandes Ephraim (5 9) zu denken ist. Ähnlich wie in 5 9 (תוכחה) wird die Strafe als Erziehungsmaßnahme angekündigt; zu יסר vgl. o.S. 125 zu 5 2.

13 Der bei Hosea seltene Weheruf (nur noch 9 12) zeigt an, daß die Sprüche des Auftritts dem Höhepunkt zustreben. Nach dem Stadium der

---

[1] Vgl. Barth, KD IV 2 (1955) 460ff. „Der etwas ungewöhnliche Satz muß also gewagt werden: Sünde ist auch Dummheit und Dummheit ist auch Sünde. Wobei unter Dummheit freilich streng das Verwerfliche zu verstehen ist, was die Bibel des Menschen Torheit oder Narrheit nennt" (462).

Erwägungen (6 4) und der Prüfung von Israels Vergehen fällt jetzt die Entscheidung. Der Weheruf spricht im Unterschied zu den voraufgehenden Worten nur noch von dem Verhältnis Israels zu Jahwe. Sein Handeln ist Flucht vor Jahwe (נדד noch 9 17) und Empörung des Ungehorsams gegen ihn; פשע (noch 8 1) bezeichnet profan die Revolte 1 Kö 12 19 Jes 1 2 (vgl. LKoehler, Theologie des AT, ⁴1966, 159) und ist hier Bestreitung des Autoritätsanspruchs, die Gottes Herrschaft angreift (vgl. FHorst, EvTh 10, 1950/51, 263). Dabei erwartet Israel, daß Jahwe solche Rebellen aus ihrer Not befreit. Der kleine Adversativsatz – „und ich sollte sie erlösen" – greift anscheinend nochmals auf Erwartungen und Vertrauensäußerungen zurück, die sich in dem Bußlied 6 1–3 zeigten und die Jahwe zu einem Ringen mit sich selbst veranlaßten (6 4a). Doch nachdem das Verhalten der Priester und Kultteilnehmer (6 7–7 2), das Treiben am Hof (7 3–7) und seine Außenpolitik (7 8–12) vergegenwärtigt ist, sind die Bußworte als „Lügen" entlarvt (zu כזבים vgl. 7 1 שקר, 7 3 כחשים und 7 16 קשת רמיה). Jahwe will wohl sein Volk retten, aber gerade angesichts dieses seines Heilswillens und seiner Bundestreue wird die Schändlichkeit des praktischen Betrugs Israels in seinen Selbsthilfeaktionen sichtbar (vgl. 6 11b–7 1). Der von Haus aus handelsrechtliche Terminus פדה = „loskaufen" (noch 13 14) bezeichnet hier ähnlich wie רפא (5 13 7 1 vgl. 6 1) die Rettung aus geschichtlicher Not (vgl. JJStamm, Erlösen und Vergeben im Alten Testament 14. 87f.). Insofern steht das Deuteronomium mit seinem Gebrauch dieses Begriffes für die Erlösung aus Ägypten (Dt 7 8 9 26 13 6 21 8) anscheinend in einer Tradition, die zuerst bei Hosea greifbar ist (vgl. Stamm a.a.O. 19, s. auch Mi 6 4). Wenn es zu einer wahren Befreiung Israels kommen soll, dann muß zuerst durch das Gericht das neue Gottesverhältnis begründet werden. Die „Verheerung", die hier mit שד bezeichnet ist, erinnert an 5 9a (שמה). Die Disputationen gehen zu Ende. Was zu Anfang angedroht war, ist unterdes als völlig begründet öffentlich ausgewiesen.

14 bestätigt, daß wir hinter 13b mit Recht die anschließende Kritik der 7 14 Gebete Israels sahen. 14 ergänzt, daß sie ihrer ganzen Art nach nicht eigentlich Jahwe meinen, sondern eher die Götter Kanaans. Zu בלבם s.o.S. 104f., auch S. 158 zu 7 2; in einem Staatsvertrag aus der Mitte des 8. Jh. setzt der Assyrer Assurnirari V. den Fall, daß sein Vertragspartner Mati'el von Arpad „nicht von ganzem Herzen" *(a-na ga-mur-ti libbi[bi]-šu)* mit seinen Streitkräften ausrückt, was hier bedeutet „nicht in völliger Ergebenheit" (Text und Deutung EWeidner, AfO 8, 1932/33, 20f.). Noch einmal schlägt die Kultkritik durch. Statt der besonnenen und gehorsam ergebenen Rufe zu Jahwe stoßen sie heulende Brunstschreie (ילל hi.) auf ihren Beischlaflagern (zu משכב vgl. Jes 57 8 Ez 23 17 Cant 3 1 und HGMay, The Fertility Cult in Hosea: AJSL 48, 1932, 78ff.) in den Fruchtbarkeitsriten aus (s.o.S. 108f. zu 4 13f.). Sie bringen sich Ritz-

wunden bei nach dem Ritual des Baal (s. Textanm. 7 14a). Schnittwunden bringt man sich in der Notklage (1 Kö 18 28), vor allem in der Totenklage bei (Dt 14 1 Lv 19 28 Jer 16 6). Darin beweisen sie, wie störrisch (s. Textanm. 7 14b) sie gegen Jahwe sind. In den Fruchtbarkeitsriten geht es zuerst um „Korn und Most". Daß sie in den Klagefeiern der Kriegsnot erneut aufblühten, versteht sich, da die fremden Truppen nicht nur selbst ernährt werden wollten (s.o.S. 161 zu 7 9), sondern obendrein Tiglatpileser wahrscheinlich das Bergland Ephraim seiner wichtigsten Kornkammer, der Jesreelebene, beraubt hatte (s.o.S. 59).

7 15 Die fremdartigen Kulte sind insofern schwere Kränkung für Jahwe, als doch kein anderer als er selbst Israels „Arme stärkte" (vgl. 2 10 11 1ff.). Der Glossator interpretiert dieses Stärken der Arme entsprechend Hi 4 3 und im Sinne von Hoseas Theologie (5 2 7 12 10 10; vgl. besonders auch 11 3) als erzieherisches Werk (יסר pi.). Demgegenüber sind in Israel Ränkeschmiede am Werk, die mit Berechnung gegen Jahwe „Böses planen". Von 13 ab hören wir keinen Satz, in dem Hosea nicht die Summe der Schuld Israels im persönlichen Angriff auf Jahwe, und zwar betont auf seine Liebe (13bα 15a), sieht.

16 Von daher wird der zerstörte Anfang von 16a zu lesen sein: „sie wenden sich"; gewiß vollziehen sie Wendungen, von Ägypten zu Assur (5 13 7 11), von Pekah zu Hosea ben Ela (7 3ff.), auch zu einem Gott nach kanaanäischem Modell (6 1–3 7 14), aber es unterbleibt die einzig notwendige Wendung zu Jahwe (s. Textanm. 7 16a; אלי als Stichwort in 7. 14, ähnlich 10b 5 15). Darin sind sie ein „trügerischer Bogen". GRDriver (BBB 1, 1950, 53) zeigt, daß קשת רמיה der schlaffe und insofern nutzlose Bogen ist; er scheint zu schießen, aber sein Pfeil erreicht nicht das Ziel (vgl. KBL). Ps 78 57 (beachte נהפכו) gebraucht das gleiche Bild. Damit ist die Anklage des Auftritts auf eine endgültige Formel gebracht.

Zum Abschluß wird die Drohung, die den ganzen Auftritt ausgelöst hat (5 8f.), nochmals wiederholt, aber so, daß statt der Verheerung des Landes nun die kriegerische Niederlage der Verantwortlichen angedroht wird. „Wegen der Frechheit ihrer Zunge". זעם meint die „Verwünschung", in diesem Falle wohl die, die die Männer des Hofes gegen den Propheten ausstießen (vgl. 7 5b) und die wir wiederholt zwischen den Zeilen lesen konnten, z.B. vor 5 10 7 3. 8. Die Abwehr des prophetischen Gotteswortes wird das Gericht nicht hindern, sondern endgültig herausfordern. Darüber wird man noch in Ägypten spotten, wenn nämlich in der völligen Zermalmung Ephraims herauskommen wird, daß die taktische Abwendung von Ägypten und Hinwendung zu Assur (s.o.S. 140f. und S. 162 zu 7 11) Israel nicht retten konnte.

Ziel Die kerygmatische Grundlinie des Auftritts ist bestimmt durch die Androhung einer völligen militärischen Katastrophe Israels, die die bisherigen Schläge noch übertreffen wird, insofern sie auch das bisher noch verschonte Kernland Ephraim treffen wird (5 9. 14 7 13. 16). Es bleibt nicht unklar, daß damit ein Gericht nicht nur über den Staat des Nordreichs, sondern über das gesamte Bundesvolk Jahwes als solches vollstreckt wird (5 10. 12–14 6 4. 11b). Als Vollstrecker werden nur indirekt menschliche Werkzeuge sichtbar (5 8. 10a 7 16aβ); ausdrücklich nennt Jahwe einmal die Propheten als seines eigenen Mundes·Worte (6 5), einmal seinen ausgeschütteten Zorn (5 10) und sonst immer wieder sich selbst, einmal im Bilde des reißenden Löwen, der sich seine Beute nicht entgehen läßt (5 14), und dann im Bilde des sein Netz ausspannenden Vogelfängers, der die davongeflogene Taube herunterholt (7 12). Schon in diesen beiden Bildern zeigt sich, daß der Eifer Jahwes nicht so sehr auf Vernichtung bedacht ist als vielmehr darauf, sein Volk den fremden Mächten zu entreißen, die Israel doch nicht helfen können, bei denen sie am Ende nur noch Hohn ernten (5 11b. 13b 7 11b. 16b). Mit klaren Worten wird das Gericht nicht als das Letzte, sondern als das Vorletzte bezeichnet (5 15). Die Begrifflichkeit charakterisiert dementsprechend seinen Sinn als Züchtigung (5 9) und als Erziehung (7 12).

Die Gerichtsansage löst zwar den stürmischen Auftritt aus und erweist sich auch am Schluß als beherrschend, nimmt aber einen geringen Raum ein im Vergleich zu den Anklagen, die in immer neuen Ansätzen den Hörern bekannte Tatsachen nennen und durch treffende Bilder verdeutlichen. Der Kern der Anklage besteht darin, daß Israel in der bisherigen Katastrophe zwar taktische Wendungen in der Außen- (5 11b. 13 7 11) und Innenpolitik (7 3ff.) vollzogen hat, aber die für das Bundesvolk entscheidende Rückkehr zu Jahwe bisher unterließ (5 15 7 7b. 10b. 14a. 16a cj.). Um diese entscheidende Schuld kreisen denn auch die meisten Sprüche dieses Auftritts, vor allem, nachdem der Widerspruch der Hörer weitere Begründungen herausgefordert hat. Sie gaben an, neben der politischen Wendung auch eine religiöse praktiziert zu haben (6 1–3; vgl. 7 14). Die Prüfung dieser Angabe ergibt, daß die gemeinschaftswidrigen Taten (6 7–10), die höfische Revolte (7 3–7) und der außenpolitische Kurswechsel (7 11–12) jene kultische Wendung als allzu flüchtig (6 4b), ja als Betrug ausweisen (7 13b vgl. 1a. 3. 15a). Es fehlt nicht an Tat- und Opferbereitschaft, aber es fehlt nach 6 6 die Verbundenheit mit Jahwe (חסד), die Kenntnis und Anerkenntnis Jahwes als des Gottes Israels und also seiner in allen Bereichen maßgeblichen Herrschaft (דעת אלהים). Es fehlt nicht an religiöser Zuversicht (6 1–3), aber es fehlt die Erkenntnis und das Bekenntnis der Schuld gegen Jahwe (7 2a). So weist die Spitze der Anklage darauf hin, daß der Gott Israels durch sein Volk mit aller politischen und religiösen Unternehmerfreudigkeit verworfen ist. In persönlichen Klagen gipfeln die Sprüche: „sie handeln treulos gegen mich" (6 7), „sie fliehen vor mir", „sie empören sich gegen mich" (7 13), „sie sind 'widerspenstig' gegen mich" (7 14, s. Textanm. 7 14b), „sie planen Böses gegen mich" (7 15). Was er von ihnen statt dessen erwartet, sind nicht Leistungen, sondern eben, daß sie ihm selbst sich zuwenden und sein Handeln erwarten. Daß sie das nicht tun, spricht die andere Reihe der persönlichen Klagen Jahwes aus: „keiner von ihnen ruft mich an" (7 7), „zu mir schreien sie nicht" (7 14), „zu mir kehren sie nicht zurück" (7 16, s. Textanm. 7 16a); vgl. 5 15 6 6 7 2a. 10b. Daraus erhellt, daß die eigentliche Schuld Israels die Kränkung des Bundesgottes ist (6 7). Schuld sind alle seine Vergehen, da sie im Angesicht seiner immer wieder bewiesenen Liebe geschehen, die oftmals Not wandte (6 11b), heilte (7 1), rettete (7 13) und stärkte (7 15). Israel hat sich von der bewiesenen Bundestreue Gottes abgewandt. Das ist der entscheidende Punkt der Anklage und der wesentliche Grund des Gerichts.

Denn Jahwe kann nicht ertragen, daß Israel bei dieser Haltung bleibt. Daß das Leitmotiv des Gerichts die Liebe des Gottes ist, der sein Volk wiedergewinnen will, ist schon daran zu erkennen, daß er selbst mitfühlend das schon vorhandene Elend beklagt (5 11a 7 8f.). Darum ringt er mit sich selbst, ob er nicht jetzt schon der Züchtigung genug sein lassen sollte (6 4a). Aber er kann es nicht, wenn er Israel wirklich von seinen hoffnungslosen Wegen und seiner Bosheit befreien will (7 1–2). Ohne wirkliche Gotteserkenntnis (6 6), das heißt ohne klare Schulderkenntnis (7 2a) und neue Bindung an ihn in allen Lebensbereichen, bleibt auch die bisherige Katastrophe und der Versuch eines Neuanfangs ein vergebliches, ja verderbliches Unterfangen. So muß gerade die Liebe, die Israels Rückkehr zur ersten Liebe sucht, mit Richten fortfahren, bis sie in der Not ihn suchen (5 15). Man beachte, daß jegliche Mahnung zur Umkehr fehlt. Israel ist in sich unfähig dazu (7 2). Gott handelt weiter an Israel und wird so die Umkehr bewirken. „Bemerkenswert ist, daß gerade die Propheten, die den entscheidenden Ton auf die Liebe Gottes legen, nämlich Hosea und Jeremia, in der Beschreibung des göttlichen Zornes am radikalsten sind" (Hos 5 12. 14 Jer 13 12–14) (ThCVriezen, Theologie des Alten Testaments in Grundzügen 131; vgl. JFichtner, ThW V 404). Die Strafe wird deshalb mit letzter Leidenschaft vollzogen, weil ihr Ziel die Rückkehr Israels in die Erkenntnis Jahwes als des Herrn seiner Geschichte und in die Verbundenheit mit ihm ist (5 15 6 6). Die Funktion der prophetischen Verkündigung ist darin zu sehen, daß sie mit der Ansage des Gerichts die Schulderkenntnis weckt und den Sinn des Gerichts enthüllt. So kämpft Gott durch seine Boten mit Härte darum, daß seine neue Lebens- und Bundesordnung wie Licht hervorbricht (6 5).

Dieses „Schwert des Geistes, das das Wort Gottes ist" (vgl. Eph 6 17 Hebr 4 12 mit Hos 6 5), soll auch in der neutestamentlichen Gemeinde ergriffen und erlitten werden. Nach Mt 9 13 (vgl. 12 7) schickt

Jesus die „gerechten" Pharisäer zu Hosea, daß sie bei ihm den Lehrsatz
6 6 studieren, statt ihn zu kritisieren, wenn er mit Zöllnern und Sündern
zu Tisch sitzt. Vgl. ELohmeyer, Das Evangelium des Markus ([11]1951)
259 und GBornkamm, Enderwartung und Kirche im Matthäusevan-
gelium: The Background of the New Testament and its Eschatology, in
Honour of ChCDodd (1956) 234f.; zur Abwandlung der Bedeutung
vgl. HBraun, Das AT im NT: ZThK 59 (1962) 19. So wird sich das wan-
dernde neutestamentliche Gottesvolk nur zu seinem Schaden der Botschaft dieses Auftritts entziehen können. Denn es ist ähnlichen Versuchungen ausgesetzt wie das alttestamentliche und kann ebenso den Sinn
der politischen Katastrophen mißverstehen. Es kommt, wenn es Jesu Kreuz
und Auferstehung vor Augen hat, nicht weniger als das alttestamentliche
von der heilenden Liebe und rettenden Macht Gottes her. Und doch geschieht es, daß es auf seinem Weg durch die Geschichte den Sinn der Gerichte mißversteht, die auch in politischen Katastrophen über die Kirche
Jesu Christi kommen. Man sucht Neuorientierungen im politischen Kurswechsel und im kultischen Zeremoniell, statt die Schuld politischer Bin-
dungen überhaupt und den Betrug kirchlicher Etikette und natürlicher
Vertrauensseligkeit zu erkennen und zu bekennen, statt sich ganz befreien zu lassen durch und für den Herrn, der allein aller Mächte Herr
und aller Kranken Arzt ist, statt seinen Taten zu trauen und seinem
Wort zu gehorchen. Die Botenworte Hoseas wollen auch der Christenheit zur Rückkehr zu der ersten und letzten Liebe helfen.

Zweierlei sollte die Kirche insbesondere bedenken:

Einmal, daß hier die einzelnen nur als Glieder des ganzen Volkes angeredet sind, so wie auch der Bußruf des Täufers und Jesu im pluralischen
μετανοεῖτε ergeht (Mt 3 2 4 17). „Der Plural schwächt den Ernst nicht
ab, er gibt ihm vielmehr seinen Ernst, den Ernst der großen Sache Gottes
in der Welt" (Barth, KD IV 2, 640). Man kann den Text nicht dadurch
christlicher verstehen, daß man nur individualisiert und vom Weg der
Christenheit als des neuen Gottesvolkes absieht. Vgl. 1 Pt 2 8f.

Und zum anderen: Hosea hat sowohl mit frommer wie mit politisch
berechnender Abwehr seiner Anklage zu kämpfen. Es gibt Stunden,
in denen eine allzu zuversichtliche Gläubigkeit nach dem Muster von
6 1–3 (s.o. S. 148ff.) zugleich mit einer Klugheit, die sich in der Geschichte
selbst helfen will, bestritten werden muß. Düstere Katastrophentage, die
durch die Koalition taktischer Taten mit religiösem Eifer menschlich
bewältigt werden, fordern auch nach Christus den Zorn der Liebe Gottes
heraus. Denn er will in allen Lebensbereichen das freie Volk, das falsche
Hoffnungen und Ungehorsam als Schuld erkennt, das nach der Macht
seiner Liebe ausschaut und seinen guten Willen tut. Nur dieses Volk Gottes hat nach dem Propheten „Herz", das heißt vernünftige Orientie-
rungsmöglichkeit (s.o.S.158 zu 7 2, S. 162 zu 7 11, S. 163 zu 7 14).

WINDESSAAT BRINGT STURMESMAHD
(8 1–14)

Literatur HTorczyner, Hos 8 1–2.6: ZAW Beih 41 (1925) 277f. – HCazelles, The Problem of the Kings in Os 8 4: CBQ 11 (1949) 14–25. – JdeFraine, L'aspect religieux de la royauté israélite: AnBibl 3 (1954) 147–153.

Text ¹An deinen Mund ͣ das Horn!
    Wie ein ᵇ Geier (kommt's) über Jahwes Haus,
weil sie über meinen Bund hinweggehen
    und gegen meine Weisung aufbegehren.
²(Wohl) klagen sie um mich:
    „Mein ͣ Gott!" – „Wir [Israel] ᵇ kennen dich!"
³(Doch) Israel verstößt das ͣ Gute.
    Ein Feind wird es ᵇ verfolgen.
⁴Sie setzen Könige ein, doch ohne meinen Willen.
    Sie bestellen Beamte ͣ, doch ohne mein Wissen.
Aus ihrem Silber und ihrem Gold machen sie sich Götterbilder,
    damit es vernichtet wird ᵇ.
⁵'Verstoße' ͣ deinen Jungstier, Samaria!
    Es glüht mein Zorn gegen sie.
Wie lange bleiben sie unfähig zur Reinheit?
    ⁶Sie ͣ sind doch aus Israel!
Das da hat ein Handwerker gemacht,
    das ist nicht Gott.
Vielmehr in Splitter geht
    der Jungstier Samarias.
⁷Ja, Wind säen sie,
    und Sturm mähen ͣ sie.
Halme, die nicht sprießen,
    bringen nichts zu genießen ᵇ.
Bringen sie ͨ etwa doch,
    dann verschlingen es Fremde.
⁸Verschlungen ist Israel.
    Jetzt sind sie ͣ unter den Völkern
[wie] ein wertloses ᵇ Ding. ͨ
⁹Denn sie sind von sich aus hinaufgezogen nach Assur.
    Ein Wildesel bleibt für sich,
    Ephraim spendet Liebesgeschenke.
¹⁰Selbst wenn sie Liebesgeschenke empfangen ͣ unter den Völkern,
    will ich sie nun zusammentreiben,
daß sie sich bald 'winden' ᵇ unter der Last
    des Königs der Fürsten.
¹¹Ja, die Altäre vervielfachte Ephraim.
    Zum Sündigen ͣ dienen sie ihm.
        Altäre zum Sündigen!
¹²Schreibe ich ihm die Vielzahl ͣ 'meiner Weisungen' ᵇ auf,

fo gelten fie wie Frembes.

13ᶜSchlachtopfer lieben fie, und’ᵃ fie schlachten,
Fleisch (lieben fie), und fie essen;
Jahwe hat kein Gefallen an ihnen ᵇ.

Nun wird er ihrer Schuld gedenken
und ihre Verfehlungen ahnden.
Sie werden nach Ägypten zurückkehren ᶜ.

14Israel vergaß seinen Schöpfer
und baute Paläste.
Und Juda vermehrte
die befestigten Städte.
Doch ich schicke Feuer in seine Städte,
daß es ihre Wohnburgen frißt.

1a חֵךְ (Gaumen) steht auch sonst || Lippen (Prv 5 3 8 7) im Sinne von 81
„Mund" (Cant 5 16 7 10), ebenso ḥanakun im späteren Arabisch (Nyberg). ⅏
(εἰς κόλπον αὐτῶν ὡς γῆ) fand einen verderbten Text und las אֶל־חֵכָּם כְּעָפָר.
– b Bei Vergleichen findet sich in der Regel Determination, vgl. Jes 1 18 und
BrSynt § 21cβ. Der Vorschlag שֹׁפְרֵךְ נֹצֵר (BHK³) „an deinen Mund dein
Horn, du Wächter über Jahwes Haus" nimmt dem יען–Satz den unentbehrlichen Vordersatz. Das Alarmhorn wird wegen Feindgefahr geblasen, nicht
wegen Gesetzesübertretung. M wird durch ⅏ und die bemerkenswerte Para-
phrase von Σ gestützt („O Prophet, mit deinem Gaumen rufe aus wie mit der
Posaune! Sprich: Siehe, gleich dem Adler, der auffliegt, so steigt herauf ein
König mit seinem Heere und zieht gegen das Haus des Heiligtums Jahwes,
dieweil sie übertreten meinen Bund..."). – 2a ⅏ („unser Gott") gleicht den 2
pluralischen Verbformen an. – b M fügt ישראל appositionell zum Subjekt
hinzu; ⅏Σ bieten den kürzeren und wohl ursprünglichen Text. Er spricht
auch gegen die an sich einleuchtende Annahme einer Vertauschung von יהוה
am Schluß von 1b mit ישראל am Schluß von 2 (Torczyner, ZAW Beih 41, 1925,
277). – 3a Zur Indetermination des Hebr. vgl. BrSynt § 21cγ. טוב = Wort 3
(vgl. RGordis, VT 5, 1955, 88ff.) wäre zwar im Rückblick auf תורתי (1) denkbar, ist aber im Gedankenfortschritt von 3 ebenso unwahrscheinlich wie in
3 5 (s.o.S. 79). – b Zur Suffixform, die a als Bindevokal beim Impf. voraussetzt
(statt regulärem יִרְדְּפֵהוּ), vgl. GesK § 60d, Meyer³ II § 84, 2a. Der Wille
zur Lautmalerei scheint zur Wahl des düsteren ō geführt zu haben. ⅏ (ἐχθρὸν
κατεδίωξαν) verlas das ungewöhnliche Suffix als Affix 3. pl. (van Gelderen
יִרְדְּפוּ) und machte demnach אויב zum Objekt (vgl. 2 9 12 2). Doch bei Israel
als Subjekt wäre wie in 3a (זנח) beim Verbum sg. und pf. zu erwarten. So verdient M, von ⅏ΣΒ gestützt, als lectio difficilior den Vorzug. – 4a Die unge- 4
wöhnliche Form von שרר hi. (statt הֵשִׂרוּ) kann Hoseas Neigung zur Assonanz bei
der betonten Parallele 4aα||β entspringen; vgl. 3b. – b ⅏⅏ΣΣ setzen יָכְרָתוּ voraus,
beziehen also auf das näherliegende עצבים, zerstören aber damit den ironischen
Sinn des Folgesatzes; Weiser erklärt ihn ohne zwingenden Grund als „Zusatz".
– 5a זָנַח setzen ⅏ (ἀπότριψαι), ᾿Α (ἀπώσθησον) und Θ (ἀπόρριψαι) voraus; 5
Σ (ἀπεβλήθη) Ε´ haben passivisch vokalisiert: זֻנַח oder זְנַח. M „er verstößt"
gleicht an die Vokalisation in 3a an; dann müßte Jahwe Subjekt sein, was angesichts der Gottesrede des Kontextes (5aβ; vgl. 4a) unwahrscheinlich ist. Die
mit עגלך bezeugte Anrede spricht für den Impt. von ⅏᾿ΑΘ; auch die Frage
in b zeigt Übergang zu lebhafterer Redeweise. Die freie Konjektur אָזְנַח (Wellhausen, Sellin) oder זְנַחְתִּי (BHK³; Robinson) erscheint um so weniger gerecht-

169

86 fertigt, als 5aβ ohnehin keine wirkliche Parallele zu aα darstellt. – 6a Der vorliegende „einpolige" Nominalsatz kommt ohne Subjekt aus, „da es in der Gesprächssituation als anwesend vorauszusetzen" ist; vgl. KOberhuber, VT 3
7 (1953) 8. – 7a wörtlich „ernten" im Sinne von „sammeln, einbringen" (KBL);
im Hebr. ist die Assonanz von יזרעו – יקצרו zu beachten. – b Hier wird die
Assonanz wie selten im Hebräischen zum vollendeten Reim (s.u. S. 172); wörtlich: „Der Halm, der keinen Sproß hat, macht kein Mehl." Zur Negation בלי
(„Verderben") vgl. BrSynt §52bβ. BHK³ schlägt קמה entsprechende fem.
Formen statt לו und יעשה vor, aber die Kongruenz des Genus ist wohl dadurch
gebrochen, daß in das Bild vom leeren Halm die Deutung auf Israel einschießt;
vgl. 7bβ. 8a. Van Gelderen erwägt, ob קמה hier masc. (Sellin) oder aus קנה
8 (Gn 41 5. 22) verlesen ist. – c wörtlich sg. wie bα. – 8a s. Textanm. 9 16a. –
b חפץ („Freude, Gefallen") nimmt zuweilen die Bedeutung „Kostbarkeit",
„Wert" an (Prv 3 15 8 11); vgl. Deden. – c כלי („Gefäß, Gerät") verblaßt zu
der Bedeutung „Sache", wenn der Gegenstand vornehmlich durch sein Material oder seine Qualität gekennzeichnet werden soll (Gn 24 53 Ex 3 22); so
bezeichnet die Wendung כלי אין חפץ בו hier den Gegensatz zu כלי חמדה
(„Begehrenswertes" 13 15) und zu den כלי תפארת („Schmuckstücke") in
10 Ez 16 17. – 10a 𝔊 (παραδοθήσονται) las wahrscheinlich יתנו (Nyberg, Dingermann 43) (נתן ho.); die mit גם כי bezeichnete Klimax macht es jedoch wahrscheinlicher, daß 𝔐 als kal-Form zu תנה hi. (9) im Sinne von „Hurenlohn empfangen" zu deuten ist (Nyberg, van Gelderen). – b 𝔐 ist schlechterdings unverständlich: החל מן (החל hi.) heißt „anfangen bei" (Ez 9 6), יחל דברו „er
bricht sein Wort" (Nu 30 3); משא kann „Last" oder „Ausspruch" sein. ממשא
wird schon von ’A (ἀπὸ ἄρματος) und Σ (ἀπὸ φόρου) gelesen. Sinnvoll liest
𝔊 (καὶ κοπάσουσι μικρὸν τοῦ χρίειν βασιλέα καὶ ἄρχοντας) וַיֶחְדְלוּ מעט מִמְשֹׁחַ
מלך ושרים; וְיֶחְדְלוּ wird auch von Σ (καὶ μένουσιν) und Θ (καὶ διαλείψουσιν)
bestätigt, מְשֹׁחַ durch Θ und ושרים durch ’A 𝔊Σ𝔙. Keine weiteren Änderungen
werden nötig, wenn als Verbform וְיָחִילוּ („in Wehen liegen, sich winden")
oder auch mit Hoonacker וְיֶחֱלוּ „krank, schwach werden") gelesen wird. 𝔊
11 stützt im ganzen 𝔐. S. ü. S. 184f. – 11a Nyberg vokalisiert לַחֲטֹא und versteht
die Parallele als Wortspiel: „....Sündopferaltäre... Altäre zum Sündigen", bei
Annahme einer zweireihigen Periode. Doch die Periode scheint dreireihig zu
12 sein wie 8f. 13, trotz des Atnach; vgl. auch MBuber. – 12a רֻבּוֹ (Ketib mit
alter Kasusendung, so Brockelmann, HO III, 1, 62 und Grether § 53w, anders
GesK § 90 k und Meyer³ I § 45, 3d § 59 5) ist doch wohl der Qere-Form רִבֵּי als
einem ungewöhnlichen Plural vorzuziehen. – b 𝔊’A überliefern תּוֹרָתִי, was
neben רבו wahrscheinlich ist, doch nicht notwendig, wie 9 7bβ zeigt (רֹב עֲוֹנְ =
13 πλῆθος τῶν ἀδικιῶν). – 13a 𝔐 ist mit der Konsonantenfolge הבהבי unverständlich; ’A (θυσίας φέρε φέρε θυσιάζουσιν) übersetzt unverstandene Formen
von יהב, was Θ (θυσίας μεταφορικῶν ἐθυσίασαν) mühsam zu korrigieren sucht
(vgl. DBarthélemy, Les devanciers d’Aquila: VT Suppl X, 1963, 256). 𝔊 bewahrt in ihrem erweiterten Text (... θυσιαστήρια τὰ ἠγαπημένα. διότι ἐὰν
θύσωσι θυσίαν ...) die Erinnerung an die Wurzel אהב. Vgl. WThomas, ZAW
57, 1939, 63⁶. Seit Duhm und Marti wird zur Rekonstruktion des par. membr.
allgemein gelesen זֶבַח אָהֲבוּ וַיִזְבָּחוּ (oder זְבָחִים); zum Satzbau vgl. Mi 2 2a. –
b 13aβ wird oft als sekundär angesehen, ohne zureichenden Grund, s.u.S.
174. – c 𝔊 erkennt Verwandtschaft von bβ mit 9 3bα und übernimmt auch
9 3bβ hierher.

Form   Daß mit 8 1 eine neue Überlieferungseinheit beginnt, geht aus
dem äußerst temperamentvollen imperativischen Einsatz hervor. Zu-

nächst wird der Alarmruf befohlen; er gilt im Unterschied zu 5 8 einem einzelnen. Das Hornblasen in politischen Wechselfällen ist Sache der Heeresobersten (2 S 2 28 18 16 20 22 2 Kö 9 13 1 Kö 1 34; vgl. Ri 3 27 6 34 7 18). In dem Angeredeten wird man auch hier eher einen militärischen Befehlshaber als den Propheten zu suchen haben. Gegen die letzte Vermutung (zuletzt HFrey, MJBuss) spricht die Tatsache, daß die große Zahl von imperativischen Eröffnungsrufen im Hoseabuch entweder Israel im ganzen (9 1 14 2 [4 1]), bestimmte Führungskreise (5 1. 8 [2 4]) oder auch eine einzelne Führergestalt (4 4cj.) anreden, daß aber nirgendwo im Überlieferungskomplex 4–14 Hosea angeredet ist.

Der Alarmruf eröffnet ein begründetes Drohwort (1aβ–3), das in sich völlig gerundet ist (vgl. ZAW 52, 1934, 9). Drohungen in knappster Form eröffnen und beschließen den Spruch. Die Eingangsdrohung weckt den Schrecken mit unheimlicher, rätselvoller Bildrede (1aβ); die Schlußdrohung erklärt den Geier kurz als „Feind" (3b). Das breitere Mittelstück (1b–3a) nennt in drei Sätzen (1bα.β. 3a) die schuldhafte Ursache des nahen Unheils und fängt zwischenhinein zitierend Entschuldigungsversuche ab (2). Entsprechend der Anrede eines Befehlshabers im Alarmruf spricht das motivierende Drohwort im Aussagestil (3. pl.), vgl. 5 8f. Der den Auftritt eröffnende Spruch ergeht als Jahwerede wie in 4 4–6 5 1f. 8f.

Wie man sich 1–3 nur am Beginn eines Auftritts vorstellen kann, so werden die folgenden Worte besser verständlich, wenn man sie sich von vornherein im Zusammenhang mit dem voraufgehenden Spruch überliefert denkt. Sie sind durchweg thematisch, meist auch durch Stichworte verknüpft und erweisen sich mit ihren Einsätzen als weitere prophetische Beiträge im gleichen Auftritt, die von Entgegnungen unterbrochen zu denken sind. Erst in 9 1 findet sich ein wirklich neuer Einsatz, mit namentlicher Anrede bei neuem Vokabular und neuem Thema. Dagegen bleiben die in 4–14 folgenden Worte beim Thema von 1–3 und sind syntaktisch oder stichwortartig verzahnt.

Mit vorangestelltem Personalpronomen (הם) werden in 4 Anklagesätze nachgetragen. Sie gehören nicht zu dem als rhetorische Einheit gerundeten Drohspruch 1–3, stellen aber auch nicht ein davon unabhängiges Wort dar. Denn der Adressat, in 1a „Haus Jahwes" genannt und schon in 1b–2 als 3. pers. pl. angeklagt, wird nicht neu bezeichnet (zu den Merkmalen des Beginns einer Einheit vgl. MJBuss, A Form-critical Study in the Book of Hosea with Special Attention to Method: Diss. Yale University, 1958, Maschinenschr. S. 104ff.). Auch sonst erscheint vorangestelltes (ו)המ(ה) gern im Fortgang eines Auftritts: 4 14aβ 6 7 8 9. 13bβ. Inhaltlich konkretisieren die Sätze die allgemeine Anklage auf Negierung des Bundes, der Tora und des „Guten" in 1b. 3a mit dem Hinweis auf gottloses Königtum und Götzenkult. So mögen sie durch Nachfragen herausgefordert sein.

5–6 ist durch das Thema des Jungstierbildes von Samaria als Einheit ausgewiesen. Der Spruch beginnt mit einem Mahnruf an Samaria, wenn die impt. 𝔊-Lesung (s.o. Textanm. 5a) ursprünglich ist; er ist formgeschichtlich als Schlichtungsvorschlag zu verstehen, entsprechend dem Sitz im Leben der von Hosea verwendeten Redeformen im Rechtsleben. Vgl. HJBoecker, Redeformen des Rechtslebens im AT: Wiss. Monogr.˙ z. A und NT 14 (²1970) 117–121: Schlichtungsvorschlag bei vorgerichtlicher Bemühung durch den Beschuldiger Jos 2219a Gn 138f. Ri 1113b; bei gerichtlicher Auseinandersetzung durch den Gerichtshof Ri 2122, vgl. 1 Kö 325; im Munde des Angeklagten Hi 1921 Jer 2613a, bei Hos vgl. 24b 415 (s.o.S. 112). Die Herkunft der prophetischen Mahnrede aus dem Schlichtungsvorschlag verdient generelle Beachtung. Sie erklärt ihr Auftreten nach den voraufgehenden Anklagesätzen und Gerichtsdrohungen und die alsbald folgende Verkündung des brennenden Zorns „über sie". Die 3. pl. in 5aβ setzt die früheren Worte in 1f. 4 voraus, wenn auch die singularische Anrede einen neuen rhetorischen Einsatz bezeichnet. In זנח ist das Stichwort von 3a aufgenommen, mit dem Jungstier das Götzenbildthema von 4b. Das Nebeneinander einer singularischen Aufforderung und der Aussagen über eine Mehrzahl in 3.pl. erinnert an das gleiche Nebeneinander in 1; nur wird jetzt der Angeredete genannt: „Samaria"; dabei wird neben der 3.pl. wie in 1a an den verantwortlichen Führungskreis zu denken sein (vgl. „Haus Israel" für die Sippenhäupter in 51 o.S. 123). Der konstatierenden (pf.) Zornansage in 5aβ wird erst in 6b das eigentliche Drohwort (impf.) folgen. Aber es trägt nicht eigentlich den Ton, ist vielmehr als Begründung (כי) einer lehrhaften Entmythisierung des Götterbildes (6a) eingeführt. Vorher bricht wie so oft bei Hosea bewegte Klage durch (»wie lange?« 5b. [64]; die Frage gehört zu den Formen des Schlichtungsvorschlags: Gn 139 Jos 2216–18). So findet die einleitende Mahnung als Schlichtungsvorschlag eine bewegte Begründung in Zornansage, Klage und Lehrsatz; durch die abschließende Drohung wird sie eine ultimative Aufforderung (vgl. 24f.). Das Gefüge echt dialogischer Formen markiert einen Höhepunkt des Auftritts.

Zwei weisheitlich gebaute Sprüche folgen in 7a. bα. Beide mögen Zitate alten Spruchgutes sein. Endreim wie in bα ist überaus selten; vgl. noch in 129 עָוֹן־אֹן (u.S. 278) und Prv 112 mit vollständigem Wortreim, daneben vereinzelt Endreim mit Suffixen und Flexionsendungen (Ex 2935a Nu 1035 Ri 1418 1 S 187 Jes 711b Jer 820 Ps 557 757–8 1464–5. 7–9; vgl. KGKuhn, Achtzehngebet und Vaterunser und der Reim, 1950, dazu KGalling, VuF 1951/52, 221–223), so auch bei Hosea 27b (s. Textanm. 27a). – Wie 27 der Reim im Zitat erscheint, vermutlich unter Aufnahme hymnischen Liedguts (s.o.S. 41), so wird auch hier nicht eigene

Prägung des Propheten vorliegen, zumal bβ eine Korrektur anbringt. Ähnlich wird 7a mit seinen Assonanzen ein überliefertes Sprichwort aufnehmen (vgl. vorläufig Sir. 7 3: „Säe nicht in die Furchen des Unrechts, damit du es nicht siebenfach erntest"); wie selbständige prophetische Verarbeitung des überlieferten Bildgutes aussieht, zeigt 10 12f.

Die Einführung der beiden Sprüche mit כי zeigt, daß sie als Diskussionsbeiträge verstanden sein wollen.

כי zeigt hier am Kopf eines Spruches klar seine alte Funktion als deiktische Interjektion (BrSynt § 159a, Meyer[3] III § 114, 2b; ThCVriezen, Einige Notizen zur Übersetzung des Bindeswortes ki: ZAWBeih 77, 1958, 266–273). Wir trafen sie schon in 4 16 (10b. 12b; s.o.S. 114) an (s. auch 13 15); zu den dort genannten Belegen hat inzwischen HJBoecker, Wiss. Monogr. z. A und NT 14 (1964) 32. 152 noch 1 S 29 8 (vgl. 26 16. 18 Hos 4 1bβ) nachgetragen. Als emphatische Partikel tritt sie an die Spitze von Wechselreden im Rechtsstreit (auch in 9a 11a). Man darf also in 6f. nicht eine Schachtelung hypotaktischer Kausalsätze sehen (Robinson, Weiser), was dem prophetischen Stil zuwider ist. Das dreifache כי in 6f. ist beispielhaft. Sucht man eine einheitliche deutsche Übersetzung, so kommt nur ein Aufruf wie „Ja!" „Fürwahr!" „Wahrhaftig!" „So ist's!" in Betracht. Im einzelnen aber erbringt die Art des Zusammenhangs wichtige Nuancen. So klingt es in 6a nach der Frage adversativisch („doch"); in 6b begründend („denn"); in 7a deiktisch-emphatisch am Beginn der Gegenrede mit widersprechend höhnischem Unterton: „Genau!"

Fragt man, wie es im Zusammenhang des Auftritts zu jenen Sprichwörtern aus der Ackerbaukultur kommt, so wird man vermuten, daß man dem vorangehenden prophetischen Drohwort gegen das Jungstierbild mit dem Hinweis auf seine Nützlichkeit in den Fruchtbarkeitsriten des Ackerjahrs begegnet ist. Man mag wie vor 4 16 und in 6 1–3 (2 7b) Kultlieder von Saat und Ernte, Halm und Mehl angeführt haben, auf die Hosea mit Gegenzitaten ironisch eingeht. Daß die Zitate in den Zusammenhang gehören, beweist die korrigierende Fortsetzung 7bβ, die an die Drohung des Eingangswortes 3b erinnert.

Was 7b als kommende Not ankündigt (יבלעהו), beklagt 8 mit gleichem Stichwort (נבלע) als schon verwirklicht. Rückfall von Drohung in Klage ist für Hosea bezeichnend (vgl. 5 9. 11 4 5b. 6); er kann ausgelöst sein durch den Einwurf, daß Israel schon genug gelitten hat. Doch führt der Ausdruck prophetischen Mitleids alsbald weiter zur Aufdeckung der Notursache (9) und weiter zu neuer Drohung (10a) mit Angabe des Gerichtsziels (10b), eine wiederum für Hosea charakteristische Gedankenbewegung (vgl. 5 11a. b. 12–15aα. 15aβb 4 6 7 8–12). Wie 5–7 die Kultanklage von 4b verdeutlicht und mit der Eingangsdrohung (1. 3; vgl. 6b. 7bβ) verbunden hatte, so ist in 8–10 die politische Anklage von 4a weitergeführt und ebenfalls unter das Gericht Jahwes gestellt (10aβ).

Mit 11 setzt ein neuer Spruch ein mit deiktisch-emphatischem כי

(s.o. zu 7a). Das Thema des falschen Kultus (1b. 4b. 5f.) wird nun nach der Seite des Opferkultus entfaltet. Daß der Spruch zum gleichen Auftritt gehört, geht einmal aus seiner Einführung mit dem כי der Wechselrede hervor, mit dem Hosea wiederum vermutlich auf einen Zwischenruf eingeht, der zur Selbstrechtfertigung auf die Vielzahl der Opferaltäre verwies (vgl. 4 7 und o.S. 99f.; 6 1–3. 4ff. und o.S. 137). Zum andern weist die Erwähnung der Torot (12) auf das fundamentale Anklagewort in 1bβ zurück; 12 und 11 gehören zusammen, so gewiß רבו in 12 הרבה in 11 korrespondiert: die Vielzahl der Torot wird zugunsten der Vielzahl der Opferstätten verachtet. Inmitten der beiden Scheltworte (11. 13a) wird wiederum eine Klage laut (12), doch nicht die Mitleidsklage über Israel wie in 8, sondern die ebenso typisch hoseanische Leidklage des verstoßenen Gottes (vgl. 2 10. 15 5 15 7 7.13. 14. 16cj. 4 1bβ. 6bβ. 7 6 4.6 8 1b).

Umstritten ist die Frage des Endes der Sprucheinheit. Gehört 13aβ noch hinzu, obwohl der lehrsatzähnlich konstatierende Urteilsspruch (vgl. 6 6 8 6a) von der Gottesrede zur Prophetenrede übergeht und obwohl er sich nicht in die zweireihigen Perioden des Kontextes einfügen will? Der Wechsel von 1. und 3. pers. Jahwes liegt schon in 1 vor und begegnet oft bei Hosea (s.o.S. 16f. zu 1 2), insbesondere bei Übergängen zu lehrsatzähnlichen Formulierungen (2 22 6 4–6 7 10). Das rhythmische Gefüge ist auch sonst unsicher (4b. 5) und kennt dreireihige Perioden (8f. wahrscheinlich auch 11; ferner 13b), die Hosea besonders in Eingangs- und in Schlußstücken liebt (2 4a. 5b. 8.16 4 4a.11f.14aβb 5 15aβb, s.o.S. 39. 92). Man wird nicht mit Sicherheit entscheiden können, ob die gegenwärtige Form Hoseas Rede exakt spiegelt oder ob sie auf die Tradenten zurückgeht. Aber wahrscheinlich bleibt, daß sie zur ersten Niederschrift gehört. Denn bereits Jer 14 10 zitiert 13aβ zusammen mit 13bα. 13bα aber halten wir an dieser Stelle für ursprünglich, wiewohl das Wort auch 9 9b erscheint. עתה führt ebenso in 10b die Gerichtsdrohung ein (vgl. 8b), und eine kurze Aufnahme der Strafansage ist in unserem Auftritt, entsprechend 3b am Ende der ausgeführten Anklageworte, die Regel (6b. 7b. 10aβ). 13b ist aber nun als Prophetenrede ohne יהוה in 13aβ nach der Gottesrede in 12 schwer denkbar. Perfektisch konstatierendes Urteil und imperfektisch ankündigende Gerichtsdrohung lagen auch in 5f. nebeneinander.

14 zeigt mit seinen vom Stil des Auftritts bemerkenswert abweichenden Konsekutivformen, ähnlich wie 7 10 und 4 9, Nachtragscharakter. Außerdem fällt der Anklang von 14b an Am 1f. (bei Übergang von Prophetenrede zu Gottesrede) auf. Er macht einen Zusammenhang von 8 14 mit der judäischen Redaktion des Amosbuches (2 4f.!) erwägenswert (so R Tournay, RB 69, 1962, 272). Dagegen wirkt die Parallelisierung von Juda und Israel hoseanisch, vor allem aber, daß dem Vergessen des Schöpfers der Bau von Palästen und Festungen entspricht; das Stich-

wort הרבה paßt sogar zum Auftritt (11; vgl. 10 1 4 7), und an ein Amoswort erinnert auch 4 15, ein Wort, das Hosea nicht abgesprochen werden
muß. Der Inhalt der Anklage 14a sowie der Drohung 14b paßt ausgezeichnet zum Hauptthema des Auftritts (vgl. 1b. 3a und 1aβ. 3b). So
bleibt, im Blick auf die Eigenart der Formulierung, zu erwägen, ob die
Tradenten das Wort einer ersten Auftrittsskizze nachträglich angefügt
haben und dabei vielleicht Gedanken Hoseas mit Formulierungen des
Amos verknüpften oder ob der Fortgang der Auseinandersetzung schon
Hosea selbst zu der andersartigen Diktion nötigte.

Die literarische Anfügung des Auftritts an 5 8–7 16 ist sicher nicht   Ort
zufällig. Der Alarmruf in 8 1, der 5 8 verwandt ist, läßt an militärpolitisch
ähnlich erregte Tage denken. Die Feindgefahr von 8 1aβ. 3b erinnert an
5 9a. 10a 7 16aβ, die eigenmächtigen Rettungsversuche durch Thronrevolten (8 4a) und Gebetsschreie (8 2) an 7 3–7 und 6 3. Die Unterwerfung unter Assur nach 9a entspricht 5 13a (7 11); die Gewißheit, daß Israel der feindlichen Übermacht ausgeliefert ist (8 7b. 8), ist ebenso deutlich wie in 7 8f. Die Ursache der Katastrophe sieht Hosea darin, daß Israel den Jahwebund gebrochen hat; die Formel עבר ברית kommt nur hier
(1b) und 6 7 vor, womit noch einmal unterstrichen wird, daß die literarische Nachbarschaft der historischen Nachbarschaft der beiden Auftritte entspricht.

Demnach wird man die Hoseaworte in Kap. 8 in etwa der gleichen
Zeit des Jahres 733 anzusetzen haben wie die voraufgehenden (s.o.S. 142),
nämlich nach den Erfolgen der militärischen Operationen Tiglatpilesers
III. im Norden des Staatsgebietes Israel (8), nach der Thronrevolte
Hoseas ben Ela (4a) und seiner Unterwerfung unter Assur (9a). Es empfiehlt sich nicht, 8–10 herauszulösen und mit Deden u.a. in den Tagen
Menahems 738 anzusetzen. Zu sehr erinnern die Worte an 5 11a. 13a
7 8f. Daß nur ein Stierbild im Staatskult von Samarien erwähnt wird,
(5. 6), erklärt sich aus dem Verlust Galiläas und damit des Jungstiers von
Dan (1 Kö 12 29) an Tiglatpileser im Jahre 733 (Weiser). Hosea sieht neue
und größere Gefahren kommen, vielleicht gerade in den Frühlingstagen
jenes bitteren Jahres, da man um die Ernte bangt (7b). Wenn 14a noch
Erinnerungen an diesen Auftritt nachträgt, dann ist die Zeit seit dem vorigen Auftritt deutlich vorgerückt. Die kriegerischen Auseinandersetzungen
des syrisch-ephraimitischen Krieges mit Juda (5 10f.) sind schon ganz in
den Hintergrund getreten gegenüber der immer bedrängenderen Gefahr
des von Norden heranstürmenden Assyrers. Juda und Israel stehen für
Hosea im gleichen Gericht (vgl. schon 5 12–14 6 4).

Der Schauplatz des Auftritts ist noch deutlicher als der des vorigen
(s.o.S. 142) Samaria (5. 6); dazu s.u.S. 179f. Die Gelegenheit mag eine Versammlung sein, bei der es zu einer Auseinandersetzung des Propheten
mit führenden Kreisen der Residenz kommen konnte, ähnlich 5 1.

Wort
81 Denn eingangs wird allem Anschein nach ein militärischer Befehlshaber angesprochen, dem die Aufgabe der Meldung von Feindgefahr obliegt (s.o.S. 170f.; zum Hornblasen bei Feindgefahr s.o.S. 143). Äußerst
lebhaft ist der Anruf, wie das Fehlen des Imperativs zeigt. Hosea redet
wie einer, der soeben von einem vorgeschobenen Beobachtungsposten
her Nachrichten in ein Hauptquartier bringt, die zu neuen Entschlüssen
führen (Hab 2 1 Ez 33 1ff. Jes 58 1) und offiziellen Alarm auslösen müssen.

Auch der folgende Nominalsatz zeigt die Erregung. Im Subjekt כנשר
hat כ noch nominale Kraft: „Etwas wie ein Geier". Der Geier ist Bild der
Schnelligkeit (Jer 4 13 2 S 1 23 Thr 4 19) und der gefährlichen Gefräßigkeit (Hab 1 8 Prv 30 17 Hi 9 26), dazu der majestätischen Überlegenheit
(Ez 17 3 Ex 19 4 Dt 32 11). Diese geiergleiche Feindmacht stürzt herein
über „Jahwes Haus". So bezeichnet Hosea nicht etwa einen Tempel
– welcher sollte das sein? –, sondern das Land als Eigentum Jahwes wie
in 9 15 und vielleicht in 9 8. Zu בית als „Gelände", „Siedlungsgebiet" vgl.
ETäubler, Biblische Studien (1958) 278f. In Tiglatpilesers III. Annalen
heißt das Staatsgebiet Israels *bît ḫumria* (TGI 53; ANET 284). בית יהוה
könnte eine prophetische Parallele zum politischen Sprachgebrauch
בֵּית עָמְרִי sein. Hosea weiß das Land als Eigentum Jahwes (2 10; vgl. Jer
12 7 Sach 9 8). Wahrscheinlich ist der Ausdruck schon den amphiktyo-
nisch gesonnenen Kreisen geläufig, da er unbetont und inmitten der
Jahwerede eingeführt wird (s.o.S. 16 zu 1 2). In ägyptischen Listen asia-
tischer Länder hören wir entsprechend von Beth-Anath, Beth-Dagon,
Beth-Horon, Beth-Olam usw. (ANET 242; vgl. auch Vincent-Stève,
Jérusalem de l'AT II, 1956, 612[3], jedoch ist zum Amarnatext 290 TGI
28 und ANET 489 zu vergleichen).

Nach der kurz herausgestoßenen alarmierenden Meldung folgt sehr
viel breiter von 1b bis 3a die Angabe der Ursache des drohenden Unheils.
Israel ging über die Bundeszusage Jahwes in seinem geschichtlichen
Leben in der Völkerwelt hinweg. Zu ברית s.o.S. 62. Daß im „Bund"
Jahwe der hoheitlich Gewährende ist, zeigt hier deutlicher als in 6 7 das
Suffix: „mein Bund", d.h. die von mir übernommene Selbstverpflich-
tung zugunsten Israels, und parallel תורתי, der von mir verfügte Bundes-
erlaß. Der Vorwurf der Verachtung des Gottesbundes scheint schon den
altprophetischen Kreisen des Nordreichs zuzugehören (1 Kö 19 10. 14).
Eine Verbindung des Bundesgedankens zur Sinaitradition, die OProcksch,
Theologie des Alten Testaments 527 und ThCVriezen, Theologie des
Alten Testaments in Grundzügen 66 vermuten, wird bei Hosea sonst
nicht sichtbar (s.o.S. 155) und ist hier höchstens auf Grund der Parallele
von ברית und תורה anzunehmen.

תורה ist bei Hosea immer mehr als die priesterliche Einzelweisung (Jer 18 18
Dt 17 11 33 10), wie schon 4 6 (s.o.S. 98) zeigte. Das Wort meint bereits die
gesamte Willenskundgebung Jahwes, die schon schriftlich fixiert ist und auf

176

Gottes eigene Hand zurückgeht (12). Diese Willenskundgebung ist nicht Voraussetzung des Bundes, sondern Konsequenz aus dem Bunde. Sie beschreibt das bundesgemäße Verhalten (חֶסֶד), das Hosea unter Anspielung auf das apodiktische Gottesrecht in 4 1f. nennt. Insofern kann sie auch Vermittlerin des gesamten „Wissens um Gott" (4 6) sein. So eröffnet Hosea ein umfassendes Tora-Verständnis, das dann im Dt (17 19 31 9f. 1 5) vorausgesetzt und im Ps 1 in Richtung auf „Heilige Schrift" weiterentwickelt (HJKraus, BK XV, 4f.) wird und das im Neuen Testament gelegentlich (Rm 3 19 1 Kor 14 21 Joh 10 34 12 34 15 25) das ganze Alte Testament umfaßt (vgl. Würthwein RGG³ II, 1513; ZThK 55, 1958, 259f.).

Indem Israel gegen die Tora aufbegehrt, bestreitet es den alleinigen Führungsanspruch (13 4) des Gottes, der im Bunde sein Heil will. So rennt es in das drohende Unheil. Die Willenskundgabe Jahwes nimmt hier und in 12 bezeichnenderweise die Stelle ein, die in 6 7 7 13 Jahwe selbst innehat. In der Tora handelt Jahwe hilfreich an Israel. Rebellion gegen die Tora ist daher Rebellion gegen den Bundesgott (vgl. 4 6 6 6).

Darum genügt Jahwe nicht die korrekte kultische Anrufung. In Israels Klagegebeten zeigt sich ein Mißverständnis des Wissens um Gott. Der Angerufene wird bei זעק durchweg mit אֶל eingeführt, auch 7 14; לִי ist ungewöhnlich. Man muß aber nicht Verderbnis von אֵלַי annehmen, denn auch 1 Ch 5 20 bietet לְ. Zudem gibt לְ bei זעק in der Regel die Ursache der Klage an; vgl. Jes 15 5 Jer 48 31. Wahrscheinlich formuliert der Prophet im Sinne der zitierten Beter, die sich gegen den Vorwurf des Bundesbruches wehren, wenn er לִי voranstellt: „meinetwegen schreien sie". Das imperf. יִזְעָקוּ zwischen den perff. in 1b und 3a bezeichnet gegenwärtiges und wiederholtes Tun neben den vollendeten Fakten, die das Gericht begründen. Die Anrufung „mein Gott" (s.o.S. 67 zu 2 25) könnte ein echtes Echo auf das verkündete Bundesrecht sein (12 10 13 4), wenn nicht Israel zugleich „das Gute" verstoßen würde.

טוב ist ein umfassendes Wort, das nach 1b sicher auch das bundesgemäße Verhalten meint, wie der Prophet es in 4 1f. 6 4ff. vermißt, und das Amos (5 14f.) als Kontrastwort zu רַע verwendet; es umgreift aber in Hoseas Sprache auch die Bundesgabe, das heilvolle, angenehme, freie Leben ohne Hunger und ohne Feindschaft, das Israel in der Frühzeit bei seinem Gott erfuhr (2 9b) und das es in der Endzeit mit der Hinwendung zu Jahwe wieder erlangt (3 5b). Mit der Bundeszusage Jahwes und seiner Bundesordnung hat es nicht etwa harten Zwang abgeworfen, sondern es hat das vom Gottesrecht geschützte Leben (4 1–3) preisgegeben und also auch die Ruhe vor allen Feinden ringsum. So sichert 3a ein „evangelisches" Verständnis von 1b.

3b nimmt im unmittelbaren Zusammenhang mit der Gerichtsbegründung in 1b–3a die Drohung von 1a auf. Durch Voranstellung des Subjekts אויב wird der schlechte Tausch betont, den Israel eingeht. Mit dem Feind, der Israel jagt, ist die düstere Meldung von dem Geierartigen zwar nüchtern erklärt; der Prophet zeigt aber kein Interesse daran, den Feind näher zu bestimmen. Er kündigt das Gericht seines Gottes als Folge des Abfalls Israels an. Dem gilt Aufmerksamkeit und Konkretion.

84 Verdeutlicht wird der Abfall in 4 in zwiefacher Richtung. Die beiden Anklagesätze antworten auf die Frage, inwiefern denn Israel das Gute des Jahwebundes verstoßen habe (s.o.S. 171). Der erste Satz (a) nennt die Thronkämpfe. Nyberg und Cazelles meinen zwar von 10b her und des Kontextes wegen, es gehe hier um die Verehrung eines kanaanäischen Hauptgottes (מלך) und seines göttlichen Hofstaates (שׂרים). Doch müßten מלך hi. und שׂרר hi. dann eine völlig vom sonstigen alttestamentlichen Wortgebrauch (s. KBL) abweichende Bedeutung haben (Nyberg: „sie haben sich einen מלך verschafft"; noch ferner liegt Drivers etymologischer Versuch in BBB 1, 1950, 50). Sie war selbst für Hoseas Zeitgenossen schwerlich auf das kanaanäische Pantheon zu beziehen. Der entscheidende Akzent der Anklage – „ohne meinen Willen", „ohne mein Wissen" – wird erst im Blick auf das Einsetzen von Königen und Beamten recht sinnvoll. Lug und Trug (7 3), aber nicht die Anrufung Jahwes (7 7) beherrschen die Thronwechsel. לא ממני meint, daß der Plan und die Initiative des Gottes Israels (Jes 30 1) bei den Königswahlen nicht am Werke waren; ולא ידעתי, daß die Beamten nicht seiner Wahl entstammten und nicht seine Anerkennung fanden (1 Kö 1 11. 18; vgl. 2 S 5 3). Beachtet man diesen Hauptpunkt der Anklage, so ist deutlich, daß Hosea hier nicht das Königtum als solches ablehnt, aber auch nicht das Königtum des Nordreichs etwa zugunsten des Jerusalemer Königtums kritisiert (so van Gelderen 277, GÖstborn, Yahwe and Baal 55); vielmehr verurteilt er die Art und Weise der Thronwechsel (vgl. de Fraine). Er legt noch einmal „den Maßstab des alten charismatischen Königsideals an" (Alt, KlSchr II 126). Wieder sehen wir Hosea als Glied in der Kette der alten Prophetengestalten des Nordreichs (s.o.S. 152 zu 6 5), die wie Ahia von Silo (1 Kö 11 29ff.) oder Elisa (2 Kö 9 1ff.) in Jahwes Namen Könige designierten. Nur spricht er jetzt, in der verkehrten Situation, als ausgeschalteter Prophet und stellt als Charismatiker anklagend die fehlende Legitimation der Regenten fest. Daß sie eingesetzt wurden, ist die Schuld der vom Feind bedrohten Israeliten, die Jahwes Bund und Recht mit Füßen traten.

Ihre Schuld zeigt sich zum zweiten im Kult der Götterbilder (b). Wie die Könige ohne Jahwe durch Menschen kreiert sind, so sind die Götterbilder durch Menschen fabriziert (Harper 314, van Gelderen 278). עצבים ist zunächst ein neutrales Wort für „Gebilde" von der Wurzel עצב I „gestalten", bekommt aber in der Regel einen abwertenden Unterton, der mit dem Anklang der Wurzel עצב II („verletzen, quälen, kränken") gegeben ist (CRNorth, ZAWBeih 77, 1958, 154). Wenn Hosea von der Mehrzahl der Götzenbilder spricht (wie auch 4 17 13 2 14 9), so wird neben den Jungstierbildern in Dan und Bethel auch noch an mancherlei andere Kultbilder im Lande gedacht sein (vgl. Ri 17f.; 8 22ff.), insbesondere an Plaketten und Statuetten im privaten Gebrauch (vgl. BRL 200ff.; AParrot, Le Musée du Louvre et la Bible: CAB 9, 1957, 38–82; BGemser, RGG ³I 1271f.). Sie verwenden dazu „ihr Silber und ihr Gold", das doch Jahwes Gabe ist (2 10). Der Folgesatz unterstellt vielleicht ironisch die Absicht, die Werte zu vernichten. In jedem Falle zeigt er diese Konsequenz auf. למען leitet ebenso Konsekutiv- wie Finalsätze ein; vgl. DMichel, Tempora und Satzstellung in den Psalmen (1960) 173f. Auf die faktische Folge kommt es an. Israel soll wissen, daß allem Götzendienst die Ausrottung bestimmt ist (Lv 20 3.5.6 Dt 4 3 Ez 14 7f.; dazu WZimmerli, BK XIII, 303ff.). Der Gottesschlag der Vertilgung erreicht zwar nach dem Gottesrecht in erster Linie die Götzendiener selbst; von daher erklärt sich die frühe Konjektur יִכָּרֵתוּ (s. Testanm. 4b). Zur Ironie des Folgesatzes gehört aber die singularische Form: die Verwendung der Edelmetalle im Ungehorsam gegen Jahwe bedeutet ihre Vernichtung (vgl. 2 11–15 9 6b); am Stierbild von Dan ist es im Jahre 733 vielleicht schon erwiesen. Darin, daß die Herstellung der Götterbilder im Widerspruch zum Willen Gottes steht, stimmt Hosea mit dem apodiktischen Gottesrecht überein (Ex 20 3f. 34 17 Lv 19 4), während für die altorientalische Umwelt im Gegenteil Zerstörung der Götterbilder Frevel an der Gottheit ist. Das Götterbild „dient dazu, um sich die Gottheit unterzuordnen, aber nicht, um sich der Gottheit unterzuordnen" (KHBernhardt, Gott und Bild, 1956, 155; vgl. S. 70; auch CRNorth, The Essence of Idolatry: ZAWBeih 77, 1958, 158ff.). Zum Bund mit Jahwe (1b) gehört also schon für Hosea sowohl die Unterstellung des Königtums unter ihn (vgl. Dt 17 14ff.) wie der Verzicht auf das Gottesbild (Dt 4 23).

Denn Bilderdienst und Baaldienst gehören als Dienst fremder Götter 85 zusammen. Das zeigt das Mahnwort in 5, mit dem das nun beginnende Ringen des Propheten um die Rückkehr Israels neu einsetzt. Zum Charakter des Mahnwortes als Schlichtungsvorschlag s.o.S. 172. Statt den Segen des Jahwebundes zu verstoßen, sollte Samaria seinen Jungstier verstoßen. Man beachte die Stichwortverknüpfung זנח in 3a und 5a. Jetzt werden die repräsentativen Kreise der Königstadt direkt angesprochen: „Samaria!" Weder hier noch sonst (s.o.S. 157 zu 7 1) wird Hosea bei diesem Namen an die Landschaft Samarien denken. Erst seit der assyrischen Eroberung der Stadt im Jahre 722 ist diese Ausweitung nachzuweisen, entsprechend dem assyrischen Brauch, eine Provinz nach ihrer Hauptstadt zu benennen (2 Kö 23 19; vgl. Noth, WAT³ 79).

Wo aber befindet sich der Jungstier Samarias? Wir haben keinen Beleg dafür, daß in Samaria jemals ein Jungstierbild gestanden hat; ja, aus 2 Kö 10 26f. ist zu schließen, daß nicht einmal der von Ahab nach

1 Kö 16 32 errichtete Baaltempel ein Jungstierbild besaß. So ist es noch weniger wahrscheinlich, daß nach der Zerstörung dieses Tempels durch Jehu und der Umwandlung der heiligen Stätte in Latrinen (2 Kö 10 27) dort etwa in einem offiziellen Jahwetempel oder auch in einem „privaten kanaanäischen Kult der alten Stadtbevölkerung" ein solches Jungstierbild gestanden hätte (vgl. AAlt, Der Stadtstaat Samaria, 1954 [KlSchr III 294ff.]; anders MNoth, GI³ 212, Harper, Robinson). So wird man nicht allein auf Grund der Wortverbindung „Jungstier Samarias" in Hos 8 5. 6 ein solches Kultbild in der Stadt Samaria postulieren können; auch die Aussage in Am 8 14 ist zu dunkel, als daß sie eine solche These zu stützen vermöchte. Entschieden dagegen spricht vielmehr Hos 10 5, wo die Bewohner Samarias als Verehrer des Jungstiers von B e t h e l (zum Text s.u.S. 221f.) erscheinen. So wird man auch hier an das von Jerobeam I. errichtete Kultbild (1 Kö 12 29) denken müssen (Albright, Die Religion Israels, 1956, 177f.; van Gelderen; Weiser² 68). Es wurde nach 2 Kö 10 29 auch von Jehu nicht zerstört, vielmehr bis in die Tage Hoseas nach 2 Kö 14 24 15 9. 18. 24. 28 ungebrochen und offiziell verehrt. Der Ausdruck עגל שמרן ist demnach als eine Entsprechung zu der Bezeichnung des Tempels von Bethel als eines „Königsheiligtums" und „Staatstempels" (Am 7 13) zu verstehen. Der Singular bestätigt den zeitlichen Ansatz unseres Spruches: Der Jungstier von Dan, falls er überhaupt jemals für die Hauptstadt eine vergleichbare Bedeutung gehabt hat, ging bereits an Tiglatpileser verloren (s.o.S. 175).

Welche G e s t a l t hatte der עגל? Das W o r t meint das männliche Jungrind in der Blüte seiner Jugend. Es klingt wahrscheinlich nicht verächtlich, wiewohl es auch das hilflose und vom Muttertier abhängige Kalb bezeichnet (Jes 11 6 Jer 31 18; Gordon, Ug. Manual 128 I 5); es kann aber schon in Ugarit dem Baal verglichen werden: „Wie eine Färse nach dem 'gl, wie das Mutterschaf nach dem Lamm, so steht das Herz der Anat zu Baal" (Gordon 49 II 7. 28); in 'nt III 41 meint 'gl il wahrscheinlich den Gott Jam, Baals Feind (vgl. WSchmidt, ZAWBeih 80, 1961, 36f.). So ist es eher offizieller Kultterminus als Ausdruck gewollten Spottes, zumal Ex 32 4. 8 usw. Dt 9 16. 21 und 1 Kö 12 28. 32 das gleiche Wort verwenden. Das Material des Bildes war wohl ein mit Blattgold überzogener Holzkern (zuletzt AKuschke, RGG³ II 1689), da es zu verbrennen war (Ex 32 20). Die Berechtigung, Ex 32 zur Erklärung heranzuziehen, ergibt sich aus MNoth, Überlieferungsgeschichte des Pentateuch (1948) 157ff. Vgl. auch die „Späne" von 6 (s.u.). Der Typus des Kultbildes ist umstritten. Otto Eißfeldt (ZAW 58, 1940/41, 190–215) denkt an „einen mit einem Jungstierbild gekrönten Stab" (210), der als „Standarte" der Prozession vorangetragen wird, was dem Typus des seinem Volke voranziehenden Führergottes entspricht: „Das ist dein Gott, der dich aus dem Lande Ägypten heraufgeführt hat" (Ex 32 4 1 Kö

12 28); als Vergleichsmaterial für die Stierstandarte kann er allerdings nur ein Muschelmosaik aus Mari (a.a.O. 209) anführen. Im syri-
schen Raum des 8. Jh. ist dagegen nachweislich der Stier als Standtier,
insbesondere des Wettergottes, verbreitet (ANEP 500. 501. 531; AOB
345). Man muß aber auch ein Mischwesen mit menschlichem Körper
und Stierkopf mit in Erwägung ziehen, wie das Stierbild von *tell el-
aschʻari* zeigt (KGalling, ZDPV 69, 1953, 186f. Tfl. 6).

An den Stier als Postament des Gottesbildes hat man vor allem deshalb gedacht, weil die Jungstiere von Bethel und Dan im Gegensatz zum
Ladekult in Jerusalem erstellt (1 Kö 12 27f.) und ebenso als leere Gottes-
throne des absichtlich nicht dargestellten Gottes gelten konnten (vgl. zuletzt G. v. Rad, Theologie des AT I⁴ 72). So mag es von Jerobeam I. gedacht gewesen sein. Dagegen stehen aber die Kultrufe הִנֵּה אֱלֹהֶיךָ (1 Kö
12 28) oder אֵלֶּה אֱלֹהֶיךָ (Ex 32 8), die Antithese Hoseas לֹא אֱלֹהִים הוּא (6a),
die Art, in der El in Ugarit als Stier bezeichnet wird (vgl. MHPope, El
in the Ugaritic Texts: VTSuppl 2, 1955, 35), und die Tatsache, daß
Baal einen Stier als Nachkommen zeugt (Gordon 67 V 18ff. 76 III 1ff. 17ff.
32ff., s.o.S. 47), sowie das oben erwähnte Stierbild von *tell el-aschʻari*.
Fraglos ist bei Hosea der Jungstier mehr als nur ein Gottespesta-
ment. Man sagt wahrscheinlich in seinem Sinne noch zu wenig, wenn
man ihn als Attribut oder Symbol der Gottheit und ihrer Kraft ansieht.
Er setzt vielmehr als die landläufige Vorstellung voraus, daß im Jungstierbild die Gottheit selbst dargestellt und vergegenwärtigt sei. So belegt eben die Verehrung des Jungstierbildes den Bundesbruch. Die
Sachparallele Ex 32 bestätigt den Sachzusammenhang von 1b und 5 in
unserem Kapitel.

Dem Mahnwort, das die Führerschaft direkt anredet, folgt die Ansage
der Zornesglut Jahwes im perf. gleichsam als Begründung und Bekräfti-
gung. אַף, das häufigste Wort Hoseas für den Zorn Gottes (noch 11 9
13 11 14 5), erscheint nur mit suff. 1. pers. der Gottesrede (ebenso עֶבְרָה in
5 10 13 11b), die von 1 an ununterbrochen fortgesetzt wird. Dieser göttliche Zorn ergeht über ganz Israel (suff. 3. pl.). Daß die Wendung „mein
Zorn ist entbrannt gegen sie" inkongruent neben dem Mahnwort „Verstoße dein Kalb, Samaria!" erscheint, mag damit zusammenhängen,
daß sie fest geprägt in die Topik der Abfallserzählungen und die entsprechende Paränese gehört (Ex 32 10f. Nu 25 3 Dt 11 17 Jos 23 16).
Hauptmotiv für den Brand des göttlichen Zorns ist generell die Hinkehr
zu fremden Göttern (JFichtner, ThW V 403).

Die Mahnung wird weiterhin von der Klage begleitet: „Wie lange
bleiben sie unfähig zur Reinheit?" Die Frage עַד־מָתַי gehört zur Topik der
Klage (Ps 6 4 13 2f. 35 17 79 5 80 5 89 47 Sach 1 12; vgl. HGunkel-JBegrich,
Einleitung in die Psalmen, 1933, 230; CWestermann, ZAW 66, 1954,
53), ebenso נִקָּיֹן zu der die Klage begleitenden Unschuldsbeteuerung

181

(Ps 26 6 73 13 Gn 20 5). לא יוכל als Ausdruck der Unfähigkeit gehört zur Sprache Hoseas (5 13). Der Klagesatz zeigt neben der Zornesäußerung, wie in Hoseas Gott Gerichtseifer und leidende, wartende Liebe miteinander und um Israel ringen.

8 6 Zu 5b gehört der Aufschrei: „Sie sind doch aus Israel!" Er deutet Hoffnung auf Umkehr an inmitten der kanaanäischen Umwelt. So verstanden (vgl. Textanm. 6a) paßt die Konsonantenfolge doch wohl besser in den Zusammenhang der lebendigen Auseinandersetzung als die Lesung כִּי מִי שֹׁר אֵל „Denn wer ist der Stier El?" (Tur Sinai, Encyclopaedia Biblica, The Bialik Institute, Vol. 1, 1950, s.v. ʼabbîr); denn sowohl שֹׁור befremdet neben עגל in 5a. 6b (sonst שֹׁור bei Hos nur für Opfertier 12 12) als auch eigennamartiges אֵל neben 2 1 11 9,vgl. 12 1, wo doch für Hosea Jungstierkult Baaldienst bedeutet (13 1f.).

Ein „reines" Israel gehört zu seinem Bundesgott. Aber das Kultbild „ist nicht Gott". Denn es ist von der Technik des Menschen erschaffen und also dem Menschen verfügbar. Dieser Schluß im Lehrsatz ist auch Jes 2 8. 20 40 19f. Voraussetzung der Verspottung fremder Götterbilder. Das Stierbild kann dem Menschen keine göttliche Hilfe gewähren, da es selbst hilflos der Zerstörung ausgesetzt ist (b), die der Prophet androht. Das Hapaxlegomenon שבבים ist mit mittelhebr. שָׁבַב „behauen" (GDalman, Aram.-neuhebr. Handwörterbuch, ³1938, 412) und arab. sabba „schneiden" bzw. sebîba „Späne" zusammen zu sehen und wahrscheinlich als „Holzspäne" oder „Splitter" zu deuten. Hier. dachte an „Spinnengewebe": in aranearum telas erit vitulus Samariae. Nur die saubere Trennung von diesem vom Gericht bedrohten Jungstier Samarias – am Schluß wird er wie in der Mahnung am Anfang nochmals ausdrücklich erwähnt – kann den Zorn Gottes aufhalten. So bekräftigt zuletzt auch diese Drohung als Erweiterung des vorangehenden Lehrsatzes den prophetischen Schlichtungsvorschlag.

7 Die in die Diskussion hineingeworfenen Weisheitsprüche (s.o.S. 172f., insbesondere zum Anschluß mit כי) unterstreichen den unlöslichen Zusammenhang von gegenwärtiger Tat und künftigem Ergehen; vgl. HGese, Lehre und Wirklichkeit in der alten Weisheit (1958) 33ff. 42ff. Die von Gott gesetzte Weltordnung kann den Bauern Israels am Ernteleben demonstriert werden (a). Tat ist Saat, die in der Ernte vielfältig aufgeht. רוח, der Windhauch, ist hier Stichwort der Weisheit für das halt- und hilflos Nichtige (Qoh 1 14. 17 Prv 11 29 Hi 7 7). Vertrauen auf die eigenen Operationen in Kult und Politik ist damit als Selbsttäuschung markiert (vgl. 12 2), so gewiß der Jungstier Samarias in Splitter geht. סופה ist der zerstörende Sturm, der als Ernte heranwächst aus der Saat des Windhauchs. Zwischen Saat und Ernte gilt nicht nur das Gesetz der Entsprechung (wie Prv 11 18 22 8 Hi 4 8 Gal 6 7 2 Kor 9 6 Mt 13 24ff.), sondern auch das der Vervielfältigung (Sir 7 3 Mt 13 8). Die Drohung des

anstürmenden Feindes (1.3) mag Hoseas Griff nach diesem Weisheits-
spruch mitbestimmt haben. Mit dem windig-nichtigen Götzenkult führt
Israel selbst den Sturm der Zerstörung herauf.

Beim zweiten Spruch (bα) (zum Reim s.o.S. 172) wird die objektive
Seite verdeutlicht. Ein dürrer Halm bringt kein Mehl. So erwartet Israel
von den toten Kultobjekten vergeblich, daß sie ihm Leben spenden.
Dieser zweite Spruch scheint schon im Bild die Sache selbst auszusagen,
wie Hosea in der Fortsetzung (bβ) erkennen läßt. Das Getreide steht
hoffnungslos schlecht. Bringt es dennoch eine Ernte, so wird der Ansturm
der Feinde sie verschlingen. זרים sind die Ausländer, nicht so sehr als
Feinde, sondern vielmehr als die Israel wesensmäßig Fremden, die nicht
zum Jahwebund gehören. Das Wort nimmt fast die Bedeutung von „Heiden" an; s.o. zu 5 7 und 7 9 und unten zu 8 13 (vgl. Thr 5 2 Dt 28 33 Ps
109 11). Die Gerichtsansage bleibt auffallend unbestimmt: der Prophet
kann nicht genau sagen, ob die totale Mißernte oder der Feind die Lebensmittel raubt; auch nennt er den erwarteten Feind nach wie vor (3)
nicht bei Namen.

Zum Übergang von 7 zu 8 s.o.S. 173. Mit seinen Hörern beklagt der 8 8
Prophet, daß die Gerichtsansage in etwa schon erfüllt ist, wobei an den
assyrischen Einbruch nach Galiläa und Gilead in den jüngst vergangenen
Wochen des Jahres 733 zu denken ist. Die Auslieferung Israels an die
Fremden macht es inmitten der Völkerwelt verabscheuenswert (s. Textanm. 8b); es hat nichts Begehrenswertes, nichts Kostbares mehr (חפץ in
diesem Sinne Prv 3 15 8 11). Als solch verachtetes Gerät werden der exi-
lierte Jechonja (Jer 22 28) oder das dem Tode überlieferte Moab (Jer
48 38) bezeichnet. Hosea stimmt mit diesem Satz geradezu schon den
Ton der Totenklage an. Ein kostbares, begehrenswertes, interessantes
Ding ist Israel in der Völkerwelt nur als freies Bundesvolk seines Gottes.

Diese Freiheit gab Israel selbst preis, indem es „nach Assur ging". 9
המה betont, daß Israel aus eigener Initiative Tribut anbot, schon bevor
es von Assur erobert und mit Gewalt genötigt war. Damit stellt Hosea
sofort neben die Klage die Erklärung der Not: die Unterwerfung unter
die Großmacht durch Hosea ben Ela im Jahre 733 (vgl. 5 13aβ und o.S.
147). Der Anschluß von 9 an 8 mit כי ist nur recht zu verstehen, wenn
man die Partikel auch hier nicht eigentlich begründend faßt, sondern
weiterführend erklärend. Verschlungen wird das Gottesvolk von der welt-
lichen Großmacht, wenn es von ihr Hilfe erhofft.

Der Satz „ein Wildesel ist einsam" ist entgegen der masoretischen
Gliederung zu b zu ziehen. Denn er macht keine Aussage über Assur,
sondern ist antithetisch auf Ephraim bezogen, wie das Wortspiel אפרים –
פרא bestätigt (vgl. 9 16 14 9 und zu 2 24f. o.S. 67; van Gelderen 291). Dem
Wildesel wird natürlich nicht seine Existenz als Herdentier bestritten;
er hält sich in seiner Herde zurück von anderen Tieren und Menschen

(zur zoologischen Bestimmung von פרא vgl. PHumbert, ZAW 62, 1950, 202ff.). Dagegen bleibt Israel nicht nur nicht für sich, es spendet obendrein Liebesgeschenke. תנה hi. hat Nyberg (ZAW 52, 1934, 250) als Denominativum von אֶתְנָה (2 14, s.o.S. 46, vgl. auch אֶתְנָן 9 1) erklärt. Die Hure Ephraim, die sich preisgibt, ist den politischen „Freunden" nicht einmal so viel wert, daß sie von ihnen Hurengeschenke empfangen kann, sie muß ihrerseits spenden. Somit überträgt Hosea hier sein Bild der Hure vom kultischen auf das außenpolitische Verhalten Israels. So erklärt der כי-Satz die Wertlosigkeit Israels unter den Völkern. Zur Sache vgl. 5 13 7 11 12 2. Tiglatpileser III. verdeutlicht die „Liebesgeschenke" des Königs Hosea, indem er von 1000 (?) Silbertalenten Tribut spricht (ANET 284a). Es ist auch möglich, daß Hosea sich einem bekannten politischen Sprachgebrauch anschließt. Denn in einem Staatsvertrag zwischen Assurnirari V. (755–746) und Mati'el von Arpad heißt es: „Gesetzt, der Genannte vergeht sich gegen diese Vertragsbestimmungen Assurniraris, ... so sei der Genannte fürwahr eine Hure, [sei]ne Krieger (seien) fürwahr Weiber. Wie eine Hure mögen sie auf dem Platze ihre[r] Stadt [den Loh]n (?) empfangen, Land um Land möge sich ihnen nähern" (nach EWeidner, AfO 8, 1932/33, 23). Hier ist Vertragsbruch Hurerei.

8 10 Nachdem 8 die Not klagte, 9 die Not mit schuldhaftem Verhalten erklärte, schreitet 10 zur Androhung des Gerichts (a) mit Angabe des Gerichtszieles (b) fort. Die Strafe tritt ein, „selbst wenn" Ephraim bei seinem prostitutionellen Verhalten in der Völkerwelt „Hurenlohn empfangen" würde (s. Textanm. 10a), statt ihn, wider allen Brauch, zu spenden (9). „Ich werde sie nun zusammentreiben." Das Drohwort ergeht im göttlichen Ich der Botenrede. קבץ kündet in andeutender Bildsprache die Strafe an; vgl. 9 6. Zu denken ist an die Versammlung zum Gericht (Zeph 3 8 Jl 4 2), an die „Sammlung" der Garben auf der Tenne, die gedroschen werden (Mi 4 12f.), oder an das „Zusammentun" der Metalle im Schmelzofen (Ez 22 19f.). Jahwe gibt nicht zu, daß sein Volk sich unter die Völker vermengt (vgl. auch 2 2).

Die Fortsetzung in b wird in jedem Falle die Folgen des Eingreifens Jahwes schildern. 𝔊 (s. Textanm. 10b) denkt an innenpolitische Folgen in Erinnerung an 4a: Jahwes Gericht wird den willkürlichen Inthronisationsakten (vgl. auch 7 3ff.) ein Ende setzen. Aber im Zusammenhang ist von 8 an nur an die Außenpolitik gedacht. Und wie soll es von einem so glatten, verständlichen Text, wie ihn 𝔊 voraussetzt, zu den schwer deutbaren Worten von 𝔐 gekommen sein? HCazelles (vgl. o.S. 178) erinnert nun zu משא an נשא in Am 5 26 und denkt an Prozessionen mit assyrischen Götterbildern, wobei מלך den „König Assur" und שרים nachgeordnete Götterprinzen bezeichnen sollen. ויחלו kann dann mit 𝔐 von חלל hi. hergeleitet werden: „Sie entweihen sich selbst", indem sie den assyrischen Götterkönig und seine Untergötter in der Prozession einhertragen.

Doch Hosea wird schwerlich solchen Fremdgötterdienst als Folge des richterlichen Eingreifens Jahwes (aβ) verkündet haben. Außerdem nötigt der Zusammenhang sowohl von 4a wie vor allem von 8f. her, bei מלך an eine politische Größe zu denken. Sollte an assyrische (oder auch kanaanäische, Nyberg, s.o.S.159.178) Gottheiten zu denken sein, so würde man angesichts des sonst eindeutigen Sprachgebrauchs Hoseas eine ähnlich klare Bestimmung wie in Am 5 26 erwarten. So frage ich, ob die Text- und Kontextschwierigkeiten, die zusammen zu sehen sind, nicht dann am geringsten werden, wenn man zunächst מלך שרים ohne Kopula stehenläßt und dabei entsprechend מלכי רב in 5 13 (s. Textanm. 5 13a) an den assyrischen Großkönig denkt (vgl. מֶלֶךְ מְלָכִים in Ez 26 7), wobei zu bedenken ist, daß akk. šarru im plur. die „Unterkönige" bezeichnet (KBL; šar šarrâni ist als Titel assyrischer Könige von Tiglatpileser I. bis Assurbanipal vielfach belegt; PChéminant, Les prophéties d'Ez. contre Tyre: Thèse Paris 1912. Im gleichen Zeitraum findet sich der Titel šar [kal] malkē bei Tiglatpileser I. auf dem Zylinder von ḳalʿat scherḳāt I 30 [KB I 16], ähnlich bei Assurnasirpal, Ann. III 127 [KB I 114]). משא bezeichnet dann die Tributlast (vgl. 2 Ch 17 11) und nimmt damit genau die Gedanken von 9.10a auf. 𝔐 hätte dann vielleicht nur die Vokalisation von וְיָחִילוּ mißverstanden. חיל „in Wehen liegen" wird oft von politischer Not gebraucht (Mi 4 10 Jer 4 19 51 29 Ez 30 16); חיל מן „sich winden unter", „beben vor" findet sich vielfach: Jer 5 22 Dt 2 25 1 S 31 3 Jl 2 6. מעט „ein wenig" ist hier wie 1 4 von der Zeit gebraucht: „bald". Die Gesamtaussage ist echt hoseanisch. Jahwe liefert in seiner Gerichtsversammlung die, die sich den Fremden preisgaben, der Not der Fremdherrschaft aus (vgl. 5 11 7 8f. 16, auch 4 17ff. 5 5).

Im Neueinsatz der Rede wird mit deiktischem כי die in 1b genannte **8 11** Schuld des Abfalls vom Gottesbund in 11–13 mit weiteren Tatbeständen belegt, jetzt mit dem Brauch des Opferkults. Wenn Hosea die V e r m e h r u n g   d e r   S c h l a c h t o p f e r s t ä t t e n (vgl. 4 7 10 1 und o.S. 100) erwähnt, ist zu erkennen, daß er den Ausbau der Opferstätten als Neuerung empfindet. „Zum Sündigen dienen sie ihm!" (היו־לו). Zum häufigen Vorkommen von היה bei Hosea und der Dynamik des Wortes, das „die Tatsächlichkeit eines Vorgangs, der an sich unglaubwürdig ist", betont, vgl. CHRatschow, ZAWBeih 70, 1941, 66f.; ebenso 5 9 (vgl. 1 9 5 1, auch o.S. 144). Das Staunenswerte und Erregende führt zur Wiederholung des Hauptstichworts: „Altäre zum Sündigen!" (s.u. Textanm. 9 7a). Zum archäologischen Befund der Schlachtopferstätten vgl. KGalling, RGG³ I 253f. und WFAlbright, Die Religion Israels (1956) 55f. In חטא schwingt hier hörbar die Grundbedeutung „verfehlen" (s.o.S. 100) mit, wie sofort 12 zeigt.

Mit dem Opferkult weicht man den Weisungen Jahwes aus. Daß 12 **12** Interpretation von 11 ist, zeigt die Stichwortverknüpfung רבו – הרבה.

Hosea kennt schon eine Vielzahl von schriftlich überlieferten Weisungen. Damit ist für die Mitte des 8. Jh. schriftliche Tradition des alten Bundesrechts bezeugt. Die Urkundlichkeit der Schrift bedeutet „erhöhte Autorität" (GGloege, RGG³ I 1145), zumal sie von Gott selbst geschrieben ist (vgl. Ex 24 12 34 1); für den Traditionszusammenhang des Gegensatzes zum Jungstierkult ist besonders wichtig Ex 32 15–16. Israel aber erscheinen diese Gottesweisungen als „fremdartig" (zu זר s.o.S. 128; der „fremde Gott" in Dt 32 16 Jes 17 10 43 12 Ps 44 21 81 10). In diesen Worten mögen die Spannungen zwischen den offiziellen Priesterschaften und jenen (levitischen) Tradentenkreisen aufklingen, denen Hosea zugetan war. Die Tempusfolge אכתוב impf. – נחשבו pf. zeigt hier wie in 13a, daß die vorangestellte impf.-Aussage als „Umstandsausdruck" einen Nebensatz vertritt, der auf die perf.-Hauptaussage zugeht (vgl. Nyberg, ZAW 52, 1934, 253). Offenbar hat in der von Hosea vorausgesetzten schriftlichen Überlieferung der von den Zeitgenossen eifrig gepflegte Opferkult keine Rolle gespielt (vgl. die Anklänge an den Dekalog in 4 1; auch 4 6ff. 6 6, o.S. 153 und S. 176f. zu 8 1); von hier aus muß die grundsätzliche Schärfe seiner Kritik des Opferkultes verstanden werden.

8 13   Dagegen begeistern sich die Zeitgenossen Hoseas für die Opferfeste. זֶבַח bezeichnet im Unterschied zu עוֹלָה jenes tierische Schlachtopfer, das nicht ganz, sondern nur zum Teil verbrannt, zur Hauptsache aber in Mahlgemeinschaft von den Kultteilnehmern verzehrt wird; es ist in vorexilischer Zeit „das übliche Opfer an den zahlreichen Kultstätten" (vgl. zuletzt LRost, Erwägungen zum israelitischen Brandopfer: ZAWBeih 77, 1958, 177–183). Die Lust zum Fleischgenuß hat das Aufmerken auf Jahwes Bundesverfügungen verdrängt. Mit Jahwes Anrechnung (רצה ist der offizielle Terminus dafür; Am 5 22 Mi 6 7 Lv 1 3 19 5 22 19 und o.S. 153) können sie nicht rechnen. Hosea verkündet in aller Form seine Abweisung; in der Sprache der priesterlichen Opferpraxis erklärt er das praktizierte Schlachtopferwesen als illegitim. Mit der Ablehnung der zahlreichen Opferstätten findet er sich wieder in unmittelbarer Nachbarschaft der Väter des Deuteronomiums (vgl. 12 5ff.).

Dem Urteil folgt die Strafandrohung, wie in 10a durch עתה eingeleitet. Hosea verkündet im Disputationsstil Jahwe als den, der Israels Schuld im Gericht zur Sprache bringt. זכר, dessen Grundbedeutung „gedenken" ist, hat im juristischen Bereich im hi. die spezielle Bedeutung „anzeigen", „bekanntmachen", „etwas im Rechtsverfahren zur Sprache bringen" (Jes 43 26), entsprechend der Grundbedeutung des akk. zakāru „aussprechen, sagen" (KBL). Sowohl Entlastendes (Gn 40 14 Lv 26 45 Ps 132 1 Neh 5 19 Jer 2 2) wie Belastendes (Ez 21 28 29 16 1 Kö 17 18 Nu 5 15) wird mit זכר eingeführt; vgl. HJBoecker, Redeformen des Rechtslebens im AT: Wiss. Monogr. z. A und NT 14 (²1970) 106ff. 180ff. Bei Ezechiel bezeichnet מַזְכִּיר עָוֹן das Amt des Anklägers (21 28 29 16). Die Verbindung mit עֵד findet sich auch 1 Kö 17 18 Nu 5 15. So greift Hosea hier wohl eine geläufige Form des Rechtsverfahrens auf, deren Wiederholung in 9 9 nicht verwunderlich ist. Da Jahwe hier nicht Ankläger, sondern Richter ist, steht זכר im ḳal wie 2 S 19 20. Als Terminus der Rechtssprache erkennt זכר auch BSChilds, Memory and Tradition: Stud. in Bibl. Theol. 37 (1962) 32f.; anders WSchottroff, Die Wurzel zkr im AT: Wiss. Monogr. z. A und NT 15(²1967) 207. 235ff. Vgl. 7 2: כָּל־רָעָתָם זָכַרְתִּי. Wenn Jahwe Israels Vergehen zur Sprache bringt, dann werden sie kraft seines Gedenkens gegenwärtig und künftig wirksam, dann zieht er als Gerichtsherr zugleich für die Verfehlungen zur Verantwortung (zu פקד s.o.S. 48f.).

Außer in 8 13 setzt Hosea auch in 4 8 (s.o.S. 100) 9 9 (12 9 חָטָא) und 13 12 עָוֺן und חַטָּאת parallel. Dabei markiert עָוֺן mehr das boshafte (7 1 || רָעָה; 9 7) Vergehen des Schuldigen und Straffälligen (5 5 14 2. 3) in allen Bereichen des Lebens. Es erscheint 10mal. Dagegen kommt das Nomen חַטָּאת nur 5mal vor, davon nur 10 8 nicht || עָוֺן, hier bezeichnenderweise für kultisches Vergehen, wofür auch das Verbum חטא bei Hosea fast immer verwandt wird (4 7 8 11 13 2; außerdem in 10 9).

Der allgemeinen Ankündigung der Strafe folgt als dritte Reihe der Periode in 13b ihre genaue Bestimmung: Rückkehr nach Ägypten. Man wird den Satz nicht als Nachtrag bezeichnen dürfen. Denn die Einführung der Schuldigen mit voraufgestelltem המה entspricht typisch hoseanischem Stil (3 1 4 14 6 7 7 13 8 4. 9 9 10 13 2), und die Dreireihigkeit der Periode entspricht der Metrik des Spruches (11. 13a). Woran aber denkt diese Drohung? Nennt Hosea Ägypten als gegenwärtige Weltmacht oder als das klassische Land der Bedrückung? Denkt er dabei in Wirklichkeit an Assur, das doch in 9 ausdrücklich erwähnt und auch in 1a. 3b. 7b. 10 höchst wahrscheinlich gemeint ist?

Ägypten wird von Hosea insgesamt 13mal erwähnt, davon 5mal in eindeutigen Erinnerungen an den Anfang der Heilsgeschichte (2 17 11 1 12 10. 14 13 4), 5mal in Parallele zu Assur (7 11 9 3 11 5 [𝕲]. 11 12 2); an den drei restlichen Stellen (7 16 8 13 9 6) erscheint Ägypten allein, jedoch ohne daß eindeutig oder gar ausschließlich auf die Heilsgeschichte Bezug genommen würde. In einigen Sprüchen, die Ägypten und Assur parallel setzen, kann man zunächst vermuten, daß Ägypten nur als heilsgeschichtlicher Typus für die gegenwärtige Weltmacht Assur steht (9 3 11 5 [𝕲] 11 11). Doch in 7 11 fällt diese Möglichkeit hin; denn das Bild der hin- und herflatternden Taube ist nur sinnvoll, wenn Ägypten ebenso wie Assur als gegenwärtige politische Größe angeführt wird (s.o.S. 162). Ebenso erwähnt 12 2 neben Assur als Vertragspartner Ägypten als gegenwärtigen Handelspartner, dem man Öl liefert. Schon von hier aus wird es wahrscheinlicher, daß auch die drei anderen Stellen Ägypten und Assur als gegenwärtige politische Mächte parallelisieren, wenn die Aussagen selbst es erlauben. Sie sind insofern andersartig, als sie nicht wie 7 11 und 12 2 geschehene Schuld rügen, sondern künftiges Gericht (9 3 11 5 [𝕲]) oder Heil (11 11) ansagen. Zukunftsworte sind aber ebenso die restlichen drei Ägyptenstellen 7 16 8 13 9 6; auch thematisch sind sie 9 3 11 5 [𝕲]. 11 verwandt, insofern sie eine „Rückkehr Israels nach Ägypten", wenn nicht direkt erwähnen (9 3 11 5 [⅁] wie 8 13), so doch voraussetzen (11 11 wie 7 16 9 6). Über diese sechs Stellen wird also gemeinsam zu entscheiden sein, ob sie die Zukunft etwa wie 2 17 im Licht der alten Heilsgeschichte ankündigen oder in konkreter zeit-geschichtlicher Beziehung. Letzteres ist zunächst für 7 16 sicher von 7 13 her, s.o.S. 164: im zeitgenössischen Ägypten, von dem man sich zu Assur hin ab-gewandt hatte, wird man nach der endgültigen Vernichtung Israels durch Assur seinen Spott haben, den etwa israelitische Flüchtlinge zu hören bekom-men. Von solchen nach Ägypten geflüchteten Gruppen spricht offenbar 9 6; im Zusammenbruch Ephraims bleibt denen, die dem Assyrer entgehen können und wollen, nur jener Weg, den der Philisterfürst Hanun von Gaza 734 ging (s.o.S. 141) und den 587 nach der Katastrophe Jerusalems auch etliche Ju-däer beschritten (Jer 43), den offiziell Hosea ben Ela ab 727 noch einmal versu-chen wird (2 Kö 17 4; Noth, GI 237); vgl. 11 5 12 2 13 15 und u.S. 297. Von der geschichtlichen Zwickmühle her, in der Hosea das von Jahwe abtrünnige Israel im Jahre 733 sieht, entweder von Assur aufgerieben zu werden oder nach Ägyp-ten flüchten zu müssen, sind dann auch die Worte 9 3 11 5 [⅁]. 11 zu verstehen (vgl. Jes 7 18 11 11 Mi 7 12). In 9 3 und 11 5 [⅁] erscheint das Stichwort שוב für die Hinwendung nach Ägypten ebenso wie 8 13b. So ist denn auch für diese unsere Stelle der zeitgeschichtliche Bezug am wahrscheinlichsten; aber das Stichwort שוב, das für den Weg nach Assur undenkbar wäre, läßt besonders in der Knappheit der Ansage einer Rückkehr nach Ägypten von 8 13b den für Hosea sonst so wichtigen heilsgeschichtlichen Bezug mitschwingen.

So wie Hosea die militärische Macht Israels (1. 3), sein Heiligtum (6) und seine Wirtschaft (7) unter dem Ansturm Tiglatpilesers zerbrechen und das restliche Volk unter der Tributlast leiden sieht (10b), so bleibt für die, die ihr Leben wie bisher bei den Opferfeiern genießen wollen, nur der Fluchtweg nach Ägypten. Wenn er als „Rückkehr" beschrieben wird, dann ist damit allerdings zugleich gesagt, daß die Heilsgeschichte (2 17 11 1) rückgängig gemacht ist (vgl. Dt 17 16). Und eben darin voll-zieht sich das von Jahwe verfügte Gericht.

8 14   Obwohl 14 stilistisch wie ein Nachtrag wirkt (s.o.S. 174f.), kann man die wesentlichen Gedanken der ersten Vershälfte kaum besser als von Hosea selbst herleiten. Daß Israel seinen Gott v e r g i ß t, ist seine Klage auch in 2 15 (s.o.S. 49) 4 6 13 6. Allerdings heißt Jahwe nirgendwo sonst bei Hosea der S c h ö p f e r Israels; immerhin ist Israel in 11 1 Jahwes Sohn, und kein anderer als Jahwe hat Israel von seiner Jugendzeit an geliebt, gestärkt und geschützt (11 2ff. 2 10 10 11 9 10 2 5). Genau vergleichbare Formu-lierungen finden sich erst bei Dtjes (51 13 44 2). Aber die Aussage vom vergessenen Schöpfer steht hier in einem eigenen Zusammenhang: Israel übt Selbstverherrlichung und Selbstsicherung durch Ausbau der Städte. היכלות kann sowohl Palastbauten, insbesondere der Könige (1 Kö 21 1 2 Kö 20 18), wie auch Tempelhallen (1 S 19 3 3) bezeichnen; letzteres ist für Hosea nicht unbedingt auszuschließen, da sich in solchen königlichen Tempelbauten (vgl. Am 7 13) der Abfall von dem Gott von der Wüste her (2 8f. 16f.) hin zu kanaanäischem Kultbrauchtum zeigt. Darüber

hinaus sieht Hosea die Gefahr der Stadtkultur überhaupt (vgl. auch 10 14 11 6). Nicht als lehnte er prinzipiell den Hausbau wie die Rekabiter ab (Jer 35 7), aber er achtet auf das Maß der Pracht und der Befestigungen, das für die Gottesvergessenheit bezeichnend ist. Das archäologische Material zur Stadtbefestigung bietet AGBarrois, Manuel d'archéologie biblique I (1939) 127ff. Wie die Altäre so vervielfältigen sie die Festungsbauten. Die Verteilung der Prachtbauten und der Festungsstädte auf Israel und Juda ist wohl nicht sachlich, sondern stilistisch zu verstehen. Die prophetische Kritik wurzelt im vorstaatlichen, altisraelitischen Jahweglauben und geht daher Israel wie Juda an, ähnlich 5 10. 12–14 6 4 10 11.

Die Drohung geht zur Gottesrede über wie 10aβ. Sie ist wie 4 15 von Amos her zu verstehen, wenn auch die vorliegende Formulierung in seinen Fremdvölkersprüchen kein genaues Vorbild hat (vgl. Am 1 4. 7. 10. 14 2 2); vor allem ist hier diese Drohung zum ersten Male auf Israel und Juda gezielt. Wie spätere judäische Nachbildungen aussehen, zeigt Am 2 4f. Im ganzen entspricht unser Wort auch nicht den judäischen Glossierungen im Hoseabuch (vgl. 1 7 4 15 5 5 6 11). Die unterschiedlichen Suffixe fallen auf: „seine Städte" sind wohl die des Volkes von Israel und Juda; „ihre Wohnungen" die der Städte.

Die Sicht des Gerichtes entspricht den Erwartungen des Feindangriffs in 1a. 3b und der feindlichen Verheerungen (6b. 7b), die nur die Wahl zwischen unerträglichen Tributlasten (10b?) oder der „Rückkehr nach Ägypten" (13b) lassen.

Der Auftritt steht ganz unter dem Eindruck der heranstürmenden Assyrergefahr, die mit ungeheurer Schnelligkeit naht (1a. 3b); die Heiligtümer werden zerstört (4b. 6b), die Ernte geplündert (7b) und die Städte ausgebrannt (14b), kurzum, Israel wird von einer unersättlichen Gier ausgesogen (8); unter schrecklicher Tributlast wird es sich bald in Schmerzen winden (10b? s. Textanm. 10b). Als Alternative bleibt nur die Rückwendung nach Ägypten (13b), in das Land, aus dem Gott einst den Knaben Israel berief (11 1; vgl. 2 17). — *Ziel*

Mit dem allen ist also das Ende der Heilsgeschichte genaht. Jahwe selbst verfügt und bewirkt es, indem er sein Volk zum Gericht versammelt (10aβ) und ihm das Urteil spricht (13b). Sein eigener Zorn (5b) ist es, der Heiligtümer zerstört und Städte niederbrennt (6. 14).

Doch dieser Gerichtszorn beherrscht nicht eigentlich das Kapitel. Hosea hegt aber auch nicht mehr die Hoffnung, das Ende der Heilsgeschichte aufhalten zu können. Nicht einmal das Wort „Umkehr" erscheint mehr, das den vorigen Auftritt noch wie ein roter Faden durchzog (zu 5 8–7 16 s.o.S. 138. 165f.). Das Mahnwort 5a (s. Textanm. 5a) und die beschwörende Frage 5b–6aα sind zusammen mit den Lehrsätzen 6aβγ. 7abα letzte Versuche, Einsicht zu wecken. Immerhin zeigen sie, daß

Hosea vom Ringen mit seinem Volk noch nicht ablassen kann.

Dafür ist besonders bezeichnend, daß die Anklagesätze einen weit größeren Raum einnehmen als die Gerichtsansagen (vgl. dagegen 9 1–6). Hier sitzen die eigentlichen Akzente des Kapitels. Hier verspüren wir die erregte Leidenschaft der lebendigen Rede. Die Anklage beherrscht ja schon das Eingangswort 1–3. Die entscheidenden Stichworte fallen in 1b. Israel hat die Geschichte des Gottesbundes beendet. Damit setzt die Auseinandersetzung mit den Hörern ein, die schon in 2 zitiert werden. Die weiteren prophetischen Disputationsbeiträge verdeutlichen und begründen im wesentlichen den Generalvorwurf des Bundesbruchs. Er zeigt sich im Verhalten Israels an sechs Stellen: 1) an der Art der Thronwechsel, insofern dabei nach Gottes Willen nicht gefragt wurde (4a); 2) an der Fertigung von Götzenbildern, womit man die Bundesgaben Gottes der Vernichtung preisgibt (4b); 3) an der Verirrung des Jungstierdienstes, mit dem man Technik als Gott verehrt (5–6); 4) an der Unterwerfungspolitik unter Assur, womit Israel seinen Eigenwert unter den Völkern verliert (8); 5) am Opferwesen, in dem man seine Lust statt Gottes Willen walten läßt (11–13); 6) am Städteausbau, über dem man den Schöpfer Israels vergißt (14).

In jedem Falle wird also die Anklage von der Klage getragen, daß man gegen Jahwe aufbegehrt. Zum Besonderen des Auftrittes gehört es, daß der Bundesbruch als Verletzung der Tora erscheint (zu 1b s.o.S. 176f.), die als Fremdling angesehen wird (12), vor allem im Kult. Würde sie dort ihre ebenso heilsame wie konkrete Wirkung ins ganze Leben Israels hinein üben können, dann wäre „das Gute" (3a) Israels Geschick (s.o.S. 177). Man verspürt wieder die tiefe hoseanische Traurigkeit. Sie bezeugt das Leiden Gottes, der als Fremdling und Feind in Israel angesehen und abgestoßen wird (1b), und zugleich das Mitleiden mit Israel, das sich um sein Bestes, um seine freie Lebensmöglichkeit bringt. Im ganzen ist in diesem Auftritt der Schmerz über das von Israel heraufgeführte Ende der Heilsgeschichte viel kräftiger als dessen ausdrückliche Androhung. Doch ein andrer Ausweg als der des Gerichtes ist nicht zu sehen.

Das Kapitel stellt einen erregenden Höhepunkt des prophetischen Kampfes gegen den falschen Gottesdienst dar, bringt aber im bezeichnenden Unterschied zu 4 4–19 und 5 1–7 gleichzeitig politische Selbstsicherungsversuche zur Sprache, die ebenso dem Bund Gottes mit Israel widersprechen. Es erinnert an das paulinische Anathema über jeden, der „ein anderes Evangelium" bringt (Gal 1 6ff.). Wo immer die Christenheit, die „im Geist angefangen" hat, in Versuchung steht, „im Fleisch zu enden" (Gal 3 3), da kann sie das prophetische Wort als exemplarische Hilfe hören. Gerade dieses Kapitel deckt die Fehlwege auch des neutestamentlichen Gottesvolkes auf, wo es sich selbst falsche Autoritäten setzt, wo es der Abgötterei des Leistungseinsatzes erliegt, wo es sein eigenes Werk als entscheidende Lebenshilfe anbetet, wo es sich in die Abhängigkeit des Unglaubens begibt, wo es seinen „Gottesdienst" genießt, statt den Willen Gottes zu hören, wo es sich in Selbstherrlichkeiten und Selbstsicherheiten wiegt, statt von seinem Schöpfer auch seine Zukunft zu empfangen.

Die genauen zeitgeschichtlichen Verweise Hoseas regen an, die entsprechenden Versuchungen der Gemeinde Jesu Christi zu entdecken, damit sie entweder auf den schmalen Weg des Evangeliums inmitten dieser Welt zurückkehrt oder aber vernimmt, daß der eigene Weg ins Gericht führt. Unter solchem Hören werden viele Einzelheiten des Kapitels neu zu reden beginnen, nicht zuletzt die Aussage von 8b, wonach das Gottesvolk nur so lange Wert behält in der Völkerwelt und für die Völkerwelt, als es aus der Bundeszusage und Lebensweisung seines Gottes innerweltliche, geschichtliche Konsequenzen zieht (die internen „gottesdienstlichen" Bekenntnisse (2) bedeuten demgegenüber nichts). Wenn sie nicht mehr als lebendige Gemeinde ihres lebendigen Herrn existiert, wird sie von den Weltmächten überrannt. So wird denn Hoseas Anklage und Drohung gegen die Verächter des Gottesbundes und Gotteswortes helfen, die neutestamentlichen Weherufe über die Reichen, die Satten, die Lachenden und die Vielgepriesenen (Lk 6 24ff.) deutlicher zu verstehen.

DAS ENDE DER FESTFREUDEN
(9 1–9)

Literatur SMowinckel, „The Spirit" and the „Word" in the Pre-exilic Reforming Prophets: JBL 53 (1934) 204–205. – PHumbert, Laetari et exultare dans le vocabulaire religieux de l'Ancien Testament: RHPhR 22 (1942) 185–214 (= Opuscules d'un hébraïsant, 1958, 119–145). – JPSeierstad, Die Offenbarungserlebnisse der Propheten Amos, Jesaja und Jeremia (1946) 188–189. – GQuell, Wahre und falsche Propheten (1952) 10–15. – RDobbie, The Text of Hosea 9 8: VT 5 (1955) 199–203. – HWWolff, Hoseas geistige Heimat: ThLZ 81 (1956) 85–87. 92 = Ges. St. z. AT: ThB 22 (1964) 235–238. 246. – MJBuss, A Form-Critical Study in the Book of Hosea with Special Attention to Method: Diss. Yale University (1958) (Maschinenschr. 179–189). – AHJGunneweg, Mündliche und schriftliche Tradition der vorexilischen Prophetenbücher als Problem der neueren Prophetenforschung: FRLANT 73 (1959) 89–90. 101–102. – DWHarvey, „Rejoice not, o Israel": Israel's Prophetic Heritage (Essays in honour of JMuilenburg), 1962, 116–127.

Text ¹Freue dich nicht, Israel!
'Jauchze nicht'ᵃ wie die Völker!
Denn du hurst von deinem Gott weg.
Dirnenlohn liebst du
auf allen Korntennen ᵇ.
²Tenne und Kelter werdenᵃ sie nicht als Freunde behandeln ᵇ;
der Most wird sie ᶜ betrügen.
³Nicht bleiben sie in Jahwes Land.
Ephraim muß nach Ägypten zurückᵃ,
in Assur sollen sie ᵇ Unreines essen.
⁴Nicht für Jahwe spenden sie Wein,
nicht ihn freuenᵃ ihre Schlachtopfer ᵇ.
Wie Trauerbrot (gilt es) für sie;
jeder, der es ißt, verunreinigt sich.
Ja, ihr Brot (dient) ihrem Schlundᶜ.
[Nicht kommt es in Jahwes Haus] ᵈ.
⁵Was wollt ihr herrichten zum Versammlungstag,
zum Tag des Festes Jahwes?
⁶Denn seht, wenn sie wegziehenᵃ aus verwüstetem (Lande) ᵇ,
sammelt Ägypten sie ein,
Memphis begräbt sie.
Kostbar ist ihr Silberᶜ –
Unkraut wird sie beerben,
Dornen (wachsen) in ihren Zelten.
⁷Gekommen sind die Tage der Ahndung,
'genaht'ᵃ sind die Tage der Heimzahlung.
Mag Israel 'schreien' ᵇ:
„Ein Narr der Prophet!
Verrückt der Geistesmann!"

Weil groß ᶜ deine Schuld,
 '' ᵈ ist groß 'die' ᵈ Feindschaft.
⁸Der Wächter ᵃ Ephraims ist mit 'Gott' ᵇ. [Prophet] ᶜ
 Ein Fangnetz ᵈ (liegt) auf all seinen Wegen,
 Feindschaft (wütet) im Hause seines Gottes.
⁹Sie handeln aufs tiefste verderblich ᵃ
 wie in den Tagen Gibeas ᵇ.
Er gedenkt ihrer Schuld,
 er ahndet ihre Vergehen.

1a ⑤ (μηδὲ εὐφραίνου = אַל־תָּגֵל; ähnlich ℭ⑤𝔙) bewahrt den par. mem- 9 1
br., der hier (s.u. Form) zu erwarten ist. 𝔐 („bis zum Jauchzen") ist ungewöhnlich; doch vgl. Hi 3 22 (van Gelderen). – b דמן fehlt in ⑤, vielleicht durch
Augensprung zu גרן. – 2a Bei zwei Subjekten bleibt das Verbum meist im 2
sg. (BrSynt § 132). – b Zu רעה II vgl. KBL, Nyberg 68 und JFichtner, ThW
VI 310, ferner 12 2 Prv 13 20 28 7 29 3. ⑤ (οὐκ ἔγνω αὐτούς) muß nicht geläufi-
geres יָדְעָם voraussetzen, sondern kann רעה II kennen, wie auch Prv 12 20 (Jes
44 20?). ℭ𝔙 bestätigen 𝔐, ⑤ wenigstens den Konsonantentext. – c ⑤⑤ℭ𝔙 setzen
בָּם (wie einige 𝔐ᴹˢˢ) voraus, wie im Kontext zu erwarten. Denkt 𝔐 mit suff. 3.
f. sg. von 1 her an die Hure Israel? – 3a ⑤ (κατῴκησεν) las fälschlich von 3a 3
her יָשַׁב (vgl. Harper), wogegen das Fehlen einer praep. vor מצרים spricht.
ℭ𝔙 bestätigen 𝔐; vgl. WLHolladay, The Root šûbh in the OT (1958) 29⁴².
– b Beim Kollektivum tritt häufig erst im fortschreitenden Satz Übergang vom
sg. zum pl. ein, so auch 6 4 7 11 8 5 8 9 16 u.ö., vgl. Ex 1 20 33 4 (GesK § 145 g).
– 4a יַעֲרְכוּ (viele seit Kuenen, z.B. Nowack, BHK³, Harper, Robinson, Frey) 4
würde als transitiv eine genauere Parallele zu 4aα ergeben, aber ⑤ℭ𝔙 stützen
die seltenere 𝔐-Form. – b 𝔐 (Akzent!) ⑤𝔙 ziehen זבחיהם zum Folgenden;
aber die dann sich ergebende Beziehung des pl. יערבו auf יין als Subjekt wie
auch das Ebenmaß der Reihen sprechen für die schon von ⑤ bezeugte Gliederung. – c Zur Bedeutung von נפש s.o.S. 101 zu 4 8. – d wahrscheinlich Glosse,
s.u. S. 200. – 6a Der pf.-Satz ist als Zustandssatz den asyndetisch folgenden 6
imperf.-Aussagen zugeordnet; vgl. BrSynt § 139. – b ⑤ (ἐκ ταλαιπωρίας
Αἰγύπτου) trennt sinnwidrig מצרים vom Folgenden und ordnet demnach
„Memphis" als Subjekt zu „sammeln" und מחמד (als Ortsname Μαχμας verlesen) zu „begraben". – c wörtlich: „Kostbarkeit (eignet) ihrem Silber". –
7a קִרְבֻּן (nach ⑤) hat die Regel der Alternation im Parallelismus für sich; aus 7
dessen Verstümmelung mag das zweite באו entstanden sein. Allerdings verwendet Hosea gelegentlich auch die Wortwiederholung zum crescendo; vgl.
6 4 7 8. 9 8 11 11 8 (dazu MJBuss 116), doch durchaus nicht als Regel; hier muß
⑤ als lectio difficilior gelten; vgl. auch Ez 7 7b 12. – b יָרִיעַ wird seit van Hoonacker des Kontextes wegen allgemein anerkannt. ⑤ (κακωθήσεται = יָרֵעוּ)
setzt fast genau diese Konsonanten voraus. 'Α (ἔγνω) Σ (γνώσεται) kennen wie
𝔗 schon 𝔐 („wird erfahren"). – c wörtlich: „wegen der Fülle deiner Schuld".
– d ich lese רַבָּה הַמַּשְׂטֵמָה; auch ⑤⑤ kennen die Kopula ו nicht; der Art. ה
fiel wohl durch Haplographie aus. 𝔐 („und groß ist eine Feindschaft")
sprengt den Satz. MBuber überträgt 𝔐: „Zur Vielfältigkeit deiner Verfehlung
auch des Widersachertums viel", wobei sowohl על···ו = „zu ... auch" proble-
matisch ist als auch das Fehlen des Art. vor משטמה unerklärt bleibt. Unter-
ordnung beider Wortgruppen unter על (Sellin, Weiser) bleibt syntaktisch und
inhaltlich schwierig, zumal sie nicht parallel strukturiert sind. LKoehler
(brieflich) wollte V. 7bß hinter הַשַּׁלֵּם rücken. – 8a צפה „auflauern" (Sellin, 8
Dobbie) ist nur Ps 37 32 belegt und mit לְ statt עַם verbunden. Ich lese mit van

Gelderen צֹפֶה אֶפְרַיִם nach 𝕲 (σκοπὸς Εφραιμ) 𝔙 (speculator Ephraim). Zu den Verständnisschwierigkeiten von 8a s.u.S.202f. – b Nach 𝕲 (μετὰ θεοῦ = עִם אֱלֹהִים) kann die Suffixform in 𝔐 („mein Gott") sekundär sein, vielleicht infolge Verstümmelung: sie steht in Spannung zu אֱלֹהָיו in bβ (wo 𝕲 auch kein Suffix übersetzt, ebensowenig in 9 17 und 8 2). Sellins häufig (z.B. von Robinson, Weiser, Frey) akzeptierter Vorschlag עִם אֹהֶל נָבִיא hat keine Deckung in der Textüberlieferung, ebensowenig der sich vom Konsonantentext noch weiter entfernende Vorschlag von RDobbie אֶל־חַיֵּי נביא; zu beiden vgl. auch Textanm. a. – c נביא will als Glosse das Subjekt von 8a erklären und sichert zugleich die Beziehung der Suffixe in 8b. – d wörtlich: „Klappnetz eines Vogelstellers". – 9 a הֶעְמִיקוּ ist als verbum relativum dem asyndetisch folgenden Hauptverbum zugeordnet (𝔙: profunde peccaverunt), vgl. Textanm. 5 11c und GesK § 120g. – b 𝕲 (τοῦ βουνοῦ) denkt an die Höhenkulte wie in 4 13 10 8; der Ortsname kommt ihr auch 5 8 und 10 9 nicht in den Sinn. 'ΑΣ dagegen übersetzen γαβαα, ebenfalls in 10 9.

Form Die direkte prohibitive Anrede und die Nennung des Angeredeten „Israel" (1a) bezeichnen den Anfang eines neuen Auftritts. In 2–4 wird die 2. pers. sg. des Angeredeten durch die 3. pers. pl. abgelöst. In 5 findet sich erneut direkte Anrede, jetzt pluralisch, die mit 6 wieder zur 3. pl. übergeht. In 7bβ erscheint ein letztes Mal eine (sg.) Anredeform („wegen der Größe deiner Schuld") inmitten des Berichtstils über Israel (7a) und Ephraim (8f.). Erst in 10 setzt ein neuartiges Stück ein, das diesen lebhaften Wechsel von 2. und 3. pers. nicht kennt. Wie wird er zu erklären sein?

Bevor wir diese Frage aufnehmen, stellen wir fest, daß 1–9 dadurch zusammengehalten sind, daß ihnen der Stil der Botenrede fremd ist. Sofort in 9 10 erscheint wieder das Ich Gottes wie zuvor noch in 8 1–5. 10. 12. 14b. In diesem Zwischenstück aber haben wir reine prophetische Disputationsworte vor uns, in denen der Prophet Gott (1a. 8ab) oder Jahwe (3a. 4a[b]. 5b) nur in 3. pers. erwähnt.

Thematisch stehen die Worte 1–6 sichtlich einander nahe, indem überall das Erntefest als Fest Jahwes in Frage steht. Darum kreist der lebhafte Disput. Das soeben als stilistisch verwandt erkannte Stück 7–9 ist nicht nur in seinen Drohungen dem Vorangehenden ähnlich, sondern wird auch in seiner Auseinandersetzung um das prophetische Amt erst als Schlußwort eines Auftritts voll verständlich, in dem die prophetische Störung der Festfreude die Beschimpfung des Propheten ausgelöst hat.

Wie ist nun zu verstehen, daß die Schuldigen und Bedrohten einmal angeredet werden, sodann aber in 3. pers. erscheinen? Klar ist, daß dieser Wechsel nur aus der mündlichen Auseinandersetzung eines öffentlichen Auftritts zu begreifen ist, bei dem außer dem Sprecher mindestens noch zwei Gruppen im Spiel sind, nicht dagegen aus einer geschlossenen Redekomposition oder gar von einer genuin literarischen Form her. Offen steht aber die Frage, wie man sich hier das Verhältnis der Angesprochenen zu denen, über die gesprochen wird, vorzustellen hat. Man könnte daran denken, daß die für die Festfeiern verantwortlichen Kreise angeredet sind: die Priesterkreise freuen sich in erster Linie auf die Erntegaben, die „Dirnengeschenke" (1), sie haben für die „Zurüstung" des Festes zu sorgen (5), ihre Schuld steht für Hosea im Vordergrund (7bβ). Mit der 3. pers. würde dann auf den weiteren Kreis des ganzen Volkes verwiesen. Auf diese Weise erklärte sich das Nebeneinander von 2. und 3. pers. in 4 4–19: Angeklagte und Geschädigte wurden im Rechtsverfahren unterschieden (s.o.S. 91f.). Doch sind hier diese verschiedenen Kreise nicht wie dort bezeichnet. Denn man wird kaum „Israel" (1.7) – als Bezeichnung der offiziellen, im Kult anführenden Kreise – „Ephraim" (3.8) – als Bezeichnung des Volkes im ganzen – entgegensetzen dürfen. Dann bleibt aber nur die andere Erklärung, die voraussetzt, daß die mit 2. und 3. pers. bezeichneten Kreise die gleichen sind, daß aber der Prophet als Ankläger oder Richter einmal den Beschuldigten selbst zugewandt ist, zum anderen über sie zum Gerichtsforum spricht, für das hier der engere Kreis um Hosea, der zugleich der Tradentenkreis ist, stehen könnte. Vgl. Jer 2 9–13 Jes 5 3–7, dazu HJBoecker, Redeformen des Rechtslebens im AT: Wiss. Monogr. z. A und NT 14 (1964) 71–94. 143–159. Bezeichnend ist, daß die Strafe der Schuldigen immer in 3. pers. verkündet wird (2ff. 6. 7a. 9), während die Anklage im Zuge der Verhandlung auch in direkter Anrede vorgebracht werden kann (1.7b), wobei zu beachten ist, daß 7bβ auf eine Gegenklage eingeht. Auch die Frage „Was wollt ihr tun...?" (5) gehört in die lebhafte Auseinandersetzung von Rechtsgegnern; ihr geht auch sonst wie hier in 2–4 die Strafdrohung mit Beschuldigung in 3. pers. voran (Jes 10 3 Jer 5 31; vgl. Prv 25 8 Hi 9 12).

Im einzelnen sind an harten Übergängen wieder abwehrende Einwürfe der Hörer als Rechtsgegner anzunehmen. Hier sind sie im Zitat 7bα direkt belegt. So kann man sich nach der Beschuldigung in direkter Anrede (1) den Hinweis auf eine gute Ernte als Beweis für den rechten Gottesdienst denken, der vom Propheten mit der Androhung bevorstehender Enttäuschung (2ff.) im neutralen Stil der Strafverkündigung beantwortet wird. Zwischen 6 und 7 ist eine entrüstete optimistische Abweisung der prophetischen Drohung mit jener leidenschaftlichen Beschimpfung anzunehmen, die in 7bα aufgenommen ist. Selbst JLindblom, der sonst mit Revelationsniederschriften rechnen möchte (s.o.S. 92), muß für 9 1–9 „vermuten, daß die Rede in der Öffentlichkeit geboren wurde, um unmittelbar vorgetragen zu werden" (Hosea literarisch untersucht, 1927, 143). Die Tradenten haben nur Hoseas Worte überliefernswert gefunden.

Die rhythmische Struktur ist ungewöhnlich ebenmäßig. Allerdings finde ich die von JMBuss (117) als Lieblingsstrophe herausgestellte vierreihige Einheit nur am Schluß in 9, wobei die Zugehörigkeit von 9b zur mündlichen Verkündigung an dieser Stelle im Vergleich zu 8 13bα unsicher ist (s.u.S. 204); außerdem allenfalls in 4aβb, wenn man bβ für hoseanisch hält (s.u.S. 200). Dagegen sind Strophen klar zu erkennen, die aus einer zweireihigen und einer dreireihigen Periode gefügt sind (vgl. die Satzanordnung der Übersetzung): 1. 2–3. 4a–bα. In 5–6 folgen einer zweireihigen zwei dreireihige Perioden, womit die von 2 an durchlaufende dreistrophige rhetorische Einheit ihren betonten Abschluß findet. In 7a–bα. 7bβ–8 folgen wieder zwei Strophen mit je einer zwei- und einer dreireihigen Periode, die in 9 mit einer dritten Strophe aus zwei zweireihigen Perioden beschlossen werden.

Diese Gefüge von zweireihigen und dreireihigen Perioden muß man mit Stimme auf sich wirken lassen, um zu vernehmen, wie sich hier die Eindringlichkeit der hoseanischen Sprache auswirkt, die wie eine rollende Brandung über den Hörer einherfährt. In den zweireihigen Perioden herrscht der synonyme Parallelismus, in den dreireihigen verhält sich meist eine Reihe synthetisch zu den beiden anderen.

Während die einzelnen Reihen zumeist dreitaktig sind, fallen am Schluß der beiden größeren rhetorischen Einheiten (2–6 und 7–9), also in 6 und 9, klare zweitaktige Reihen auf. Auch in den Eingangsstrophen 1 und 2 finden sich mehrere dieser peitschenden zweitaktigen Reihen. Die Tradenten, denen wir diese Auftrittsskizze verdanken, bewahrten uns hier wahrscheinlich ein getreueres Bild der dichterisch kraftvollen Sprache des Propheten als anderwärts.

Ort   Wie der Eingang (1a) zeigt, fahren die Anklagen und Strafandrohungen in die jubelnde Freude eines großen Erntefestes zerstörerisch hinein. Es wird sich nach 5 um das siebentägige Herbstfest am Ende der Weinlese handeln (s.o.S. 46 zu 2 13 und EKutsch, Erwägungen zur Geschichte der Passafeier und des Massotfestes: ZThK 55, 1958, 31f.), das nach Ri 21 19 Lv 23 39 „das Jahwefest" war, das durch besondere Fröhlichkeit (Ri 21 21 Lv 23 40 Dt 16 14) ausgezeichnet war.

Die Orte dieser großen Feste waren in Hoseas Tagen wahrscheinlich die Hauptplätze der Dreschtennen (1) (vgl. noch Dt 16 13). Samaria hatte vor einem seiner Stadttore eine Tenne, die auch sonst großen kultischen Zusammenkünften diente (1 Kö 22 10; vgl. für Jerusalem die Tenne des Jebusiters Arawna 2 S 24 18). Hier ist Platz für den Festreigen (Ri 21 21). Man kann aus dem Text keine Gründe für die Annahme von Samarien nennen; Hosea könnte mit diesem Wort auch anderwärts, etwa in Bethel, Gilgal oder Silo, aufgetreten sein; doch spricht auch nichts gegen Samarien.

Für die Hauptstadt spricht, daß unser Text zeitlich in die Nähe des vorigen Auftritts gehört, der fraglos in Samarien stattfand (8 5, s.o.S. 175). Denn die Niederschrift der Tradenten erinnert mit der angedrohten Rückkehr nach Ägypten in 3bα an 8 13bβ, mit der Ansage von Jahwes

Vergeltung in 9b an 8 13bα. In beiden Fällen ist nicht der genaue Wortlaut übernommen, so daß nicht an sekundäre literarische Nachschrift zu denken ist. Vor allem ist sachlich die Gerichtsdrohung die gleiche: Assur wird das Land verwüsten und die Bevölkerung, soweit sie nicht nach Ägypten entkommt, deportieren (vgl. 2. 3. 6 mit 8 5b. 7b. 10a. 13b. 14b). So kann man vermuten, daß unser Auftritt am Herbstfest des Jahres 733 oder doch eines der unmittelbar folgenden Jahre anzusetzen ist. Noch zeigt sich nicht eine offizielle Hinwendung zu Ägypten, wie sie bei Hosea ben Ela wohl erstmalig bei Tiglatpilesers Tod im Jahre 727 erfolgt (2 Kö 17 3f.). Andererseits ist der erste Schrecken des Assyrereinfalls vom Frühjahr 733 und die Zeit der inneren Wirren überstanden. Eben macht sich wieder ausgelassene Freude breit, da die Ernte anscheinend einigermaßen gut ausgefallen ist (1).

Wieder beginnt Hosea, indem er die Aufmerksamkeit im Anruf ge- **Wort** radezu aufschreckt (vgl. 5 8 8 1). Mit dem wörtlichen Gegensatz zu den **91** hymnischen Aufforderungen und den priesterlichen Kultanweisungen (vgl. den Parallelismus „freue dich! – juble!" in Ps 14 7 16 9 32 11 u.ö., ferner Jl 2 21. 23 Zeph 3 14) versetzt er aller Feststimmung einen Schlag ins Gesicht. Hosea belegt zum ersten Mal das Wortpaar שמח – גיל. Er zeigt zugleich, daß es ursprünglich dem dionysischen Charakter der kanaanäischen Fruchtbarkeitskulte zugehört als Gegenstück zu den Klageriten (s.o.S. 163f. zu 7 14). Die „Freude" äußert sich in lärmenden Akklamationen und enthusiastischen Bewegungen (vgl. Ri 16 23 2 S 6 12). Das „Jauchzen" bezeichnet eine Steigerung, wie noch die Wendung in 𝔐 (שמח אל־גיל,s. Textanm. 1a) erkennen läßt; es äußert sich in heftig gellenden, wilden Schreien. 10 5b zeigt, daß sie speziell dem Jungstierkult zugehören. So wundert es nicht, daß גיל, wie es Hosea erstmalig belegt, weder im Pentateuch noch im dtr. Geschichtswerk jemals vorkommt und daß es auch von Amos, Micha, Jeremia (48 33 [Moab] ist sekundär) und Ezechiel streng gemieden wird; Jesaja nimmt es ein einziges Mal auf (9 2). Daß das Wortpaar vornehmlich den Erntefesten zugehört, belegt später noch Jl 1 16 2 23. 𝔙 trifft die Steigerung im Wortpaar, wenn sie übersetzt: *noli laetari Israel, noli exsultare sicut populi*. Vgl. PHumbert.

Mit „Israel" ist die offizielle Kultgemeinde angesprochen (wie in 4 15 8 [2] 3. 6), die die erwählte Jahwegemeinde ist (9 10 10 1 11 1 11 12 14 13 1 14 2); an dieser Stelle könnte nicht „Ephraim" stehen, das in erster Linie die Bevölkerung der Landschaft als das Staatsvolk meint, vgl. 5 13 8 8. 11. „Israel" kann sich nicht leisten, was bei den Völkern Brauch ist (s.o.S. 163f. zu 7 14), seiner besonderen Geschichte mit Gott wegen. Es ist aber hurerisch abgefallen von dem, der es erwählte (zu זנה s.o.S. 16). עמים gewinnt hier die Bedeutung von „Heiden", wie sonst גּוֹיִם (vgl. Bertram, ThW II 363f.; Strathmann, ThW IV 34f.). Wieder geht Hosea von der Unterschiedenheit Israels von den Völkern aus wie in anderer Weise in

8 8. 10 (s.o.S. 183f.). Was Israel auch tun mag, es ist anders zu beurteilen als das Tun und Treiben der Völker, die keinen „Abfall" von ihren Göttern kennen (vgl. Jer 2 10f.). Was bei den Völkern natürlich ist, wird in Israel Hurerei.

Israels „Huren" hat sich vor allem auf den Korntennen gezeigt. Dort lebt die „Liebe zum Dirnengeschenk", eine verirrte, lüsterne Liebe; vgl. WEichrodt, Theologie des Alten Testaments II/III (⁷1974) 200 (wo aber übersehen ist, daß Hosea אהב durchaus auch für die Liebe Gottes gebraucht, s.o.S. 75 zu 3 1). אתנן ist wahrscheinlich als erstarrte Energicusverbform (von אֶתְּנָן her „ich will geben") zu verstehen (so Bauer-Leander, Hist. Gramm. I 487 und Meyer, Hebr. Gramm.³II § 40 1) und bezeichnet wie das singuläre אֶתְנָה (2 14 s.o.S. 46) immer das Hurengeschenk. Dt 23 19 sagt ausdrücklich אֶתְנַן זוֹנָה, ebenso Mi 1 7; WZimmerli, BK XIII 359 zu Ez 16 31f. Auf den „Korntennen" empfängt Israel dieses Geschenk seiner Liebhaber, der Baalim (vgl. 2 7. 9f. 11f. und o.S. 41ff.). Dabei dienen die Dreschtennen anscheinend zugleich als Kultstätten, s.o.S. 196 (Ort), vgl. außerdem Ri 6 37ff. 2 S 6 6, zumal sie hoch gelegene und dem Winde ausgesetzte Flächen sind, die sich in Ortsnähe durchweg im Gemeindebesitz befinden; vgl. Dalman, AuS III 67ff.; Barrois I 314f. Damit wird verständlich, daß in 1 noch nicht die Keltern neben den Tennen erwähnt werden wie in 2. Die Baalim werden als Abgötter nicht mehr wie in der Frühzeit Hoseas direkt genannt (vgl. 2 15. 18f.); vielleicht hat man sich in den Notzeiten des Jahres 733 wieder betonter als Jahweverehrer dargestellt (vgl. 6 3 8 2 9 4. 5), aber nicht, um ihm als dem Herrn Israels das ganze Leben Israels zu unterstellen (6 4 8 3), sondern weil man Lust und Profit erstrebt; so empfängt man die Gabe, doch nicht von dem wahren Geber (7 14 2 10). Diese Jahweverehrer sind für den Propheten nach wie vor treulose Baalverehrer, deren Kultfeier als heidnisches Treiben energisch gestört werden muß.

9 2   Dem prophetischen Verbot des Freudenjubels gegenüber mag man auf die Segnungen des Himmels verwiesen haben, die man als göttliche Bestätigung des bisherigen Weges wahrnimmt. Da setzt der Prophet im Stil der Strafverkündung (s.o.S. 195 Form) neu ein. Neben der Tenne nennt er jetzt יקב. Die aus dem Felsen herausgehauene Kelteranlage besteht aus einem Tretbecken und einer damit verbundenen tiefergelegenen Sammelgrube; das Wort יקב bezeichnet zunächst die letztere (Dalman, AuS IV 354ff. Abb 100–111; BRL 538; Barrois I 330), eben den Ort, an dem sich der Mostertrag sammelt. Die Kelter kann sowohl der Most- wie der Ölbereitung dienen (Jl 2 24; vgl. aber Dalman, AuS IV 207). Vielleicht ist hier sogar in erster Linie – neben dem Korn der Tenne – an Olivenöl gedacht, da der Most in 2b noch besonders erwähnt wird und Hosea auch sonst die Trias Korn-Most-Olivensaft vor Augen hat (s.o.S. 44; Korn und Most allein 2 11 7 14).

Tenne und Kelter als Lieferanten werden sich nicht „als Freund erweisen" (zu רעה II s.o. Textanm. 2b und vgl. רֵעַ in 3 1, o.S. 75), sondern als Betrüger (zu כחש s.o.S. 84); sie werden nicht halten, was sie jetzt noch versprechen. Der Eventualfall von 8 7bβ ist eingetreten, eine Ernte ist herangereift, aber nicht Israel wird sie genießen. Die ungewöhnliche Ausdrucksweise von 2 empfiehlt nicht, hier an Mißernte als angedrohte Strafe zu denken, wodurch auch die Situation für das Verbot der Erntefreude in 1a schwerer verständlich würde.

Demnach führt 3 nicht eine neue Strafe ein, sondern die Erklärung 9 3 zu 2. Die sich jetzt an Tenne und Kelter freuen, werden ihren Ertrag nicht genießen, weil sie in die Fremde ziehen müssen. „Sie bleiben nicht in Jahwes Land". Das ist die Folge ihres Weghurens von Jahwe (1). Im Gericht erfährt Israel, daß Kanaan „Jahwes Land" ist, was es im Abfall zu den Baalim nicht glauben wollte. ארץ יהוה erscheint zum ersten Mal im Alten Testament hier bei Hosea und ist ihm ebenso eigentümlich wie בֵּית יהוה in 8 1 9 15 (vgl. 9 8); es findet sich später bei Jer (2 7 16 18; vgl. Ez 38 16 Jl 1 6 4 2 und entspricht dem Sprachgebrauch des Leitsatzes altisraelitischen Bodenrechts Lv 25 23 : לִי הָאָרֶץ; dazu AAlt, KlSchr I 327f.; GvRad, Verheißenes Land und Jahwes Land: Ges. Stud. 92. 94f.; HWildberger, Israel und sein Land: EvTh 16 (1956) 407f. Jahwe ist der Grundeigentümer des Landes; als solcher kann er es geben, wem er will. Entfernt er Israel aus seinem Lande, so entfernt er es aus seiner Lebensgemeinschaft und Fürsorge, ja er nimmt ihm die Möglichkeit legitimen Gottesdienstes (1 S 26 19 Ri 11 24 2 Kö 5 17), nachdem es sie verachtet hat.

Die alte Heilsgeschichte geht zu Ende, indem Israel hinter ihren Anfang zurückfällt. „Ephraim kehrt nach Ägypten zurück." Wie 6 zeigt, verbindet Hosea mit dem Satz in unserem Zusammenhang auch einen aktuellen Sinn: es wird zu einer Auswanderung nach Ägypten kommen (s.o.S.187f. zu 8 13, auch KGalling,ThLZ 76, 1951, 136), während andere nach Assur verschleppt werden. „Unreines essen" heißt, Produkte des „unreinen", nicht Jahwe, sondern fremden Göttern gehörigen Bodens genießen (Am 7 17; zu Ez 4 13 vgl. WZimmerli, BK XIII 127 f.). Wie der Abtransport der Bevölkerung einer eroberten Stadt unter Tiglatpileser III. aussah, zeigt ein Flachrelief aus Nimrud (ANEP 366): assyrische Soldaten treiben Männer, die ein kleines Bündel über der Schulter tragen, mit ihrem Kleinvieh vor sich her.

Beziehen sich die in 4 folgenden Sätze auf die gegenwärtigen kulti- 4 schen Feiern oder auf die angedrohte kultische Situation? Das erstere ist möglich, da in 4a und b als Gegensatz herausgestellt wird, „nicht für Jahwe", sondern „für ihren Schlund" seien ihre Opfer bestimmt. Dann würde hier noch einmal das „Weghuren von Jahwe" aus 1aβ interpretiert. Bei dieser Sicht muß man hinter 3 einen Einwurf der Hörer annehmen, die gegen die prophetische Drohung auf die eben beim Fest dargebrachten Jahweopfer verweisen; der Prophet würde 4 als Scheltwort dem entgegenstellen. Doch der gleichmäßige Fortgang der imperff. und der Gesamttenor von 4 lassen es als Drohwort und damit als direkte Fortsetzung von 2–3 erscheinen. Wie 3 den Vers 2 interpretierte, so erklärt jetzt 4 die Aussagen von 3. Die Deportierten werden fern von Jahwes Land Jahwe gar keine Trankopfer mehr ausgießen können. Schlachtopfer, die Jahwe angenehm wären, gibt es dort nicht mehr. ערב ist hier wie Jer 6 20 Mal 3 4 kultischer Fachausdruck (vgl. GvRad, Theol AT I⁶ 274). Was das Exil an Speisen bieten wird, ist „wie Trauerbrot" (vgl. Ez 24 17⑥; Jer 16 7⑥; zu Hi 42 10 vgl. GFohrer, VT 6, 1956, 254; zur Sache JScharbert, Der Schmerz im AT: BBB 8, 1955, 123f.): es ist für den Kult unbrauchbar (Dt 26 14); es macht jeden, der es genießt, kultunfähig. Es dient nur eben dem „Schlund", d.h. dem Hunger der Deportierten (s. Textanm. 4c).

Der Satz: „nicht darf es kommen in Jahwes Haus" ist für die exilische Situation unsinnig und für die Gegenwart in Palästina wahrscheinlich auch unpassend. Denn die Fülle der Opferstätten (s.o.S. 185 zu 8 11 und S. 197f. zu 9 1) befindet sich im Freien. Der Kontext (3) hat auch gezeigt, daß die „Unreinheit" für Hosea da ist, wo nicht „Jahwes Land" ist. Wenn man 4bβ für hoseanisch hält, müßte man, seinem Sprachgebrauch in 8 1 9 15 (s.o.S. 176) entsprechend, auch hier „Haus Jahwes" im Sinne von „Gebiet Jahwes" verstehen. Wahrscheinlich aber liegt eine Glosse vor, die die Unreinheit des „Dirnengeschenks" noch einmal in der Sprache deuteronomischer Kultbestimmung festlegt (vgl. Dt 23 19 Ez 23 19). Sie mag zur judäischen Redaktion des Hoseabuchs gehören (vgl. REWolfe, ZAW 53, 1935, 93).

9 5 Angesichts der angedrohten Deportation stellt Hosea jedes künftige Jahwefest in Frage, wie er schon die gegenwärtige Freude (1) unter die Gerichtsdrohung gerückt hat (2–4). יום מועד als Versammlungstermin wird gleichbedeutend mit חג יהוה (vgl. 2 13) das eine große Fest des Jahwebundes im Herbst meinen (s.o.S. 196 Ort; vgl. 1 S 1 3. 19. 20 1 Kö 8 2. 65 12 32). Es kann als Jahwefest durchaus vor dem Jungstierbild gefeiert worden sein (vgl. Ex 32 5). עשה ל meint das Herrichten der Opfergaben für den Kultus (vgl. 2 10bβ Ex 10 25 2 Ch 24 7). Den Priestern, die für den Kult verantwortlich sind, wird nichts mehr zur Verfügung stehen. Die Festversammlung wird zur Gerichtsversammlung.

6 Die jetzt noch in ausgelassener Freude feiern, sind dann längst nicht mehr zur Stelle. שד bezeichnet hier die militärische Verheerung des Landes und seiner befestigten Städte (10 14. 2 7 13; vgl. 12 2). Die nicht verschleppt wurden, werden auswandern. Ägypten (s.o.S. 199 zu 3bα) wird sie einsammeln (vgl. קבץ pi. in 8 10). Diese „Versammlung" in Ägypten bedeutet das völlige Ende der heilsgeschichtlichen Jahwefestversammlungen. Sie ist Versammlung zum Tode; „versammeln" // „begraben" auch Jer 8 2 25 33. Memphis mit seiner riesigen Gräberstadt,

in Hoseas Tagen schon seit 2000 Jahren durch die Pyramiden der 4. Dynastie berühmt, 25 km oberhalb der Nildeltaspitze gelegen, wird auch denen zum Grabe werden, die von Ägypten noch Rettung erwarten (vgl. Noth, WAT⁴ 237. 258; HBonnet, RÄRG 446ff.).

Für den Kult bleibt auch nichts mehr vom kostbaren Silber übrig, das man für den Baalkult verwandt hatte (8 4b). In der allgemeinen Verwüstung wird das „Unkraut" es „erben"; im verlassenen Lande gedeiht nur noch Wildwuchs, „Dornengestrüpp" selbst in den „Zelten", womit in erster Linie die Zelte für die Festpilger gemeint sind. So zeigt 6 noch einmal, wie alle Festfreude ihrem Ende entgegeneilt.

Diese prophetische Störung der Festfreude wird nicht geringere Ab- 97 wehr gefunden haben als bei Amos (7 10ff.) und Jesaja (28 7ff.); vgl. auch 4 16 und o.S. 114f., ferner EJanssen, Juda in der Exilszeit: FRLANT 69 (1956) 85f. Hosea entgegnet zunächst, indem er seine Drohung in knappen, schlagenden Sätzen zusammenfaßt. Im perf. propheticum stellt er fest, daß die Störung ja von Israel ausgegangen ist. Denn die hereinbrechenden Tage sind Tage der Überprüfung und Ahndung begangener Schuld (zu יוֹם פְּקֻדָּה vgl. Jes 10 3 Jer 8 12 10 15 11 23 23 12 46 21 48 44 50 27 51 18 Mi 7 4, auch יוֹם פָּקְדִי in Am 3 14; פקד in 1 4 2 15 4 9. 14 8 13 und o.S. 48f.), sie sind Tage der Auszahlung und Rückerstattung (vgl. Jes 34 8 Mi 7 3f. Ex 21 36). Damit sind in der Verkündigung des Gerichtes Gottes Begriffe privatrechtlicher Deliktsahndung aufgegriffen (FHorst, EvTh 16, 1956, 73f.). Überprüfung und Lohnerstattung haben je ihren festgesetzten Termin, ihren Tag (Jes 10 3 Am 3 14), ihre Zeit (Jer 8 12 10 15), ihr Jahr (Jer 11 23 23 12). Hosea kann auch von dem (einzelnen) „Tag der Züchtigung" (5 9), dem „Tag des Krieges" (10 14) sprechen; hier aber sagt er „Tage", denn er hat den größeren Geschichtszusammenhang vor Augen (vgl. 3. 6), der mit Tiglatpilesers III. Einbruch schon begonnen hat. Die Doppelheit betont mit Entschlossenheit den definitiven Charakter der Ansage. Zur freien Aufnahme der Wendung 7aα in 1QS III 14f. vgl. PWernberg-Möller, Reflections on the Biblical Material in the Manual of Discipline: StTh 9 (1956) 57.

Wenn Israel den Gerichtspropheten beschimpft, liefert es nur einen neuen Beweis seiner Schuld. 7bα ist mit den meisten neueren Kommentatoren (Wellhausen, Sellin, Harper usw.) als Zitat der Spottworte des Volkes zu verstehen. Das gilt auch, wenn in aβ nicht ירִיע statt ידְעוּ zu lesen wäre (s.o. Textanm. 7b); denn oft fließt das fremde Wort in die eifernde Prophetenrede ohne Einführung ein; außer 6 1–3 4 16b 5 11a (dazu AAlt, KlSchr II 176⁵) vgl. Jes 22 13 28 9f. und HWWolff, Das Zitat im Prophetenspruch: EvThBeih 4 (1937) 19 = Ges.St. z. AT: ThB 22 (1964) 47. אֱוִיל bezeichnet den „Dummkopf", insbesondere den törichten Schwätzer (Prv 10 8. 10), מְשֻׁגָּע den einem pausenlos gurrenden (vgl. arab. saǧaʿa, KBL) Täuberich vergleichbaren, enthusiastisch plappernden (2

Kö 9 11 Jer 29 26) und nicht mehr zurechnungsfähigen (1 S 21 14-16) „Verrückten". So sieht sich Hosea in einer Verdammnis mit den älteren Propheten im Nordreich, wie Elisa (2 Kö 2 23 9 11) und Amos (7 12f. 16) (s.o.S. 152). In einem tumultuarischen Kesseltreiben ist er Schlagwörtern ausgesetzt, die aus dem Haß der professionellen Optimisten und aus der Selbstrechtfertigung der Unbelehrbaren und Unbekehrbaren geboren sind (GQuell, Wahre und falsche Propheten, 1952, 15). Anlaß der Beschimpfung wird das fortgesetzte Drohen trotz sichtlicher Normalisierung des Lebens sein, daneben ungewöhnliche Verhaltensweisen wie die in Kap. 3 geschilderte. „Mann des Geistes" ist wohl volkstümliche Benennung des im Nordreich bekannten „Gottesmannes" (אִישׁ הָאֱלֹהִים Ri 13 6 1 S 9 6 1 Kö 12 22 17 18. 24 2 Kö 5 8 u.ö.), denn er ist vom Geist Gottes befallen (1 S 10 6 1 Kö 18 12 22 21f. 2 Kö 2 9. 16; vgl. Jes 61 1); hier ist der Geist vor allem die „Triebkraft zum Reden" (JHänel, Das Erkennen Gottes bei den Schriftpropheten: BWAT NF 4, 1923, 168). Es ist bezeichnend, daß diese Benennung des Propheten im Zitat der Stimme des Volkes erscheint. Hosea bezieht sich von sich aus ebensowenig wie die anderen vorexilischen Schriftpropheten auf den „Geist". Seine Verkündigung ist am Geschichtshandeln Jahwes, an dem überlieferten Wissen von ihm und seiner Tora, vor allem an dem neu empfangenen, klaren Wort Jahwes orientiert. Jedoch denkt er nicht daran, sich aus der Reihe derer herauszustellen, die als „Geistesmänner" im Volke bekannt sind, etwa Elia (1 Kö 18 12), Micha ben Jimla (1 Kö 22 21f.) oder Elisa (2 Kö 2 9); vgl. aber Mowinckel.

In geistesgegenwärtiger Schärfe ordnet der abgewiesene „Mann des Geistes" das Zitat ein; die Beschimpfung ist aus großer Feindseligkeit geboren. משטמה erscheint im Alten Testament nur hier und wird wie שטם und שטן in der Sprache der Rechtsauseinandersetzung zu Hause sein; es bezeichnet die totale Opposition (vgl. vRad, ThW II 71 und vor allem FHorst, BK XVI 13f.). Der Angriff des Volkes gilt dem, der den Rechtsstreit seines Gottes führt (vgl. 7a. 9b mit 4 1. 4). Jetzt spricht 1QS III 23 von der Herrschaft der משטמה des Engels der Finsternis; vgl. 1QM XIII 11; Dam XVI 5 (מלאך המשטמה); in Jub tritt משטמה als Name für Satan ein (KBL Suppl. 169). Diese Entwicklung ist nur denkbar, wenn das Wort von Anfang an die äußerste Gegnerschaft bezeichnete. Die Feindgesinnung ist gezeugt von dem „Vollmaß der Schuld". Das ist erreicht mit der Unbußfertigkeit, also mit der Abweisung des Anklägers und Gerichtsboten.

98   8a gehört zu den schwierigsten Texten des Buches. Sagt der Satz über das Volk oder über den Propheten aus? Ist er also 7bβ oder 8b zuzuordnen? Die ersten beiden Worte sprechen nach der Vokalisation von צֹ über Ephraim als צֹפֶה. Aber die dann im Zusammenhang erforderliche Bedeutung „auflauern" ist für צפה in Verbindung mit der praep. עם

nicht zu belegen (s. Textanm. 8a). Damit werden auch alle für עם אלהי versuchten Konjekturen unwahrscheinlich (s. Textanm. 8b). MBuber bleibt bei 𝔐, indem er „Ephraim" als Vokativ versteht. „Der als Späher, o Efraim, zugesellt ist meinem Gott, ein Künder, – Vogelstellerschlingen auf áll seinen Wegen..." Die Beziehung von 8a auf 8b leuchtet ein, da die Suffixe von 8b (bei ursprünglichem Fehlen von נביא) nur verständlich werden, wenn 8a vom Propheten sprach. Doch die prophetische Ichrede („mein Gott") ist neben 8b („im Hause seines Gottes") recht unwahrscheinlich und noch von 𝔊 nicht bezeugt. Auch die in dieser Stellung ungewöhnliche vokativische Anrede Ephraims findet in 8b keine Fortsetzung. So versuchen wir den Text von 𝔊 her zu verstehen. Danach nennt Hosea hier im Streit mit seinem Volk sich selbst als „Wächter Ephraims". Der צפה ist der Turmwächter nach 1 S 14 16 2 S 13 34 18 24–27 2 Kö 9 17–20. Dieses Amt hat Hosea in seinen Alarmrufen praktiziert (5 8 8 1). So wundert es uns nicht, daß er als erster das Prophetenamt vom Wächteramt her erklärt und daß Jer (6 17) und Ez (3 17 33 2. 6. 7) darin wie in vielem anderen seine Nachfolger sind (vgl. auch Hab 2 1 Jes 52 8 56 10 Jes 21 6 und HBardtke, ZAWBeih 77, 1958, 19ff.; die Tätigkeit der Propheten wird als eine erweckliche angesehen). In der Stunde, in der der Prophet persönlich abgewiesen und als verrückter Schwätzer mundtot gemacht wird, gibt Hosea ein einziges Mal eine Erklärung zu seiner Person ab, allerdings unter Vermeidung des Ichstils. In der objektiven Weise der Rechtsauseinandersetzung bezeugt er, daß der Wächter Ephraims „mit Gott" ist. Er weilt in der Gegenwart Gottes wie einst Mose (Ex 34 28) und Samuel (1 S 2 21) und wie es nach Dt (18 13: תָּמִים תִּהְיֶה עִם יהוה) für jeden Propheten gelten soll; vgl. auch das Urteil des dtr. Geschichtsschreibers über die Könige (שָׁלֵם עִם־יְהוָה 1Kö 11 4 15 3. 14 2Kö 20 3) und Mi 6 8 (הַצְנֵעַ לֶכֶת עִם־אֱלֹהֶיךָ).

Dieser mit Gott verbundene Warner und Erwecker Israels findet sich wie Wild verfolgt „auf allen seinen Wegen". Damit faßt Hosea die Erfahrungen zweier Jahrzehnte (vgl. schon 2 6ff. 4 16 und o.S. 39ff. 113ff.) an den verschiedensten Orten seines Auftretens zusammen. Wenn als Ort der Anfeindung weiter „das Haus seines Gottes" genannt wird, dann wird man darin schwerlich einen Beleg dafür suchen dürfen, daß Hosea zu den an den offiziellen Heiligtümern approbierten „Kultpropheten" gehörte (zuletzt Gunneweg 101f.). Dagegen spricht, 1) daß Hosea bei seiner Ablehnung der offiziellen Heiligtümer (4 15 8 11–13) schwerlich ein solches „Haus meines Gottes" genannt hätte; vgl. auch Amos 7 13; 2) daß Hosea in 8 1 und 9 15 mit „Haus Jahwes" das „Land Jahwes" (9 3) meint; 3) daß das parallele Glied „auf all seinen Wegen" dieses weiträumige Verständnis des Verfolgungsgebietes nahelegt. בית bedeutet also auch hier „Gebiet", „Bezirk" (s.o.S. 176). Zu פַּח s.o.S. 124, zu משטמה o.S. 202.

9 9   Daß Hosea die ihm widerfahrende Ablehnung wie seinen Auftrag
(6 5) nicht als singulär ansieht, zeigt der Vergleich des folgenden Urteils-
spruchs mit den ימי הגבעה. Man wird hier nicht mit 𝔊 und PHumbert
(ZAWBeih 41, 1925, 160) an die Höhenkulte denken dürfen. Dann wäre
der pl. גְּבָעוֹת wie in 4 13 und 10 8 zu erwarten. Bei der sg. Form denkt
Hosea immer an den Ort Gibea (5 8 10 9). Mithin vergleicht er ein singu-
läres Geschehen der Vergangenheit wie in 2 5. 17 12 10 (כיום bzw. כימי).
An die Erhebung Sauls zum König ist dabei nicht zu denken. Saul kommt
zwar aus Gibea (1 S 10 26 11 4); aber die Geschichte seiner Erhebung zum
König ist nicht mit Gibea, sondern mit Gilgal (1 S 11 15, so wohl auch
für Hosea nach 9 15, s.u.S. 217), allenfalls mit Mizpa (1 S 10 17) verbunden. Außerdem steht das Königtum weder im Ganzen des Auftrittes zur Diskussion noch hätte diese Erinnerung einen Sinn im Vergleich mit der Verfolgung des Propheten. So wird man an Ri 19–21
denken müssen und an die dort bezeugte benjaminitische Schandtat
von Gibea, die einem umherziehenden Leviten widerfahren ist; er erlebt ein ähnlich brutales Abfangen von Menschen wie die Propheten
und wie Hosea selbst. Hosea zeigt sich vertraut mit Überlieferungen,
die man sich in levitischen Kreisen vorstellen kann; ihre Heranziehung wird verständlich aus der Oppositionsgemeinschaft von Leviten
und Propheten in Hoseas Tagen (vgl. ThLZ 81, 1956, 90ff.). Die Geschichte Israels ist von der Frühzeit her von tief verderblichem Tun
durchzogen. שׁחת pi. kennzeichnet das Handeln Israels weniger in seiner
Eigenschaft als in seiner Wirkung (vgl. 11 9); es bereitet Vernichtung und
Verderben, einst gegen den Leviten, jetzt im Kampf gegen den Propheten. Jahwe aber wird solche Vergehen gerichtlich verfolgen. 9b verwendet die gleiche Strafandrohungsformel wie 8 13bα (s.o.S. 186f.); sie muß
darum nicht sekundär sein, zumal עַתָּה nicht übernommen ist. Es entspricht nicht Hoseas Art, mit einer Anklage zu schließen. Die Auftrittsskizzen jedenfalls enden in der Regel mit der Gerichtsankündigung
(4 3. 19 5 7 7 16 8 13b. 14b). Sachlich nimmt 9b noch einmal 7a auf, so daß
hier wie öfter kurze, nur andeutende Strafandrohungen ausgeführtere,
konkrete Schuldaufweisungen umrahmen (vgl. 8 1–3).

Ziel   Der Auftritt wirkt wie ein Abschied. Im ersten Teil nimmt die Androhung des Gerichts (2–4. 6) einen viel breiteren Raum ein als die Anklage (1b). Das Verbot aller Freude (1a) und die Frage in 5 („Was wollt
ihr tun?") zeigen kaum noch den Ton mitleidender Klage, vielmehr be-
kräftigen sie die verheerenden Folgen der angekündigten Entfernung
Israels aus dem Lande Jahwes in die von Jahwe endgültig trennende Unreinheit Assurs (3. 4) und in die Gräber Ägyptens, in denen zugleich die
ganze Heilsgeschichte begraben wird (3bα. 6; s.o.S. 199f.). Das Ende der
Festfreuden ist für Israel mit dem Ende der Heilsgeschichte gegeben. Das

Ende der Heilsgeschichte aber ist heraufgeführt von einem Israel, das sein Treueverhältnis zu seinem Gott beendet und ihn wie eine Hure verlassen hat.

Diese beherrschende Ansage eines definitiven Gerichtes wird im letzten Spruch von den schneidenden Formulierungen in 7a (und 9b) nur noch unterstrichen. Allerdings in einem neuen Zusammenhang. Es ist zu erkennen, daß die Negation der Festfreude und damit der Zukunft Israels durch den Propheten seine scharfe Abweisung von seiten der Zuhörer herausgefordert hat, die der Ausweisung des Amos (in 7 10ff.) nicht ganz unähnlich gewesen sein mag. Der Prophet wehrt sich nicht dagegen, als Narr verschrieen zu sein. Er zeigt mit überlegener Sachlichkeit und in schlagfertiger Schärfe, daß in der Feindschaft gegen den Propheten die Schuld Israels in ihrer ganzen Größe sichtbar wird. Was gegen ihn gesagt und getan wird, belegt nur die angeklagte Abtrünnigkeit von seinem Gott und findet im angedrohten Gericht seine Antwort. So nimmt Hosea hier vom Volke Abschied, indem er es dem Tatwort seines Gottes übergibt. Der Verweis darauf, daß der verworfene Bundesgott der kommende Gerichtsherr ist, macht den Verstand des „verrückten" Propheten aus.

Damit erinnert Hosea aus der Ferne an den Apostel Paulus, dessen Legitimität angezweifelt und dessen Weise, vom Kreuz Christi zu reden, als „Torheit" (ἀφροσύνη) abgetan ist (2 Kor 11 1. 16. 21 12 6. 11). Er ist in Korinth überlegenen Gegnern ausgeliefert. Aber er hat ihnen zu sagen, daß die Schwachheit und die Torheit der Offenbarungsort und die Offenbarungsart der göttlichen Kraft und Weisheit auf Erden ist (2 Kor 11 30 12 9; vgl. EKäsemann, Die Legitimität des Apostels: ZNW 41, 1942, 54). Das weiß er von Jesus Christus her: „Denn gekreuzigt wurde auch er aus Schwachheit, aber er lebt aus Gotteskraft. So sind auch wir in ihm schwach, aber wir werden mit ihm lebendig sein aus Gotteskraft euch gegenüber" (2 Kor 13 4).

So hat die urchristliche Gemeinde Israel gegenüber Jesus von Nazareth in einer ähnlichen Entscheidung stehen sehen wie einst gegenüber Hosea. Lk 21 22 erinnert mit den ἡμέραι ἐκδικήσεως auch an Hos 9 7. Alle Gerichtsansage über die, die sich vom Heilsgott trennen und die seine Boten schmähen, findet ihre Erfüllung, wo der beschimpfte Retter zum Richter wird (Mk 3 22–30), wo die Verfolger der Boten Jesu (Lk 21 12ff.) die Tage der Heimsuchung erfahren (20ff.).

Unter dem Namen Jesu Christi fangen die Hoseaworte erst recht an, in ihrer Endgültigkeit zu reden. Alle Festfreude derer, die wähnen, noch einmal davongekommen zu sein, begegnet dem Widerspruch des Gottes aller Geschichte, wo man sein Leben aus der Gemeinschaft mit ihm gelöst hat. Wenn schon an der Abweisung des prophetischen Boten Hosea und seines Gerichtswortes die Gerichtsreife voll sichtbar wurde, wieviel mehr an der Abweisung Jesu Christi, des letzten Wortes Gottes, der in

Schwachheit und Torheit des Kreuzes Kraft und Weisheit des Lebens allen angeboten hat, die zu ihm kommen und sich nicht hurerisch von ihm abwenden. Das Hoseawort ist überholt, insofern der hingerichtete Jesus von Nazareth die volle Liebe Gottes Israel und allen Abtrünnigen aufs neue anbietet. Es ist als definitives Wort in Kraft gesetzt, insofern die, die diese Liebe verstoßen und ihre Boten schmähen, keinerlei Zuflucht vor den kommenden Wettern finden werden. „Wer ist der Prediger, der zwischen uns und die Propheten ein Niemandsland legt und etwa mit Schleiermacher ex cathedra erklärt, daß wir vom Zorn Gottes nichts zu lehren hätten?" (GQuell, Wahre und falsche Propheten, 1952, 14).

VERFLOGENE HERRLICHKEIT
(9 10–17)

Literatur

RBach, Die Erwählung Israels in der Wüste: Diss. Bonn (1952). – HBraun, „Der Fahrende": ZThK 48 (1951) 32–38. – OHenke, Zur Lage von Beth Peor: ZDPV 75 (1959) 155–163. – NLohfink, Hate and Love in Osee 9 15: CBQ 25 (1963) 417.

Text

10 Wie Trauben in der Wüste
  fand ich Israel.
Wie eine Frühfrucht am Feigenbaum [als ª seinen Erstling] ᵇ
  entdeckte ich eure ᶜ Väter.
Aber als sie zum Baal-Peor kamen,
  da weihten sie sich der Schande,
    da wurden sie Scheusale wie ihr 'Freund' ᵈ.
11 Ephraim ist wie ein Vogelschwarm.
    Seine Herrlichkeit verfliegt.
      Weg Geburt! Weg Mutterleib! Weg Empfängnis!
12 Selbst wenn sie ihre Söhne großbringen,
  mache ich sie kinderlos, (daß) kein Mensch (mehr bleibt).
Ja auch wehe ihnen selbst,
  wenn ich von ihnen wegziehe ª.
13 Ephraim, wie ich sehe,
  'hat seine Söhne zum Jagdwild gesetzt' ª.
Nun muß Ephraim ausziehen lassen ᵇ
  zum Schlächter ᶜ seine Söhne.
14 Gib ihnen, Jahwe,
  – was willst du geben? –
gib ihnen kinderlosen ª Mutterschoß
  und welkende Brüste!
15 Ihre ganze Bosheit (trat) in Gilgal (hervor),
  ja, da wurde ich ihr Feind.
Ihrer bösen Taten wegen
  vertreibe ich sie aus meinem Hause.
Nicht mehr liebe ich sie forthin.
  Aufrührer ª sind all ihre Führer.
16 Geschlagen ist Ephraim,
  vertrocknet ihre ª Wurzel.
    Frucht ᵇ bringen sie nicht ᶜ mehr.
Sollten sie doch gebären,
  so töte ich ihres Leibes Lieblinge.
17 Mein ª Gott wolle sie verstoßen.
  Denn nicht hören sie auf ihn.
    So sollen sie Flüchtlinge werden unter den Völkern.

9 10
10 a ב essentiae (Grether § 89k; BrSynt § 106g). – b 𝔖 kennt diese erläuternde Glosse zu בכורה noch nicht. Wäre die Wendung ursprünglich, so müßte sie auf תאנה bezogen werden und – wie sonst nirgendwo – den Anfang des

207

Früchtetragens bezeichnen („Feigenbaum, der zum erstenmal trägt"; so MBuber, Glaube der Propheten 169); auch 𝔊 (πρόϊμον) und Σ (πρόδρομον) beziehen aber auf die Frühfeige; vgl. 𝔊 zu Jes 28 4 Jer 24 2 und den Kommentar des Theophylakt von Achrida (Ziegler 95) u. S. 212. – c 𝔊 (αὐτῶν = אֲבוֹתֵיהֶם; so Sellin) gleicht schematisch dem Kontext an; aber die übrigen hexaplarischen Übersetzungen stützen 𝔐 mit ὑμῶν. – d 𝔐 vokalisiert inf. suff. „ihrem Lieben entsprechend", 𝔊 (ὡς οἱ ἀγαπημένοι) כַּאֲהָבִים. Vielleicht ist אֹהֲבָם (vgl. 3 1) oder מֵאַהֵב (vgl. 2 7–15)zu lesen, wenn nicht doch 𝔐 hoseani-
9 12 schem Denken besser entspricht, s.u.S. 214. – 12a Ich lese בְּשׂוּרִי v. שׂוּר II (Sellin, KBL 957) „abreisen" שׂוּר c. מִן Ct 4 8 „herabsteigen von"; pt. fem. שָׁרוֹת Ez 27 25 „Karawanen"). 𝔐 denkt an das sinnverwandte סוּר („weichen"), Nyberg nach 𝔖 an arab. t̠'r „Rache nehmen", das aber dem Alten Testament
13 in dieser Form fremd ist. – 13a 𝔊 (εἰς θήραν παρέστησαν τὰ τέκνα αὐτῶν) bietet den im Zusammenhang wahrscheinlichen Sinn und setzt voraus etwa לְצַיִד שָׁת לֹה בָּנָיו (KBL 967). Erwägenswert bleibt Θ: εφραιμ καθως ειδον εις πέτραν πεφυτευμένοι οἱ υἱοὶ αὐτοῦ; ähnlich Achmim.: vidi ephraim sicut rupem in qua filii eius plantati sunt. Diese Verss. setzen zwar auch noch בָּנָיו voraus, stützen aber im übrigen schon 𝔐. Sie führen das Bild der Unfruchtbarkeit insofern fort, als sie die Ephraimsöhne „in Felsen eingepflanzt" sehen, wobei an den gänzlich unfruchtbaren Boden eher als an Felsengräber gedacht sein wird. In diesem Falle aber wäre statt לְצוּר entweder אֶל־צוּר (Ez 17 8) oder עַל־צוּר (Ez 17 22) zu erwarten (vgl. zum Bilde auch Ez 19 13). 𝔐 hat צוּר im Zusammenhang der Verlesung בָּנָיו < בָּנֶה wohl schon als Stadtnamen gedeutet (ebenso 𝔙𝔖𝔗): „Ephraim, wie ich sehe, (kommt) zu Tyrus, eingepflanzt in Weideland." 𝔐 bietet also hier vermutlich die jüngste Phase der Textgeschichte, 𝔊 die älteste und Θ Achmim. eine Zwischenstufe. – b 13 b bietet einen Nominalsatz, dessen Prädikat durch inf. c. לְ dargestellt wird, um das Ereignis als unmittelbar bevorstehend und als unausweichlich zu kennzeichnen (BrSynt § 25eβ. 47; vgl. GesK § 144 hk). – c 𝔊 (εἰς ἀποκέντησιν) und 𝔖 setzen הֲרֵגָה
14 (Tötung, Schlachtung) voraus; 'A stützt 𝔐. – 14a 𝔊 trifft mit ἀτεκνοῦσαν
15 den Sinn; KBL übersetzt „fehlgebärend". – 15a Beachte die Alliteration;
16 wörtlich „Störrische". – 16a s. Textanm. 9 3b. – b Zur Alliteration s.u. S. 218. – c Das seltenere בְּלִי (K) verdient den Vorzug vor dem geläufigen בַּל (Q); vgl. 7 2, zumal Hosea בלי bevorzugt, s. 4 6 7 8 8 7 (vgl. Textanm. 7 8a 8 7b). –
17 17a 𝔊 (ὁ θεός) liest אלהים (vgl. 9 8a. b).

Form   Es ist längst aufgefallen, daß zwischen 9 9 und 9 10 eine tiefe Zäsur im Hoseabuche vorliegt. Das Neue hat man vor allem darin gesehen, daß der Rückblick in die Geschichte, der vorher nur beiläufig auftauchte (6 7? 9 9), jetzt in den Vordergrund, ja an die Spitze aktueller Erörterungen tritt, hier in 10 und 15 (vgl. nur JWellhausen 121 und OEißfeldt, Einl.[3], 1964, 520). Man muß aber ebenso betonen, daß die Anrede der Hörer und lebhafte Auseinandersetzungen mit ihnen, die von Kap. 4 an immer wieder zu beobachten waren und die in 9 1–9 ihren Höhepunkt erreichten, plötzlich einer mehr betrachtenden Redeweise weichen (vgl. van Gelderen 312). Diese Unterschiede der Überlieferungen vor und nach 9 10 machen es zunächst wahrscheinlich, daß der Höhepunkt der Auseinandersetzungen in 9 7–9 zugleich einen tiefen Einschnitt in der Wirksamkeit Hoseas spiegelt, der mit den Schmähungen (9 7) und Verfolgungen (9 8) des Propheten einen wenigstens vorläufigen Abbruch der öffentlichen Auftritte brachte.

Aber an wen sind denn die nun folgenden Worte gerichtet? Wie soll man sich den Kompositions- und Überlieferungsvorgang der Worte denken?

Da nach wie vor Einleitungs- und Schlußformeln fehlen, die die Situation erhellen, wird in erster Linie wieder eine formgeschichtliche Analyse weiterhelfen müssen.

In 10 liegt zunächst ein Rückblick in die Wüsten- und Landnahme-zeit vor, der den Anfang des die Gegenwart bestimmenden Abfalls Israels zum Baalkult markiert. Die kostbar waren für Jahwe, sind abscheulich geworden. Dieser kleine Geschichtsbericht könnte durchaus selbständiger Spruch einer Klage sein (Robinson). Sie erscheint als Jahwerede. Die Klage gilt den Vätern Israels; angeredet sind solche, die als Söhne gelten können („eure Väter"), ohne doch ausdrücklich aufgerufen zu sein (vgl. 2 4). 11f. stellen fraglos eine rhetorische Einheit dar. Ephraim, und damit das gegenwärtige Israel, erscheint als neues Subjekt, und zwar in 3. pers.; es erscheint keine Anredeform mehr wie in 10. An Stelle des Erzähltempus von 10 treten imperff. (bzw. perf. cons.) in 11a und 12a auf, die mit 11b und 12b als Strafandrohungen zu verstehen sind. 13 stellt mit je neuer Nennung des Subjekts Ephraim einen Schuldbericht (13aⵖ, ähnlich 10) neben eine Strafandrohung (13b, ähnlich 11f.). Die beiden Sprüche 11-13 sind thematisch durch die Androhung des Aussterbens verbunden. Sie ergehen wie 10 als Jahwerede; beklagt und bedroht ist das gegenwärtige Ephraim.

Nach einem im Hoseabuch ganz ungewöhnlichen Gebetszwischenruf des Propheten in 14 setzt 15f. die Jahwerede fort. Sie beginnt in 15aα mit einem Bericht über die Anfänge der Schuld in der Vergangenheit; durch die Suffixe zeigt sich das Stück in der Überlieferung fest mit dem Voran-gehenden verknüpft (gegen Sellin, Weiser u.a.). 15aβ.b schließt die Strafandrohung der Vertreibung aus dem Lande (in Verdeutlichung von 11a) mit imperff. an. Eine weitere Drohung in 16 hebt sich davon ab, indem sie Ephraim neu nennt und als Drohung aus Klagesätzen (16aα) hervorwächst (ähnlich 8 8-10). Sie erinnert nach der Deportationsdro-hung von 15 deutlich an die Ansage des Aussterbens in 11b-13. In 17 wechselt wie sonst nur in 14 die Gottesrede über zur Prophetenrede. Dennoch wird man 17 nicht zum Folgenden ziehen dürfen; denn erst in 10 1 wird Israel neu genannt und ein neues Bild mit neuem Thema ein-geführt, während 17a mit dem Suffix in ימאסם auf 16 zurückgreift.

Diese Prophetenrede in 17 spiegelt, wie „mein Gott" zeigt, mehr die Zwiesprache mit Gott als eine Diskussion mit den Hörern wider. Allerdings liegt nicht die direkte (impt.) Gebetsanrede wie in 14 vor, sondern die Jussivform. Von der voraufgehenden Jahwerede in 15-16 her ist 17 in Parallele zu der Folge 10–13 und 14 besser als Gebetswunsch denn als prophetische Verkündigung zu erklären.

So stellt 9 10–17 eine stilistisch und thematisch verknüpfte Überlieferungseinheit dar, die in 10–14 und 15–17 zwei parallel gebaute Teile zeigt.

Am wenigsten deutlich ist allerdings die Verknüpfung von 10 mit 11ff. Doch die Verbindung von Vergangenheit und Gegenwart Israels in 15 macht es ebenso wie die generelle Verkündigungsweise Hoseas unwahrscheinlich, daß 10 von vergangener Schuld berichtet haben soll, ohne daß im Zusammenhang die Folgen für die gegenwärtige Generation zur Sprache kamen. Zudem scheint 11 mit כבודם antithetisch an בשׁת und שׁקוצים anzuknüpfen. Wie aber ist dann die in der ganzen Überlieferungseinheit singuläre Anrede von Hörern in der Wendung „eure Väter" zu erklären?

Diese Frage führt uns zum formgeschichtlichen Grundproblem unseres Abschnitts. Welcher Vorgang erklärt die vorliegenden Redeformen in ihrer Komposition als Überlieferungseinheit?

Halten wir zunächst als Ergebnis der Einzelanalyse fest, daß sich unser Stück darin von allen in 4 4–9 9 voraufgehenden Überlieferungseinheiten unterscheidet, daß ihm die sonst regelmäßig eingestreuten Diskussionsworte des Propheten mit seinen Hörern fehlen. An ihre Stelle tritt zweimal der Gebetsruf des Propheten (14. 17). Im übrigen liegt ausschließlich Jahwerede vor (10–13. 15–16). Dieses Nebeneinander von Gottesrede und Gebetsrede, wobei diese inhaltlich auf jene bezogen ist, begegnet uns sonst nur in prophetischen Visions- und Auditionsberichten (vgl. Am 7 1–6 Jes 6 8–11). Wir werden darum auch hier an die Skizze eines Auditionsberichtes zu denken haben.

Damit wird auch die einmalige Anrede „eure Väter" in 10 verständlich. In ihr ist der Prophet mit seinem Volk zusammengenommen wie schon im Auditionsbericht 1 9, wo auch der Prophet allein angeredet (1 9a), aber in der Fortsetzung (9b) in 2. pers. pl. mit seinem Volk zusammengeschlossen erscheint. Dieser Zusammenschluß erfolgt hier nur in 10a, wo von der Erwählung der Väter gesprochen wird. Über Schuld und Strafe wird in der Fortsetzung nur hinsichtlich des Volkes in 3. pers. zum Propheten gesprochen; in der Stunde des Gerichts weiß sich der Prophet auf seiten seines Gottes (17a).

Wie in den Auftrittsskizzen zeigt sich auch hier die gehobene Sprache freier Rhythmen. Zweireihige Perioden herrschen vor (10a. 12–15). An besonders bewegten Stellen schwingen sie in dreireihige Perioden aus (10b. 11. 16a. 17). Die kurzen zweitaktigen Reihen sind häufiger als die dreitaktigen; neben vielen Doppelzweiern (10a. 12b. 13b. 14a. 15) steht nur ein Doppeldreier (13a). Alle übrigen Perioden, insbesondere alle dreireihigen, scheinen aus zwei- und dreitaktigen Reihen gemischt zu sein.

Der synonyme parallelismus membrorum herrscht unbedingt vor, wobei
das zweite Glied oft eine Verdeutlichung oder Steigerung bringt (10bβ.
11. 12. 14–16). In den dreireihigen Perioden steht ein Glied synthetisch
parallel zu den beiden anderen synonymen Reihen (10bα. 11a. 16a). In
17 liegt eine synthetische Kette vor.

Wem verdanken wir die schriftliche Überlieferung? Dieser Audi- Ort
tionsbericht 9 10–17 unterscheidet sich ebenso von den vergleichbaren
Memorabilien in Kap. 1 und 3 (vgl. Am 7 1ff. Jes 6) wie die Auftrittsskizzen in 4 4–9 9 von dem Spruchgefüge in Kap. 2 (s.o.S. 39 und 93).
Denn ihm fehlen alle Rahmenformeln; ihm eignen stilistisch und gedanklich harte Übergänge. Der Traditionstyp ist insofern der gleiche
wie der der Auftrittsskizzen. Darum werden wir auch hier nicht Hoseas
eigene Niederschrift vor uns haben, sondern als Überlieferer Glieder jener
Oppositionsgruppe zu denken haben, die sich Hosea besonders verbunden wußten (s.o.S. 93).

Beim Berichten vor diesem inneren Kreis wird die Abwandlung des
zweiten Gebets (17) in die jussivische Form besonders gut verständlich.
Im Rahmen des Berichts fällt die Unterscheidung von Gebetswunsch und
Verkündigungsstil im hebräischen Wortlaut hin. Gewisse Härten und
Sprünge im Gefüge der Sprüche müssen nicht auf Hosea selbst zurückgehen, aber auch nicht auf spätere literarische Eingriffe. Sie werden besser auf die Niederschrift der Tradenten aus dem ersten Hörerkreis zurückgeführt. Schon deshalb empfiehlt sich z.B. die Umstellung von 16b
hinter 11a (vgl. BHK³) nicht, zumal 16b auch an 16a anknüpft.

Hier deckt sich der Kreis der Tradenten zum ersten Male mit dem
Kreis der Hörer. Es ist ein in der Tradition bewanderter Kreis, der mit
der Erinnerung an Baal-Peor oder Gilgal sofort genaue Vorstellungen
verbindet. Eine vergleichbare Anspielung taucht vorher nur einmal auf,
und zwar bezeichnenderweise erst am Schluß des letzten Auftrittes in 9 9
in der Erwähnung der Tage Gibeas, wo Hosea sich schon vom Volk
abgewandt zeigt (zu 6 7 s.o.S. 155). Der unmittelbar voraufgehende Text
9 7–9 macht die Schrumpfung der Hörerschaft auf einen kleinen Kreis
verständlich. Der literarischen Nachbarschaft der beiden Texte scheint
eine zeitliche Nähe zu entsprechen. Z.B. erinnert das „Auseinanderfliegen" Ephraims in 11 (vgl. 15) an das Versprengtwerden nach Assur und
Ägypten (9 3). Unser Auditionsbericht würde dann bestätigen, daß zu
einem Zeitpunkt nach 733 die Feindschaft der offiziellen Kreise und der
breiten Schichten ein solches Maß annahm, daß der Prophet zunächst
nicht mehr in der Öffentlichkeit auftrat. Der Schlußsatz spielt darauf
an: „Nicht hörten sie auf ihn" (17). So spricht er nun im internen Kreise
der den vorstaatlichen Überlieferungen und den Traditionen der älteren
Nordreichspropheten zugewandten Oppositionsgemeinschaft; vgl. Sel-

lin 7. 19f.; Lippl 9. Ferner läßt die Auditionsskizze erkennen, daß die öffentliche Abweisung den Propheten in ein neues, persönliches Ringen mit seinem Gott geführt hat, in dem er zur Zustimmung zum Gerichtswillen Gottes gebracht wurde (14. 17). In dieser Hinsicht gehört unser Stück in die Vorgeschichte der jeremianischen Konfessionen, besonders derer, die mit einem Gottesspruch verbunden sind (Jer 15 15–21). In dem klärenden Ringen des angefochtenen Propheten hat dann wohl auch die Auseinandersetzung mit den Erwählungstraditionen (10a) und mit den sonstigen Geschichtsüberlieferungen (10b. 15) ihren Ursprung.

Wort
9 10 In höchst beredtem Vergleich erinnert die Gottesrede zunächst an die erste Begegnung Jahwes mit Israel. „Trauben in der Wüste" – „das Bild grenzt doch fast ans Groteske" (RBach 18). Aber eben so will es gehört sein, so daß man במדבר keinesfalls mit Sellin in בַּסְּמָדַר abändern darf, das textgeschichtlich nicht belegt und in der Bedeutung „Beerenbüschel" ganz ungesichert ist (s. KBL). Es will das ganz unerwartet Beglückende herausstellen. Das bestätigt die Parallele: בכורה ist die Frühfeige, die schon ab Ende Mai am Trieb des Vorjahres reift und besonders saftreich ist, im Unterschied zu der erst Ende August am Trieb des laufenden Jahres reifenden תאנה (Dalman, AuS I 379). Wird eine solche frühe Frucht entdeckt, so wird sie alsbald mit Hochgenuß verschlungen; vgl. Jes 28 4 Jer 24 2 Mi 7 1. Theophylakt von Achrida erklärt den ungewöhnlichen Ausdruck, den ⑥ hier wählt: Σκοπὸν δὲ ὀνομάζει τὸ πρώϊμον σῦκον, ὃ πάντες ἀποσκοποῦσιν, ὡς πρῶτον φανέν (Ziegler 95). Jahwe hat sie gesehen, d.h. hier, wie Jes 28 4, „erspäht, entdeckt" (vgl. Ez 16 6), in strenger Parallele zum voraufgehenden מצא „antreffen, finden"; vgl. 12 5b. Die Begriffe stehen zur Bezeichnung des Initialaktes für das Ganze des Erwählungsvorgangs, der Israel zuteil wurde (vgl. das „Finden Davids" in Ps 89 21). Mit „Israel" sind zweifellos die „Väter" in der Wüstenzeit gemeint.

So eindeutig bezeichnet ישראל nur hier und 11 1 12 14 den von Jahwe erwählten Stämmebund der Frühzeit. Den gegenwärtigen Staat nennt Hosea jetzt nur noch „Ephraim" (11. 13. 16 wie seit 5 11–14 durchweg; zum Sprachgebrauch in Hoseas Frühzeit vgl. o.S. 115 zu 4 17, auch 5 3. 5, ja bis 5 9 ist Ephraim noch in erster Linie Landschafts- bzw. Stammesgebietsbezeichnung). Dieser prophetischen Terminologie entsprach zu keiner Zeit die offizielle staatliche, wie denn auch in den Königsbüchern das Nordreich nie Ephraim genannt wird. Wo Hosea in Parallele zu Ephraim „Israel" sagt, denkt er zumeist erkennbar an das Jahwevolk (4 15 5 9 8 2. 3. 6. 14 9 1 10 1 13 9 14 2. 6) und nicht einfach an „die Bevölkerung des Reiches Israel" im Unterschied zu Juda (vgl. dagegen LRost, Israel bei den Propheten: BWANT IV 19, 1937, 25–29).

Diese mit der Wüstenzeit und nicht mit Ägypten (2 17 11 1 12 10. 14 13 4, s.o.S. 53) verbundene Erwählungstradition, von RBach als „Fundtradition" herausgestellt, ist neben den Pentateuchüberlieferungen ein Sondergut, das andeutungsweise nur noch in Dt 32 10 Jer 2 2f. und weiter ausgeführt in Ez 16 1ff. bezeugt ist (dazu WZimmerli, BK XIII 345ff.; s. auch u. zu 10 11 13 5). Sie belegt wiederum, daß Hosea Kreisen zugetan war, die in einer gewissen Esoterik sonst weniger bekannte Überlieferungen pflegten. Ihre Sicht der Erwählung in der Wüste ist darin einzigartig, daß sie in der „Kostbarkeit" Israels für Gott begründet erscheint. Als er dies Volk fand, war es nach seinem „Geschmack". Mit diesem bewegenden Ausdruck göttlicher Dankbarkeit für menschliche Liebe und Wohltat (vgl. Jer 2 2) begegnet das erste Wort der Audition dem vom Volk verstoßenen Propheten, der die alte Erwählungsüberlieferung und die gegenwärtige Ablehnung Israels nicht zusammenreimen kann.

Zum Problem der Koinzidenz von Inspiration und Tradition vgl. IPSeierstad, Die Offenbarungserlebnisse der Propheten Amos, Jesaja und Jeremia (1946) 207f.: „Daß die Gottesrede Reflexionen aufweist, die sich im Raume des hoseanischen Geschichtsbewußtseins bewegen, ist eine Erscheinung, die dem Wesen der Inspiration (im psychologischen' Sinne) gemäß ist. Ein inspiratives Geisteserzeugnis kann nur auf der Grundlage von, und in positiver oder negativer Verbindung mit Vorstellungen und Gedankenkeimen hervorbrechen, die sich irgendwie im Bereich der historisch-menschlich gegebenen Seeleninhalte des betreffenden Menschen vorfinden, seien sie dem bewußten Seelenleben, dem individuellen Unbewußten, oder dem kollektiven Unbewußten angehörig... Zu wirklicher Offenbarung Gottes wird ein solcher Vorgang nur, wenn die göttliche Person tatsächlich in einen solchen Kontakt von Pneuma zu Pneuma getreten ist, daß sie als eine ganzheitsdurchwirkende Funktion die geistige Produktivität der menschlichen Psyche – ihren Gesetzen nach – auslöst und lenkt, also die Dominante ist, die das aktuelle Erleben schafft, indem sie die Aktualisierung der Vorstellungen und Gedankengänge teleologisch her:aufführt. ... So werden auch die geschichtlich reflektierenden Sprüche dem Hosea wahrscheinlich mit allen Merkmalen der Gottesrede 'gekommen' sein, genauso wie die Bekundungen, von denen uns die Kap. 1 und 3 melden."

Der Prophet vernimmt alsbald, daß die Tradition nur als Hintergrundskulisse aufgezogen ist, auf der der schändliche Abfall um so rätselvoller und grauenvoller erscheint. „Der verratene Gott leidet wie sein verratener Prophet" (MBuber, Glaube der Propheten, 1950, 169). Der Verrat begann schon bei der ersten Berührung mit dem kanaanäischen Baalkult. Baal-Peor ist Name eines Gottes (Nu 25 3), der am Berg Peor (Nu 23 28) verehrt wird (s.o.S. 48 und 124f.), nach dem wiederum eine Ortschaft בֵּית פְּעוֹר benannt wird (Dt. 3 29 4 46 34 6 Jos 13 20). Es ist unwahrscheinlich, daß בעל פעור hier Abkürzung von בית בעל פעור ist, obwohl man ungern ein אֵל vor dem Personennamen vermißt. Den Ort בית פעור hat man seit AMusil (Arabia Petraea I, 1907, 348) mit einer *chirbet esch-schēch dschājil* identifiziert (MNoth, ZAW 60, 1944, 19f.), die heute nicht mehr bekannt ist (Henke 160). Neuere Untersuchungen machen es wahrscheinlich, daß er an der Stelle der heutigen *chirbet*

ʿajūn mūsa zu suchen ist, 5 km westlich des *tell el-ḥammām* (= Schittim s.o.S. 124), ca 20 km östlich vom Nordende des Toten Meeres, 7 km westnord-westlich von *ḥesbān*, auf einer Bergkuppe südlich der Römerstraße, un-mittelbar nördlich des Pumpwerks ʿaʾūn mūsa, das *mādeba* mit Wasser versorgt; die Ruinenstätte zeigt Reste einer kleinen, aber starken moa-bitischen Festung. Vgl. NGlueck, AASOR 15 (1935) 110f.; OHenke, Zur Lage von Beth Peor: ZDPV 75 (1959) 160ff. und AKuschke, ZDPV 76 (1960) 26f.

Dort „weihten sie sich der Schande". נזר ni. bedeutet zunächst „Enthaltungen auf sich nehmen", so wie es der נָזִיר tut (Nu 6 2. 5f. Ri 13 5. 7 16 17 Am 2 11f.). Hosea gebraucht als erster das Wort, um die Bindung an einen fremden Gott durch Übernahme bestimmter Verpflichtungen zu bezeichnen (ᵴ: ἀπηλλοτριώθησαν). Demnach sagt Ezechiel dann: „sich von Jahwe weg weihen" (Ez 14 7, dazu Zimmerli, BK XIII 301f.). Nu 25 3. 5 (J) sagt, daß Israel „in ein Gespann einging" (וַיִּצָּמֶד) mit dem Baal-Peor (vgl. Ps 106 28). Ob es sich dabei um die erste Begegnung mit den Sexualriten Kanaans im Bereich der Moabiter handelte, ist auf Grund von Nu 25 6ff. 31 16 (dazu MNoth, ZAW 60, 1944, 23ff. 28f.) nicht mit Sicherheit zu sagen, aber doch für die Sicht Hoseas wahrscheinlich, zumal die folgenden Drohungen 11–13. 16 am besten verstanden werden, wenn sie sich gegen die Praxis der Fruchtbarkeitsriten wenden, die den Baalkult für Hosea auszeichnen (s.o.S. 101f. zu 4 10). Hoseas Anspielung kann ihren historischen Kern in der Frühzeit haben, in der das Heiligtum des Baal-Peor als Grenzheiligtum von Moabitern und Israeliten zugleich aufgesucht wurde (vgl. MNoth, ZDPV 68, 1951, 47).

Mit einer solchen „Weihung" gaben sie sich der „Schande" preis. בֹּשֶׁת wird man nicht als sekundären Ersatz für בַּעַל ansehen dürfen (Sellin, Har-per), denn im Parellelismus zu Baal-Peor ist Alternation zu erwarten. Auch gehört dieses Wort zur hoseanischen Anschauung von der Sache (vgl. 2 7 10 6). Eher ist der spätere Brauch, בעל durch בשת zu ersetzen (2 S 2 8 u.ö., s. KBL 158), von Hosea her zu verstehen. Die Taten prägen den Menschen. Wer mit dem Schandgott umgeht, wird selbst ein Scheusal. שקוצים wird später meist von den abgöttischen Kultbildern gebraucht (KBL), Hosea aber meint die Väter Israels, die für Jahwe ekelerregend wurden. Jer 13 26f. gibt zu erkennen, daß auch dabei die Sexualriten im Hintergrunde stehen (vgl. Fahlgren, ṣᵉdāḳā, 1932, 33ff. und CRNorth, ZAWBeih 77, 1958, 155). Auf sie weist schließlich auch der Vergleich כְּאָהֳבָם. Die Baale heißen in 2 7. 9. 12 מְאַהֲבִים (s.o.S. 42), vgl. aber auch אַהֲבַת (3 1, s. Textanm. 3 1a). Dementsprechend möchte man hier mit ᵴ ein pt. vokalisieren (s. Textanm. 10d), so daß die Kultpartner miteinander verglichen wären: Sage mir, wen du liebst, und ich sage dir, wer du bist. Aber auch der fremdere inf. würde dem hoseanischen Denken entspre-chen: die Taten legen den Menschen fest (vgl. 5 4). Mit diesen letzten Aussagen hat Hosea schon im Spiegel der Geschichte die Gegenwart eingefangen. Was die Väter wurden, hat die Geschlechter bis zur Generation der Hörer geprägt.

So ist der Übergang zur Aussage über „Ephraim" für Hosea kein 9 11 Sprung. Wenn er es dem „Vogel" vergleicht, so meint dies Bild zunächst das von Jahwe wegflatternde Wesen, das anderen Zielen zustrebt, in 7 11f. politischen Mächten, hier dem Fremdkult (10b). Doch das Bild wird jetzt nicht in Richtung der Schuld, sondern der Strafe ausgeführt. Der Vogelschwarm Ephraim verflattert sich, so daß die Pracht seiner Geschlossenheit auseinanderfliegt. כבוד wird hier zunächst im Kontrast zu בשת und שקוצים gewählt sein. Was der Traube und der Frühfeige Israel auch vor Jahwe Ansehen, Herrlichkeit, Kostbarkeit verlieh, was die Ehre der Erwählung durch Jahwe ausmachte, wird entschwinden. Auf das Folgende hin meint כבוד konkret den Kinderreichtum (vgl. Prv 11 16, auch Jes 5 13, dazu GvRad, Theol AT I⁶, 252). עוף hitp. erscheint nur hier im AT. Die Form muß vom Vorgang her bestimmt sein, den der Prophet vor Augen hat: Israel wird als Volk „auseinanderfliegen", „auffliegen", indem es sich teils nach Assur, teils nach Ägypten „verfliegt" (vgl. 9 3 und die genauere Ausführung in der gleichen Audition in 15aβ. 17b). In der Fortsetzung tritt zunächst in anderer Weise das Verfliegen der Herrlichkeit Ephraims hervor; mit privativem מִן (s.o.S. 153) wird dreimal sehr abrupt das Versiegen der Lebensquelle angekündigt; in einer Klimax, die das Werden neuen Lebens von der Geburt über Schwangerschaft (= Mutterleib) bis zur Empfängnis zurückverfolgt, wird auch noch das erste Aufkeimen weiteren Lebens in Ephraim abgesagt. Zur „Herrlichkeit Israels" gehört mit dem friedvollen Gemeinschaftsleben vor allem Mehrung des Lebens. Die Form des Berichts spiegelt die Erregung des Auditionsvorgangs.

12 steigert die Drohung und bezieht die Kinder ein, die noch auf 12 wachsen dürfen, was nach 11 schon gar nicht mehr möglich ist (zur Stilform der „irrealen Synchorese" vgl. HGese, VT 12, 1962, 436f.). Selbst sie begründen keine Zukunftshoffnung, denn ihre Mütter werden auch dieser Kinder beraubt, wobei an Tod in der Schlacht, Deportation oder Flucht gedacht sein mag. Damit hat die furchtbare Drohung von 11b ihr Ziel erreicht: מאדם (vgl. Jes 6 11). An diesem Ziel aber sind die Bedrohten in ihrem eigenen Leben vom Wehe überschattet; להם meint die kinderlosen Mütter und Väter. Das Sterben herangewachsener Kinder ist ärger als Unfruchtbarkeit. Was kann den Eltern noch Böseres widerfahren? Ihr Gott zieht von ihnen weg (s. Textanm. 12a); zur Vorstellung vgl. 5 6.15 und o.S. 127f. 148. Schlimmer als Kinderlosigkeit ist Gottlosigkeit – im Sinne der Unerreichtbarkeit Gottes. Sie erst macht das Ende der Heilsgeschichte hoffnungslos, die doch mit dem Nahen, Entdecken und Erwählen Gottes begonnen hat (10a).

9 13   Der äußerst unsicher überlieferte und schwierige Text (s. Textanm. 13a) besagt nach ⑤ wahrscheinlich, daß nach Gottes Sicht und Urteil Ephraim selbst seine Jugend der Todesgefahr ausgesetzt hat. Der Vergleich mit dem „Jagdwild" erinnert am ehesten an die kriegerischen Unternehmungen, auf die man sich willkürlich einließ, etwa in dem gemeinsamen Unternehmen mit Damaskus gegen Jerusalem, womit man Assur reizte (734/33), oder in der späteren Abwendung von Assur nach Ägypten nach Tiglatpilesers III. Tod, womit man Salmanassar V. herausforderte (727–22). Ephraim wird die Folgen solcher Politik selbst auskosten müssen, indem es seine Söhne in die neue Schlacht, d.h. aber in der harten Sprache der Prophetie „zum Schlächter" hinausführen muß (zur Konstruktion vgl. Textanm. 13b).

14   Dem in der Audition erfahrenen Wort begegnet der Prophet mit dem Anruf Jahwes. Die Form der Bitte zeigt, wie er im Kampf zwischen Bejahung der den Tod androhenden Gottesstimme und Mitleid mit seinem Volk umgetrieben ist, wie er ringt um die Erwählung der Verworfenen unter der verkündigten Verwerfung der Erwählten (10; vgl. Ex 32 11–14). So wenig wie Amos (7 2. 5) und Jesaja (6 11) vermag er ohne Gegenfrage einzustimmen in den Willen Gottes. Er vermag aber noch weniger den Willen Gottes in einer Gegenbitte zu überhören. Seine Bitte „Gib ihnen, Jahwe!" muß sich gleich im Ansatz der Frage stellen: „Was willst du ihnen geben?" Ihm bleibt nur die Wahl unter den vernommenen sich steigernden Drohungen: Versprengung (11a) – unfruchtbare Mütter (11b) – Sterben herangewachsener Söhne (12a 13) – Abkehr Jahwes (12b). Nur eine dieser Drohungen nimmt er auf, wenn er ruft: „Gib ihnen kinderlosen Schoß und vertrocknete Brüste!" Es ist, als wählte er nur eben dieses als das geringste Übel aus oder doch als die ganz unvermeidbare Strafe, da die Frau den Baalriten entzogen werden muß; dagegen möchte er bitten, daß das Kriegsmorden, die Deportation, die Flucht, der Abschied Jahwes und der völlige Untergang der Herrlichkeit des erwählten Israel nicht eintreten. Es ist, als wähle Hosea wie David in 2 S 24 12ff. die Strafe, unter der Israel doch in der Hand Jahwes bleibt. Die Furchtbarkeit des angedrohten Gerichtes ist daran zu ermessen, daß Unfruchtbarkeit, sonst schrecklichster Fluch, nun noch ein Zeichen der Lindigkeit Gottes (Hi 3 11–16) wäre. So nötigt der Zusammenhang, die harte Bitte Hoseas als eine verborgene Weise seiner Fürbitte zu verstehen, eine Weise, die, ganz hineingebunden in den verkündigten Willen Gottes, das Ringen um Erbarmen nicht preisgeben kann. Diese schlechthin singuläre Gelegenheit, einen ganz flüchtigen Einblick in die Zwiesprache Hoseas mit seinem Gott zu gewinnen, bestätigt seine Art des gehorsamen Mitleidens mit Israel, die seine Anklagereden oftmals von teilnehmender Klage durchzogen zeigten (s.o.S. 117 und 165f.).

15   Die neue Folge der Jahweworte erscheint als Fortsetzung der Zwie-

sprache mit dem Propheten. Denn es wird weiter über die längst Genannten (suff. 3. pl.) gesprochen, deren Bestrafung soeben vom Propheten in Frage gestellt war. Unter neuer Begründung wird die Kette der Gerichtsdrohungen nur noch deutlicher wiederholt. Die Begründung ist ganz knapp und besteht nur in dem Verweis auf Gilgal als Zentrum aller Bosheit. In 4 15 hat Hosea wie Amos vor dem Kult in Gilgal gewarnt. Der hier vorliegende Nominalsatz schließt die Gegenwart nicht aus, aber das inchoativ zu verstehende perf. des Begründungssatzes – „dort fing ich an, sie zu hassen" – zwingt, zugleich an die Geschichte Gilgals zu denken. So setzt denn die zweite Reihe der Jahweworte mit einer Geschichtserinnerung wie in 10 die erste ein. Es ist nicht unmöglich, daß in der Abfolge Peor (Schittim, s.o.S. 214) – Gilgal eine Reihenfolge vorliegt, die dem Tradentenkreis um Hosea aus der Itinerarverknüpfung der Landnahmeüberlieferung vertraut war (vgl. Mi 6 5b und J Wellhausen 121; zu Gilgal als Haftpunkt der Landnahmeüberlieferung vgl. H J Kraus, VT 1, 1951, 181–199; ferner H Wildberger, Jahwes Eigentumsvolk: A ThANT 37, 1960, 60). Doch ist uns aus der Landnahmezeit kein entsprechendes Ereignis bekannt. Dagegen sind die Anfänge des Königtums unter Saul und seine Verwerfung mit dem Namen Gilgal verbunden (1 S 11 15 15 12. 21). Daran läßt auch die Erwähnung der politischen Führerschaft in 15bβ denken. Im Ablauf der Audition ist es sogar wahrscheinlich, daß neben den Abfall zum Baalkult nun die „Bosheit" im politischen Bereich tritt; denn beides stand schon in den öffentlichen Auftritten nebeneinander (zuletzt in Kap. 8). Sie wirkt unmittelbar in die Gegenwart wie die Schuld von Peor. Wieder zieht Hosea die Geschichte nicht als das Vergangene heran, sondern als das die Gegenwart Begründende und Beherrschende. Wenn mit Gilgal tatsächlich an die Saulsgeschichte erinnert wird, dann wird die Kritik am Königtum hier noch umfassender als in 7 3–7 und 8 4a (s.o.S. 178); zu 13 10 s.u.S. 295! Die Geschichte zeigt die Tiefe der Schuld auf, die – im Gegensatz zu Ansätzen der Bekehrung (vgl. 6 4b) – durchaus nicht ephemer ist.

Ihr begegnet der „Haß", die Feindschaft Jahwes. Dieses von Hosea sonst nie verwendete Wort שׂנא macht die Fülle der Drohungen in 11–13 auf Grund der Fülle der Bosheit verständlich. Es erklärt, warum Jahwe nicht auf die von Hosea erbetene Einschränkung des Gerichtes eingehen kann. Der Beschluß der Vertreibung aus dem Lande ist nicht zurückzunehmen (s.o.S. 215 zu 11a, ferner 8 3. 13 9 3. 6); das Land ist „Jahwes Haus" wie 8 1 (s.o.S. 176). Der Unwille Gottes über Israel begann in Gilgal. Noch hat neben ihm Liebe gewaltet; sie findet keinerlei Gegenliebe mehr (אהב ist bei Hosea nie von der Liebe Israels zu Jahwe ausgesagt; s.o.S. 75). So wird sie keine Fortsetzung mehr finden (vgl. mit 15bα die Formulierung in 1 6). Denn die Führerschaft Israels (zu שׂרים s.o.S. 78) lebt in störrischer, unbelehrbarer Ablehnung des Bundesgottes (zu

סרר s.o.S. 114), wie die Abweisung des Propheten in den verschiedenen Auftritten von 5 8–8 14 gezeigt hat (vgl. 17aβ). Die Widerspenstigkeit gegen den redenden Bundesgott ist also diejenige Sünde, die das volle Gericht herausfordert.

9 16 Dazu gehört die Strafe der Unfruchtbarkeit, die der Prophet als ein Minimum akzeptiert hatte und die als im Gang befindliches Geschehen zunächst im perf. beschrieben wird. Ephraim ist schon der geschlagene Baum, dessen Wurzel vertrocknet; zu הָכָּה vgl. Jon 4 7f. Ps 121 6 Mt 21 19. Mit kräftiger Negation wird jegliche künftige Frucht versagt; vgl. 11b. 14b. Dabei ist die Alliteration אפרים – פרי wie in 15b שריהם – סררים zu beachten. Sie zeigt an, wie die thematische Wiederholung aus dem ersten Teil der Audition die Prägnanz der Aussage steigert. Bei „Ephraim" klingt im Wortspiel mit פרי zugleich die Bedeutung auf (vgl. Gn 41 52): „Fruchtland wird fruchtlos" (vgl. auch 14 9).

16b wiederholt die Ausweitung der angedrohten Kinderlosigkeit aus 12a. 13b in gesteigerter Schärfe, indem einerseits Jahwe selbst als der Tötende und andererseits die Söhne als die „Schätze ihres Mutterleibs" benannt werden. Mit dieser präzisierten Wiederholung der Drohungen von 11–13 ist die verborgene prophetische Fürbitte von 14 abgewiesen.

17 Nimmt der Prophet ein zweites Mal das Wort (vgl. 14), so kann er, von der Wiederholung überwunden (vgl. Am 7 7ff. nach 1–6), nur noch uneingeschränkt einstimmen in den harten Gotteswillen. „Mein Gott" sagt Hosea von dem Jahwe, der ihn in den Gehorsam hineingenötigt hat und dem er sich nicht entziehen kann (vgl. OEißfeldt, ZAW 61, 1945–48, 5f.), während Israel sich ihm versagt (vgl. aber 2 25 14 4). Er bleibt Statthalter des Gottesvolkes mitten im Abfall der Erwählten. Das Gericht über sie wird jetzt mit dem Stichwort „Verwerfung" zusammengefaßt (vgl. 4 6 und o.S. 97f.). Vielleicht klingt darin noch einmal die Tradition von der Verwerfung Sauls in Gilgal auf (1 S 15 23), zumal die Verwerfung auch hier ihre Begründung im Ungehorsam gegen das verkündete Wort findet. Damit klingen die Fakten der Abweisung des Propheten an, die zum Hintergrund dieser Audition gehören (9 7–9 u.o.S. 211f.). „Nicht auf Jahwe hören", das ist die eigentliche Schuld. So verfallen sie der Strafe, die den heutigen Leser an das Kainsurteil erinnert (Gn 4 12: נָע וָנָד). נדד bezeichnet das ruhelose Umherirren, das zuvor im Bild sich verflatternder Vögel erschien (11a; vgl. 15aβ). Es ist die Folge des Abirrens von Jahwe (7 13) und insofern verschuldete Strafe. „Unter den Völkern" irren sie umher (vgl. 7 8 8 8): „Der Schatten des ewigen Juden taucht auf" (HBraun 36).

Ziel Hinter der ungerahmten Skizze des prophetischen Auditionsberichts haben wir das Ringen eines Zwiegesprächs zwischen dem Propheten und seinem Gott bemerkt. Am Ende ist eine doppelte Voraussetzung zu erkennen, einmal die entschlossene Abweisung des prophetischen Wortes durch das Volk und seine Führer (vgl. 17aβ mit 9 7f.) und zum andern die innere Anfechtung des in den Erwählungstraditionen lebenden Propheten durch den Auftrag der Gerichtsbotschaft (vgl. 14 mit 10a).

Der Einsatz der Gottesrede bestätigt zunächst, daß es ein für Jahwe kostbares Israel gab. Dabei wird nichts davon gesagt, daß ein Weinstock oder Feigenbaum Israel von Jahwe gepflanzt war (so MBuber, Glaube der Propheten, 1950, 169). Die spezielle Aussage von der Entdeckung der Kostbarkeit Israels legt im Zusammenhang vielmehr allein den Ton darauf, daß Jahwe in der Wüstenzeit glücklich war mit seinem Fund (10a). Es war die Zeit, in der es für keinen sonst da war (vgl. 2 16), wobei hier wieder nicht gesagt wird, daß kein anderer als Jahwe für Israel sorgte (2 9). Es liegt im Zusammenhang alles an dem Verhältnis Israels zu seinem Gott. Dieses Verhältnis ist durch die Hinwendung zu den Abgöttern (10b) und durch die störrische Bosheit des Ungehorsams gegen Jahwe (15.17a) verkehrt worden. Damit ist die Herrlichkeit Israels (11a) ekelhafter Schande (10b) gewichen.

Das Besondere der Botschaft dieses Stückes liegt in einem Dreifachen:
1. Die Schuld Israels wird in die Tiefe der Geschichte zurückverfolgt. Ihr Anfang liegt in der verführerischen Begegnung mit dem ersten Kulturlandheiligtum des Baal-Peor (10b), ihre volle Entfaltung in Gilgal, wahrscheinlich in der Saulsgeschichte und damit in den Anfängen des Königtums (15). Damit hat man Prosperität und Sekurität abseits von Jahwe gesucht. In dieser Aufdeckung der Geschichte des Abfalls wird nichts anderes als eben die Gegenwart enthüllt. Die gegenwärtige Schuld zeigt sich mit ihrer geschichtlichen Tiefe als gerichtsreif, insofern dem Lieben (10a.15b) und Rufen Jahwes kein Hören und Gehorchen mehr entspricht (17).

2. Das Gericht erscheint als die Beendigung der Liebe und als Ausfluß des vom störrischen Wesen Israels herausgeforderten Hasses Jahwes (15). Es ist insofern persönliches Handeln Jahwes an Israel (16b). Zur Diskussion steht die Totalität des Gerichtes. Nie zuvor ist bei Hosea das Gericht so zum Thema geworden wie in diesem Auditionsgespräch. Jede Einschränkung wird zurückgewiesen. Der Abfall von Jahwe hat keinerlei Zukunft. Die Ungehorsamen sind die Unfruchtbaren und die Kinderlosen (11b-13.16). Die von Jahwe Abgeirrten werden geschichtslos und heillos in der Völkerwelt umherirren (11a.17b). Abseits von Gott wird nicht nur Herrlichkeit zur Schande, sondern weicht auch das Leben dem großen Sterben. So enthüllt diese Gerichtsbotschaft den Ernst der Entscheidung zwischen Gehorsam und Ungehorsam gegenüber dem Ruf des in Liebe werbenden Gottes. „Die Tragik entfällt restlos" (HBraun in der Entfaltung des Unterschiedes von Hoseas Botschaft und dem Schick-

sal des sophokleischen Ödipus, der dem Wortlaut nach ein πλανήτης ist
wie die πλανῆται Ephraims in 17 ⑤).

3. Diese Botschaft ist entfaltet in der Überwindung des Propheten selbst. Die diastatische Spannung zwischen ihm und seinem Gott ist
in 14 zu bemerken. Der Angefochtene bringt, wenn auch zaghaft, Fürbitte zur Sprache (s.o.S. 216 zu 14). In der verschärften Wiederholung
des Gotteswortes wird er zu einsamer und voller Bejahung seines Gottes
gebracht, wie er es vermutlich vor dem kleinen Kreis der Oppositionsgemeinschaft berichtet. Damit ist der angefochtene Prophet in die doppelte Gewißheit gestellt: einmal, daß bei der Abweisung der Gerichtsbotschaft durch das Volk mit ihm „sein Gott" abgewiesen ist, und zum
anderen, daß das völlige Gericht über die von Jahwe Gewichenen nur die
Kehrseite der Erwählung ist.

Das am Schluß auftauchende Bild des in der Völkerwelt rastlos um-
herirrenden Israel erinnert an die beispielhafte Aktualität des Wortes,
zunächst für Israel; denn die Gerichtsbotschaft des Hosea erwies sich in
der Folge der Geschichte nur als der Anfang jenes Gerichtes, das die
„Töchter Jerusalems" in der Kreuzigung Jesu von Nazareth über sich
heraufführten (vgl. ἐκβάλλειν in Lk 19 45 mit Hos 9 15 ⑤; Lk 23 28ff.;
s.o.S. 218). Nicht weniger verdeutlicht es dem neuen Gottesvolk aus allen
Völkern die entscheidende Frage, ob es Rebe ist, die köstliche Frucht
bringt, weil sie am Weinstock Christus bleibt (Joh 15 1ff.), oder ob es
vielmehr jenem Feigenbaum gleicht, um den wieder und wieder gegraben und Dünger gelegt ist und der doch keine Frucht trägt und deshalb
umgehauen wird (Lk 13 6ff.).

ZERBROCHENE ALTÄRE
(10 1–8)

HTorczyner, Dunkle Bibelstellen: ZAWBeih 41 (1925) 278. – PHumbert, En Literatur
marge du dictionnaire hébraïque: ZAW 62 (1950) 200. – WFAlbright, The
High Place in Ancient Palestine: VTSuppl 4 (1957) 242–258. – GFohrer, Der
Vertrag zwischen König und Volk in Israel: ZAW 71 (1959) 17.

¹Ein üppiger^a Weinstock war Israel. Text
   Dementsprechend brachte^b er Frucht.
Je mehr Frucht er brachte^c,
   desto mehr verschaffte er den Altären.
Je behaglicher sein Land wurde^c,
   desto schönere Malsteine machte man.
²Falsch^a ist ihr Herz.
   Jetzt sind sie straffällig^b.
Er selbst zerbricht ihre Altäre,
   zerstört ihre Malsteine.
³Ja, jetzt werden sie sagen:
   „Wir haben keinen König!
Denn Jahwe fürchteten wir nicht.
   Was soll da der König für uns tun?"
⁴Worte 'machen'^a –
   Meineide schwören –
      Vertrag schließen –
so sproßt das Recht^b wie Gift
   in den Furchen der Ackerflur.
⁵Samarias Bewohner^a verehren^b Beth-Awäns 'Kalb'^c.
   Ja, es trauert darüber sein Volk.
Seine Pfaffen^d umjauchzen^e es seiner Pracht wegen.
   Ja, sie entschwindet ihm.
⁶'Sie werden' es auch nach Assur 'bringen'^a
   als Geschenk für den 'Großkönig'^b.
Schmach nimmt Ephraim auf sich^c.
   Schämen muß sich Israel wegen seines Plans.^d
⁷Samaria kommt um^a.
   Sein König (treibt) wie ein abgeschnittener Zweig auf dem Wasser.
⁸Vernichtet werden die Höhen des Frevels, Israels Sünde.
   Dornen und Disteln sprießen auf ihren Altären.
Sie werden zu den Bergen sagen: „Bedecket uns!"
   und zu den Hügeln: „Überfallet uns!"

1a Obwohl גֶּפֶן meist fem. ist, wird בּוֹקֵק ihm attributiv zuzuordnen sein. 10 1
In Fragen der Kongruenz wiegt die Bedeutung mehr als die Form (vgl. BrSynt
§ 28bβ); hier ist schon wie in der Fortsetzung an Israel gedacht. בּוֹקֵק ist hier
von arab. *baḳḳa* (spalten, ausbreiten) her zu verstehen (Humbert), da der
„verwildernde" (KBL), „wuchernde" (Lippl) Weinstock nicht fruchtbar ist

(vgl. Jes 65 6), wie doch b voraussetzt. – b Es erscheint unnötig, von שׁוה I pi. („gleich machen"; vgl. Ps 18 34) in dieser Gleichnisrede abzugehen; vgl. auch 𝔙: fructus adaequatus est ei. שׁוה II „hinlegen" heißt nicht „hervorbringen". 𝔊 (εὐθηνῶν) hat wahrscheinlich nicht יַשְׂגֶּה („machte groß" Oettli, Harper, KBL), sondern יִשְׁלֶה gelesen, wie Jer 12 1 Thr 1 5; vgl. Ps 73 12. – c רב und טוב sind Infinitive in Nominalsätzen, die durch präfigiertes כ zu Vergleichssätzen

10 2 werden (vgl. Nyberg 72). – 2a חלק I bezeichnet das Glattsein, insbesondere der schmeichlerischen Zunge (Ps 5 10 12 3 Prv 28 23); חלק II (intrans. pass. Bedeutung: „geteilt ist") bezeugen 'AΣ (ἐμερίσθη) 𝔙 (divisum est) 𝔗; die transitive Bedeutung von 𝔊 (ἐμέρισε καρδίας αὐτῶν) trifft wohl noch weniger den Sinn, da das Subjekt unklar bleibt und ein Vorziehen von 2b (הוא) schon aus Gründen der Tempusfolge in 2 kaum den alten Text herstellt. – b Zur Bedeutung von אשׁם s.o.S. 112f.zu 4 15; 𝔊 (ἀφανισθήσονται) 𝔙 (interibunt)

4 setzen hier wie 5 14 14 1 יֵשֹׁמוּ oder יֵשַׁמּוּ voraus. – 4a Statt 𝔐 („sie haben geredet") las noch 𝔊 (λαλῶν) דבר, was parallel den folgenden Infinitiven דַּבֵּר zu vokalisieren sein wird (BrSynt § 46b). – b Fohrer liest ohne Begründung

5 מִשְׁפָּח („Blutvergießen") wie Jes 5 7; vgl. aber Am 6 12. – 5a Ob 𝔊 (οἱ κατοικοῦντες) pl. שֹׁכְנֵי voraussetzt (KBL), ist ungewiß. 𝔐 kann altes Kollektivum sein (st. cs. v. שָׁכֵן); vgl. Nyberg, Gipsen. – b An גור III (KBL: „zurückschrecken" c. ל wegen) erinnern 'A (ἐσεβάσθησαν) und Σ (ἐφοβήθησαν); Ps 22 24 33 8 steht das Wort parallel anderen Verben kultischer Verehrung wie הלל pi., כבד pi. und ירא; 𝔊 (παροικήσουσιν) denkt an גור I, das neben b nicht paßt. – c לְעֵגֶל fordern 𝔊𝔗 und die Suffixe in b. 𝔐 („Kälber") kennt schon 'A. – d 𝔊 (καθὼς παρεπίκραναν) versteht das Fremdwort nicht und rät וּכְמָרוּ; 'A (τεμενίτης) setzt diese „Tempelzugehörigen" deutlich vom legitimen Priester ab, während seine Vorgänger das Wort noch unübersetzt lassen (χωμαρειμ); vgl. DBarthélemy, Les devanciers d'Aquila: VT Suppl X (1963) 86. – e יָגִילוּ durch Konjektur in sein Gegenteil zu verkehren (BHK³

6 Nötscher, Robinson: יְחִילוּ), hindert die einhellige Überlieferung. – 6a יוּבָל setzen 𝔊𝔖𝔗 voraus, ferner das pronominale Objekt אותו, das vom Inhalt her nicht in ein nominales Subjekt („sein Zeichen") umgedeutet werden kann. Kommt 𝔐 („es wird gebracht") von diesem Mißverständnis her? – b S.o.S. 134 Textanm. 5 13a. Der Titel מלך רב erscheint in einer fast gleichzeitigen aramäischen Inschrift von sefire für einen Vertragspartner des Königs Mati'el von Arpad; vgl. MADupont-Sommer, Les inscriptions araméennes de Sfiré, 1958, 61 (I B 7) und Donner-Röllig, KAI II 253. – c Zur Wendung לקח בשׁנה vgl. Ez 36 30 לקח חֶרְפָּה und Jer 20 10 לָקַח נְקָמָה. – d Der Vorschlag, עָצְבּוֹ (עֹצֶב) = „Gottesbild" in Jes 48 5) statt עצתו zu lesen (Wellhausen, KBL),

7 läßt 5 nachklingen, ohne an den Übergang zu 7 zu denken. – 7a Oder ist נִדְתָּה von 𝔊 her (ἀπέρριψε Σαμαρεια βασιλέα αὐτῆς; vgl. 𝔙: transire fecit Samaria regem suam quasi spunam super faciem aquae) anzunehmen? נדה pi. ist einerseits von akk. nadū „werfen", andererseits von mhbr. „ausstoßen" zu verstehen: „Samaria hat seinen König 'weggeworfen". 𝔐 („zum Schweigen gebracht wird") ist nur zu halten, wenn man mit Wellhausen den Versteiler um ein Wort vorzieht, wobei die Partizipialform in einem dann anzunehmenden Drohwort ungewöhnlich bleibt (vgl. 4 5f. 10 15).

Form 10 1 setzt mit neuer Nennung des Subjekts „Israel" und mit neuer Thematik ein. Bis 8 wird über Israel ausschließlich in 3. pers. gehandelt. Erst mit 9 setzt wieder direkte Anrede ein, wie zuletzt vereinzelt in 9 10 (dazu o.S. 210) und öfter in 9 1–9. 10 1–8 weist sich ferner dadurch als

Einheit eigener Art aus, daß nirgendwo die Ichrede Jahwes erscheint, die doch 9 10–13. 15–16 wesentlich auszeichnete und die auch in 10 9ff. wieder hervortritt. Schließlich wirkt das Stück in seiner Thematik ungewöhnlich abgerundet. Es handelt zur Hauptsache von den Kultstätten; das Thema Königtum ist ihm in 3f. 7 eingeordnet; jedenfalls kehrt der Schluß (8) mit seiner Ankündigung der Verwüstung der Höhen und Schlachtstätten zum Anfang zurück, wo die Vielzahl der Altäre (1) schon einmal unter die Drohung ihrer Zerstörung gerückt wird (2b). Kennzeichnend ist die Wiederkehr des Hauptstichworts מזבחות in 1. 2 und 8. Im übrigen herrscht im ersten Teil die Enthüllung der Schuld vor (1–2a. 3–5), während die Strafansage nach der knappen Voranzeige in 2b erst in 6–8 entfaltet wird.

Wie sind die formalen Eigenheiten unseres Stückes zu erklären? Daß das Ich Jahwes und damit die Form der Botenrede ebenso wie jede Form einer Anrede der Hörer fehlen, weist zusammen mit der ruhigen thematischen Rundung auf den reflektierenden Charakter des Abschnitts hin. Solche Redeweise kann man sich am besten im Kreis der Vertrauten vorstellen, dem wir den Auditionsbericht in 9 10–17 anvertraut sahen (s.o.S. 211). Denn auch hier ist nichts von gegnerischen Einwürfen zu merken. Schon MJBuss wies a.a.O. 111 darauf hin, daß man meinen zuerst bei 4 4–19 ausgeführten Versuch, hoseanische Überlieferungseinheiten mit Hilfe der Annahme von Einreden zu verstehen, nicht auf alle Einheiten anwenden könne, insbesondere nicht auf die wirkliche Einheit 10 1–8 (vgl. a.a.O. 105–110), die man in der Tat am besten als rhetorische Einheit versteht.

Es entwickelt sich hier bei Hosea der Typus einer prophetischen Reflexions- oder Lehrrede. Darin wird zwar auch wie im Botenwort und im Disputationswort von Schuld und Strafe gesprochen, aber nicht in der Weise direkter Auseinandersetzung mit und vor den Betroffenen, sondern im geschlossenen Kreise derer, die dem Propheten zugetan (vgl. Jes 8 16) und ebenso wie er angefochten sind. Mit ihnen gemeinsam sucht er Klärung im Rückblick auf das geschichtliche Werden Israels (1) und im Hinblick auf die aktuellen Unternehmungen (4f.). Vor ihnen führt er die Zukunftserwartung für Israel weiter aus (2f. 6–8).

Der Eigenart der reflektierenden Lehrrede entspricht das Zurücktreten des in den Auftrittsskizzen vorherrschenden synonymen Parallelismus. Deutlich tritt er nur am Anfang (1. 2b) und am Schluß (8) hervor, während sonst synthetische Gedankenreihen bevorzugt werden. Der prosaische Einschlag wird stärker. Vor allem treten die kurzen Zweier- oder Dreierreihen, die einander synonym zugeordnet sind, auffällig zurück (nur 2b. 4b. 6b. 8b). Statt dessen stehen längere Satzgebilde in einem gewissen Gedankenreim zueinander, der formal nur in 1b und 8a in fünftaktigen Reihen klar durchgebildet ist.

Ort So deutlich solche Lehrrede von dem Auditionsbericht in 9 10–17 unterschieden ist, so sind doch auch Übergänge festzustellen. Daß das geschichtlich wachsende Israel in 1 mit dem üppigen Weinstock verglichen wird, erinnert an die Gleichsetzung der Väter Israels mit Trauben in der Wüste (9 10). Der Neueinsatz der Rede erscheint durch das Eingangsbild des Auditionsberichts angeregt; die Entfaltung aber handelt nicht mehr in erster Linie vom Hinschwinden der kostbaren Lebenskraft Israels (wie 9 11–13. 16f.), sondern mehr von der Verwüstung seiner Kultplätze. So entspricht dem formalen Unterschied ein inhaltlicher, wenn er auch nur mehr eine Ergänzung in gleicher Richtung darstellt, eine Ergänzung, die die levitisch-prophetische Oppositionsgemeinschaft besonders interessiert.

In anderer Hinsicht sind Unterschied und Verbundenheit der benachbarten Einheiten noch merkwürdiger. Dem Ich Jahwes in 9 10–17 entspricht nur ein Er in 10 2b. Jahwe wird nur in 3b in einer direkten Rede bei Namen genannt. יהוה in 2b ist im überlieferten Text von 9 17 her zu erklären (van Hoonacker). Das führt mit der vorigen Beobachtung zusammen zu dem Schluß, daß 10 1–8 nicht nur in zeitlicher Nähe von 9 10–17 anzusetzen ist, sondern daß 9 10–10 8 wahrscheinlich eine Überlieferungseinheit darstellen. Die früher ermittelten Überlieferungseinheiten haben Jahwe entweder im Ich des Botenspruchs (4 4–6 5 2. 10 8 1) oder mit ausdrücklicher Nennung (4 1 9 1) eingeführt. Wie dem Auditionsbericht die Lehrrede bald gefolgt sein wird, so sind vielleicht beide zusammen im Tradentenkreis aufgezeichnet worden.

Die Sprüche enthalten einige Anspielungen auf die Zeitgeschichte, die der Datierung Anhaltspunkte liefern. Dazu gehört nicht 3, der vielmehr ein Zukunftswort darstellt, wie ebenso wahrscheinlich 7 (s.u.S. 228f.); wohl aber 4 mit seinem Hinweis auf ein Hin und Her von Verabredungen und Verträgen, die man nicht hält. Dabei wird man im Zusammenhang von 3 und 4b zumindest auch an die innenpolitischen Wirren der Thronrevolten zu denken haben. Ferner setzt 6a voraus, daß jüngst schon Tributlieferungen an den assyrischen Großkönig erfolgt sind. Schließlich spricht 6b von einem „Plan", der nach dem Zusammenhang außenpolitischer Natur sein dürfte. Dabei hat man gern an den Abfall aus dem Vasallitätsvertrag mit Assur nach Ägypten gedacht, von dem 2 Kö 17 1ff. sprechen; darauf könnte auch die Anspielung auf Vertragsbrüchigkeit in 4a deuten. Aber 7 11 belegte ähnliche außenpolitische Vorgänge für 734/33 (s.o.S. 161f.). Und „auch dies noch wird nach Assur gebracht" (6a) erscheint in einer Zeit formuliert, in der große Tributleistungen noch vor aller Augen stehen (vgl. 8 9b). Wenn man zudem bei 4a wenigstens auch an innenpolitische Treulosigkeit denken muß, so kommt dafür eigentlich nur noch die Revolte Hoseas ben Ela gegen Pekah in Betracht.

So mag diese Lehrrede am besten verständlich werden aus der Zeit,

da die Wirren des Jahres 733 für das Volk abgeklungen sind. Man hat
sich wieder wie bei dem Erntefest in 9 1ff. dem Kulttreiben hingegeben
(1. 5). Man hat die prophetischen Drohungen aus den jüngst vergangenen
Monaten als Verrücktheiten abgetan (9 7) und ihn aus der Öffentlichkeit
(9 8) in die einsame Anfechtung und in den kleinen Kreis der Oppositionsgemeinschaft zurückgeschoben (s.o.S. 211 zu 9 10ff.). Hier lehrt er, die
neue mit der alten Schuld scharf im Auge zu behalten und dem unaus-
bleiblichen Gericht über dem neu aufgelebten Kulttreiben klar entgegenzusehen. Dabei gipfeln die Aussagen wohl nicht zufällig in der Ansage
dessen, was das Volk demnächst sagen wird: 3 und 8b. Der Prophet steht
auch im geschlossenen Kreis unter dem Eindruck der abweisenden Volks-
stimme (9 7; vgl. 4 16 6 1–3 8 2 10 4). Er weist die Getreuen darauf hin, daß
das Gericht Gottes ganz andere Stimmen im Volke wecken wird (vgl.
14 2ff.).

Hosea ist bewegt von der Geschichtsbeobachtung, daß die Fülle der **Wort**
Gaben, die Israel anvertraut sind, ihm zum Unheil werden, weil es sie **10 1**
zum falschen Kult verwendet. Hier ist nicht ausgeführt, daß diese Gaben
von Jahwe kommen, wie bei der Erwähnung der Fülle des anvertrauten
Silbers, das zu Götzenbildern verarbeitet wird (2 10b 8 4b), oder bei der
Sättigung auf guter Weide, die Jahwe vergessen ließ (13 6); und doch ist
es bei der Fruchtfülle des Weinstocks und der Güte des Landes selbst-
verständliche Voraussetzung für ihn (vgl. 2 10a 11 2–4 und Jer 2 21). Der
Ton liegt aber auf der Üppigkeit des Lebens im Lande, wie sie zuletzt
die Jahrzehnte unter Jerobeam II. mit sich brachten. Sie verführte Israel, viel für Altäre zu tun. Immer neu nimmt Hosea die großen Zahlen aufs Korn, die Vielzahl der Priester (4 7) wie die der Soldaten (10 13),
die Vielzahl der Schlachtopferstätten (außer hier auch 8 11) wie die der
Festungsstädte (8 14), die Fülle von Schuld und Feindschaft (9 7), von
Lüge und Gewalt (12 2). So erscheinen die Wurzeln רבב und רבה bei
Hosea neunmal zur Kennzeichnung der Größe des Unrechts Israels
und zweimal, um die Fülle der Gaben Jahwes zu kennzeichnen (2 10
12 11). Zu den Altären als Stätten der Sünde vgl. 8 11 und o.S. 185, zur
Kritik an den Mazzeben 3 4 und o.S. 78. Der Ertrag des guten Landes
kommt der künstlerischen Bearbeitung der Malsteine zugute (vgl. Sellin).
Die Zeit der harmlosen Übernahme der Mazzeben in den Jahwekult in
der Funktion der Erinnerungsmale (Jos 24 26f. Gn 31 13 35 20) ist längst
dahin. Der Einbruch des Kanaanäismus in Israel hat den Zusammenhang mit den Fruchtbarkeitsriten aufgedeckt (vgl. GPilhofer, Phallische
Kulte: EKL III 178). Deshalb werden sie in der Nachfolge Hoseas vom
Deuteronomium als „Mazzeben der Kanaanäer" (Dt 12 3; vgl. Ex 23 24
34 13) ausdrücklich verboten (Dt 16 22; vgl. Lev 26 1 und MNoth, Die
Gesetze im Pentateuch, 1940, 44 = Ges. St. z. AT, 1957, 73f.).

10 2   Warum machen die Fülle der Altäre und die Schönheit der Mazzeben
Israel straffällig? „Ihr Herz ist falsch" (s.o. Textanm. 2a). Die Zunge mag
in der Notzeit gelernt haben, anders als in früheren Jahren „Jahwe" anzu-
rufen (vgl. 2 18f. mit 6 3 8 2); ihre eigentliche Orientierung (vgl. zu לֵב
o.S. 163) fragt nicht nach seinem Willen, sondern nach den eigenen
Möglichkeiten religiöser Schicksalsbewältigung und nach dem Genuß
kultischen Feierns (vgl. 4 7–13 8 11–13). Ihr Herz ist nicht mit Aufrich-
tigkeit Jahwe ergeben; der Kontrastbegriff zu חלק mag eher אֱמֶת, אֱמוּנָה und
חֶסֶד (vgl. 2 21f. 4 1 6 6; zur Sache vgl. auch 10 4) als שָׁלֵם („ungeteilt"; vgl.
die alten Versionen o. Textanm. 2a) sein, wiewohl die deuteronomistischen Wendungen „von ganzem Herzen", „ganz mit Jahwe" zu vergleichen sind (Dt 6 5 1 Kö 8 61 2 Kö 20 3 u.o., dazu A Weiser, ThW VI
188).
        So haben sie nun Strafe verdient; zu אשם s.o. Textanm. 2b. עתה führt
hier wie oft die Strafdrohung ein; vgl. 5 7 8 10. 13. Etwas anderes als das
unmittelbar bevorstehende Gericht hat der Prophet nicht anzuzeigen.
Es ist das Gericht Jahwes. הוא kann hier unmöglich Israel selbst meinen
(Marti: „wenn der Mensch enttäuscht wird, verwirft er seine Götter",
vgl. Jes 2 20; ähnlich andere); das singularische Pronomen hebt sich zu
deutlich von den drei pluralischen Formen in 1bβ. 2a ab, die zur Bezeichnung Israels unmittelbar voraufgehen. Jahwe ist es (zum Bezug auf 9 17
s.o.S. 224 Ort), der die Altäre wie an ihn verfallene Tiere behandelt, die
nicht im legitimen Kult opferfähig sind, wie der Esel Ex 13 13 34 20: „er
bricht ihren Altären das Genick" (vgl. MBuber, Glaube der Propheten,
1950, 171), wobei zuerst an das Abschlagen der vier Hörner zu denken
ist (vgl. Am 3 14). Er demoliert ebenso die kunstvoll gearbeiteten (1bβ)
Mazzeben. Mit שדד greift Hosea wieder – und nicht zum letzten Mal,
vgl. 10 14 – jenes Stichwort שד auf, mit dem er bereits zweimal im Jahr
des assyrischen Einfalls in Nordisrael die schauerliche Verwüstung des
Landes angesagt hatte, aus der man nur noch in die Ferne flüchten kann
(7 13 9 6). Selbst die Heiligtümer als letzte Asylstätten werden zerstört.

3   Achtet man genau auf die Verknüpfung von 2 und 3, so wird man in
dem mit כי עתה eingeleiteten und wie 2aβ.b imperfektisch formulierten
Satz eine Explikation des „Jetzt" von 2aβ erwarten, mit dem das unmittelbar bevorstehende Gericht angesagt ist (vgl. o.S. 45 zu 2 12, ferner 8 10).
Dächte Hosea an ein in der Gegenwart bereits ausgesprochenes Wort,
würde er, wie immer in solchen Fällen, עתה mit dem perf. verbinden (vgl.
7 2 8 8 5 3 𝔐). Mit dem Gericht wird Israel nach des Propheten Erwartung
seinen jetzigen König Hosea verwerfen, wie es zuvor Pekah und dessen
Vorgänger verwarf (7 3–7), ohne nach dem Willen Jahwes in Ehrfurcht
zu fragen (8 4). Aber es wird nicht noch einmal eigenwillig einen neuen
König bestellen. Denn in der Katastrophe wird ihm die Einsicht zuteil,
daß nur ein charismatisches Königtum, nur ein vom Jahwewort desi-

gnierter König helfen könnte. Der die Akklamation eines Volkes erhielt, das nicht von der Jahwefurcht erfüllt war, wird in der nahenden Verwüstung auch der heiligen Stätten als wertlos von Israel erkannt. Damit deutet der geschmähte Prophet im internen Kreise der Jahwetreuen zum ersten Male nach den harten Monaten ausschließlicher Gerichtsverkündigung und vergeblicher Erwartung einer Umkehr die Hoffnung an, daß die Schulderkenntnis über der vollendeten Verheerung des Landes im Volke erwacht (s.o.S. 58f. zu 2 18–25). – Wenn man 3 als Zitat einer schon geäußerten Volksmeinung deutet, muß man den Zusammenhang mit 2 lösen und an eine Gruppe denken, die „ihre Gesetzlosigkeit mit der Ohnmacht des Königtums entschuldigen" möchte (Robinson) und die sich, etwa „nach der Ermordung des Pekah" (Weiser), dem neuen König Hosea ben Ela nicht verpflichtet weiß. Aber es entspricht nicht der prophetischen Sicht, daß er sich auch nur indirekt für das Königtum, zumal eines Hosea ben Ela, eingesetzt hätte. So wird man 3 von 2 her, entsprechend den syntaktischen Beobachtungen (s.o.), als vom Propheten erwartetes künftiges Wort des Volkes erklären müssen (vgl. 8b!).

Das erhoffte Schuldbekenntnis veranlaßt den Propheten, erneut 104 von sich aus die gegenwärtige Schuld darzustellen, eben jene Schuld, die mit dem Königtum verbunden ist und die mit vermehrtem Kultbetrieb kompensiert werden sollte. In seinem Urteil knüpft er inhaltlich an seine Feststellung der Falschheit der Herzen in 2aα an, wenn er die Schuldkette in 4a – ähnlich wie 4 2 – in Infinitiven aufreiht. „(Leere) Worte machen" bezeichnet auch Jes 8 10 (vgl. Jes 58 13) die nichtigen politischen Absprachen. Zu אלה s.o.S.84 zu 4 2: „den Gottesnamen zum Trug ausrufen"; was Hosea meint, wird für die Thronrevolten durch 7 3–5 verdeutlicht. Auch das „Vertrag schließen" wird in erster Linie auf den „Vertrag zwischen König und Volk" zu beziehen sein (2 S 3 21 5 3; dazu GFohrer, ZAW 71, 1959, 1–22), der in den Tagen Hoseas immer wieder gebrochen worden war (s.o.S. 140). Erst in zweiter Linie wird zwischen 3 und 4b an außenpolitische Verträge gedacht sein (vgl. 12 2 5 13 8 9), was vor 6 nicht ganz ausgeschlossen ist.

Doch 4b erinnert zunächst an die rechtliche Lebensordnung im Lande (zu משפט s.o.S. 64 zu 2 21). In freier Anlehnung an ein Amoswort, wie es ähnlich in 4 15 8 14 zu beobachten war, sagt Hosea, das Recht sprosse wie Gift, was von Am 5 7 6 12 her zu interpretieren ist: die heilsame Rechtsordnung wird in eine Giftpflanze verwandelt; das Recht wird im Trug mißbraucht. Die altertümliche Wendung „auf den Ackerfurchen des Feldes" (שָׂדָי ist archaischer als שָׂדֶה, vgl. KBL), die ähnlich formelhaft in 12 12b erscheint, zieht im Wortklang die Folie der Vätertreue (vgl. 9 10) hinter der treulosen Generation auf.

Statt Treue und Recht zu pflegen, verehrt man das Kalb (s. Text- 5 anm. 5c). Bethel trägt wie 4 15 5 8 den von Amos geprägten Schandnamen „Haus unheimlicher Bosheit" (s.o.S. 113). Die Bewohnerschaft Samarias ist die der Hauptstadt (s.o.S. 179 zu 8 5). Sie begeht ihren Staatskult am alten Heiligtum mehr und mehr nach kanaanäischem Ritus. גור meint die offizielle kultische Verehrung (s. Textanm. 5b). אבל mag daneben zunächst an die dem Baal geltenden Klage- und Trauerriten, vielleicht gar an das Kultweinen über den mythisch entschwundenen Baal denken (s.o.S. 163f. zu 7 14f., G Widengren, Sakrales Königtum im Alten Testament und im Judentum, 1955, 63 und Ri 2 1.5 Gn 35 8). Das würde dem ekstatischen „Jauchzen" der Priester entsprechen (zu גיל s.o.S. 197 zu 9 1). Doch spielt schon der Gedanke an die Trauer um den Verlust des Kalbes herein, wenn es als Siegestrophäe oder Tributleistung an Assur ausgeliefert wird. Rituelle Klage vor dem Jungstierbild wird zur Trauer um das verlorene Bild. Dieser Umschwung des Gedankens wird erst im Schlußsatz des Verses offenbar: „denn es geht fort von ihm", womit in bitterer Ironie die Ursache des priesterlichen Kultjubels angegeben wird. Die Priester werden hier erstmalig im Alten Testament mit dem Fremdwort כְּמָרִים bezeichnet, das später auch Zeph 1 4 2 Kö 23 5 denen vorbehalten ist, die dem Fremdkult des Baaldienstes verpflichtet sind. Es meint zuweilen eine bestimmte Klasse (entmannter?) Priester, erscheint aber meist im Phönikischen und Aramäischen für Priester im allgemeinen (Textnachweis bei Jean-Hoftijzer, Dictionnaire des Inscriptions sémitiques de l'ouest, 1960, 122: כמר II; vgl. J Lewy, Zur Amoriterfrage: ZA 38, 1929, 243–245 und WF Albright, Von der Steinzeit zum Christentum, 1949, 235.431f.; KBL). Der כָּבוֹד des Jungstierbildes, Gegenstand des priesterlichen Kultjauchzens, meint die kostbare Pracht seines Goldes (vgl. כבוד in 9 11, sonst nie bei Hosea). So wie sich die Götterbilder der Fremdvölker der Deportation nicht entziehen können (Jes 46 1f. Jer 48 7 49 3 Dan 11 8), so wenig kann es der Abgott Israels (vgl. Jes 10 10f.).

106   Der Schluß von 5 leitete schon zur Strafankündigung über. In 6–8 führt Hosea vor den Oppositionsgenossen besonders deutlich aus, wie er sich das Gericht denkt. Das Kultbild wird als Tributlieferung dem assyrischen Großkönig ausgeliefert. יבל hi. für das Überbringen von Geschenken oder Tributlieferungen auch Ps 68 30 76 12 Zeph 3 10 (ho. für Überbrachtwerden Jes 18 7 55 12); vgl. DJ McCarthy, VT 14 (1964) 219–221. Die Gegenleistung, die Ephraim in Empfang nimmt, ist die „Schande". Die Ursache solcher Schande ist sein eigenes „Planen". עֵצָה vom politischen Plan auch Jes 30 1. Man hatte im Umsturz des Hosea ben Ela gehofft, mit schneller Unterwürfigkeit der vollen Vernichtung entgehen zu können (5 13 8 9, s.o.S., 141). Der totale Mißerfolg dieser Politik macht die nackte Leere der Schande aus.

7   Ungewöhnlich ist inmitten einer Drohung mit ihren Imperfekta (oder perff. conss.; vgl. 6.8) die partizipiale Formulierung. Der Satz wirkt wie

eine (nachgetragene?) Erklärung der Schande, die 6b ankündigte. Sie ereignet sich im Untergang (zu דמה II ni. s.o.S. 96) der Haupt- und Residenzstadt Samarien, der von Hosea offenbar seit dem Zusammenbruch des syrisch-ephraimitischen Krieges (5 8ff. 8 1ff.) erwartet und jetzt im Kreis der Freunde geradezu ausgesprochen wird, und ferner darin, daß ihr König wehrlos wie ein Stück Holz auf Wasserfluten von den das Land überschwemmenden Heeren Assurs weggetrieben wird. In Tiglatpilesers III. Annalen erscheint in den lückenhaften Ausführungen über den Sturz Pekahs von Samarien der Vergleich mit dem Gewitterregen: „Pekah, ihren König, stürzten sie ... (Lücke) ... wie Gewitterregen...‟ (TGI 52, Z. 228f.; ANET 283). Diese etwas dunkle Aussage über das Handeln Samariens an seinem König könnte vorzüglich zu der in Textanm. 7a erwogenen Textvariante von 𝔊𝔙 passen. Der Zusammenhang läßt jedoch eher an die überwältigende und mitreißende Gewalt Assurs denken (vgl. auch Jes 8 7f.), die in Kürze auch Hosea ben Ela wegschwemmen wird.

Die Fortsetzung jedenfalls verkündet die katastrophale Verwüstung 108 des Landes. Im großen Zusammenhang erscheint die Ausrottung der Kultstätten wesentlicher als die Beseitigung des Königs und seiner Residenz. Wie Bethel „Haus des Frevels‟ genannt wurde (zuletzt 5), so heißen die Höhenheiligtümer nun alle „Höhen des Frevels‟, ja, die Opposition nennt sie direkt „die Sünde Israels‟, was Hoseas Aussagen in 4 7 8 11 entspricht. Zur Ausstattung der Höhenheiligtümer s.o.S. 107. בָּמָה ist im Ugaritischen noch in der Bedeutung „Rücken‟ belegt; dann wird es im Sinne von „Anhöhe‟ im Alten Testament mehr und mehr zum Kennwort der jahwefremden Kultplätze. Selbst wenn die „Höhen‟ ursprünglich mit Begräbnisriten zusammenhingen und die Mazzeben in älterer Zeit als Memorialstelen verstanden wären (Albright, VTSuppl. 4, 1957, 242–258; vgl. KGalling, Erwägungen zum Stelenheiligtum von Hazor: ZDPV 75, 1959, 1–13), sind sie doch kaum in Hoseas Sinn spezielle „Höhen der Wehklage‟ (s.o.S. 113), sondern eben die klassischen Stätten der abgöttischen Frevelkulte; „Bama ist zum theologischen Begriff erstarrt‟ (ASchwarzenbach, Die geographische Terminologie im Hebräischen des Alten Testaments, 1954, 13; vgl. 1 Kö 14 23). Die Plätze besonderer religiöser Pflege werden zur Wildnis, wenn Dorngestrüpp die Altäre überwuchert, nachdem die kostbaren Stücke abtransportiert (5f.) und das Land im ganzen der Verwüstung und Verödung preisgegeben ist (9 6).

Wie die Voranzeige des Gerichts über Altäre und Mazzeben in 2b durch ein Zitat künftiger Worte in 3 überhöht wurde, in dem die Wirkung der Katastrophe auf das Volk zu erkennen war, so ist es auch hier. Im Grauen der Verwüstung werden die Bewohner „zu den Bergen sagen: 'Bedeckt uns!' und zu den Hügeln: 'Überfallet uns!'‟ Kein Überlebender mag mehr leben. Darum rufen sie das große Erdbeben herbei; es wird besser sein, unter stürzenden Felsen erschlagen und begraben zu werden, als zwischen zerstörten Heiligtümern zufluchtslos leben zu müssen. Denn das Gericht des Gottes Israels ist nicht zu ertragen. Ähnlich sieht Jesaja das Volk in Felsspalten und Erdlöchern Zuflucht suchen, wenn der Tag Jahwes kommt (Jes 2 10. 21). Nur kann Hosea nicht mehr an einen Bergungsort denken. Vgl. Am 6 9ff.

Ziel Die Worte kreisen um Schuld und Schicksal der Kultstätten (1f. 5. 8). In der Oppositionsgemeinschaft um Hosea muß die Frage nach der Beurteilung des Kultus im Vordergrund gestanden haben, was besonders dann verständlich wird, wenn ihr oppositionelle (levitische) Priestergruppen zugehörten (s.o.S. 98 und 154). Schuld und Schicksal von Innen- und Außenpolitik sind unlöslich mit dem Kultus verbunden (3–4. 6–7). Hosea zeigt jetzt vor allem die Linie auf, die von Jahwes reichem Schenken (1) über die Falschheit der Herzen Israels (2a. 4. 5) zur vollendeten Katastrophe der selbstsicheren Planungen Israels führt (2b. 6–8a). Die Auseinandersetzung mit den gegnerischen Thesen des Volkes und seiner kultischen Führung wirkt darin fort, daß er die Wirkung des kommenden Gerichts in künftigen Aussagen der Betroffenen spiegeln läßt, die den Verlust der eigenen Staatlichkeit als Schuld mangelnder Jahwefurcht (3) und die Verwüstung des Landes und seiner Heiligtümer als unerträgliche Not herausschreien (8b).

So stärkt Hosea den kleinen Kreis der Getreuen. Er zeigt ihnen, wo die enden, die das prophetische Gerichtswort von sich gestoßen haben. Sie werden schließlich selbst lieber sterben wollen als weiterleben (8b; vgl. Jer 8 3 Apk 9 6). Diesen Ausgang sollen sie vor Augen haben, auch wenn jetzt noch ein reicher, vielfältiger, kunstvoller Kultbetrieb im Gange ist (1.5). Keine Pflege kultischer Orte, kein Klage- und kein Freudenritual kann die mangelnde Lebensorientierung am Willen Gottes ersetzen (2a. 4). Wer den Jungstier ehrt (5) statt Jahwe, der Israel erwählt und gemehrt hat, wer dem eigenen Plane folgt (6b) statt seiner Weisung, der hat Tod statt Leben gewählt. So wird jener Kreis zugerüstet, in dem später die deuteronomische Theologie und Paränese wächst (vgl. Dt 30 15–20).

Die zweite Generation der neutestamentlichen Zeugen bringt das Hoseawort neu zur Sprache. Nach Lukas redet Jesus auf dem Wege zum Kreuz die ihn begleitenden Scharen der Klagefrauen Jerusalems an (Lk 23 27ff.): „Weinet nicht über mich; weinet vielmehr über euch und eure Kinder!". Das Hoseawort von denen, die zu den Bergen sagen: „Fallt auf uns!", wird noch erst erfüllt werden in Israel (30), wenn Israel „sich nicht einmal durch das Sterben Jesu, der den Tod doch auf dem Wege des Gehorsams erleidet, zur Abkehr von den eigenen Gedanken und Zielen bringen läßt" (KHRengstorf, NTD I, 2, 251). Die Entscheidung Israels unter Hosea war nur ein Vorspiel der letzten Entscheidung Israels vor dem gekreuzigten und auferweckten Christus, in dem das Angebot der Rettung endgültig auf Israel zukam.

Die Apokalypse Johannes sieht vor der gleichen Entscheidung „alle Könige der Erde und die Gewaltigen und die Hauptleute und die Reichen und die Vornehmen und alle Sklaven und alle Freien" stehen, also ausnahmslos die ganze Menschheit (Apk 6 15). Sie alle werden jenen Schrei ausstoßen, den Hosea einst angesagt hat, und zu den Bergen und Felsen rufen: „Fallet über uns und berget uns vor dem Angesichte dessen, der auf dem Thron sitzt, und vor dem Zorn des Lammes" (6 16). Mit diesem Ausblick wird die Gemeinde in der Verfolgung gestärkt (6 10f.), die als eine kleine Gruppe von der Übermacht einer christusfeindlichen Welt bedroht ist.

So wird die Lehrrede des Hosea in der Verfolgungsstunde als eine typische Wegorientierung erkannt. Wir werden nicht nur atomisierend das Zitat des letzten Wortes (8b) aufzunehmen haben, sondern die ganze Bewegung des Textes als Aufdeckung eines Irrweges erkennen, der sich unter dem Ereignis des Evangeliums in der Kirche wiederholen kann, wo die Christenheit die Lebensgabe des Christus unter kultischen Begehungen und politischen Planungen verfälscht.

Literatur JRieger, Die Bedeutung der Geschichte für die Verkündigung des Amos und Hosea (1929) 76–77. – ERobertson, Textual Criticism of Hos 1011: Transact. Glasgow Univ. Or. Soc. 8 (1938) 16–17. – RBach, Die Erwählung Israels in der Wüste: Diss. Bonn 1952. – GFarr, The Concept of Grace in the Book of Hosea: ZAW 70 (1958) 98–107. – MHGoshen-Gottstein, „Ephraim is a well-trained heifer" and Ugaritic *mdl*: Bibl 41 (1960) 64–66. – JCvonKölichen, Der „Lehrer der Gerechtigkeit" und Hos 1012 in einer rabbinischen Handschrift des Mittelalters: ZAW 74 (1962) 324–327.

Text 9 Seit den Tagen Gibeas
        haſt du ᵃ geſündigt, Iſrael.
            Dort blieben ſie ſtehen.
    Gewiß ᵇ erreicht ſie
        in Gibea Krieg
            der Frevler ᶜ wegen.
   10 Ich 'bin gekommen' ᵃ, daß ᵇ ich ſie züchtige ᶜ.
        Völker ſcharen ſich gegen ſie,
            wenn ſie gezüchtigt werden ᵈ für ihre doppelte Schuld ᵉ.
   11 Und ᵃ Ephraim (war doch) eine geübte Jungkuh,
        die zu dreſchen liebte ᵇ.
    Als ᶜ ich vorüberkam
        an ihrem ſchönen Nacken ᵈ,
    wollte ich Ephraim einſpannen,
        Juda ſollte pflügen ᵉ,
            Jakob ᶠ eggen ᵍ:
   12 „Säet ᵃ nach Bundesrecht,
        (ſo) ᵇ erntet ihr gemäß ᶜ der Bundestreue.
    Schafft euch einen Neubruch der 'Erkenntnis' ᵈ
        und fraget ᵉ Jahwe,
    bis zu euch kommt
        die 'Frucht' ᶠ des Bundesrechts".
   13 (Aber) ᵃ ihr habt Unrecht gepflügt,
        habt Frevel geerntet,
            habt Lügenfrucht gegeſſen.
    Ja, du vertrauteſt auf deine 'Streitwagen' ᵇ,
        auf deiner Krieger Menge.
   14 So erhebt ſich ᵃ Kriegslärm in deinen Stämmen,
        daß all deine Feſtungen zerſtört werden ᵇ,
    wie Salman ᶜ Beth-Arbel ᵈ zerſtörte
        am Tage der Schlacht,
            da eine Mutter über Söhnen zerſchmettert wurde.
   15 Genau ſo 'tue ich' ᵃ euch, Haus 'Iſrael' ᵇ,
        eurer ſchlimmen ᶜ Bosheit wegen.
    Beim Morgenrot muß gänzlich verſtummen
        der König Iſraels.

9a ⑤ (ἥμαρτεν) 𝔙 (peccavit) gleichen an die 3. pers. von 10 1–8 an und 10 9
vokalisieren vielleicht wie 8 חַטַּאת יִשְׂרָאֵל = „seit den Tagen Gibeas (gibt es)
Sünde Israels". – b Aus der rhetorischen Frage („sollte sie nicht erreichen...?")
entsteht ein beteuerndes לֹא, lateinischem *nonne* vergleichbar, wie RGordis
herausgestellt hat (Studies in the Relationship of Biblical and Rabbinic Hebrew: Louis Ginzberg Jubilee Volumes, 1945, English Volume 181–183; vgl.
VT 5, 1955, 89). – c wörtlich „Söhne (= Genossen) des Unrechts"; KBL 707
leitet עֲלוֹה von einer im Alten Testament nicht belegten Wurzel עלה II her,
es wird aber durch Metathesis aus עַוְלָה (vgl. 13a) zu erklären und so von עוּל I
(„ungerecht handeln") her zu deuten sein (vgl. KBL 687; Gipsen). – 10 a בָּאתִי 10
setzt ⑤ (ἦλθον; innergriechisch verderbt zu ἦλθεν; vgl. Ziegler) voraus. 𝔐
(„in meinem Begehren") müßte zu 9 gezogen werden, oder die folgende
Kopula wäre zu streichen (so Harper mit Konjektur בְּעֶבְרָתִי). Dunkel bleibt
bei Annahme von ursprünglichem באתי, wie ו in 𝔐 in die Wortmitte geriet. –
b Der Übergang vom Perf. zum Imperf. mit ו-copul. zeigt den Finalsatz an;
vgl. BrSynt § 135b und o.S. 43 zu 2 8bβ. – c Vielleicht ist (וַ)אֱסָרֵם zu lesen wie
7 12; s.o.S. 136 Textanm. 7 12a und KBL 387. Zu 𝔐 (יסר ḳal) vgl. Ges-K
§ 60a. 71. – d בְּהֻוָּסְרָם (oder בְּיַסְּרָם Robinson) setzt ⑤ voraus (ἐν τῷ παιδεύεσθαι
αὐτούς), ebenso ⑤𝔙; 𝔐 (inf. cstr. ḳal v. אסר „wenn man sie bindet", ebenso
𝔗) gleicht im Konsonantenbestand mechanisch an 10a an (FDingermann 51).
Hat demnach 𝔐 בְּאֻסֻרָם „wenn ich sie züchtige" lesen wollen? Zur Abhängigkeit eines Satzes (statt des gewöhnlichen inf.) von der praep. ב vgl. BrSynt
§ 145a. – e 𝔐𝔔⑤⑤𝔙 nehmen עֹונֹתָם an. 𝔐ᴷ (עֵינֹתָם) ist in der Bedeutung „vor
ihrer beider Augen" (Ewald, zur Anschauung vgl. 2 12) sprachlich und sachlich höchst unwahrscheinlich. Eher kommt in Betracht, עֵינֹתָם als „ihre Quellen" zu deuten und danach לִשְׁתֵּי als Verlesung eines inf. cstr. v. שׁתה, vielleicht
ursprünglich לִשְׁתוֹ zu erklären (vgl. Bauer-Leander 427; Nyberg 79 erklärt
שְׁתֵי als einen altnordhebr. inf. cstr.); s.u. S. 239. – 11a ⑤𝔙 übersetzen keine 11
Kopula. – b Zum י-compaginis als Hilfsvokal beim pt. im st.cstr. vgl. Ges-K
§ 90 kl und Meyer³ II § 45, 3e; s.o.S. 170 Textanm. 8 12a; vielleicht ist es
aus rhythmischen Gründen eingefügt (Joüon § 93n). Robertson schlägt אֲהַבְתִּי
vor, macht aber damit den Einsatz von 11aβ (וַאֲנִי) unverständlich. – c 11aβ ist als
zusammengesetzter Nominalsatz (Verbalsatz mit Inversion des Subjekts) ein
Zustandssatz, der 11b mit seinen reinen Imperfektformen hypotaktisch zugeordnet ist im Sinne eines Temporalsatzes; vgl. Ges-K § 142a und LKoehler, VT 3
(1953) 301ff. Die Einschaltung eines ועתה vor ארכיב (Harper) erübrigt sich; sie
widerspricht dem Gefälle des Erzählsatzes. – d Zur Auflösung der st.-cstr.-Ver-
bindung vgl. BrSynt § 77f. Nyberg (S. 33f. 80) findet in טוב צוארה einen Nominalsatz, der als asyndetischer Relativsatz mit vorangestellter praep. על substan-
tiviert sei: „an dem, dessen Nacken Schönheit eignete" = „an dem Schön-
nackigen" (so RBach). Zum gleichen Ergebnis führt bei der naheliegenden
Annahme einer gewöhnlichen st.-cstr.-Verbindung die Erkenntnis, daß der
Hebräer den im Sinnzusammenhang kennzeichnenden Körperteil für das
Ganze einer Gestalt und deren hervorragender Eigenschaft setzt; vgl. ARJohnson, The Vitality of the Individual (1949) 88 und ThBoman, Das hebräische
Denken im Vergleich mit dem Griechischen, ⁵1968, 86ff. – e ⑤ (παρασιωπή-
σομαι) las אַחֲרִישׁ unter Angleichung an die 1. pers. von ארכיב und verstand es
(bei Herleitung von חרשׁ II) als Drohwort gegen Juda („ich werde es schwei-
gend übergehen"; vgl. 13a: παρεσιωπήσατε ἀσέβειαν). – f לוֹ bleibt (wie לכם
in 12aα;vgl. 12bβ) nach Art des dat. eth. am besten unübersetzt, vgl. BrSynt
§ 107 ef. – g Auch hier mißdeutet ⑤ (ἐνισχύσει), indem sie wahrscheinlich

יִשְׂרֵה (vgl. die gleiche Übersetzung in 12 4. 5) las. 𝔐 ist durch den Sachparallelismus der drei Verben in 11b und durch die Einheit der Bildrede in 11–13a
10 12 gesichert. – 12a s.o. Textanm. 11f. – b Der Inhalt gebietet, hier einen Folgesatz der Verheißung zu sehen, ähnlich 12bβ (עַד־יָבוֹא); vgl. BrSynt § 3. –
c Wörtlich „nach der Aussage"; vgl. BrSynt § 110 1d; 𝔊 (εἰς καρπὸν ζωῆς) las
irrtümlich לִפְרִי חַיִּים. – d דֵּעַת setzen 𝔊 (φωτίσατε ἑαυτοῖς φῶς γνώσεως) und
𝔗 voraus. Es entspricht besser dem inneren Gefüge der parallelen Sätze als
𝔐 („und Zeit"), das auf eine ziemlich späte Verlesung von ד in ו zurückgeht;
zur Parallele צדקה // חסד // דעת vgl. 2 21f. 4 1 6 6. Zu φῶς γνώσεως (𝔊) als Terminus der Gnosis (Corpus Hermeticum 10 21; schon TLevi 4 3 18 3) vgl.
GStählin, Jesus Christus, das Licht der Welt: Festschr. Stohr (1960) 73f.
– e Der inf. c. ל erklärt als Apposition zu דֵּעַת deren Eigenart und Zweck;
vgl. BrSynt § 15g. – f 𝔊 (ἕως τοῦ ἐλθεῖν γενήματα δικαιοσύνης ὑμῖν) las wahrscheinlich פְּרִי (KBL 403), was sie häufig mit γεν(ν)ημα(τα) übersetzt (Jes
3 10 65 21 Jer 7 20 Dt 26 10 28 4. 11. 18. 42. 51 30 9), allerdings bei Hosea sonst
immer mit καρπός, wie in 9 16 10 1 14 9 so auch im unmittelbaren Zusammenhang (13; vgl. auch Textanm. 12c). Von daher wäre als Vorlage auch an
תְּבוּאָה zu denken. Doch von פְּרִי her erklärt sich leichter (1.) die Wortwahl
in 13a, die sich auch sonst in der Antithese streng an 11b–12 anschließt, und
(2.) die Verlesung von 𝔐: „und er unterweist" = 𝔙: qui docebit vos iustitiam
(ירה II hi. „regnen lassen" ist im Alten Testament nicht nachzuweisen; vgl.
KBL und Dalman, AuS I 122); sie wird als vorzeitig deutender Ausbruch
aus der Bildrede sekundär und im Zusammenhang der allgemeinen spätjüdischen Erwartung eines endzeitlichen Lehrers entstanden sein; vgl. BK
XIV/2 75f. zu Jl 2 23, insbesondere CD VI 11 mit b. Bechoroth 24a!; sie setzt
anscheinend noch דֵּעַת in bα voraus. In den ersten drei Gliedern steht jeweils
an erster Stelle das Bild (Saat – Ernte – Neubruch), dann die Sache: Bundesrecht, Bundestreue, Erkenntnis. Dementsprechend ist in diesem vierten Glied
zuerst das Bild „Frucht" und dann die Deutung „Bundesrecht" zu erwarten. –
13 13a 𝔊 (ἵνα τί) verknüpft 13a mit 11b–12, ohne daß der sonstigen Textüberlieferung ein entsprechendes לָמֶה bekannt wäre. Sie verkennt die direkte Anknüpfung des knapperen und sicher ursprünglichen 𝔐-Textes an 11b, weil sie
den Zitatcharakter von 12 nicht sieht; s.u.S. 236. – b בְּרִכְבְּךָ las noch 𝔊 nach
Ambrosius ursprünglich (ἅρμασι), während schon 𝔊ᴮ theologisiert (ἁμαρτήμασιν; vgl. Ziegler und Mi 5 9); ähnlich verallgemeinert 𝔐 („auf deinen
Weg"), ebenso 𝔊𝔙, was graphisch nahe lag; doch angesichts der Parallele
(„auf die Menge deiner Krieger") wird 𝔊 ursprünglich sein; darum dürfte
auch die in Ugarit häufige Form drkt (= Herschergewalt, Herrschaft:
JAistleitner, Wörterbuch d. ug. Spr., 1963, 82f., dort Belege) nicht ohne
14 weiteres hebr. דרך gleichzusetzen sein. – **14a** א in קאם ist sekundäre lineare
Vokalisation (vgl. Bauer-Leander 404; Ges-K § 72p). – b Sg. (hof. v. שדד),
von 𝔊 (οἰχήσεται) bestätigt. dürfte ursprünglich sein, nach כל־, das die
Festungen als Einheit faßt; vgl. Jes 64 10 Prv 16 2; 𝔙 übersetzt schon
pluralisch (vastabuntur). – c 𝔊 (Σαλαμαν) und Σ (σάλμαν) bestätigen 𝔐,
so daß die hexaplarische Variante σαλμα (vgl. Ziegler) keinesfalls den Vorschlag, שָׁלוּם (2 Kö 15 10. 13–15) zu lesen, unterstützen kann, der ebenso
willkürlich erscheint wie die Deutung von 𝔊⁷⁶⁴ auf Salmanassar. 𝔊 führt
Σαλαμαν ein ὡς ἄρχων, wobei כשד in כְּשַׂר verlesen ist. – d 𝔐 wird durch Σ
(ἐν τῷ οἴκῳ τοῦ αρβεηλ) gestützt; 𝔊 (ἐκ τοῦ οἴκου Ιεροβααλ) setzt statt ארבאל
ursprünglich wahrscheinlich יְרֻבַּעַל (Ri 8 29. 35 u.ö.) voraus, ebenso 𝔙 (Salmana a domo eius qui iudicavit Baal), aber schon in 𝔊ᴮ und anderen 𝔊ᴹˢˢ

findet sich Ιεροβοαμ = יָרָבְעָם (Hos 1 1 1 Kö 11 26–31 2 Kö 14 23–29) – **15 a** 10 15
אֶעֱשֶׂה liest ⅏ (ποιήσω) und dürfte damit den ursprünglichen Text bewahren,
der 14aα entspricht. 𝔐 („hat getan") sieht „Bethel" als Subjekt an und wird
im Zusammenhang dieser Verlesung entstanden sein (s. Textanm. 15b). ⅏𝔙
kennen schon 𝔐. – b So ⅏. 𝔐 liest „Bethel", was für Hosea, abgesehen vom
Sinnzusammenhang, schon deshalb unwahrscheinlich ist, weil er den Ort in
der Regel בֵּית אָוֶן nennt (4 15 5 8 10 5 12 5 ⅏). – c wörtlich „wegen der Bosheit
eurer Bosheit"; zur paronomastischen Genetivverbindung im superlativischen
Sinne vgl. BrSynt § 79b; ⅏ (ἀπὸ προσώπου κακιῶν ὑμῶν) kennt einen kürzeren
Text ohne רעת, der möglicherweise ursprünglich ist. Doch Hosea liebt den
superlativischen Ausdruck; vgl. 9 7 רֹב עֲוֹנְךָ; 7 2 9 15 כָּל־רָעָתָם. 𝔙 (a facie
malitiae nequitiarum vestrarum) stützt 𝔐.

Nach dem Höhepunkt der Katastrophenschilderungen in 10 8 stellt **Form**
9 einen neuen Einsatz dar, mit neuer Anrede Israels und neuer Erwähnung der Schuld, die zum Gericht führt. Ein offenkundig neuer Einsatz
mit neuer Thematik und neuer Nennung Israels ist erst in 11 1 gegeben.
Wie 9 10 und 10 1 so beginnen 10 9 und 11 1 mit einer Geschichtserinnerung. Doch kann man fragen, ob nicht schon in 11 ein ähnlicher Neueinsatz wie in 11 1 vorliegt. Für Ephraim wird eine neuartige Geschichtserinnerung zur Sprache gebracht. Dagegen fällt nicht so sehr ins Gewicht, daß die Überlieferungseinheiten in der Regel in ihrem Kopfstück
„Israel", nicht „Ephraim" als Gegenstand prophetischer Verkündigung
nennen (vgl. zuletzt 9 10 10 1.9, zuvor 5 1.9 8 3 9 1, später 11 1 14 2; anders
jedoch 12 1 13 1); schon wichtiger ist, daß das neue Stück mit einer Kopula
dem Voraufgehenden verbunden ist (jedoch nicht in ⅏, s. Textanm. 11a);
entscheidend wird die Beobachtung, daß das Stichwort „Krieg", מלחמה,
das sonst bei Hosea nirgendwo in der Gerichtsverkündigung auftaucht,
nach 9 erst in 14 wiederkehrt und in 14f. eigentlich erst entfaltet wird. 14f.
gehört aber mit 13b unzertrennbar zusammen, und 13b wiederum ist
durch כי dem voraufgehenden Stück 11–13a verbunden. Schließlich aber
ist dieses in 11 so neuartig anhebende Stück an seinem Ende in 13a durch
das singuläre Stichwort עולתה mit dem Eingangsstück verknüpft, in dem
es in der Form עלוה (s. Textanm. 9c) erscheint. So führen zunächst syn-
taktische Anschlüsse und Stichwortverknüpfung dazu, 9–15 als Überlieferungseinheit anzusprechen.

Hinzu kommen formgeschichtliche Beobachtungen. Während in
9 10–10 8 eine Anrede der Hörer völlig zurücktrat und auch im folgenden
Stück 11 1ff. zunächst keinerlei Anredeformen erscheinen, findet sich hier
sofort im Eingang (9a) die Anrede Israels, dann von 12 ab durchgehend
bis 15, wobei singularische (9a. 13b. 14) mit pluralischen Formen (12. 13a.
15) wechseln. Außerdem erscheint in allen Stücken das Ich der Jahwerede (10a. 11. 15⅏), das in 10 1–8 fehlte. Jedoch bestätigen gerade die Ver-
schiedenheiten in der Anredeform, daß – anders als in der Lehrrede in
10 1–8 – mehrere rhetorische Einheiten zu unterscheiden sind.

9–10 bringt die singularische Anrede Israels nur im Eingangssatz der Anklage, verweist dagegen in der Fortsetzung, die alsbald zur Strafankündigung übergeht, auf Israel nur in der 3. pers. des Plurals. Zum Wechsel von der 2. zur 3. pers. in den Formen der Rede vor Gericht s.o.S. 91f. und S. 172 zu 8 1–14.

11–13a ist durch die Bilder aus dem Ackerbau als Redeeinheit ausgewiesen. Sie beginnt damit, im Berichtstil über Ephraims Vorleben auszusagen, und geht erst in 13a mit der Anklage zur (pluralischen) Anrede der Hörer über. 12 gehört zum vorangestellten Bericht. Der Vers bringt die Anweisung für das zum Ackerbauleben „eingespannte" alte Israel; von ihr her wird die Anklage in 13a gegen die gegenwärtige Generation erhoben. 12 zerreißt nicht den Zusammenhang von 11 und 13a als eine Interpolation, die von Jer 4 3 abhängig wäre (so Guthe), sondern stellt ihn erst recht her. Der strenge Sachparallelismus der Aussagen zeigt, daß 12 auf 13a zugeht, nicht aber von Jer 4 3 herkommt (s.u.S. 241). 12 darf darum auch nicht als ein selbständiges Mahnwort angesprochen werden. Zwar liegt sein Stil vor, und zwar in der klaren Form einer mehrgliedrigen Kette von Imperativen, die bei Hosea nur noch in 4 15 (s.o.S. 112), 12 7 und 14 2f. Parallelen hat. Aber ähnlich wie in den Stücken mit nur geringen Anklängen an den Stil der Mahnrede ist sie hier einer andersartigen Form untergeordnet (vgl. o.S. 27 zu 2 3, S. 40 zu 2 4f. und 172 zu 8 5f.). Als Zitat einer früher ergangenen Mahnrede erscheint sie innerhalb des Berichts über das Vorleben dessen, der nun als der Ungehorsame angeklagt wird (13a). So wird auch 11–13a von der Form der Rede vor Gericht her als Einheit verständlich. Zum Bericht über das Vorleben des Angeklagten, mit dem das Scheltwort einsetzt, vgl. vor allem Jer 2 1ff., dazu HJBoecker, Redeformen des Rechtslebens im AT: Wiss. Monogr. z. A und NT 14 (²1970) 105ff. Dieser merkwürdige Spruch, der vom lobenswerten Vorleben Ephraims bis zur scharfen Scheltrede führt, wird nach dem Drohwort in 10 verständlich, wenn aus der Hörerschaft ein Hinweis auf die Erwählungstraditionen erfolgte.

13b–15 bildet eine neue rhetorische Einheit, wie der Übergang von der 2. pl. in 12–13a zur 2. sg. deutlich zeigt. Sie geht als Spruchgefüge einer begründeten Gerichtsandrohung von der bisherigen Bildrede zur Sache über und führt die in 9b–10 kurz angedeutete kriegerische Katastrophe weiter aus. Die Verknüpfung mit dem vorangehenden Spruch erfolgt durch die emphatische Partikel des deiktischen כי. Sie kann auf die Tradenten zurückgehen, die mit dem neuen Spruch in 13b zunächst die Anklage in 13a erläutern. Sie kann aber auch wie wahrscheinlich in 4 10b. 12b. 16 8 7.9. 11 den Einsatz der Wechselrede nach einem Einwurf der Hörer bezeichnen (s.o.S. 173). Die plötzlich auftauchende singularische Anrede wird von dem Einwurf eines hohen Vertreters des samarischen Königshofes her gut verständlich; vgl. 13b „deine Streitwagen", „deine

Krieger", 14 „in deinen Völkern", „all deine Festungen". Das Gerichtswort schließt dann wohl nicht zufällig mit dem Blick auf den König (15b)
und zuvor mit der feierlichen Anrede בית ישראל (15a𝕲), die neben dem
bei Hosea geläufigen ישראל auffällt und wahrscheinlich ebensowenig wie
in 51 (s.o.S.123 und 14? Vgl. aber o.S. 20) auf das Volk schlechthin gedeutet werden darf, sondern hier eher an die „Dynastie des Staates Israel" denken läßt.

Mithin zeigt unsere Überlieferungseinheit mit ihren drei Sprüchen
wieder alle Merkmale jener Auftrittsskizzen, die bisher in 44–99 zu
ermitteln waren (s.o.S. 93).

Dichterische Struktur ist nur im Mittelteil von 11b.14aα deutlich
erkennbar, wo häufiger ebenmäßig gebildete Reihen einem Gedankenreim entsprechen. In den synonymen dreireihigen Perioden in 11b.12a und
13a finden wir in der ersten und dritten zweitaktige Reihen, in der zweiten
dreitaktige. Der Übergang zu den kurzen zweitaktigen Reihen in 13a
fällt (nach dem Zitat der ruhiger wirkenden Mahnrede in 12) mit der
Scheltrede zusammen, die nun wie ein Peitschenhieb wirkt. Ähnlich scharf
klingt die metrische Struktur im Einsatz des begründeten Drohwortes;
einem schlagenden Doppelzweier (13b) als Anklage folgt ein breiter ein-
herrollender Doppeldreier in 14aα als Strafansage, die in der Fortsetzung
zu längeren Aussagereihen übergeht. Sie zeigen keinen erkennbaren
Rhythmus, wie auch der erste Spruch in 9–10 fast prosaisch wirkt.

Wo mögen die Sprüche verkündigt worden sein? Von 13b–15 her Ort
muß man an die Anwesenheit politisch verantwortlicher Kreise des Königshofes denken, mit denen zuerst in Samaria zu rechnen ist.

Zu welcher Zeit? Der Prophet beginnt mit der gleichen Erinnerung
an die „Tage Gibeas", mit der der Auftritt 91-9 schloß. Da nach 97f.
und unserer Analyse von 910–108 (s.o.S. 224f.) Hosea wahrscheinlich für
eine gewisse Zeit nicht in der Öffentlichkeit redete, kann man erwägen,
ob dieser Auftritt nicht mit 91-9 vor der Zeit der Zurückgezogenheit
stattfand. Doch spricht dagegen, daß unser Text auch eng mit 101-8 verwandt ist, wie am Vergleich von 15b mit 7 und von 12–13a mit 4b beispielhaft zu erkennen ist. Außerdem sahen wir, daß die zuerst in 99
aufgetauchte Geschichtsreflexion sich erst in den Tagen der Zurückgezogenheit des verschmähten Propheten weiter ausbreitete (910.15
101). Sie zeigt sich hier intensiviert (9.11f.). So spricht nichts dagegen,
daß die literarische Anordnung der Niederschrift des Tradentenkreises in
diesem Bereich der chronologischen Folge der prophetischen Auftritte
entspricht.

Wie lange die Zeit des Schweigens in der Öffenlichkeit dauerte, wissen wir nicht. Die Aufnahme der Stichworte von 99 in 109 spricht mehr
für einen kürzeren als für einen längeren Zeitraum. Die außenpolitischen

Wogen scheinen sich nach 733 weiter geglättet zu haben (s. schon o.S. 197 zu 9 1–9). Mehr und mehr breitet sich wieder die Sicherheit gegenüber feindlichen Überfällen (9b), auch im Blick auf die eigene militärische Stärke (13b), aus. Man befindet sich auf dem Wege zum Jahre 727, wo man beim Regierungswechsel von Tiglatpileser III. zu Salmanassar V. meint, das assyrische Joch vollends abschütteln zu können (2 Kö 17 4).

Wort   Die ersten Worte Hoseas in der Niederschrift der Tradenten erwecken
10 9 den Eindruck, als seien sie herausgefordert von ironischen Nachfragen vielleicht offizieller Kreise, wie es denn mit seinem Kriegsalarm selbst für Gibea, einen der südlichsten Orte des Nordreichs, bestellt sei, den er in der tiefen Krise nach dem Zusammenbruch des syrisch-ephraimitischen Krieges und dem Einfall der Assyrer im Norden im Jahre 733 geschlagen hatte (5 8), ob er etwa noch meine, „in Gibea würde sie der Krieg erreichen", und ob demnach sein Vergleich der Ablehnung des Propheten mit den „tiefverderblichen" Aktionen der „Tage Gibeas" (9 9, s. o. S. 204) als Gotteswort aufrechtzuerhalten wäre. Jes 5 18f. verdeutlicht den Vorgang solcher Auseinandersetzungen. Als Antwort auf derartige spitze Fragen läßt sich die bekräftigende Wiederholung jener Anklage begreifen, mit der der letzte öffentliche Auftritt geschlossen hatte. Jetzt heißt es nicht nur: „wie in den Tagen Gibeas", sondern: „seit den Tagen Gibeas hast du gesündigt. Dort sind sie stehen geblieben". עמד heißt hier „in der gleichen Haltung verharren", „sich nicht ändern" (vgl. Jer 48 11 Lv 13 5. 37 Da 10 17 Ps 19 10). Es ist das Gegenteil zur längst vermißten „Umkehr" (שוב, vgl. 5 4. 15 7 16; s. o. S. 164f.). Darum ist die Geschichte für Hosea aktuell, weil in ihr das für die Gegenwart Typische und das die Gegenwart Bestimmende geschah. Noch weniger als in 9 9 ist hier Anlaß, an die Anfänge des Königtums zu denken, da Gibea wohl Sauls Königssitz war (1 Sam 10 26 11 4; vgl. AAlt, KlSchr II 31), aber nicht der Ort der Verschuldung Israels bei den Anfängen des Königtums (zu Gilgal s. o. S. 217 zu 9 15). Dagegen macht die ungeheure Schuld des Stammes Benjamin gegenüber dem levitischen Fremdling, also das unerhörte Vergehen gegen das in Israel geltende Gottesrecht (vgl. Ri 19 30) zusammen mit der vernichtenden kriegerischen Sühne, die es fand (Ri 20 34. 48), Hoseas Sätze verständlich. Weil die alte Schuld von Gibea gegenwärtige Schuld ist, wird auch die alte Katastrophe von Gibea als eine neue über Gibea kommen, dem Spott der Prophetenfeinde zum Trotz. Zu der aus der Gesprächssituation verständlichen, fragend beteuernden Redeform „nicht sollte sie erreichen...?" s. o. Textanm. 9b. Die בני עלוה sind die abtrünnigen Aufrührer (vgl. בְּנֵי־בְלִיַּעַל in Ri 19 22 20 13). עלוה bezeichnet wie עולתה (s. Textanm. 9c) die „Verkehrtheit" und „Schlechtigkeit", die sich im Abfall (Ez 28 15f.) und in der Feindschaft (Ps 89 23 2 S 7 10) zeigt und in der Auflehnung gegen den rechtmäßigen

Oberherrn ein todeswürdiges Verbrechen ist (2 S 3 34). So trifft das Gericht das gegenwärtige Israel als das „Gibeavolk", so wie Jerusalem für Jesaja „Volk von Gomorrha" und seine Herren „Fürsten von Sodom" sind (Jes 1 10).

Jahwe selbst tritt als der strafende Erzieher auf; zu יסר s.o.S. 125 zu 10 10 5 2. Er erzieht nicht durch Lehren, sondern durch neue Geschichtsfakten (vgl. Bertram, ThW V 605f.). Er ist der Oberbefehlshaber der gegen Israel gesammelten Heere der Völker. Hosea entwickelt selbständig die gleiche weltgeschichtliche Theologie wie Jesaja (10 5); vgl. HWWolff, Das Geschichtsverständnis der alttestamentlichen Prophetie: EvTh 20 (1960) 218–235 = Ges. St. z. AT: ThB 22 (1964) 289–307. Die „Versammlung" der Völker meint das „Sammeln" zum Beginn der neuen Gibeaschlacht (vgl. אסף in Ri 20 11. 14). Wie einst Jahwe im heiligen Krieg gegen die sich sammelnden (Ri 6 33), d.h. zum Kampf antretenden Völker für Israel einschritt, so schreitet er am neuen „Tage Jahwes" (der Terminus fehlt bei Hosea; vgl. Am 5 18–20 Jes 2 12) gegen sein Volk ein. עמים nennt Hosea die Fremdvölker auch in 7 8 9 1. Daß er hier daran denkt, daß die assyrischen Truppen aus verschiedenen Völkern rekrutiert sind (vgl. 2 Kö 17 24), ist weniger wahrscheinlich, als daß er mit dem dunkel andeutenden Plural (s.o.S. 176f. zu 8 1. 3) die überlegene Macht des Erziehers Israels bezeugen will. Denn er behält „die doppelte Schuld" Israels im Auge. Was meint die Zweizahl? Kaum die zwei Stierbilder von Dan und Bethel (1 Kö 12 28f., vgl. Gipsen), da Dan für Hosea keine erkennbare Rolle spielt (s.o.S. 180 zu 8 5 10 5). Auch ließ 9 nicht erkennen, daß die Freveltat der Benjaminiten und die beim Werden des Königtums als eine doppelte Schandtat von Gibea nebeneinander gestellt wären (Weiser). Vielmehr läßt die aktuelle Geschichtsschau Hoseas an die Verdoppelung der einstigen durch die jetzige Gibeaschuld denken („dort sind sie stehen geblieben"). Doch bleibt der Text in 10bβ unsicher; s.o. Textanm. 10e. Es könnte sein, daß statt der Gerichtsursachen die Gerichtsfolgen erwähnt sind: fremde Völker trinken die Quellen Israels, ein Gedanke, der an 7 9 erinnert.

Wie oft im Ablauf prophetischer Auftritte geht Hosea · – durch Einsprüche angeregt? – auf Thesen ein, die der Meinung der Hörer entsprechen (z.B. 5 10f. 8 8, s.o.S. 144f. 174). Jetzt bringt er die ihn seit 9 10 sichtlich bewegenden Erwählungstraditionen in einer neuartigen Bildrede zur Sprache. Ephraim, seit langem die „störrische Kuh" (4 16), war einst eine brauchbare „Jungkuh". מלמדה dürfte mehr „angelernt, eingeübt, abgerichtet" bedeuten als „gelehrig" (vgl. Jer 31 18 Sir 51 17 Ps 51 15 Jes 40 14 und Goshen-Gottstein). Im Folgenden ist betont, daß sie das Gefallen Jahwes fand und also brauchbar war. Sie „liebte das Dreschen". Hier ist an das Dreschen ohne Dreschschlitten oder Wagenrad gedacht (Jes 28 27f., vgl. Dalman, AuS III 107). Dabei kann das Tier frei laufen, ja übermütig hüpfen (Jer 50 11), und am Fressen ist es nicht gehindert (Dt 25 4). Diesem arbeitsfreudigen Jungtier begegnet Jahwe. עבר meint hier nicht schonendes Vorübergehen (Harper), sondern zunächst ein Entdecken im Vorüberkommen (vgl. Ez 16 6. 8), das dem Finden von 9 10 entspricht (so RBach, aber vgl. auch WZimmerli, BK XIII 349). Ihn fesselt im Vorüberkommen die „Schönheit ihres Nackens", wobei טוב nicht die gefällige Gestalt als solche, sondern die sichtbare Kraft und Gewalt des Nackens meint (vgl. ThBoman, Das hebräische Denken im Vergleich mit dem Griechischen, ⁵1968, 71f., auch Textanm. 11d und o.S. 79). Es ist demnach die treffliche Brauchbarkeit Israels hier wie in 9 10, die die Erwählung Jahwes in dieser Tradition voraussetzt. Er sieht, daß dies Tier mit solchem Nacken mehr kann als Dreschen. So spannt er es ein, daß es den Wagen und den Pflug zieht. Neben חרש „pflügen" als dem Aufbrechen des Ackerbodens meint שׂדד das Zerkleinern der Schollen und das Glätten der Saatfläche (vgl. Dalman, AuS II 189ff.; GEWright, Biblische Archäologie, 1958, 180; Jes 28 24f. Hi 39 10). Die mehrfache Tätigkeit wird auf drei Subjekte verteilt. Entsprechend den drei Imperativen in 12 und den drei parallelen Perfektformen in 13a wird man kein Glied entbehren können, wenn auch „Juda" zwischen Ephraim und Jakob überrascht (gegen SMowinckel, Prophecy and Tradition, 1946, 71f. u.a.). Ich sehe auch keinen Grund in der Textgeschichte oder in der Anschauung Hoseas, „Juda" als Verbesserung eines ursprünglichen „Israel" durch die judäische Redaktion des Buches anzusehen (so Nyberg 83). Denn wir haben genug Belege für die gesamtisraelitische Sicht Hoseas (zu 5 9ff. s.o.S. 143f.). Wenn er sie sogar für die Gegenwart festhält (für die Zukunft s.o.S. 31), wieviel mehr für die gemeinsame Vergangenheit. Hält man neben „Ephraim" an „Juda" als altem Text fest, wird „Jakob" an dritter Stelle um so verständlicher. Hosea zeigt sich mit der Jakobtradition in 12 3ff. 13 vertraut. Dort erkennt er in dem Erzvater Israels Wesen. An unserer Stelle mag der Name den alten Stämmebund bezeichnen neben den beiden Stammesnamen, die zu Staatsnamen geworden sind. Der Name Jakobs als Vater aller Stämme ist nicht so wie „Israel" von einem der Staaten exklusiv beansprucht.

Hosea malt in dieser Bildrede Israels Erwählung als Erwählung zum Dienst. Erwählung ist Beauftragung mit der größeren Aufgabe (vgl. ThVriezen, Die Erwählung Israels nach dem Alten Testament: AThANT 24, 1953), und zwar mit der Bearbeitung des Kulturlandes. Diese Aufgabe hat offenbar die Bildwahl bestimmt. Als Ort der Erwählung ist darum die Wüste zu denken, ebenso wie in 9 10, wenn auch die dreschende Kuh als solche dort so wenig ihren Platz hat wie die Trauben.

10 12   Der Auftrag, der mit der Erwählung unlöslich verbunden ist, wird in 12 formuliert. Er ordnet die Saat mit der Aussicht auf Ernte an, den Neubruch mit der Erwartung des Ertrags. Dabei wird deutlicher als in 11b,

daß das Leben in der Ackerwirtschaft nicht für sich bedeutsam ist, sondern als Leben in der Gemeinschaft mit dem erwählenden Herrn (vgl. Jes 1 3). Darum erscheinen hier die Haupttermini für das bundesgemäße Leben. Saat לצדקה könnte zwar im Bilde für sich genommen die richtige, sachgemäße Besorgung eines „guten" Samens (Mt 13 24. 27) meinen, der durch Auslese vom Unkrautsamen befreit ist (vgl. 2 S 4 6 ⑥ und Dalman, AuS II 201). Wenn Hosea daran überhaupt denkt, so hat er darüber hinaus gewiß hier schon wie in den kommenden Wendungen das dem Jahwebund entsprechende Gesamtverhalten Israels vor Augen (vgl. 2 21). Israels ganzer Einsatz im Lande, der Gabe Jahwes (2 10), sollte der Ordnung der Verbundenheit mit seinem Gott entsprechen (vgl. 10 4b). Die צדקה ist die „Heilssphäre", der „Kraftbereich" und „höchste Lebenswert, worauf alles Leben ruht, wenn es in Ordnung ist" (FHorst, EvTh 16, 1956, 75; GvRad, Theologie des Alten Testaments I, ⁶1969, 382ff. und o.S. 64). Wer in dieser Ordnung sät, wird „nach Aussage der Bundesgüte" (s. Textanm. 12c) ernten, wird also die Güte des Bundesgottes im Lebensertrag erfahren (zu חסד s.o.S. 64). Zur Entsprechung von Saat und Ernte s.o.S. 182f. zu 8 7. Liest man den zweiten Imperativ als eine zweite Mahnung, so müßte man bei חסד mehr an die von Israel geforderte Güte beim Erntevorgang denken, vor allem gegenüber den Armen (Lv 19 9f. 23 22 Dt 24 19). Doch liegt dieser Gedanke Hosea an sich schon ferner als der des Gottesverhältnisses; das zeigt sein Gebrauch von חסד in 6 4. 6 12 7 2 21 4 1 (dazu o.S. 83. 153, s. auch Textanm. 12b). 12bβ interpretiert den zweiten Imperativ als Verheißung. Daß Hosea nicht an Verdienst im Sinne des Tun-Ergehen-Zusammenhangs denkt, sondern an das Leben im Heilsbunde, der ganz von der Erwählung Jahwes bestimmt ist, zeigt neben der Erwähnung von צדקה und חסד vor allem die Fortsetzung, die vom „Neubruch des 'Wissens' um die Befragung Jahwes" handelt (s.o. Textanm. 12d). Das Bild vom „Neubruch" denkt an den Acker, der entweder erstmalig oder nach einer Zeit der Brache vom Wildwuchs befreit und aufgebrochen wird. Der Neubruch verspricht eine besonders gute Ernte (Prv 13 23; vgl. Dalman, AuS II 137f.; *nr* im gleichen Sinne ist jetzt auch in Ugarit bekannt geworden, Text 126, III, 10 bei Gordon, Ug. Manual; vgl. JGray, The krt-Text in the Literature of Ras Shamra, 1955, 54). Derjenige Neubruch, der Israels heilvolles Leben nähren sollte, ist der eines Wissens um Gott (vgl. 4 1. 6 6 6 und o.S. 84. 97f. 153f.), das hier näher bestimmt wird als „Wissen um die Befragung Jahwes". Daß „Jahwe" innerhalb der Jahwerede erscheint, ist einmal vom Formzwang der Mahnrede her zu verstehen (s.o.S. 236 Form; vgl. 12 7 14 2 4 15), hängt aber auch mit der geprägten Formel zusammen (vgl. 4 6 6 6 und o.S. 16f. zu 1 2).CWestermann (Die Begriffe für Fragen und Suchen im Alten Testament: KuD 1960, 2-30) hat aufgedeckt, daß, während שאל vom Priester im Losorakel gehandhabt wird (vgl. 4 12), דרש

אֶת־יהוה, vor allem im Nordreich Israel, das Sichwenden an Gott aus Anlaß einer Not bezeichnet, bei Krankheit oder in Kriegsgefahr, wobei immer ein prophetischer Gottesmann aufgesucht wird, der den Gottesbescheid erteilt (z.B. 1 Kö 22 5ff. 2 Kö 3 11 8 8ff. 22 13ff.). Es ist wichtig zu sehen, „daß die mit דרש bezeichnete Gottesbefragung nur durch Propheten geschehen kann" (Westermann 20). Wieder zeigt sich uns, wie Hosea den speziellen prophetischen Nordreichstraditionen verbunden ist. Die Formel ist von der Theologie der Oppositionsgemeinschaft geprägt. Im prophetischen Gotteswort ist Israel der jungfräuliche Ackerboden angeboten (vgl. 12 11f.), auf dem es die „Frucht des Bundeslebens" (s. Textanm. 12f) als Ertrag erwarten darf. So formuliert Hosea die alte Einweisung ins Kulturland als Anleitung, den Gaben der Berufung im Leben unter der Gottesordnung entgegenzusehen. Die Beziehung der letzten Zeile auf den Baal-Mythos, die man hier finden will (vgl. TWorden, VT 3, 1953, 296), entbehrt der textlichen Grundlage. Auch der vermutlich sekundäre 𝔐-Text denkt nicht an Regen, sondern an die Lehre, die dem Wissen um die Jahwebefragung entspricht (s.o. Textanm. 12f.).

10 13a   Von der alten Bundesweisung her wird nun die Anklagerede knapp und scharf formuliert (s.o.S. 236f. Form). „Pflügen" steht hier anstelle des Säens; denn das Pflügen gehört, anders als bei uns, unmittelbar zum Saatvorgang, um das Korn in den Boden zu bringen (Dalman, AuS II 180–185). Statt bundesgemäß zu säen, hat man das der Erwählung widersprechende Unrecht der Gottlosigkeit eingesät. רֶשַׁע bezeichnet den Gegensatz zu צדקה, so wie der רָשָׁע den vollendeten Gegensatz zum צַדִּיק darstellt (vgl. HJKraus, BK XV 8f.; zum Anklang an unsere Stelle in 1QS III, 2 vgl. PWernberg-Møller, VT 3, 1953, 198 und ThSt 9, 1956, 54). Demnach erntet Israel in seinem jetzigen Leben statt חסד das Gegenteil der Bundestreue Jahwes, nämlich die eigene „Verkehrtheit" (zu עולתה s.o.S. 238 zu עלוה 9b) des Abfalls, und muß statt der Früchte heilvollen Lebens „die Frucht des Betruges" genießen. Nach dem Zusammenhang betrifft כחש hier nicht primär das Verhältnis zum Nächsten wie in 4 2 7 3, sondern den Jahwebund wie in 12 1. Wie das entsprechende dritte Glied in 12 zeigt, übt und erfährt man Betrug, indem man das „Wissen um die Jahwebefragung", also die wegweisende Prophetie, verwirft. Statt dessen gibt man sich dem priesterlich-kanaanäischen Orakelwesen (4 12 s.o.S. 105) hin, sucht die baalisierten Heiligtümer mit Opfern auf (2 9 5 6) und liefert sich vor allem der politischen Selbsthilfe aus (7 3. 10).

13b   Der neue mit 13b anhebende Spruch (s.o.S. 236 Form) erklärt die Bildrede, vielleicht durch Nachfragen herausgefordert, als die Saat falschen Vertrauens auf militärische Stärke, der die Ernte des Krieges folgen muß, die wiederum als ihre Frucht die große Verheerung bringt. בטח heißt hier „vertrauen" im Sinne des „Sich-sicher-Fühlens"; die Grundbedeutung des Wortes bezeichnet den Zustand der Sicherheit (בֶּטַח; vgl.

Ri 18 7 und AWeiser, ThW VI 191). Dieses Gefühl der Sicherheit gründet sich auf militärische Machtfaktoren. Die „Kriegswagen" (s. Textanm. 13b) sind die gefürchtetsten Waffen der Zeit. Seit der Hyksoszeit bekannt, haben sie in neuassyrischer Zeit ihre große Bedeutung gewonnen (BRL 420; ANEP 356–361; AOB 130). Nach Salmanassars III. Monolith-Inschrift von 854/53 konnte Israel zu seiner Zeit weitaus mehr Streitwagen (2000) stellen als alle übrigen syrisch-palästinischen Staaten, selbst als Damaskus (1200) und Hamat (700) (AOT 340f.; ANET 278f.; TGI 145f.). Der alte Ruhm wirkt nach und wird immer neu Nahrung bekommen haben. Noch im Frühjahr 721 kann Sargon II. bei der Eroberung Samarias nach den langen Jahren katastrophalen militärischen Niedergangs 50 der eroberten Wagen wertvoll genug finden, sie seiner königlichen Streitmacht einzugliedern (AOT 349; ANET 284; TGI 54). Der Versuch, דרך auf Grund von ugarit. *drkt* in 𝔐 als dominium, potentia zu deuten (SBartina, Verbum Domini 34, 1956, 202–209), bleibt für unsere Stelle angesichts der 𝔊-Variante neben גבורים ohne Bedeutung (s. Textanm. 13b); vgl. die kritische Stellungnahme von HZirker, דרך = potentia?: BZ NF 2 (1958) 291–294. Die Menge ausgebildeter Berufskrieger kann besser als die Bauern des Heerbanns zuschlagen (vgl. גבורים in 2 S 20 7 23 9 Jer 26 21); sie stellen auch die Leibwache des Königs. Wenn die Zwischenfrage an Hosea nach 13a vom königlichen Hofe kam (s.o.S. 236f.), wird diese Verdeutlichung des Abfalls vom Jahwebund besonders gut verständlich. Im Tradentenkreis hat Hoseas Anklagewort nachgewirkt bis in die Formulierung des „Königsrechts" in Dt 17 16.

Aus dem Vertrauen auf militärische Macht folgt, daß der Kriegslärm 10 14 aufsteht. שאון bezeichnet zunächst das Tosen (שאה II) von Wassern (Jes 17 12f.), dann den Schlachtenlärm des anhebenden Kampfes mit dem Getöse der Menge und den Kriegsrufen (vgl. Jes 13 4 17 12 Jer 51 55). Er wird „in deine Völker" (= „gegen dein Kriegsvolk"? Vgl. Nu 20 20 21 33 Jos 8 3. 11 11 7 Ri 5 14) vorgetragen. Zu den Festungen s.o.S. 188f. zu 8 14. Das verkehrte Vertrauen erntet nur die große Verwüstung, die Hosea seit 7 13 wiederholt mit dem gleichen Worte שד angesagt hat (9 6 10 2) und nun in breiter Aussage als totale Vernichtung darstellt. Leider ist sein Vergleich mit der Zerstörung von „Beth-Arbel" durch „Salman", der zu den Zeitgenossen unmittelbar gesprochen haben muß, für uns nicht mehr verständlich. Seit alter Zeit hat man geraten (s. Textanm. 14cd). Cheyne, Sellin u.a. haben im Anschluß an 𝔊-Varianten lesen wollen: כְּשֹׁד שַׁלּוּם בֵּית יָרָבְעָם und damit an die Ermordung des Jerobeam-Sohnes Sacharja durch den Thronusurpator Sallum gedacht; aber 2 Kö 15 10 weiß nichts von einer „Schlacht" mit verheerenden Auswirkungen im Sinne unseres Hoseawortes. Oder man sah in „Salman" eine Abkürzung von Salmanassar (V., 727–722), der beim Anmarsch gegen Samaria Beth-Arbel zerstört haben soll, wovon wiederum nichts bekannt ist; auch spricht unsere zeitliche Ansetzung (s.o.S. 237f. Ort) gegen diese späten Jahre. Am besten erscheint es noch, bei „Salman" an den Moabiterkönig Salamanu zu denken, den Tiglatpileser III. in einer Liste seiner Tributpflichtigen nennt (AOT 348); vgl. AHvanZijl, The Moabites (1960) 23. 149f. 183 und HDonner, Neue Quellen zur Geschichte des Staates Moab: MIOr 5 (1957) 165f. Dazu kann man auf Am 2 1-3 verweisen; der Text führt allerdings nicht in das Gebiet, in dem Beth-Arbel bisher meist gesucht wird, nämlich im nördlichen Ostjordanland, im heutigen *irbid*, knapp 20 km nordwestlich von *tell ramīṯ* (Ramot in Gilead); vgl. MNoth, PJ 37 (1941) 92 und NGlueck, Explorations in Eastern Palestine IV: AASOR 25–28 (1951) 153f. Es könnte sich um eine bedeutende Stadt irgendwo im israelitisch–moabitischen Grenzgebiet gehandelt haben, die – wie 2 S 20 19 die Stadt Abel-Beth-Maacha bei Dan – den Namen einer „Mutter über Söhne" (Filialdörfer? KBL 59. 159) verdiente, und um deren Totalzerstörung. רטש pi. besagt das Zerschmettern kleiner Kinder an Felsen in Ps 137 9 2 Kö 8 12; pu. Jes 13 16 Nah 3 10; vgl. auch Hos 14 1.

10 15   Genau dieses (ככה) Vernichtungsgeschick bereitet der Gott Israels denen, die sich statt auf seinen Bund auf ihre Macht verließen. Denn das ist „die Bosheit ihrer Bosheit" (vgl. 12f.). Dabei wird der König Israels selbst endgültig zum Schweigen gebracht (zu דמה II pi. s.o.S. 96), d.h. umkommen, und zwar „beim Morgenrot", d.h. gleich beim Beginn am Tage der Schlacht (vgl. 1 S 11 9–11 2 Ch 20 16–20 Jes 17 14, dazu JZiegler, Die Hilfe Gottes am Morgen: BBB 1, 1950, 285f.). Tatsächlich wird Hosea ben Ela von Salmanassar V. gefangengenommen, bevor die Belagerung Samarias beginnt (2 Kö 17 4; vgl. Hos 10 7).

Ziel   So endet der Auftritt mit der erschütternden Ausmalung der Vernichtungsschlacht, die schon im zweiten Satz angezeigt war (9b). מלחמה – das ist das eindeutige Thema. Schon seine Einführung läßt erkennen, daß es den Selbstsicheren in die Ohren gerufen wird, die frühere Drohungen höhnisch in den Wind geschlagen haben (s.o.S. 236). Der Völkerkrieg muß in den Dienst des Erziehers Israels treten (10). Inmitten des großen Weltgeschehens führt Jahwe sein heilsgeschichtliches Gespräch mit Israel. Das wird in dem Scheltwort 11-13a in der Mitte des Auftritts auf dem Hintergrund der Erwählungsgeschichte deutlich. Einst ist Israel durch Jahwes Freude an ihm in seinen Dienst (11) und damit in seine Fürsorge (12) berufen worden. Im Bunde mit ihm, im Einholen seiner Weisungen, im Kraftbereich seiner Güte sollte es die Frucht der Heilsgemeinschaft ernten und genießen (12). Aber Israel hat sich von seinen Weisungen und Zusagen abgewandt und statt dessen nach der Weise der Völker seine Sicherheit in eigener politischer Machtentfaltung gesucht. So muß es in der Katastrophe seiner Politik auf ganz neue Weise erfahren, daß nur in Jahwe Heil ist. Die Geschichte des alten Bundesvolkes soll total zu Ende gehen. So deutlich sagt Hosea den Selbstsicheren, daß die Abweisung des

Dienstes im Gottesbund und die Vertauschung der Gottesbefragung mit dem Selbstbetrug in den Untergang führt. Die Erwählten können nur leben von ihrem Gott und seinem Gemeinschaft stiftenden und Leben spendenden Wort (12). Das Vertrauen auf die Machtpolitik wird zur Saat des Todes.

Paulus hat in 2 Kor 9 10 das Stichwort von den γενήματα τῆς δικαιοσύνης (פרי צדק) aus 12b aufgenommen und damit die Verheißung, an der die Angeklagten der Tage Hoseas gemessen werden. „Gott läßt die Früchte bundesgemäßen Lebens wachsen." Er gebraucht die alte Zusage, um mit ihr die Gemeinde zum Vertrauen auf die vom Herrn der Gemeinde geschenkte Saat zu ermuntern. So kann sie frei werden, für die Bedürftigen im neuen Gottesvolk mit reichlicher Spende zu sorgen. Im Verzicht auf die Selbstsicherung der Geizigen bewährt der Glaubende den Gehorsam seines Bekenntnisses zum Evangelium (13); in der großzügigen Kollektengabe für Jerusalem beweist er sein wirkliches Vertrauen auf den Herrn.

Paulus regt mit dem kleinen Beispiel an, daß sich das neue Gottesvolk in der Völkerwelt an dem Gericht über die Erwählten des alten Bundes klarmacht, unter welcher Verheißung, aber auch in welcher Gefahr es selbst steht. Hat es doch von Paulus gelernt, daß es auch in der Zeit des neuen Bundes, in der Jesus Christus das Totalgericht Gottes auf sich genommen hat, Abfall von diesem Evangelium gibt und daß „die Ungerechten das Reich Gottes nicht erben" (1 Kor 6 9 Gal 5 21), daß vielmehr das neue Gottesvolk mit Ernst nach den „Früchten des Geistes" (Gal 5 22) gefragt ist.

Eben diesen Ernst verdeutlicht uns die sorgfältige Beachtung aller drei Sprüche unseres prophetischen Auftritts. Sie lehren uns die typische Gefahr falscher Sicherheit für alle erkennen, die berufen sind, als das neue Gottesvolk in der Völkerwelt das Bessere zu tun. Sie warnen mit unüberhörbarer Deutlichkeit, im Ungehorsam gegen das Gotteswort zum Schwert zu greifen (Mt 26 52), zumal nachdem der Versöhner der Welt seinen Jüngern geboten hat, das Schwert in die Scheide zu stecken. Sie rufen, im alleinigen Vertrauen auf das gekreuzigte und auferstandene Wort des Herrn aller Völker „Liebe, Freude, Friede, Langmut, Freundlichkeit, Gütigkeit, Treue, Sanftmut, Enthaltsamkeit" (Gal. 5 22) als „Früchte bundesgemäßen Lebens" aus der „Saat der Bundestreue" (s.o. S. 240ff. zu 12) zu empfangen und reifen zu lassen.

KONSEQUENZ DER LIEBE
(11 1–11)

Literatur KGalling, Vom Richteramt Gottes: DTh 6 (1939) 86–97. – JReider, Etymological Studies in Biblical Hebrew: VT 2 (1952) 121 .– HJKraus, Hosea 111–9 (2. Sonntag n. Weihn.): Göttinger Predigtmeditationen 1952/53, 33–38. – JLMcKenzie, Divine Passion in Osee: CBQ 17 (1955) 287–299. – GÖstborn, Yahweh and Baal: LUÅ NF 1 Bd. 51, 6 (1956) 51–53.82–86. – ERohland, Die Bedeutung der Erwählungstraditionen Israels für die Eschatologie der alttestamentlichen Propheten (1956) 49–54. – ThSprey, [syr.] משובה – תיבותא: VT 7 (1957) 408–410. – DRitschl, God's Conversation, An Exposition of Hosea 11: Interp 15 (1961) 286–303. – HvdBussche, La ballade de l'amour méconnu. Commentaire d'Osée 111–10: Bible et Vie Chrétienne 41 (1961) 18–34.

Text ¹Als Israel jung war, gewann ich ihn lieb;
　　　aus ᵃ Agypten berief ich meinen Sohn ᵇ.
²(Doch) 'wie ich' ᵃ sie rief,
　　　wichen sie von 'mir' ᵇ.
'Sie' ᵇ opferten den Baalen,
　　　den Schnitzbildern räucherten sie.
³Wo ich doch Ephraim laufen lehrte ᵃ
　　　und 'ich' ᵇ sie auf 'meine' ᵇ Arme nahm.
Aber sie merkten nicht,
　　　daß ich sie pflegte.
⁴Mit menschlichen Seilen zog ich sie,
　　　mit Stricken ᵃ der Liebe.
Und ich war für sie
　　　wie die, die ein 'kleines Kind' ᵇ an ihre Wangen heben,
und neigte ᶜ mich zu ihm,
　　　gab 'ihm' ᵈ zu essen ᵉ.
⁵Er kehrt nach Agyptenland ᵃ zurück ᵇ,
　　　aber Assur, der ist (und bleibt) sein König.
　　　　　Denn sie weigern sich umzukehren.
⁶So wogt ᵃ das Schwert in seinen Städten
　　　und vertilgt seine Schwätzer ᵇ,
　　　　　es frißt ᶜ ihrer Pläne wegen.
⁷Aber mein Volk hält fest ᵃ am Abfall von mir ᵇ,
　　　zum 'Baal' ᶜ ruft 'man' ᵈ,
　　　(aber) 'er' ᵈ 'bringt sie' ᵉ ganz und gar ᶠ nicht hoch.
⁸Wie soll ich dich preisgeben, Ephraim?
　　　ich dich ausliefern ᵃ, Israel?
Wie kann ich dich preisgeben gleich Admah?
　　　dich wie Zeboim behandeln?
Mein Herz kehrt sich gegen mich,
　　　meine Reue ᵇ entbrennt mit Macht ᶜ.
⁹Nicht vollstrecke ich

246

meinen glühenden Zorn,
nicht will ich wiederum
Ephraim verderben.
Denn Gott bin ich
und nicht ein Mann,
in deiner Mitte ein Heiliger,
und nicht gerate ich in Wut[a].
¹⁰[Hinter Jahwe werden sie herziehen.
Wie ein Löwe brüllt er.
Ja, Er, er wird brüllen,
daß die Söhne vom Meer bebend kommen.]
¹¹Sie kommen bebend aus Ägypten, dem (flatternden) Vogel gleich
und gleich der Taube aus Assurs Land.
Ich lasse sie 'heimkehren'[a] zu ihren Häusern,
[spricht Jahwe].

1a Die zeitliche Auffassung „von (den Tagen) Ägypten(s) an" (van 111
Hoonacker, MBuber) sucht den Vers an 2a𝔐 anzugleichen (s. Textanm. 2a),
findet aber keine Stütze im Sprachgebrauch Hoseas: vgl. 11 11 12 14 mit 10 9.
– b 𝔐 wird durch ᾽ΑΣΘ𝔖𝔙 bestätigt; vgl. auch Mt 2 15 und dazu ABaumstark
(Die Zitate des Mt.-Ev. aus dem Zwölfprophetenbuch: Bibl 37, 1956, 296–
313), der vermutet, daß das Zitat bei Mt „einem verschollenen ältesten Pro-
phetentargum von wesentlich dem Charakter des altpalästinensischen Pen-
tateuchtargums" entstammt; 𝔖 (τὰ τέκνα αὐτοῦ) setzt בָּנָיו voraus und gleicht
damit die Einzahl „Israel" (1a) der Vielzahl der Glieder an, von denen 2
spricht. – 2 a כְּקָרְאִי entspricht 𝔖 (καθὼς μετεκάλεσα); auch 1 und 3 lassen eine 2
Aussage über Jahwe erwarten, sowie folgendes כֵּן (2aβ) ein vorangehendes כְּ
(vgl. 4 7 und Jes 55 9 1Q Isᵃ). 𝔐 („sie riefen" = 𝔙) hat nach Ausfall von כְּ
wohl י in ו verlesen. Wer soll in 𝔐 Subjekt sein? Ägypten? Propheten (Gipsen)? Bubers Übersetzung „Wer sie anruft, alsbald gehn sie hinweg" (ähnlich
van Hoonacker) wird weder dem hebr. Wortsinn noch der Sicht Hoseas (vgl.
5 11. 13 7 11 8 9) gerecht. Dem Textzusammenhang würde es noch am besten entsprechen, wenn man als Subjekt „andere", nämlich die Baale, denken dürfte
(RBach, Die Erwählung Israels in der Wüste: Diss. Bonn 1952). – b מִפְּנֵי הֶם
bezeugt 𝔖 (ἐκ προσώπου μου· αὐτοί...). 𝔐 („von ihnen") hat die gleiche
Konsonantenfolge verlesen infolge der Verderbnis des ersten Wortes (s. Textanm. a). – 3a HEnglander, Rashi's Grammatical Comments: HUCA 17 (1942/ 3
43) 473: „R. correctly notes that תִּרְגַּלְתִּי is an anomalous form, and then
correctly observes that the text word is equivalent to הרגלתי"; vgl. GesK
§ 55h (eine tiphʿ ēl-Form), Joüon § 59e (denominativ), KBL Suppl. 185. – b𝔐
ist nicht zu verstehen. Nach 𝔖𝔗𝔙 ist וָאֶקָּחֵם עַל־זְרוֹעֹתָי zu erwarten; auch 𝔖
setzt die 1. pers als Subjekt voraus (ἀνέλαβον αὐτὸν ἐπὶ τὸν βραχίονά μου), wählt
aber im Rückblick auf „Ephraim" sg. statt pl. Objekt („wie so oft", Dingermann 53). – 4a Die ungewöhnliche Pluralform erscheint nur noch Ex 28 14. 25 4
39 18 für das kunstvolle Kettengeflecht; die gewöhnliche Form עֲבֹתִים bezeichnet Stricke als Fesseln Ri 15 13f. 16 11f. Ez 3 25 4 8. – b עֹל (Sellin, Buber) hat
in 𝔐 (᾽Α𝔖𝔙) die geläufigere Vokalisation „Joch" angenommen. Sie war vielleicht durch die Rede von Seilen und Stricken nahegelegt; aber weder חֶבֶל
noch עֲבֹת gehören jemals zur Topik der Rede vom עֹל (vielmehr מוֹסֵר Jer
2 20 5 5 27 2 30 8; zu Sir 30 35 vgl. Dalman, AuS II 113), und 4a geht nicht von
dem Vergleich Israels mit dem Kind des Vaters zum Tiergleichnis über (wie
4 16 10 11). Auch 𝔖 bleibt im menschlichen Bereich: ὡς ῥαπίζων ἄνθρωπος =

כְּמֵרֵט (Reider) oder כְּמֵכָּה (אָדָם). Der Vorschlag von Reider, der drei dem biblischen Hebräisch unbekannte Worte einführen muß, ist auch der dem hebräischen Menschen völlig fremden Anschauung wegen undiskutabel („ich will sein wie Meeresschaum – כְּמֹר יָם –, der ihre Wangen liebkost – יַעֲלֵעַ –, und vornehm setze ich Vertrauen in ihn"). S.u.S. 258. – c 𝔐 (נטה hi.impf.) wird neben אוֹכִיל ursprünglich sein, denn der Übergang zum iterativen Imperfekt ist im Zusammenhang zu Hause (vgl. 2b. 3a. 7b; zu 4 13 s.o.S. 107); אָט wird kaum von *אטט her zu deuten sein („sanft gegen ihn", so zuletzt Gipsen nach Ewald), denn das Adjektiv wird sowohl dem Verbum (immer nachgestellt 1 Kö 2127, meist לָאָט? Gn 33 14 Jes 8 6) wie der Person (לְ 2 S 18 5; עִם Hi 15 11) anders zugeordnet. Asyndetisch folgendes אוֹכִיל ist für Hosea nicht ungewöhnlich (vgl. 8a. 9a 9 9 10 11b. 13 12 4b). – d לוֹ statt 𝔐 (ist „nicht" Hörfehler?) ist durch 𝔊 (αὐτῷ) bezeugt und zu 4 zu ziehen. 𝔐 besagt, daß an die Stelle der (negierten) Rückkehr nach Ägypten die Unterwerfung unter Assur tritt, was wiederum nicht hoseanisch gedacht ist (7 11 8 13b 9 3. 6 11 11 12 2, s.o.S. 187f.). Oder sollte man auch hier an beteuerndes לֹא denken, wie RGordis auch
115 zu unserer Stelle vorschlägt? s. Textanm. 10 9b. – e zur Form vgl. BL § 53x. – 5 a 𝔊 las אפרים statt אֶל־אֶרֶץ, vielleicht durch 9 3 angeregt; aber אֶרֶץ מִצְרַיִם sagt Hosea auch 2 17 7 16 12 10 13 4, dagegen מִצְרַיִם wie meist so auch in 11 1 (5𝔊). – b 𝔊 (κατῴκησεν) las יָשֵׁב wie 9 3 (s. Textanm. 9 3a); Σ𝔙 bestätigen 𝔐. –
6 6a חוּל (k.pf. cons.) = „Reigen tanzen" wie Ri 21 21, vom Wirbelwind Jer 23 19 30 23; so deuteten auch 𝔗'A (ἔπεσεν) die 𝔐-Form; vgl. ferner JSchabert, Der Schmerz im AT: BBB 8 (1955) 21–26 und u.S. 259. 𝔊 (ἠσθένησε) Σ (vulnerabit Hier.) setzen I חלה „schwach, krank werden" voraus, ähnlich 𝔖. 𝔙 (coepit) denkt an חלל hi. („anfangen") im Gegensatz zu כלה pi. („vollenden" 6aβ). – b wörtlich „leeres Gerede"; II בד (Hi 11 3 u.ö., s. KBL) ist wegen der Parallele („Pläne" 6b) I בד pl. „Stangen" (Riegel? Schlagbäume?) vorzuziehen; zur Sache vgl. 10 4. 6. – c 𝔊 (φάγονται) las vielleicht וְאָכְלוּ = „sie werden aufgerieben infolge" (Fischer, Komm.). Dingermann (55) erklärt 𝔐 als „mechanische Angleichung" an die voraufgehenden Verben. Ebensogut kann die Parallelformulierung ursprünglich sein. 𝔗Σ (καταναλώσει) 𝔙 (comedit) stützen 𝔐. – 7a תלא k.(pt. pass.) = „aufhängen" (vgl. Dt 28 66 2 S 21 12) wird auch von 𝔊 (ἐπικρεμάμενος) vorausgesetzt; vgl. JZiegler, ZAW 60 (1940) 111 und Jos 10 26 תְּלוּיִם. – b Es ist nicht unmöglich, daß 𝔊 (ἐκ τῆς κατοικίας αὐτοῦ – das Nomen wird fälschlich von ישב abgeleitet und wie מְשׁוּבוֹ verstanden) hinsichtlich des Suffixes den ursprünglichen Text bezeugt (לִמְשׁוּבָתוֹ = „an seiner Abtrünnigkeit", so Dingermann); vgl. vor allem 14 5 und Jer 2 19 3 22 5 6. Jedenfalls ist die Bedeutung „Abkehr" im Sprachgebrauch des AT und im Kontext besser gesichert als die Vermutung, hier sei von der „Rückkehr Jahwes" zu seinem Volk die Rede (HGMay, AJSL 48, 1932, 83f.; s.o.S. 148 zu 5 15). – c Der Text von 7b bleibt ganz unsicher. Mit Sellin lese ich בַּעַל, was sich in der Antithese zu 7a aufdrängt. 'ΑΣ𝔗𝔙 lasen עֹל („Joch") wie in 4. 𝔐 („nach aufwärts rufen sie es", ähnlich Ewald, Buber, Gipsen, Joüon § 103a) bleibt grammatisch und sachlich dunkel, vor allem im Blick auf die Fortsetzung bβ (s. Textanm. 7de). – d Nach Sellin lese ich יִקְרָאוּ הוּא, so daß das Suffix von 𝔐 („sie rufen ihn an") als Pronominalsubjekt zum folgenden Satz gehört und בַּעַל aus 7bα meint, s. Textanm. 7c. 𝔐 rührt vielleicht daher, daß בעל zu על zerstört war. Bei dieser Deutung bleibt das Subjekt das gleiche wie in 7a; in 𝔐 ist das Subjekt unbestimmt und das Objekt, wenn es „mein Volk" 7a aufnimmt, nach dem plur. תְּלוּאִים überraschend singularisch. – e 'A (ἅμα οὐχ ὑψώσει αὐτούς) setzt vielleicht ursprüngliches יְרִימֵם voraus; vgl. auch 𝔊

(οὐ μὴ ὑψώσῃ αὐτόν). Die Zerstörung der Sinnfolge in 𝔐 hat das Suffix unter neuen Vokalen verdeckt (pil. „wird erhoben, erhebt sich"). – f vgl. Ps 33 15; KBL „gänzlich" oder „als Gesamtheit"; s.u. Textanm. 8c. – **8 a** I מֵגֶן „aus- 11 8 liefern" wie Gn 14 20. – b Die Konjektur רַחֲמַי (Wellhausen, zuletzt KBL 609), die man neben נכמרו wegen Gn 43 30 1 Kö 3 26 vermutet, zerstört die Prägnanz des par. mebr. und ist nur durch Θ (τὰ σπλάγχνα τοῦ ἐλέους) gestützt. 'Α Σ (παράκλησις) lesen hier wie Sach 1 13 Jes 57 18 𝔐. Den sonst nicht belegten Sinn des Abstraktplurals treffen 𝔊 (μεταμέλεια) und 𝔙 (poenitudo). – c wörtlich „als Gesamtheit" oder „ganz und gar", s. Textanm. 7f. – **9a** II עיר 9 „Erregung" auch Jer 15 8; zur Konstruktion vgl. 1 S 25 26 (בוא בדמים = in Blutschuld geraten). Oder liegt verstümmeltes עֶבְרָה vor (vgl. 13 11 5 10)? Man hat in אבואבעיר eine fehlerhafte Dittographie von אֲבָעֵר „nicht werde ich niederbrennen, verheeren" (zuletzt McKenzie 170) oder אבוא לְבָעֵר (Weiser) gelesen; auch אבוא מַבְעִיר ist zu erwägen, vgl. 7 4. 𝔊 (εἰς πόλιν) 𝔙 (civitatem) 𝔊 denken an „die Stadt". – **11a** Für וַהֲשִׁיבוֹתָם (= 𝔊 ἀποκαταστήσω 11 αὐτούς) spricht die praep. עַל (2 S 16 8 1 Kö 2 32 Jes 46 8), die bei 𝔐 („ich lasse sie wohnen") befremdet; vgl. 12 10b ישׁב hi.c. בְּ). Oder denkt Hosea wie 8 1 bei בַּיִת an den angestammten „Grundbesitz", an das alte „Siedlungsgebiet"? S.o.S. 176.

Das Kap. 11 hebt sich vor allem gegenüber dem vorangehenden und Form dem folgenden Text als ein zusammengehöriges Ganzes heraus. Mit 10 9–15 verbindet es nicht ein einziges Stichwort; die dort vorherrschende Anrede Israels tritt hier zurück. Mit einem ganz neuartigen, ungleich intensiveren Rückblick in die Geschichte setzt die neue Einheit ein. Ebenso deutlich ist mit 12 1 ein neuer Einsatz gegeben mit neuer Nennung des Subjekts und klarem Wechsel der Thematik.

Dagegen muß man fragen, in welchem Sinne 11 1–11 in seinem inneren Aufbau als Einheit angesprochen werden kann. Zunächst sind 1–7 eindeutig miteinander verzahnt: durch copulae (3. 6. 7), durch Eintritt von Personalpronomina in singularischen (1. 4b. 5a. 6a) oder pluralischen (2. 3. 4a. 5b. 6b. 7) Formen für „Israel" (1), „Ephraim" (3) oder – auf dem Höhepunkt – „mein Volk" (7a) und schließlich durch die einheitliche Thematik: die Liebe Jahwes wird von Israel seit je mit hartnäckiger Abkehr beantwortet (2. 3. 5. 7).

Das Ganze stellt eine geschichtstheologische Anklagerede dar, wie die Spitzenaussage in 7a zeigt. Die Gattung liegt schon in Am 4 6ff. vor, auch Jes 9 7ff.; zu Ez 16. 20 vgl. WZimmerli, BK XIII 344.439f. Hier ist sie ausgebaut nach Analogie der Klage im Prozeßverfahren gegen einen störrischen Sohn (vgl. Dt 21 18–21 Jes 1 2ff., dazu Rohland 53). 5–6 ist nicht als Gerichtsankündigung eingeführt, sondern gehört in die Schilderung der Folge von Reaktionen Israels und neuen Aktionen Jahwes. Das zeigt auch der Gebrauch der Tempora, wozu besonders die Übergänge von 1–2a zu 2b und von 2b zu 3 mit denen von 4 zu 5 und von 5 zu 6 zu vergleichen sind.

Erst mit 8f. tritt ein deutlicher Wechsel ein. Jetzt wird Israel-Ephraim neu erwähnt und erstmalig im Kap. angeredet. Keine copula verbindet die neuen Sätze mit den vorigen, auch kein Stichwort. Darf man sie deshalb vom Voraufgehenden abtrennen (Buss 107f.)? Zunächst ist formal zu sehen, daß die 1. pers. der Jahwerede fortgesetzt wird und daß die singularische Anrede an die singularischen Formen der personifizierenden Bildrede in 1. 3a. 4b. 5a. 6a erinnert. Inhaltlich wird die Aussage in 9aβ, „ich will Ephraim nicht wiederum verderben" (לֹא אָשׁוּב), erst auf dem Hintergrund der in 1–7 erwähnten voraufgegangenen Befreiungs- und Erziehungsmaßnahmen verständlich (s.u.S. 261f.). Ebenso ist zu fragen, ob die wesentliche Botschaft, daß Jahwe Israel nicht preiszugeben vermag, weil er Gott, nicht Mensch, sondern der Heilige ist, ohne den in den ersten Versen so stark betonten Liebeswillen Jahwes voll vernehmbar wäre. S.u.S. 262.

Wie soll aber der Wechsel von der 3. pers. des Angeklagten in 1–7 zur 2. pers. der Anrede in 8f. erklärt werden? Wir haben schon früher erkannt, daß ein solcher Wechsel beim Übergang von der Anklage zum Schlichtungsvorschlag geschieht. Die Anklage wird dem Gericht vorgetragen, der Schlichtungsvorschlag wendet sich direkt an den Angeklagten, besonders bei lebhafter Auseinandersetzung; vgl. 1 Kö 3 22. 26b und o.S. 172, jetzt auch HJBoecker, Anklagereden und Verteidigungsreden im Alten Testament: Ev Th 20 (1960) 398–412, besonders 404. Nun liegt aber in 8f. ein besonders leidenschaftlich vorgetragenes Redestück vor, wie die Wiederholungen zeigen und insbesondere das tonangebende Eingangswort אֵיךְ. Es gehört zum Klagelied (Mi 2 4 Jer 48 39 Ez 26 17 2 S 1 19. 25. 27), kann aber auch die Selbstanklage eröffnen (Prv 5 12) und erscheint schließlich, wenn die 1. pers. imperf. folgt, im Übergang der Rede zur Selbstverwarnung: „wie dürfte ich…", „wie könnte ich…", „wie sollte ich…", z.B. Gn 39 9 44 34 Ps 137 4 Jer 9 6. אֵיךְ gehört also in dieser Verwendung nicht so sehr zum Redeeinsatz als vornehmlich zum Redeumschwung mit adversativem Unterton. WRudolph (Jeremia: HAT I, 12, ³1968) übersetzt es deshalb in Jer 9 6 mit „jedoch". In unserem Text ist die Selbstverwarnung verbunden mit der Anrede des Schuldigen im Rahmen einer Rechtsauseinandersetzung. Sie gibt hier – unmittelbar nach der das Vorleben der Kontrahenten behandelnden Anklagerede – dem Schlichtungsvorschlag die bestimmte Form einer Strafverzichterklärung; vgl. Gn 13 8f. Dabei erlebt der Angeklagte das Ringen des Anklägers mit sich selbst in dessen Selbstverwarnung (8a) bis zum Strafverzicht (9b) mit.

So wird also der in 8 erfolgende Umschwung nicht so gedeutet werden dürfen, daß 1–7 und 8f. getrennt zu erklären sind. Wie Selbstverwarnung und Strafverzicht Jahwes in 8–9 die Behandlung des Vorlebens in 1–7 voraussetzen, so wartet die große Klage in 1–7 mit ihrer zusammenfassenden Feststellung in 7a, „mein Volk hält fest an der Abkehr von mir", auf die Verkündigung des kommenden Handelns Jahwes, ohne die es keine Überlieferungseinheit im Hoseabuch gibt. So ist es nach unseren formgeschichtlichen Beobachtungen nicht unmöglich, vielmehr wahrscheinlich, daß 1–9 als rhetorische Einheit anzusprechen sind.

Die Ichrede Jahwes findet nicht in 10, sondern erst in 11 ihre Fortsetzung. Statt der Anrede Israels in 8a 9b, die auch schon in 9aβ durch die 3. pers. unterbrochen wurde, erscheint in 11 die 3. plur., wie in 2–4a. 5b. 6b. 7. Der Heilszuspruch geht also in Heilsansage über (vgl. 2 18–25 und o. S. 57). Da die Paarung von Ägypten und Assur wie das Bild der Taube typisch hoseanisch sind (s. u. S. 262), liegt kein Grund vor, das Wort Hosea abzusprechen. Dann dürfte es aber auch in den rhetorischen Zusammenhang von 1–9 hineingehören. Denn wie in 1–7 neben dem Handeln Jahwes regelmäßig das darauffolgende Tun Israels zur Sprache kam, so kommt nach dem verkündeten Umschwung in Jahwe die Ansage der künftigen Auswirkung auf Israel nicht unerwartet. Es wäre vielmehr verwunderlich, wenn Israel nicht noch einmal Subjekt der Aussage würde, wie es nun in 11a der Fall ist. Allerdings bleibt Israels Verhalten vom Anfang (1) bis zum Ende von Jahwes Tun umschlossen: in 11b ist Jahwe noch einmal Subjekt.

In 10 finden sich die einzigen Aussagen des Kap. über Jahwe in 3. pers. Inhaltlich sind sie als Erläuterungen zu 11 verständlich, insbesondere zu יחרדו. Dieses Beben wird 1. interpretiert als Jahwe-Nachfolge: aα, 2. als Wirkung der Löwenstimme Jahwes: aβ. bα, 3. wird es wörtlich aufgenommen zur Ergänzung der Subjekte von 11a: nicht nur die ägyptische und die assyrische Diaspora kehren zu Jahwe zurück, sondern auch die westliche: bβ. Während 1–9. 11 im allgemeinen dem Ablauf des mündlichen Vortrags Hoseas entsprechen kann, muß die Einfügung der Erläuterungen in 10 auf die Tradenten zurückgehen. Dabei könnten die beiden Bemerkungen in 10a Hoseaworte aufnehmen, denn das Bild des Löwen verwendet er ja auch in 5 14 13 7 für Jahwe. Aber der Sprachgebrauch erinnert an Amos: אריה und שאג finden sich nie bei Hosea, jedoch in Am 1 2 3 4. 8. So mögen die Überlieferer hier seit Amos bekanntes Spruchmaterial benutzt haben, um den Zusammenhang von 9 und 11 zu verdeutlichen. Der dritte Nachtrag 10b wirkt mit seinen Wiederholungen (שאג wie 10a, חרד wie 11a) ebenfalls wie eine Ergänzung. Er führt neben den Heimkehrern aus Ägypten und Assur (11) „die Söhne vom Meer" ein, die aus Hoseas sonstiger Verkündigung nicht bekannt und nach 5 in diesem Zusammenhang in seinem Munde nicht zu erwarten sind. Er ist aber durchaus auch in Hoseas Zeit sinnvoll (s. u. S. 263) und in seiner Formulierung nicht als wesentlich jünger zu erweisen. So mag denn 10 im ganzen eine Erweiterung durch den Tradentenkreis darstellen, was durch den neben 9 und 11 auffallenden Mangel an dichterischer Formung bestätigt wird, s. u. S. 252f. Er ist in seiner Zugehörigkeit zur Thematik des Kapitels am besten dem Nachtrag 8 14 vergleichbar (s. o. S. 174f.).

Der Grundbestand des Kap. in 1–9. 11 zeigt eine ungewöhnliche

Kontinuität, indem das Leben Israels von seiner frühesten Jugend bis in die künftigen Tage begleitet wird. Diskussionsworte fehlen. Jahwe spricht. Anrede Israels bricht nur vorübergehend an der erregendsten Stelle in 8 1. 9b durch. Die Traditionen aus der Frühzeit, ins Bild der Vaterliebe transponiert, treten kräftig in den Vordergrund (s.u. zu 1–4). In dem allen ist unser Stück verwandt mit 9 10–17. Ihm wird ebenso ein Auditionsbericht zugrunde liegen, der in den lebhaften Formen des Rechtsstreits im Tor verkündet. Der Durchbruch der Anrede Israels an der Stelle des Umschwungs ist ebenso wie in 9 10 (s.o.S. 210) mit der Anrede des Propheten als des Fürsprechers Israels (s.o.S. 216 zu 9 14) verbunden. Hosea und sein Kreis, die in den Erwählungstraditionen beheimatet sind und unter Israels Not mitleiden, warten auf das Wort des Erbarmens. Zwischen 7 und 8 ist ein prophetischer Bittruf nach Art von Am 7 2. 5 nicht undenkbar (vgl. 9 14). Allerdings wird er von unseren formgeschichtlichen Beobachtungen zu 8 (o.S. 250) nicht gefordert.

Ein neuer Tenor der Rede ist in 8 schon von der Metrik aus zu spüren. Die Darstellung der Vergangenheit weist in 1–7 durchweg längere Perioden auf, die in die Nähe des Prosaberichts kommen. Klare synonyme Parallelismen liegen nur noch in 2bβ. 3a. 4a. 5a. 6a vor, denen sich aber immer weitere Glieder synthetisch anschließen. Davon heben sich die klaren Parallelen in 8 und 9 recht deutlich ab. Der innere Parallelismus wird in sechs zweireihigen Perioden streng durchgehalten; nach 4 synonymen Parallelen in 8. 9a folgen zur Steigerung noch zwei antithetische in 9b. Die Perioden beginnen dem Klageton der Selbstverwarnung entsprechend mit dem Qinametrum (8a), gehen dann zum Doppeldreier (8b) und zu einem weit ausschwingenden Doppelvierer (9a) über, der die volle Heilsbotschaft bringt. Die Begründung wird in kurzen Doppelzweiern eingeprägt (9b), in denen die Betonung eines jeden Wortes noch durch deutliche Alliterationen verstärkt wird. Dabei trägt die Wiederholung des וְלֹא am Anfang des je zweiten Gliedes der beiden letzten Perioden einen besonderen Akzent. Dieses Stilmittel entspricht dem wiederholten אֵיךְ am Kopf der beiden Perioden in 8a und nimmt das wiederholte לֹא am Anfang der beiden Reihen der unmittelbar voraufgehenden Periode 9a auf. Die wiederholten Eingangsstichwörter in 8a und 9b weisen außerdem auf den äußeren Parallelismus je zweier Perioden hin, der zum inneren Parallelismus der Reihen hinzukommt. Die beiden Perioden in 8a und 9b stehen jeweils synonym parallel, die in 8b und 9a synthetisch parallel.

So zeigen 8–9 eine ungewöhnlich starke dichterische Prägung, die aber völlig vom Inhalt her bestimmt ist. Der Selbstverwarnung des Gottes Israels in den beiden ersten Perioden (8a) folgt die Selbstenthüllung seines Rettungswillens in den beiden längsten mittleren Perioden (8b. 9a), die mit der scharf akzentuierten, knappen Begründung in der Heiligkeit seiner Gottheit schließt (9b).

Während 10 demgegenüber keinerlei metrische Prägung zeigt, bietet 11 noch einmal einen Tripeldreier (נאם־יהוה gehört nicht dazu, s.u.S. 254). Die ersten beiden Reihen stehen synonym zueinander, und die dritte wird ihnen synthetisch angefügt; diese Form entspricht den dreireihigen Perioden in 3 und 6.

Wegen des Fehlens jeder direkten Auseinandersetzung ist diese Ort Jahwerede wie 9 10–10 8 am leichtesten im Kreise der prophetisch-levitischen Oppositionsgemeinschaft vorgetragen zu denken, die auf das lebhafteste am bisherigen Weg Israels und an der Frage nach seiner Zukunft interessiert ist. Des skizzenhaften Charakters wegen, der besonders in dem Übergang von 7 zu 8 und von 9 zu 11 zu erkennen ist, wird man die Niederschrift des Berichtes in diesem Kreise zu suchen haben. Diese Tradenten kommen auch zuerst für die Ergänzungen in 10 in Betracht.

Wegen des Rückblicks in die Geschichte gehört das Kap. engstens mit den seit 9 10 vorangehenden Stücken zusammen. Dem Überlieferungscharakter nach ist es mit allen Stücken seit 4 1 verwandt. Aber die Botschaft vom Ende des Zornes Jahwes und seines Gerichtes und vom Brand seines Erbarmens hat im Voraufgehenden lediglich in Kap. 2–3 Parallelen, später in Kap. 14.2–9. Vgl. 2 7 mit 11 2, 2 9bβ mit 11 1.3. 4, 2 17b mit 11 11, 2 20bβ mit 11 11b, 2 25 mit 11 8, 3 1b mit 11 1. 4, 3 5b mit 11 11a; s.o.S. 58. Doch ist der gewichtige Unterschied nicht zu verkennen, daß in 2 4–17 3 1–5 das Gericht bevorsteht und verkündet wird als ein nahendes Handeln Jahwes, das seinem Liebeswillen dienstbar ist und zur Umkehr Israels und damit zum neuen Heil führen wird (2 8f. 16f. 3 4f.). Hier dagegen beherrscht die Gerichtsnot schon Vergangenheit und Gegenwart (4–7), ohne daß Israels Umkehr zu erkennen wäre (5b. 7a); Jahwes eigene Umkehr, in der die Heiligkeit seiner Liebe durchbricht, begründet das jetzt kommende Heil. In dieser entscheidenden, mit der Geschichtssituation zusammenhängenden Hinsicht steht unser Kap. viel dichter bei dem Wort von der freien Liebe in 14 5, die Israels Abtrünnigkeit heilt, und bei den Nachträgen in Kap. 2 (18–25. 1–3).

Auch im Formalen zeigen sich wichtige Differenzen zwischen Kap. 11 und 2 4ff., die es verbieten, die beiden Kapp. zu dicht zueinanderzurücken. Zwar haben wir hier wie dort durchgängig den Ich-Stil der Gottesrede und zur Hauptsache Redeformen des Rechtsverfahrens (s.o.S. 37.57). Aber im übrigen zeigt Kap. 11 weder die Art der thematischen Geschlossenheit und einheitlichen Durchformung von 2 4–17 noch die Aufgliederung in Einzelsprüche wie 2 18–25, sondern den Überlieferungscharakter der Auftrittsskizzen in 4 4–10 15 mit deutlicher Einheit des Themas und der Situation in den Überlieferungseinheiten, aber auch mit merklichen Spannungen in der formal nahtlosen Reihung rhetorischer

Einheiten, die sich in der Härte der Übergänge und in der Anredeweise zeigen.

So ist der Traditionsweg der verwandten Kapitel gewiß ein verschiedener. Dort hat eine Redaktion schriftliche Vorlagen aus Hoseas Frühzeit mit späteren Worten angereichert (s.o.S. 11f.), hier haben wir die Nachschrift eines Auditionsberichtes des Propheten aus seinem Freundeskreis.

Man muß noch darauf achten, daß die die Jahwerede beschließende Formel נאם־יהוה in 11 11 im Hoseabuche nur in 2 15. 18. 23 vorkommt (s.o.S. 49). Aber dort ist sie zweimal einem Spruchkopf eingefügt (2 18. 23) und einmal unterstreicht sie das Ich Jahwes am Übergang von einem Schuldaufweis (2 15b) zur Verkündigung der Konsequenz Jahwes (2 16–17). Hier dagegen stellt sie ganz anders den Abschluß der Überlieferungseinheit dar. Da die Tradenten, die wir in Kap. 4–11 anzunehmen haben, diese Gottesspruchformel sonst nie verwenden, ist anzunehmen, daß sie auf die gleiche R e d a k t i o n zurückgeht, die den großen Komplex von Auftrittsskizzen in 4 1a mit „Höret das Wort Jahwes, ihr Israelsöhne" eingeleitet hat (s.o.S. 82).

Für die D a t i e r u n g haben wir nur geringe Anhaltspunkte. 11 setzt doch mehr als nur diplomatische Gesandtschaften nach Ägypten und Assur voraus (so 7 11). Es sieht so aus, als befänden sich wenigstens nennenswerte Teile der Bevölkerung in der Fremde, wobei parallel zu den assyrischen Deportationen an eine größere Fluchtbewegung nach Ägypten zu denken ist. Die früheren entsprechenden Drohworte (vgl. 9 3. 6) und Ansagen neuer Kriegswirren (10 6–8. 14f.) gehen wohl eben in Erfüllung, während Hosea dieses Jahwewort empfängt und verkündet. Vgl. 5f. Auch ist zu beachten, daß die Hinwendung nach Ägypten und Assur nicht mehr so in Parallele gestellt wird wie in 7 11 (9 3), sondern daß die Oberherrschaft Assurs in 5 als eine unerschütterliche bezeugt wird, nicht mehr als eine gesuchte (5 13 8 9), s.u.S. 259.

So kommt denn die Regierungszeit Salmanassars V. (727–722) in Betracht, da eine neue Hinkehr zu Ägypten eine assyrische Strafexpedition ausgelöst hat (2 Kö 17 4). Unter das Jahr 724 oder gar 721 (Robinson) hinunterzugehen dürfte sich kaum empfehlen, einmal wegen der aufgezeigten Bezüge zu 9–10 (vgl. im einzelnen noch 10 6bβ mit 11 6b), die wir in der Zeit zwischen 733 und 727 ansetzten, und zum anderen wegen der Verwandtschaft mit Kap. 2 18–25, das auch in die Zeit nach 733 zu datieren war. Von da aus empfiehlt es sich am meisten, an die erste Hälfte der Regierung Salmanassars V. zu denken, vielleicht an den Beginn seiner Strafmaßnahmen, zumal Samaria selbst noch nicht ausdrücklich als eine belagerte oder gar eroberte Stadt erwähnt ist (6).

Wort
11 1

Tiefer als in 9 15 10 1. 9 greift Hosea in die ersten Anfänge der Geschichte Israels zurück. Er nennt ihren in anderen Geschichtsreflexionen immer schon vorausgesetzten eigentlichen Beginn. Im Unterschied zu der in 9 10 10 11 vorausgesetzten Erwählungstradition ist das die Berufung aus Ägypten. Hosea kennt sie als die Tradition vom „Heraufzug" (2 17) bzw. von der „Heraufführung" (12 14) aus Ägypten; vgl. 12 10 13 4. Sie gehört zum Urbekenntnis Israels. Das tradierte Bekenntnis bringt Hosea in eine völlig neue, seinem Denken in Metaphern entsprechende Fassung. Die Zeit des Anfangs (Ri 19 30) ist die Zeit der Kindheit (vgl. נְעוּרִים 2 17). נער kann ein Säugling heißen (Ex 6 2), ein entwöhntes Kind (Gn 21 12; s.o.S. 23), aber auch ein noch unselbständiger junger Mann (Jer 1 6f. Gn 18 7). Hier ist, wenn überhaupt mehr als die Zeit des Lebensanfangs bezeichnet werden soll, höchstens an Israels Hilfsbedürftigkeit gedacht (vgl. 3f. und 2 4; dazu o.S. 40), keinesfalls (wie in 9 10 10 11) an seine Brauchbarkeit. Das erste erwähnenswerte Ereignis im Leben des jugendlichen Israel ist, daß Jahwe es liebgewinnt (vgl. 9 15b und o.S. 75f.). Damit gewinnt Hosea in seiner Metapher als erster den Begriff der Liebe (אהב, vgl. auch 4) als Interpretament der Erwählung des Gottesvolkes. Auf diese Weise hat er unüberbietbar verdeutlicht, was vor ihm Amos mit dem blasseren Begriff ידע für Erwählung sagen wollte. Hoseas Stichwort geht durch seinen Tradentenkreis in die deuteronomische Predigt ein (Dt 23 6 7 8. 13 10 15 4 37); vgl. HWildberger, Jahwes Eigentumsvolk: AThANT 37 (1960) 111ff.

Die Liebe zu dem hilflosen jungen Israel erwies sich nicht nur darin, daß er ihn aus Ägypten herausführte, sondern daß er ihn damit zugleich „rief", wie ein Vater „seinen Sohn" ruft. Die folgenden Verse verdeutlichen, daß damit ein intimes Fürsorge-, Führungs- und Gehorsamsverhältnis begründet war. Jeremia erklärt diese Sicht der Herausführung aus Ägypten als Bundschließung (31 32). Mit der Vorstellung des Vater-Sohn-Verhältnisses im adoptionellen Sinne deutet Hosea den ihm bereits überkommenen Bundesgedanken (6 7 8 1; vgl. FHorst, Recht und Religion im Bereich des Alten Testaments: Gottes Recht, ThB 12, 1961, 283) und kombiniert ihn mit der Herausführungstradition.

Daß Israel hier „Sohn" Jahwes heißt, unterstreicht das in 1a und in 3f. ausgeführte persönliche Liebesverhältnis. Israel soll aufs engste und unlöslich seinem Gott verbunden sein. Diese enge Zugehörigkeit, die Israel als Jahwes persönliches Eigentum und „heiliges Volk" meint, verbindet dann auch die deuteronomische Schule mit der Anrede Israels als „Söhne Jahwes" (14 1). Der Gedanke der Abstammung, Zeugung, Schöpfung liegt fern (anders Dt 32 6, vielleicht auch Ex 4 22f., wenn vom „erstgeborenen Sohn" Jahwes parallel zum „erstgeborenen Sohn Pharaos" die Rede ist). Wie die Fortsetzung zeigt, steht mit dem Gedanken der Liebe vor allem der Erziehungsgedanke im Vordergrund. In diesem Sinne sprachen dann auch Jesaja (1 2ff. 30 9) und Jeremia (3 14. 19. 22 4 22 31 9. 20) von Jahwes Söhnen; vgl. ferner Jes 43 6f. 63 16 Mal 1 6 3 17 und Quell, ThW V 970ff.

Woher kommt das Wort Hoseas von Israel als dem Sohn Gottes? Geistige Sohnschaft ist von der altägyptischen Weisheit an eine dem altorientalischen Erziehungsdenken unentbehrliche Vorstellung; vgl. HBrunner, Altägyptische Erziehung (1957) 10ff. u.o. Im Jahrhundert Hoseas stellt auf einer phönikischen Torinschrift von Karatepe Azitawadda, der König der Danunier, fest: „Als Vater erkannte mich jeder König wegen meiner Gerechtigkeit und meiner Weisheit und der Güte meines Herzens an" (בצדקי ובחכמתי ובנעם לבי; Untere Torinschrift I 12f., nach AAlt, Die phönikischen Inschriften von Karatepe: WO I 4, 1949, 274, ebenso WO II 2, 1955, 178; vgl. Donner-Röllig, KAI I 5). Zum Bild des Vaters gehört also im zeitgenössischen höfischen Denken mit Gerechtigkeit und Weisheit auch die „Güte des Herzens". Im folgenden Jahrhundert heißt es in einem Erhörungsorakel für Assarhaddon von Assur: „Fürchte dich nicht, Assarhaddon! Ich bin es, Bêl, der mit dir spricht. Die Balken deines Herzens stärke ich(?), wie deine Mutter, die dir das Leben gab. Es stehen 60 große Götter bei mir und schützen dich, Sin zu deiner Rechten, Šamaš zu deiner Linken, 60 große Götter stehen rings um dich zum Kampf gerüstet. Auf Menschen verlaß dich nicht! Richte deine Augen auf mich, schaue mich an! Ich bin Ištar von Arbela. Assur habe ich dir gnädig gestimmt. Als du klein warst, habe ich dich gestützt. Fürchte dich nicht..." (Text nach AOT 281 und ANET 450). Mit genauen Anklängen an Hosea finden wir hier die in Ägypten seit dem 3. Jahrtausend, nämlich seit der 4. Dynastie des Alten Reiches, bekannte Vorstellung vom König als Gottessohn (Bonnet, RÄRG 382), die ein Jahrtausend später in Mari in einem Adad-Orakel folgende Form findet: „Bin ich nicht Adad, der Herr von Kallassu, der ich ihn (Zimrilim) auf meinen Knien großzog..." (ALods, Une tablette inédite de Mari: Studies in OT Prophecy, ed. Rowley, 1950, 103ff.).

Trotz dieser Anklänge ist es unwahrscheinlich, daß Hosea die Vorstellung von Israel als dem Sohn Jahwes aus weisheitlichen oder höfischkultischen Überlieferungen aufgenommen und antithetisch weitergebildet hat. Die Welt, in die hinein Hosea denkt, ist die des in Israel eingedrungenen kanaanäischen Mythos und Kultus. Hier gehört zur Muttergottheit die Vatergottheit; vgl. Kapelrud, Baal in the Ras Shamra Texts (1952) 65, auch Pope, El in the Ugaritic Texts: VTSuppl II (1955) 47f.; im AT Jer 2 27. Im Streit mit dem Kanaanäismus bildet Hosea seine Vorstellungen frei aus. Schon in 2 4 hat er als rechtmäßiger Ehemann der Frau Israel deren Söhne angeredet und sie in 2 6f. als „Hurensöhne" bezeichnet (s.o.S. 39ff.); in Antithese dazu bekommt das eschatologische Gottesvolk vielleicht schon von Hosea selbst die Bezeichnung „Söhne des lebendigen Gottes" (2 1; s.o.S. 30). 11 1ff. zeigt an keiner

Stelle übernommenes Formelgut, wohl aber, daß er auch hier mit dem Baal-Mythos ringt (2. 7b, dazu u.S. 260). Nachdem Hoseas polemische Theologie einmal das frühe Israel als legitimen Sohn Jahwes denken konnte – wobei der Gedanke der Zeugung ebenso hinter dem der Für- sorge und Erziehung zurücktritt, wie im Ehegleichnis die sexuellen Vor- stellungen den rechtlichen weichen müssen (s.o.S. 15f.) –, bildet er die Metapher frei aus, angeregt vor allem durch die Traditionen aus der Geschichte Israels.

Gleich der zweite Satz zeigt, wie er die Geschichte durchschreitet. 11 2 Dem Befreiungsruf Jahwes folgt alsbald der Abfall (oder – nach 𝔐! –: folgen andere Ruferstimmen, die zum Abfall von Jahwe führen; s. Textanm. 2a). Wie in 9 10 ist auch hier vorausgesetzt, daß schon mit der Landnahme das noch ganz junge Israel dem Baalkult verfällt. Zu בעלים s.o.S. 47f., zu זבח o.S. 186, zu קטר o.S. 48. Vor den Götterbildern wer- den die Rauchopfer dargebracht. פָּסִיל bezeichnet zunächst neutral „das Behauene" bzw. „das Ausgehauene", die Stele, weshalb Dt 7 25 12 3 aus- drücklich פְּסִילֵי אֱלֹהֵיהֶם sagen (vgl. Lv 26 30 und KGalling, ZDPV 75, 1959, 12); hier sichert die Parallele בעלים das Verständnis als „Götzen- bilder"; zur Sache s.o.S. 178f.

3 knüpft antithetisch an 2 (𝔊) an; denn ואנכי ist im Gegensatz zu הם 3 am Kopf von 2b formuliert; vgl. הם in ähnlicher Stellung in 4 14aβ 8 9. Mit dem perf. kann die Vorvergangenheit beschrieben sein: „wo ich sie doch laufen gelehrt hatte..." Das Leitwort „Liebe" aus 1a findet nach dem Befreiungsruf (1b) hier eine weitere Erklärung, so daß der Abfall zu den Baalen erst recht unverständlich wird: Jahwe leitete Israel zu selbstän- digem Leben an (vgl. Jes 1 2), trug es in seiner kindlichen Schwäche und schützte es. Aber so wie Israel nicht auf den Ruf dessen hörte, der es aus Ägypten herausführte, so hatte es kein Gemerk für die Fürsorge seiner väterlichen Taten. Sie sollten als sein „Heilen" verstanden werden. Wenn 3a plusquamperfektisch zu verstehen ist, so sind damit weiterhin wie 1 die Gottestaten der Herausführung aus Ägypten in der Bildrede vom Vater und Sohn umschrieben und nicht die der Führung durch die Wüste. רפא kann besser von der Befreiung aus Ägypten als von der „Pflege" (so Robinson 26 zu 7 1 im Sinne ärztlicher Behandlung mit Hinweis auf Jer 51 8. 9) in der Wüste verstanden werden, denn auch 5 13 (6 1) 7 1 verwendet Hosea das Wort für die Rettung aus „politischen" Nöten. Nicht die Baale, sondern Jahwe war der Arzt, der Israel aus der Todesgefahr Ägypten herausholte. Im Pentateuch findet sich רפא nur in der sekundären Ausgestaltung des Themas „Führung in der Wüste" in Nu 12 13 im Rahmen einer Erzählung, der es um das prophetische Amt des Mose geht (vgl. Hos 12 13) und in der Mose als Fürsprecher für die aussätzige Mirjam eintritt (vgl. MNoth, ÜPent 140), und ferner in dem deuteronomistischen Stück Ex 15 26, in dem Jahwe sich den Arzt Israels

257

schlechthin nennt. Auch bei Hosea werden die Auszugs-Landnahmetraditionen mit der Wüstentradition zusammengeschlossen; vgl. 4 und 13 4–6.

11 4   In unserem Geschichtsüberblick setzt 4 die Wüsten- und Landnahmezeit voraus. Doch ist angesichts der Textschwierigkeiten zu fragen, ob das Bild vom Sohn hier fortgeführt oder ob es abgelöst wird von einem Tiergleichnis. Den Vergleich Israels mit dem störrischen Rind bot Hosea schon 4 16; in 10 11 diente das Bild des zum Pflügen eingespannten jungen Rindes zur Beschreibung des Überganges ins Kulturland (s.o.S. 239f.). Hier ist ein Bildwechsel unwahrscheinlich. Denn was sollte dann die Betonung „menschlicher" Seile und „liebevoller" Stricke? Daß אַהֲבָה hier und Cant 3 10 „Leder" bedeuten soll (so GRDriver, Canaanite Myths and Legends, 1956, 133), ist durch die Parallele עבתות אהבה // חבלי אדם ausgeschlossen. Nach Analogie von Lenkseilen für das Vieh (GDalman, AuS II 133) ist hier von der zwar vergleichbaren, aber doch betont andersartigen Lenkung junger, leicht sich verlaufender Menschen die Rede; vgl. Ps 32 9 und besonders 2 S 7 14. Der Gott Israels hat als Vater viel Mühe mit seinem Volke gehabt, es zu seinem Ziel zu bringen. Dabei war seine Leitung und Lenkung von steter Fürsorge begleitet. Das bringt auch 𝔐 zum Ausdruck, wenn er vom „Aufheben des Jochs von den Kinnbacken als Vorbereitung des Fütterns" spricht (GDalman, AuS II, 99f.: „Zwar verhindert das Joch mit seinen Haken und Schnüren das Kauen nicht; aber der mit einem zweiten Tier zusammengekoppelte angejochte Ochse kann sich schwer bücken, um ihm vorgeworfenes Futter zu fressen. Das Joch wird deshalb zum Füttern abgenommen, und die Erwähnung der Kinnbacken statt des Halses ist dadurch zu erklären, daß hier nicht an die Freiheit des vom Joch entledigten Tieres wie Jes 10 27, sondern eben an seine Fütterung gedacht ist. Dabei ist allerdings nicht ohne Bedeutung, daß das Joch ohne eine den Hals umschließende und die Kinnbacken berührende Einrichtung nicht zu denken ist"). Aber eben wenn man sich die Vorstellung von 𝔐 mit Dalman klarmacht, wird man schwerlich darin Hoseas Meinung wiedererkennen. Denn 4a setzt eben nicht ein Joch voraus, sondern spricht von liebevoller Menschenführung in Weiterführung von 3aα. Dann liegt aber für 4aβ eine Ausführung der Anschauung von 3aβ nahe, so daß es jetzt nicht nur heißt: „ich nahm sie auf meine Arme", sondern darüber hinaus: „ich war wie einer von denen, die den Säugling an ihre Wange schmiegen", nämlich einer der überaus zärtlichen Väter. (Die umständlich wirkende Aussageweise ist für Hosea nicht ungewöhnlich, vgl. 5 10a, auch 4 4b 𝔐; beim Abheben des Jochs von den Kinnbacken sollte man übrigens מֵעַל statt עַל erwarten, vgl. Gipsen 385, s. auch Textanm. 4b). Diese Steigerung im Umgang des Vaters mit seinem Kinde muß von 3b her verstanden werden: wo die Hilfe des Vaters nicht begriffen wurde, da erwies sie sich nur noch liebevoller. „Ich neigte mich herab und gab ihm zu essen."

Ein überaus sprechendes Bild göttlicher Kondeszendenz! Dabei ist in der freien, in sich geschlossenen Bildausführung zu erkennen, wie Hosea insgeheim von den Generalthemen des Credo weitergeleitet wird: in 4 zeigt sich im Hintergrunde das Thema der Führung aus der Wüste ins Kulturland, wie es in 2 10. 16f. 13 5f. (s.u.S. 293) noch deutlicher ist.

Dem dreifach ausgeführten Liebeseinsatz Jahwes (1. 3a. 4) begegnet 11 5 zum dritten Male (vgl. 2. 3b) die verständnislose Abwendung der Berufenen, Geführten und Umliebten in ihrem Willen zur „Rückkehr nach Ägypten" (s.o.S. 187 zu 8 13). Damit ist Hosea der Sache nach in seiner Gegenwart angelangt, wahrscheinlich bei den vergeblichen Bestrebungen, durch Anlehnung an Ägypten die assyrische Herrschaft nach Tiglatpilesers III. Tod abzuschütteln (2 Kö 17 4; s.o.S. 254). Die Gestalt seiner Rede bringt den gewollten Rückschritt hinter den Anfang der Heilsgeschichte (1) zum Ausdruck, wie er sich schon in der jahwistischen Pentateucherzählung zeigt (vgl. Nu 14 4). Daß Hosea hier zum letzten Abschnitt seiner Darstellung des Angeklagten gekommen ist und nicht etwa zur Strafankündigung, zeigen erstens die Parallelen 2b und 3b und zweitens die Begründung in 5b, die mit dem Gesamturteil in 7b zusammenzusehen ist. Die Verweigerung der Umkehr zu Jahwe erklärt den Willen der Rückkehr nach Ägypten. 5aβ ist nicht als synonyme Parallele formuliert; der Satz beschreibt keinen Akt wie aα, sondern einen Zustand, und zwar in konzessivem oder adversativem Sinne: „wo doch Assur sein (rechtmäßiger) König ist", oder noch besser: „aber Assur, der ist (und bleibt) sein König". Denn dann wird der angeschlossene Satz 5b als Begründung verständlich: weil die rechte Umkehr verweigert ist, hilft die Umkehr nach Ägypten nicht. Assur in Gestalt des neuen Königs Salmanassar V. ist jetzt dabei, sich als Oberherr neu durchzusetzen.

So schließen sich die Aussagen von 6 als weitere Beschreibung der 6 Gegenwart an, indem sie die in Gang kommende Strafaktion Salmanassars V. schildern (s.o.S. 254). Daß das Schwert in seinen Städten umging, hat Israel seit 733 zur Genüge erfahren. Die Ausgrabungen von Hazor in den Jahren 1955–1958 haben in Schicht V die Spuren der Zerstörungen durch Tiglatpileser III. beispielhaft ans Licht gebracht; vgl. die vorläufigen Berichte in BA 19 (1956) 6; 20 (1957) 39; 21 (1958) 41ff.; 22 (1959) 10 und die im Erscheinen begriffenen ausgeführten Grabungsberichte von Yigael Yadin u.a. (Hazor I, 1958, 19 u.ö.). חול vom wütenden Kreisen oder auch Auf- und Niedersausen des Schwertes findet sich in der altaramäischen Inschrift einer Statue, die Barrekub von Jadi (Zendschirli), ein Zeitgenosse Tiglatpilesers III., für seinen Vater Panammu errichtet hat; vgl. MLidzbarski, Handbuch der nordsemitischen Epigraphik I (1898) 442, Panammu-Inschrift Tfl. XXIII Z. 5 = Donner-Röllig, KAI I 39, Nr. 215, 5; dazu JScharbert, BBB 8 (1955) 23. Das Schwert trifft zuerst die großsprecherischen Plänemacher (s. Textanm. 6b und

10 6 7 16). Aber Samaria wird noch nicht erwähnt (vgl. dagegen 14 1). Tatsache ist, daß Salmanassar V. schon vor der Belagerung Samarias den König Hosea gefangennehmen und das übrige Land besetzen konnte (2 Kö 17 4; MNoth, GI⁴ 237). Es ist möglich, wenn auch nicht mit Sicherheit auszumachen, daß Hosea diese jüngsten Ereignisse in die unglückliche Liebesgeschichte Jahwes mit seinem Sohn einbezogen hat. Jedenfalls ist das politische Unglück für ihn nur die Kehrseite der verweigerten Umkehr zu seinem Gott. Das zeigt die Umklammerung von 6 durch 5b und 7a.

117 Die Kriegsnot als Scheitern der eigensinnigen Pläne ändert die Gesinnung Israels nicht mehr. Das Fazit einer langen Verhärtungsgeschichte lautet: „Mein Volk hält fest an der Abkehr von mir." Aber noch ist der Liebeseifer Jahwes nicht schwach geworden. Das zeigt schon das doppelte Suffix: „mein Volk" (s.o.S. 97 zu 4 6) und „Abkehr von mir"; der Schmerz enttäuschter Liebe, der uns in der Frühzeit begegnete (s.o.S. 49 zu 2 15), bricht aufs neue durch. Der eigentliche Rivale scheint auch jetzt der Baal zu sein (s. Textanm. 7c), wie schon in 2b zu erkennen war. Die offizielle politische Notklage kann Hosea wie alles kultische Treiben der Priesterschaft nicht als Hinwendung zu Jahwe verstehen (s.o. zu 6 1–4 7 14 9 1). Der Gott Israels leidet darunter, weil er die Vergeblichkeit der frommen Mühen durchschaut. „Er (der Baal) bringt sie nicht hoch". Der Text bleibt allerdings wegen der unsicheren Überlieferung schwer deutbar. Unser Verständnis findet vielleicht darin eine weitere Stütze, daß רום pil. am Schluß der Klage des enttäuschten Vaters auf die Bildsprache von 1–4 zurückgreift, wenn es hier wie in Jes 1 2 verwendet ist. Doch geht es nun nicht mehr eigentlich um das Großziehen der Kinder, sondern um die Aufrichtung der Niedergeschlagenen. So endet die geschichtstheologische Anklagerede wahrscheinlich mit dem Grundton leidender Klage, der in 7a, aber auch schon in 2. 3b. 5 vernehmbar war.

8 Insofern überrascht der heftige Ausbruch der Selbstverwarnung vor einem totalen Gerichtsakt nicht. Zu איך s.o.S. 250. נתן meint hier die völlige Auslieferung und Preisgabe wie Ps 44 12 Mi 5 2; vgl. Ri 6 13 Dt 2 31; ebenso מגן (s.o. Textanm. 8a). Noch ist trotz allen störrischen Verhaltens Israel nicht ganz verloren; vor allem ist es nicht von Jahwe losgelassen, der es durch seine Zuchtmaßnahmen vielmehr zu sich zu ziehen suchte, wenn auch vergeblich (vgl. 4f. 6f.). Die Orte Adma und Zeboim erscheinen im Alten Testament sonst nur neben Sodom und Gomorrha: Gn 10 19 (J) 14 2. 8; Dt 29 21f. Sap 10 6 zieht sie nach Gn 14 zu einer Pentapolis zusammen. Hosea hat die in Dt 29 21f. belegte Tradition vor Augen, wonach diese Städte von einem Gericht der Zornesglut Jahwes erreicht wurden, das jedes Leben vernichtete und jedes Wiederaufleben unmöglich machte. Ein solches völliges Vernichtungsgericht hat Hosea in den früher angedrohten Kriegsnöten zunächst nicht ins Auge fassen können (vgl. S.143f.zu 59); doch in 96.11ff. 106ff.15ff. kündigte es sich drohend an. Demgegenüber wird nun in der Stunde, in der die schwersten Nöte über Israel hereinbrechen, der Grund gelegt für die Gewißheit, daß Israel von seinem Gott nie endgültig preisgegeben werden kann. Statt des Vernichtungsumsturzes, der jene genannten Städte erreichte (vgl. הפך in Gn 19 25 Dt 29 22), wird ein Umsturz in Jahwe selbst bekundet. Jahwe als der „Heilige" „in ihrer Mitte" tritt an die Stelle der fehlenden „Gerechten"; vgl. בקרבך in 9b mit Gn 18 24b, dazu Galling 96f.; zum Sprachgebrauch vgl. auch Dt 615. Die Willensbildung Jahwes (zu לב s.o.S.104f.) richtet sich gegen ihn selbst, nämlich gegen seinen Zorn (9a). An die Stelle von בקרבי in der Wendung נהפך לבי בקרבי (Thr 1 20 von schmerzlicher Reue, vgl. HJKraus, BK XX z.St.) tritt עלי, im feindlichen Sinne; vgl. Jos 105 und BrSynt § 110b. Der Umsturzcharakter in der hier sich bezeugenden Willensänderung Jahwes wird durch die Wahl des seltenen Wortes נחומים (nur noch Jes 57 18 Sach 113) unterstrichen, das darum nicht durch רחמים ersetzt werden sollte (s. Textanm.8b). Seine Reue (über seinen zornigen Gerichtswillen) „wird heiß", d.h., sie erregt und beherrscht ihn; damit findet die bekanntere Wendung נכמרו רחמיו (Gn 43 30 1 Kö 3 26) eine selbständige Abwandlung. Hoseas Gott sehen wir immer wieder mit sich selbst um Israel ringen (z.B. 64 und o.S.152; vgl. schon Am 7 3.6 und dann Jeremias Wort in deuteronomistischer Überlieferung Jer 26 3.13.19 u.o., zur Sache vor allem Jer 31 20).

Nach den drei Perioden von 8, die die leidenschaftliche Erregung 11 9 eines Durchbruchs atmen, wird der entscheidende Gottesbeschluß in zwei langen Reihen in 9a herausgestellt, die beide mit dem entscheidenden לא des Willensumsturzes beginnen, das in den beiden folgenden kurzen Begründungsperioden nochmals in einem doppelten ולא nachklingt. Zum dichterischen Bau von 8–9 s.o.S. 252 (Form). Von der Glut des Zornes war ausdrücklich in 8 5 die Rede (s.o.S.181). Sie soll nicht die Geschichte Israels beherrschen. Zum Verständnis des Satzes wird man an die Gerichtsverkündigung der letzten Jahre denken müssen, vielleicht insbesondere daran, daß Hosea früher schon im Rückblick auf die Erwählungstraditionen die Befreiung von der Unheilsansage erhofft hatte (s.o.S.212f. zu 910 und S.239f.zu 1011). Jetzt kann er wenigstens im Kreise derer, die wie er Jahwes Gesamtgeschichte mit Israel vor Augen haben, ein neues Wort seines Gottes ansagen. „Ich will nicht wieder verderben." Was heißt אשוב? Hat er schon einmal das Verderben herbeigeführt? Im Sinne von 8f. sicher nicht. Was Israel bisher widerfuhr, war die Folge der gewollten Taten Israels, Ernte eigener Saat (49 87 1013). So war auch im Geschichtsrückblick der Anklagerede die politische Not der letzten Zeit nicht etwa als Wirkung des Zornes Jahwes, sondern als Folge verweigerter Umkehr dargestellt (5f.). Ungleich anders würde es aussehen, wenn Jahwe, statt mit Stricken der Liebe zu ziehen, mit der Glut seines Zornes vertilgen würde. So kann also das verbum relativum שוב nicht eine zweite Verderbenstat meinen. שוב bezeichnet aber nicht nur die Wiederholung einer Handlung, sondern auch die Wiederherstellung eines früheren Zustandes oder das Rückgängigmachen einer Tat; vgl. Nowack z. St.; auch WLHolladay, The Root šûbh in the OT (1958) 69f. So spricht Hosea in 2 11 vom Wiederzurücknehmen der Früchte, die Jahwe gab. Ebenso ist hier die Rede vom Wiederverderben derer, die er aus Ägypten als dem Ort des Verderbens (9 6) herausgerufen und seither stetig in Liebe geführt hat, wenn auch seine Liebe über allen Enttäuschungen die Form der Strenge annehmen mußte. So bezeugt 9a, daß der ursprüngliche Liebeswille Jahwes der herrschende Wille bleibt.

Die Begründung führt aus, daß sich darin Gott als Gott und als der Heilige in Israel erweist, daß er nicht wie der Mensch in Abhängigkeit von seinem Partner gerät. Zu אל in der Antithese (ולא־איש) vgl. Jes 31 3 Ez 28 2. Sein Aktionswille bleibt frei und wird nicht erzwungene Reaktion. Der Heilige ist als der ganz Andere „der Herr seines Willens, der der Glut seines Zornes nicht erliegt,... in seinen Entschlüssen unabhängig und frei,... überlegen, in eigener Vollmacht handelnd" (LKoehler, Theologie des Alten Testaments, [4]1966, 34). Es ist wichtig, daß der Begriff der Heiligkeit, wo er bei Hosea einmalig auftaucht, gerade nicht den Gerichts-, sondern den Heilswillen begründet, der zu den Anfängen der Heilsgeschichte steht. Ähnlich begründet erst wieder Deuterojesaja mit der Heiligkeit das Unvergleichliche der heilvollen Erneuerung des verzagten Gottesvolkes (Jes 40 25ff.). Wie auch der Schlußsatz 9bγ gelautet haben mag (s. Textanm. 9a), er betont zum fünften Male nach 8bα. β. 9aα. β, daß Jahwe der Erregung seines Zornes absagt und nicht kommt, um zu verderben.

11 11   Demnach werden die Folgen der Taten Israels (5–7) nicht die Endgeschichte beherrschen können, sondern Jahwes Entschluß zur Endherrschaft seiner Liebe wird die Zukunft bestimmen. In der Umkehrung früherer Fehlorientierung (8 8f. 7 11, dort auch schon das Bild der Taube s.o.S. 162) und in Überholung der Androhung elenden Lebens und Sterbens in Ägypten und Assur (7 16 8 8f. 10. 13b 9 3. 6) verkündet er nun die Rückkehr der Geängsteten, die mit Beben aus der Fremde heimkehren (vgl. 3 5). Das Ziel ist friedliches Wohnen im Lande; vgl. 2 17. 20. In der praep. על („auf ihren Häusern") wirkt doch wohl nicht mehr das Bild vom Vogel nach, der sein Nest wiederfindet (vgl. Ps 84 4 mit Sellin); denn Hosea ist mit b vom Bild zur Sache übergegangen. Vielmehr mag er wieder בית als (heimatliches) Wohngebiet verstehen wie 8 1 9 15 (8); s.o.S. 176. So wird das friedevolle Ziel der Herausführung aus Ägypten durch die Übermacht der Liebe Jahwes schließlich erreicht.

Die wahrscheinlich redaktionelle Schlußformel (s.o.S. 254 Form) unter-

streicht zum Abschluß, daß dieses Heilswort „Spruch Jahwes" ist.
Da die Formel innerhalb keiner anderen Auftrittsskizze in dem mit 4 1
anhebenden Überlieferungskomplex erscheint, vermuten wir darin die
Abschlußnotiz des Sammlers der Auftrittsskizzen von 4 1–11 11, zumal
Kap. 12 anhebt, als wäre Kap. 11 nicht gesprochen, so wie zuvor Kap. 4
keine Verbindung mit Kap. 1–3 erkennen ließ.

Wir haben in diesem Verse drei erklärende Ergänzungen zu 11 ge-   11 10
funden, die die Tradenten dem Schatz prophetischer Überlieferungen
entnahmen (s.o.S. 251). „Hinter Jahwe hergehen" erläutert den
elliptischen Ausdruck „heranbeben" in 11a. Der Durchbruch der heiligen Liebe Jahwes wird die Gefolgschaft finden (vgl. 2 9), die jetzt noch
den Baalen (2. 7; vgl. 2 7. 15) und den Fremdmächten (5; vgl. 5 11. 13 7 11)
gilt. Die Rückkehr in die Heimat ist Heil nur als Nachfolge Jahwes.
Der Umkehr in Jahwe wird die Umkehr Israels zu Jahwe folgen.

„Wie ein Löwe wird er brüllen." Diese zweite Notiz erklärt, wie
Jahwes Absage an den Zorn zur Auswirkung auf Israel kommt. Der
rufende Vater (1f.) hat die unüberhörbare Stimme des Löwen angenommen, nicht zum Gericht (Am 1 2 3 4. 8 Hos 5 14 13 7 Jer 25 30), doch wird
Israel nur unter Erschrecken heimfinden (vgl. 3 4f.).

„Ja, er wird brüllen, dann nahen auch bebend die Söhne vom
Meer." Die Erklärung zeigt durchaus Merkmale lebendiger Rede im
hoseanischen Stil (כי mit folgendem Subjektspronomen z.B. in 4 14 5 14 8 9).
Inhaltlich ist sie im Zusammenhang fremd (s.o.S. 251), aber in Hoseas
Tagen nicht undenkbar, gibt es doch in den Küstengebieten genug ver-
schleppte Israeliten (Am 1 6 [9]; vgl. 8 12). Die Formulierung ist eigen-
artig und hat nicht etwa in späteren Texten ihr Vorbild, wenn auch die
Sache der Heimkehr aller Versprengten dort erst deutlich ausgesprochen
wird (vgl. Jes 11 11). Es ist darum nicht ausgeschlossen, daß 10b ähnlich
wie die Nachträge in 3 5b (s.o.S. 80) späterer judäischer Heilseschatologie entstammen.

Die Verkündigung dieses Kap. umfaßt die ganze Lebensgeschichte Ziel
des Gottessohnes Israel. Sein vergangenes und gegenwärtiges Leben erscheint in der Gestalt klagender Anschuldigung, die Jahwes Liebestaten
mit der spröden Abkehr Israels beantwortet sieht (1–7). Im Unterschied
zu den bisherigen und den noch folgenden geschichtstheologischen Anklagereden mündet sie nicht in eine neue Gerichtsdrohung, sondern kommt
über eine Selbstverwarnung des Anklägers zur ausdrücklichen Absage
des Gerichts (8–9) und zur Ankündigung eines neuen Exodus aus den
Fremdländern (11).

Die geschichtstheologische Klage weckt die Frage, wer die Zukunft
Israels bestimmt, seine Abwendung von Jahwe oder dessen Liebe. Die
Antwort erfolgt mit dem zunächst überraschenden Hinweis auf Jahwe
als Gott, der nicht Mensch, sondern der Heilige ist. Gott erweist sich

als der Heilige, indem seine Reue seinen Zorn umstürzt und so für Israel neues, geborgenes Leben schafft.

Das theologisch Hochbedeutsame dieses Kap. liegt darin, daß der Grund der Erwählung und Führung Israels in der Liebe Gottes aufgedeckt wird (1.4) und daß diese Liebe sich nicht als irgendeine ablösbare Eigenschaft erweist, sondern als das unvergleichliche, heilige Wesen Gottes selbst. Jahwe kann seine Liebe so wenig wie seine Gottheit fahren lassen. Die Liebe erweist sich in mannigfachem Rufen und Handeln; als enttäuschte hilft sie weiter, als verschmähte erzieht und nährt sie (1-4), als leidende Liebe (5-7) bekämpft sie ihren Zorn und trägt so die Not ihrer Mißachtung in sich selbst aus (8-9), kommt aber eben damit zu ihrer letzten Machtentfaltung ([10] 11). So ist der Prophet viel weniger Zeuge und Ankläger der Geschichte Israels als vielmehr Zeuge der mit Israel wie mit sich selbst ringenden Liebe Gottes.

Der ungeheure Durchbruch dieses prophetischen Auditionsberichtes wird erst recht deutlich, wenn man vergleicht, was das deuteronomische Gesetz (Dt 21 18-21) für den störrischen Sohn verfügt: die Todesstrafe der Steinigung. Dagegen erfährt der störrische Sohn Israel hier das Leiden seines Vaters unter der Unbekehrbarkeit des Sohnes und den Umsturz seines Zorns im neuen Durchbruch göttlicher Liebe. Darüber wird dem Sohn Israel die endgültige machtvolle Befreiungstat seines Gottes an seinem Leben zuteil.

Man muß auch hier schon über dem prophetischen Wort sagen, was Paulus über der Sendung des Sohnes Gottes Jesus Christus verkündet: „Was dem Gesetz unmöglich war, das tat Gott". Ähnliches war zu 3 1-5 auszuführen (s.o.S. 80). Auch dort war das Leitwort „Liebe". Aber in zweifacher Hinsicht sagt Kap.11 mehr. Einmal umfaßt hier die Liebe das ganze Leben des Gottesvolkes,von seinen Anfängen an bis in die Zukunft,und besagt damit, daß Israel nur in der Liebe seines Gottes seine Existenz hat. Zum andern enthüllt 11 8f. den Grund der Liebe in der heiligen Gottheit Gottes selbst, so daß kein menschlicher Treubruch und Trotz sie letztlich in Zorn verwandeln kann. Der Kampf zwischen Gottes Liebe und Gottes Zorn vollzieht sich in Gott selbst, indem der vernichtende „Umsturz" und „Brand" des Gerichts, der sich in Admah und Zeboim vollzog, nun statt in Israel im Herzen Gottes stattfindet (s.o.S. 261 zu 8b). Gott als „der Heilige inmitten" Israels wendet die Katastrophe um seinetwillen ab, da sich die zehn Gerechten wie in Sodom so in Israel nicht finden. Damit kommt Abrahams Fürbitte in Gn 18 17-33 zu ihrer unerwarteten Erfüllung. Anders als in Hoseas frühen Worten in 2 8f. 16f. 3 1-5 stehen hier Gerichtswille und Erbarmen in Widerstreit. Dort erschien in der Vorschau das Gericht im Dienst der Liebe. Jetzt, im Durchleiden des Zorns, tritt nur der Widerspruch zum Heil heraus, den der Liebesdurchbruch überwindet. Zum Zusammenhang dieser Wandlung mit der veränderten Situation s.o.S. 253f.

Der Weg ist nicht weit bis zu der johanneischen Aussage „Gott ist Liebe" (1 Joh 4 8. 16) und ihrer Begründung in der Sendung des Sohnes zum Sühnopfer für unsere Sünden (10) und bis zu der paulinischen Botschaft: „Wo die Sünde größer wurde, da erwies sich die Gnade noch überschwenglicher" (Rm 5 20).

Jedoch ist zu sehen, daß Hosea noch kein anderes Ziel der Machtentfaltung der Liebe Gottes kennt als die friedliche Ansiedlung im eigenen Wohnbereich als Ergebnis der befreienden Herausführung aus der Gewalt der Weltreiche; ferner, daß kein anderer als der Sohn Israel Empfänger solcher Liebe ist; und schließlich, daß hier nur im prophetischen Verheißungswort erscheint, worauf Johannes und Paulus als auf eine in Jesus erfüllte Geschichte verweisen.

In dieser Begrenzung und Vorläufigkeit aber behält unser Kap. paradigmatische Bedeutung für alle Völker, die durch Christus „Miterben und Miteinverleibte und Mitgenossen der Verheißung" sind (Eph 3 6). Gerade mit seinen Konkretionen hilft es jeder Generation neu, das Wunder der völlig freien, unablässig tätigen und zielstrebigen Liebe Gottes als die eigentliche Lebensader jeder Lebensgeschichte und der ganzen Menschheitsgeschichte zu glauben, die gespeist wird aus dem Herzen Gottes selbst, d.h. von der unvergleichlichen Gottheit Gottes (8b. 9b). An diesem Kapitel kann man sich klar machen, inwiefern Altes und Neues Testament einander legitimieren (G.v.Rad, Theologie des Alten Testaments II,⁶1975, 396–401).

VERRAT AM PROPHETISCHEN WORT
(12 1–15)

Literatur ThCVriezen, Hosea 12: NThS 24 (1941) 144–149. – Ders., La tradition de Jacob dans Osée XII: OTS 1 (1942) 64–78. – ChWReines, Hosea 12 1: JJSt 2 (1950–51) 156–157. – ABentzen, The Weeping of Jacob, Hos XII 5a: VT 1 (1951) 58–59. – CWestermann, Das Hoffen im AT: ThViat IV (1952) 19–70 = ThB 24, 219ff. – EZolli, Il significato di *rd* e *rtt* in Osea 12 1 e 13 1: Rivista degli Studi Orientali 32 (1957) 371–374. – MGertner, The Masorah and the Levites. Appendix on Hosea XII: VT 10 (1960) 241–284. – RVuilleumier, La tradition cultuelle d'Israël dans la prophétie d'Amos et d'Osée: Cahiers théologiques 45 (1960) 73f. – HLGinsberg, Hosea's Ephraim, more Fool than Knave. A new Interpretation of Hosea 12 1–14: JBL 80 (1961) 339–347. – EJacob, La femme et le prophète. À propos d' Osée 12 13–14: Hommage à WVischer (Maqqél shâq éd 1960) 83–87. – PRAckroyd, Hosea and Jacob: VT 13 (1963) 245–259. – DJMcCarthy, Hosea 12 2 – Covenant by Oil: VT 14 (1964) 215–221.

Text
¹Mit Lüge umzingelt mich Ephraim,
    mit Verrat das Haus Israel.
Aber ᵃ Juda geht noch mit Gott um ᵇ,
    hält sich treu zu den Heiligen.
²Ephraim befreundet sich ᵃ mit Wind
    und rennt dem Ostwind nach den ganzen Tag.
    [Lüge und Gewalt ᵇ mehrt es] ᶜ.
Mit Assur schließen sie ein Bündnis,
    nach Ägypten 'liefern sie' ᵈ Öl.
³ ᵃGericht hält Jahwe mit 'Israel' ᵇ,
    daß er Jakob zur Rechenschaft ziehe nach seinem Wandel;
    nach seinen Taten wird er ihm heimzahlen.
⁴Im Mutterleib hinterging er seinen Bruder,
    in seinem Reichtum ᵃ stritt er gegen Gott.
⁵Aber 'Gott' ᵃ [Engel] erwies sich als Herr und siegte.
    Er weinte und flehte ihn an.
In Bethel ᵇ findet er ihn
    und dort redet er mit 'ihm' ᶜ:
⁶[Und Jahwe ist der Gott der Heere,
    Jahwe ist sein Rufname!]
⁷„Du aber sollst (voll Vertrauen) ᵃ zu deinem Gott zurückkehren,
    sollst Treue und Recht bewahren
    und beständig harren auf deinen Gott!"
⁸In des Händlers ᵃ Hand ist falsche Waage,
    er liebt das Unrecht ᵇ.
⁹Aber Ephraim spricht: „Ja, ich bin reich geworden,
    ein Vermögen ᵃ habe ich gewonnen;
ᵇall meine Gewinne bringen mir keine Schuld, die Sünde wäre ᵇ."
¹⁰Aber ich bin Jahwe, dein Gott ᵃ

von Ägyptenland her,
ich lasse dich wieder in Zelten wohnen
    wie in den Tagen der Begegnung.
11 Ich redete auf ᵃ die Propheten ein,
    ich schenkte vielfach Schauung.
        Durch die Propheten gebe ich Kunde ᵇ.
12 Wenn (schon) Gilead böse war,
    dann sind sie wahrlich unbrauchbar geworden.
In Gilgal opfern sie Stiere ᵃ,
    so werden auch ihre Altäre wie Geröllhaufen
        an den Furchen der Ackerflur.
13 Jakob floh ins Gefilde von Aram,
    Israel wurde Knecht durch ein Weib,
        durch ein Weib wurde er Hüter.
14 Aber durch einen Propheten führte Jahwe
    Israel aus Ägypten herauf,
        durch einen Propheten wurde es gehütet.
15 Ephraim hat bitter gekränkt ᵃ.
    Seine Blutschuld lädt er ihm auf,
        seine Schmähung gibt ihm sein Herr zurück.

1a Schon die Inversion mit ihrer Voranstellung Judas verlangt neben der 12 1
Aussage über Ephraim in a adversative Deutung. 𝔊 zieht καὶ Ιουδα zu a, wie
sie auch sonst in b stark von 𝔐 abweicht; s. Textanm. b. – b Der Konsonantenbestand von 𝔐 wird im wesentlichen bestätigt durch 𝔙: Iudas autem testis
(עֵד) descendit (ירד) cum deo et cum sanctis fidelis; ähnlich Achmim. Übers.;
'A bezeugt רד mit ἐπικρατῶν (רדה). Dagegen war die Vorlage von 𝔊 (νῦν ἔγνω
αὐτοὺς ὁ θεός, καὶ λαὸς ἅγιος κεκλήσεται θεοῦ) stark verderbt oder verlesen
(עַתָּ יְדָעָם אֵל וְעַם קָדֹשׁ יָהּ נֶאֱמָר): „jetzt hat sie Gott erkannt, und heiliges Volk
Jahwes wird es genannt." Der par. membr. spricht für den gut bezeugten,
wenn auch schwer verständlichen 𝔐-Text. – **2a** vgl. Textanm. 9 2b. – b 𝔊 2
(κενὰ καὶ μάταια) las wahrscheinlich כָּזָב וָשָׁוְא („Lug und Trug"). – c Der
Satz sprengt die formvollendete Parallele der beiden Perioden von 2 und erklärt sich als interpretierende Glosse, die den Leitgedanken des Kapitels
(vgl. 1a) an den Vers heranträgt. – d יוֹבִילוּ fordern 𝔊, der par. membr. und
der Konsonantentext, sofern ו in 3a (Anfang) entbehrlicher ist als in 2b
(Ende). Die Vokalisation von 𝔐 war eine Folge der Abtrennung von ו.
𝔊 (ἐνεπορεύετο) setzt trotz dieser Abtrennung noch יוֹבֵל voraus. Vielleicht
liegt Haplographie des ו vor. – **3a** s. Textanm. 2d. 𝔊 (καὶ κρίσις) stützt 𝔐. 3
– b 𝔐 („Juda") geht wohl auf judäische Redaktion zurück (vgl. 4 15 5 5
6 11, wo jedoch die redaktionelle Technik eine andere ist, s.o.S. XXVII), wahrscheinlich zugleich die ungewöhnliche Kopula vor לפקד (vgl. aber Am
8 4 Ps 104 21). Denn „Jakob" steht entweder für Gesamtisrael (vgl. 10 11
12 13) oder für das Nordreich (vgl. Jes 9 7f. 17 3f. Mi 1 5). Die finale Verknüpfung לפקד verlangt in 3a den gleichen Angeklagten wie in 3b. – **4a** אוֹן = 4
„Kraft" (so auch die griech. Übersetzungen außer 𝔊: ἐν ἰσχύι; 𝔙: in fortitu-
dine), „Reichtum" (vgl. 9!) stellt der frühesten Sünde die der Mannesjahre
gegenüber. 𝔊 (ἐν κόποις) denkt anscheinend an אֶוֶן wie in Mi 2 1 Hab 1 3 3 7
Sach 10 2, vgl. Hos 12 12 𝔐. – **5a** Σ (κατεδυνάστευσε) 𝔙 (invaluit) leiten wie 5
𝔐 וישר nicht von שרה (4b) her (so 𝔊 'A), sondern von שרר. Dafür spricht
neben der Punktation auch noch die von 4b abweichende praep. in 𝔐. Aber
„herrschen über" heißt שרר עַל (Ri 9 22). Und warum sollte jetzt statt „Gott"

ein „Engel" Gegner sein? Zu Vriezens Deutung s.u.S. 275. Müßte nicht מלאך wenigstens determiniert sein? Es erscheint jedoch überhaupt fraglich, ob Jakob hier noch Subjekt ist; dann ist nämlich die Fortsetzung in 5aβ unverständlich. So liegt die Vermutung nahe, daß die praep. אֶל Verlesung eines ursprünglichen אֵל infolge Aufnahme einer Randglosse מלאך in den Text darstellt (vgl. Gertner 277.281); von Engeln weiß Hosea selbst auch sonst nichts. – b 𝔊 liest wie in 4 15 5 8 10 5. 8 Ὤν; Ziegler (130) hält demnach אָן für ursprünglich, da sonst 𝔊 wie in Am 3 14 4 4 5 6 (2mal) 7 10. 13 Sach 7 2 einfach transkribiert hätte (βαιϑηλ), was ’ΑΣΘ auch hier tun. Aber eine Angleichung von 𝔊 an die früheren Hoseastellen ist wenigstens ebenso denkbar wie nachträgliche Änderung von 𝔐 nur an dieser Hoseastelle. Seit Tertullian ist die Variante ביתי (𝔊ᴬ μου) bezeugt: „in templo meo me invenerunt et illic disputatum est ad eos" (adv. Marc. IV 39; Ziegler 129). – c עָמּו fordern 𝔊𝔖 und der Zusammenhang statt 𝔐 („mit uns", 𝔙 nobiscum), was auf Fehldeutung des Suff. in vorangehendem ימצאנו zurückgeht. Zu den zahlreichen Varianten der 𝔊-Überlieferung in 5 vgl. Ziegler 129f. – 7a שׁוב ב ist als constructio praegnans zu verstehen, wobei mit שׁוב ein weiteres, mit ב konstruiertes Verb wie האמין (Jon 3 5 Ps 78 22) oder בטח (Ps 56 5. 12) zusammengedacht ist; vgl. den Gebrauch von ב in Ps 69 7 und s. Textanm. 1 2b. שׁוב mit ב der Richtung kommt 1 Kö 2 33 Ob 15 vor. – 8a ’Α erklärt כנען mit μετάβολος („Tauschhändler"; wie Sach 14 21 Jes 23 8; vgl. Ziegler), ebenso 𝔗 („Kaufleute"); vgl. KBL 444b. – b wörtlich: „zu bedrücken"; עשק ist aus 5 11 bekannt; meist wird לְעַקֵּשׁ „zu verdrehen", „zu täuschen" für ursprünglich gehalten (Koehler, Weiser, Lippl). – 9a ’Α (ἀνωφελές; ebenso 12) 𝔊 lesen אָן, wie 𝔊 in 4 (s. Textanm. 4a). – b–b 𝔊 übersetzt: יְגִיעָיו לֹא יִמָּצְאוּ לֹו עַל־עָוֹן אֲשֶׁר חָטָא und fügt damit schon hier dem Anklagewort in 8. 9a den Strafspruch zu. Aber erst 10 (ואנכי) zeigt einen deutlichen Übergang zur Strafverfügung, so daß die Fortsetzung der Ephraimrede von 9a in b wahrscheinlicher ist. 𝔙 bestätigt 𝔐, außer im letzten Wort (peccavi). – 10a 𝔊 ergänzt ἀνήγαγόν σε, was הוֹצֵאתִיךָ in Ex 20 2 (vgl. Jer 7 22 11 4 𝔊) oder הֶעֱלִיתִיךָ in 14 Ex 32 4 1 Kö 12 28 entspricht; vgl. die noch stärkere Erweiterung von 𝔊 in 13 4 (s. Textanm 13 4a). – 11a על bringt die Überlegenheit des Redenden zum Ausdruck; דִּבֶּר עַל auch in 2 16 7 13. – b Das Wort ist einheitlich bezeugt, aber in seiner Bedeutung unsicher; „zum Schweigen bringen" (4 5.6 10 7. 15) liegt neben den parallelen Satzgliedern fern (vgl. aber 6 5); man wird an einen term. techn. der Gleichnisrede (Buber) oder besser der Verkündigung des Gottesplanes denken (vgl. KBL דמה I). – 12a 𝔊 (ἄρχοντες) liest שָׂרִים. – 15 a Ist ein Satzglied mit Objekt ausgefallen? Oder ist beim Verbum ein Suffix zu ergänzen: הִכְעִיסוֹ (Procksch) oder הִכְעִיסַנִי (Lippl)?

Form Das 12. Kap. setzt nichts von dem voraus, was in 11 8–11 verkündet worden ist. In neuer Weise bringt es Ephraims Schuld als Betrug und Verrat an seinem Gott zur Sprache und stellt darin eine kerygmatische Einheit dar. Das Leitwort מרמה in 1a, sonst bei Hosea nicht gebraucht, klingt in 8 wieder auf und herrscht sachlich bis 15, dem Satz von der bitteren Kränkung und Schmähung, wo es in תמרורים auch noch eine Assonanz findet. Zwischenhinein entfalten die Erinnerungen an den Händlergeist Ephraims (2. 8f.), an Jakob (4f. 13) und an Gilgal (12) das Thema Betrug.

So herrscht die Anklage unbedingt vor (1a. 2. 4. 8f. 12a. 13. 15a). Sie wird bekräftigt durch Verweisungen auf Jahwes Reden (5b. 7. 10a. 11) und

Handeln (5a cj. 14), vor dem Ephraims Tun erst recht als Falschheit erkennbar wird. Auch wird in 1b, jedenfalls nach dem vorliegenden Text,
auf das unterschiedliche Verhalten Judas hingewiesen. Dieser breite, an
der Heilsgeschichte ermessene Schuldaufweis führt zu recht knappen
Androhungen des Strafhandelns Jahwes. Nur in 10b. 12b werden sie
konkret; in den entscheidenden Rahmensätzen 3. 15b sagen sie nur allgemein Vergeltung an, wobei die Aufnahme des ישיב לו aus 3bβ in 15bβ'
auch für die Gerichtsankündigung die thematische Einheit unterstreicht.

Eine Redeeinheit stellt das Kapitel dagegen nicht dar. 3 wirkt
nach 1–2 durchaus wie ein erster rhetorischer Einsatz (vgl. 4 1), obwohl die
Fortsetzung alsbald das Thema des vorangehenden Anklagewortes aufnimmt; nach 4f. findet der neue Spruch mit dem Zitat des Mahnwortes
in 7 (s. u. S. 277) ein vorläufiges Ende. In 8 setzt die Anklage Ephraims neu
ein. Der Spruch könnte ausgelöst sein durch einen Redeeinwurf, der
etwa die zitierte Mahnung als befolgt hinstellte. Doch fehlt hier das für
die Auftrittsskizzen so bezeichnende כִּי der Wechselrede (s. o. S. 173f.; vgl.
noch 9 4. 6 10 3. 5. 13). Es fehlt auch in allen folgenden Einsätzen in Kap.
12–14. Damit verstärkt sich die mit dem soeben herausgestellten Übergang von 1f. zu 3ff. entstandene Frage, ob hier eine andere Art literarischer Spruchreihung vorliegt als in den Auftrittsskizzen der Kap. 4–11.
Der in 8f. mit der Anklage einsetzende Spruch geht in 10 zur Ichrede
Jahwes und damit in 10b zur Strafandrohung über. 11, mit einfacher
Kopula angeschlossen, leitet mit der Erinnerung an die Heilsgeschichte
einen neuen Aufweis der Schuld in 12a ein mit Schilderung ihrer Gerichtsfolgen in 12b. Einen fünften Sprucheinsatz bringt 13, wieder ohne die
allein in 3 bemerkbare Prägnanz eines Anfangs im Fortsetzungsstil formuliert, aber auch ohne Rückbeziehung auf 12 oder einen nach 12 zu
postulierenden Einwurf. Nur der Gehalt der Aussage zeigt, daß wir beim
Thema der voraufgehenden Sprüche sind, zumal Jakobs Name wieder
auftaucht. 14 ist in vollendeter Antithese zu 13 formuliert und bildet so
mit 13 eine rhetorische Einheit. 15 faßt in. a die Anklage nicht nur des
letzten Spruches, sondern des ganzen Kap. in einem Urteil zusammen und
bringt in b die ebenso umfassende Gerichtsankündigung unter Rück-
bezug auf 3b. Damit wird das in fünf locker zusammengefügten Sprucheinheiten abgehandelte Thema des kränkenden Verrats Ephraims an
seinem Gott abgeschlossen. 13 1 setzt mit einer anders gearteten Anklage
ein.

Die Sprüche sind meist als Prophetenworte formuliert, die von
Gott in 3. pers. handeln (1b. 3–5. 7. 14f.), geben also den Grundton des
Disputationsstils zu erkennen. Nur in 10. 11 bricht das Ich der Gottesrede durch. Man wird dasselbe nicht allzu selbstverständlich für 1a behaupten dürfen, da 1b nicht im Botenstil, sondern als Disputationswort
formuliert ist (s. u. S. 271f.). Der von Ephraims Lüge Eingekreiste kann

durchaus der Prophet sein (vgl. 9 7f.), der noch eher in Juda mit Getreuen rechnet (s.u.S. 272f.). Immerhin ist es ungewöhnlich, daß hier das Ich des Propheten erscheint. Mit Sicherheit ist das nur noch in 3 1 und 9 17 der Fall, unwahrscheinlich dagegen in 5 9 (s.o.S. 144).

Diese ungewöhnliche Klage des Propheten weist mit ihrem Inhalt darauf hin, daß hier ein neuartiger Überlieferungskomplex beginnt. Er setzt die endgültige Verschlossenheit des restlichen Nordreichs für die prophetische Wahrheit voraus, zugleich aber eine gewisse Offenheit im Südreich. 1a läßt vermuten, daß dieser letzte Überlieferungskomplex des Hoseabuches darin dem ersten in Kap. 1–3 ähnlich ist, daß er den Kern einer eigenen Niederschrift oder eines Diktats Hoseas voraussetzt (s.o.S. 11f.). Damit erklärt sich auch die Beobachtung, daß die folgenden Sprüche andersartig gereiht sind als die der Auftrittsskizzen in 4–11 (s.o.S. 269), ähnlich wie deren sekundäre Erweiterungen etwa in 8 14 und 11 10 (vgl. 12 3. 11. 13).

Die rhythmische Struktur der Einzelworte ist allen übrigen ähnlich und setzt mündliche Verkündigung voraus. Klare synonyme Parallelismen liegen in den Doppeldreiern der Verse 1–2aα.b. 4. 15b vor, ferner in den Tripeldreiern, mit denen der zweite Spruch beginnt und schließt (3. 7), und dem in 11. Im übrigen sind trotz sichtlich (vor allem in 5. 13f.) gehobener Sprache metrische Gesetze schwerlich genau zu erkennen.

Ort   Wenn unsere Annahme zutrifft, daß mit Kap. 12 ein von 4–11 zu unterscheidender Überlieferungskomplex beginnt, dann können die Sprüche unseres Kapitels doch aus Zeiten stammen, aus denen auch andere Auftrittsskizzen vorliegen. Worte wie 1 erinnern an 9 7f. und 2b an 7 11 oder 11 5. Da Gilead schon abgetrennt erscheint (s. zu 12 u.S. 279) und Ephraim aufs neue zwischen Assur und Ägypten schwankt, kommt der Anfang der Regierungszeit Salmanassars V. in Betracht (vgl. o.S. 254 zu 11 Ort). Ein gewisser Reichtum (9) hat inzwischen den Verrat an Jahwe gefördert.

Die mündliche Verkündigung der hier gesammelten Worte ist am besten in der Nähe der judäischen Grenze (zu 1bs.u.S. 272f.), in der Gegend von Bethel (5) oder Gilgal (12) zu denken.

Wort   Angeklagt sind die Bewohner des Rumpfstaates „Ephraim" (s.o.S.
12 1 143f.) und die Glieder des „Hauses Israel" als dessen amtliche Vertreter („Sippenhäupter", vgl. 5 1 [1 4 10 15] und o.S. 123). Sie haben ihren großen Widersacher „eingekreist", wie man eine Festung umzingelt (Jos 6 3f. 2 Kö 6 15) und seinen ärgsten Feind einkreist (Ps 18 16 22 13. 17 88 17 118 10–12). Ihre Waffen sind „Täuschung" (zu כחש s.o.S. 84) und „Hinterlist" (מרמה), wie sie Gn 27 35 (J) von Jakob und die Klagelieder immer wieder von den Feinden aussagen (Ps 5 7 10 7 35 20 36 4 38 13 43 1 55 12. 24 109 2; vgl. 2 Kö 9 23 Jer 9 5). Wer ist hier betroffen: Jahwe oder der Prophet (s.o.S. 269)? כחש (4 2 7 3) und מרמה (12 8) gelten bei Hosea wie auch

sonst in der Regel den Mitmenschen, im Ausnahmefall Jahwe (Ps 17 1). So kann auch unser Satz von der Topik her am besten als Klage des von Verratern bedrängten Propheten verstanden werden; vgl. 9 7f. Unterstützt wird diese Sicht dadurch, daß im folgenden zunächst kein Ich Jahwes auftaucht und daß das gesamte Kapitel mit alleiniger Ausnahme von 10. 11 von Gott in 3. pers. spricht (s.o.S. 269). Natürlich ist im Propheten, als dem Sprecher Jahwes, zugleich Gott selbst getroffen. Ja, in 11 und 14 wird später unterstrichen, daß der Jahwewille im Propheten am Werk ist. Die Aussagen von 11 und 14 werden im Zusammenhang des Kapitels verständlicher, wenn von Anfang an der Verrat am prophetischen Jahwewort als Hauptthema anklingt.

Diese Sicht findet eine weitere Stütze im überlieferten Text von 1b. Allerdings wird die nicht leicht deutbare Wortfolge weithin als verderbt angesehen, nämlich als eine weitere Aussage über Israel, die erst durch die judäische Redaktion auf Juda überschrieben sei (Wolfe, ZAW 53, 1935, 91) und die von dessen Umgang mit אֵל als kanaanäischem Gott und von seiner Treue zu den קְדוֹשִׁים als dessen himmlischem Hofstaat (Nyberg; MHPope, El in the Ugaritic Texts: VT Suppl II, 1955, 13) oder auch zu den קְדֵשִׁים als den männlichen Kultprostituierten (Sellin, Weiser) spreche. Allerdings kennt auch das Alte Testament die Vorstellung von אֵל und seinen קְדוֹשִׁים als dem ihn umgebenden Thronrat (Ps 89 8, vgl. 6 Dt 33 3 Sach 14 5 Hi 51 15 15; vgl. Ex 15 11 ⑤). In der Jeḥīmilk-Inschrift aus dem 10. Jh. steht neben Baʿalšamēm und der „Herrin von Byblos" „die Versammlung der heiligen Götter von Byblos" (מפחרת אל גבל קדשם, wobei אל st.cstr.pl. ist; Donner-Röllig, KAI Nr. 4 Z. 4f., dazu Bd. II S. 7; vgl. OEißfeldt, ZAW 57, 1939, 3 und WRöllig, El als Gottesbezeichnung im Phönizischen: Festschr. JFriedrich, 1959, 407). Und wie Hosea in 4 14 Tempeldirnen als קְדֵשׁוֹת kennt, so erscheinen in ugaritischen Aufzählungen ḳdšm neben Priestern (Gordon 63 3 113 73). Von hierher 1b zu deuten, setzt voraus, daß 1a Jahwerede ist.

Dagegen erheben sich folgende Bedenken: 1. Der Satz beginnt mit invertierender Voranstellung des Subjekts, betont also das Subjekt. Das ist nur sinnvoll, wenn dieses Subjekt nicht identisch ist mit dem von 1a, sondern wenn ein Unterschied herausgestellt werden soll. Das spricht für das allgemein überlieferte וִיהוּדָה und gegen ein וְהוּא, was man statt eines ohnehin unmittelbar nach בית ישראל unmöglichen וישראל (Nyberg) vorschlägt (Sellin, Weiser). – 2. Das das Andauern eines Verhaltens bezeichnende Adverb עֹד benutzt Hosea gern zur Unterstreichung eines Gegensatzes; vgl. 2 18. 19 14 4. 9. Die Stellung von עֹד unmittelbar hinter dem Subjekt macht es wahrscheinlicher, daß das Verhalten dieses Subjekts in Gegensatz zu dem eines anderen gesehen wird, also nicht das verschiedene Verhalten desselben Subjekts zur Rede steht. Auch das spricht für Juda und gegen Israel. – 3. אֵל ist bei Hosea nie für eine kanaanäische Gottheit, aber eindeutig in 11 8 für den Gott Israels in einem Text verwendet, der wahrscheinlich in den gleichen Zeitraum gehört (s.o.S. 270). Vgl. ferner 2 1; vermutlich hat der Urtext auch in 12 5aα von אֵל gesprochen (s. Textanm.5a). Wäre der Götterkönig Kanaans gemeint, so wäre bei Hosea בַּעַל zu erwarten (2 15. 18f. 11 2 13 1). Meint אֵל aber Jahwe als Gott, so wird der Satz nur für Juda sinnvoll. – 4. Es bedarf nun allerdings der Klärung, was denn über das Verhalten des Subjekts zu אֵל ausgesagt wird. Hier stehen wir vor dem Problem der Deutung des Wortes רוד, die umstritten ist. Nyberg (92) hat auf arab. *r'd* „Weideplätze wechseln" verwiesen (GRDriver, PEQ 79, 1947, 125: „ruhelos sein",unter Verweis auf akk. *râdu* „zittern"; vgl. KBL „schweifen"); das würde zu Jer 2 31 und Gn 27 40 passen; doch ist 𝔐 an beiden Stellen unsicher. Zolli erinnert u.a. an syr. *rd'* „laufen, fließen, leben, sich begeben", Reines an akk. *redu* „folgen, nachfolgen". In der vorliegenden Verbindung mit עָם wird רוד eine nicht näher zu erklärende Weise des Umgangs mit Gott bezeichnen. Daß sie positiv zu bestimmen ist, ergibt sich eindeutig aus dem Parallelwort נאמן, womit das verläßliche Treueverhältnis beschrieben ist. Wenn somit trotz der unsicheren Bedeutung von רוד ein gewisses Gefolgschaftsverhältnis zu אל ausgesagt ist, kann es sich nicht auf Israel, sondern nur auf Juda beziehen. – 5. Doch wer sind die קְדוֹשִׁים, zu denen Juda sich treu verhält? Die Konjektur קְדֵשִׁים ist mit unseren Feststellungen zu אֵל für die Parallelaussage unmöglich geworden. Die Vorstellung des göttlichen Hofstaates (Ps 89 8 u.ö.; s.o.S. 271) ist bei Hosea sonst nirgendwo auch nur angedeutet. Von seiner Theologie her läge die Deutung von קדושים als eines plur. majest. näher, die analog zu אלהים verstanden werden könnte (vgl. Jos 24 19 Prv 9 10 30 3 und BrSynt § 19c); aber Jos 24 19 steht קדושים attributiv bei אלהים, und in Prv 9 10 30 3 ist doch wohl ein echter Plural wahrscheinlicher (vgl. MNoth, Die Heiligen des Höchsten: Ges. St. 276f.). Hosea allein diesen Gebrauch des Wortes als plur. majest. zuzusprechen, widerrät die Erinnerung an 11 9, wo der sg. קָדוֹשׁ parallel zu אֵל steht. Dann bleibt nur übrig, in den קדושים Menschen zu sehen, wie denn auch die frommen Glieder des Gottesvolkes in Ps 34 10 Dan 7 21 so benannt worden sind (vgl. MNoth a.a.O. 277. 287ff.). Insbesondere sind aber allem Anschein nach schon früher die Leviten so bezeichnet worden: 2 Chr 35 3; vgl. Nu 3 12 Ps 16 3, dazu HJKraus, BK XV 121ff. Außerdem wird Elisa einmal als „Gottesmann" ein „Heiliger" genannt (2Kö 4 9). So muß mit der Möglichkeit gerechnet werden, daß Hosea an die ihm vertrauten prophetisch-levitischen Kreise denkt (vgl. HWWolff, Hoseas geistige Heimat: ThLZ 81, 1956, 83–94 = Ges. St. z. AT: ThB 22, 1964, 232–250),wenn er von den „Heiligen"spricht,die in Juda noch eine Zuflucht finden können, während sie in Ephraim verfolgt werden (vgl. Am 7 12). Damit wird noch einmal unsere Vermutung zu 1a bestätigt, daß hier der Prophet zunächst über sein eigenes Schicksal klagt. Vielleicht haben ihn die persönlichen und die neuen kriegerischen Bedrängnisse unter Salmanassar V. in die Nähe der judäischen Grenze, etwa in die Gegend von Bethel (vgl. 5), verschlagen, so daß er leicht, wie einst 733 (5 8–10), Kunde von jenseits der Grenze erhalten kann.

Den partizipial formulierten Zustandssätzen über Juda in 1b treten in 2a gleichartige Sätze über Ephraim in genauer antithetischer Parallele gegenüber. Das betont vorangestellte „Ephraim" wird nur nach „Juda" in 1b verständlich. Die Anklage nimmt peitschende Schärfe an, schon im Wortklang, wie die dreifache Alliteration des Tonträgers ר von אפרים in רעה רוח ורדף zeigt (vgl. auch die Assonanzen in 2bα mit 5 11 8 7), erst recht aber im Sinngehalt: der Rumpfstaat hat nur noch Wind zum Freunde, d.h. Nichtiges (s.o.S. 182 zu 8 7), rennt nur noch dem Ostwind nach, dem Schirokko (Noth, WAT⁴ 29f.), der die alles versengende, Verderben bringende Großmacht ist (vgl. 13 15 Ps 103 15f. Jes 40 6f. Ez 17 10, dazu WZimmerli, BK XIII, 383). [margin: 12 2]

Die folgende Periode (b) deutet die Bildrede, in chiastischer Stellung zu a. Die Jagd nach dem Ostwind meint den Tributärvertrag mit Assur (5 13 8 9), den Hosea ben Ela 733 schloß (s.o.S. 183); die Freundschaft mit dem Wind ereignet sich in dem neuen, verhängnisvollen Anschluß an Ägypten nach Tiglatpilesers III. Tod, der durch eine Ölspende seinen offiziellen Charakter erhält. 2bβ steht insofern exakt parallel zu 2aα, als Öl jene Huldigungsgabe darstellt, die den Vertragsabschluß, etwa eines Vasallen, sanktioniert; vgl. Ps 68 32 und DJMcCarthy 219; auch EKutsch, Salbung als Rechtsakt: ZAWBeih 87 (1963) 66–69; zu יבל hi. vgl. 10 6 und o.S. 228. Das Deuteronomium nimmt diesen von Hosea (vgl. noch 7 11 10 4.6 14 4) eröffneten Kampf gegen die Bündnispolitik auf (vgl. Dt 7 2 17 16).

Damit ist gesagt, daß Ephraim, indem es das prophetische Gotteswort (1a) mit dem Verweis auf die betrügerischen Großmächte verriet (2b), sich selbst verraten hat (2a). Daß dieses prophetische Klagewort mit seinem merkwürdig hoffnungsvollen Verweis auf Juda an die Spitze einer literarischen Einheit trat, mag damit zusammenhängen, daß der prophetische Schreiber angesichts der nahenden Katastrophe des Nordreiches das verkündigte Wort für die wachsamen Kreise Judas aufbewahrt wissen will. [margin: 1–2]

Das locker angefügte neue Wort läßt der Anklage die offizielle Prozeßeröffnung Jahwes (vgl. 4 1bα und o.S. 82f.) mit vorweggenommener Strafandrohung (vgl. 4 9b und o.S. 103f.) folgen. Wenn die soeben zu 1b geäußerte Vermutung stimmt, dann wundert es nicht, daß in 3a schon früh Juda an die Stelle Israels trat (s. Textanm. 3b). Das alte Gerichtswort für das Nordreich will jetzt als Warnwort für Juda verstanden sein. Das ist um so begründeter, als das alte Wort Israel als „Jakob" ansprach, also betont nicht auf seine Staatlichkeit hin, sondern auf seine heilsgeschicht- [margin: 3]

liche Vergangenheit, die es mit Juda zusammenschließt (vgl. 10 11 und
o. S. 240).

12 4   So wird denn vor Israel der Prozeß Jakobs neu eröffnet. In seinem
Ahnherrn wird das gegenwärtige Israel bloßgestellt. Prophetisch erzählte Geschichte deckt den Betrug der Gegenwart auf.

Die in 2 beobachteten Assonanzen steigern sich jetzt zur Namens-
deutung als Wesensenthüllung: יעקב – עקב. Jakob „hat im Mutterleib
seinen Bruder überlistet". Die ursprüngliche Bedeutung des „typisch
zweistromländisch-westsemitischen Namens *Jaḫkub-ila* ('Gott möge
schützen')" (MNoth, Mari und Israel: „Geschichte und AT", Festschr.
Alt, 1953, 142f.) ist Hosea so wenig wie der Pentateuchüberlieferung
gegenwärtig. Von deren Stoff kennt er offenbar vieles. Allerdings bringt
er bezeichnende Abwandlungen. Die jahwistische Darstellung der Geburt der Zwillinge Jakob und Esau versteht den Namen Jakob von עָקֵב
her (25 26), da er die „Ferse" Esaus hielt. Von einem Betrug weiß diese
Erzählung gar nichts; sie sieht vielmehr darin, daß Jakob Esaus Ferse
hält, eine Erfüllung der voraufgehenden (23) Verheißung seiner Überlegenheit. Erst die spätere Erzählung von der Erschleichung des Segens
durch Jakob bringt in Esaus Mund Jakobs Namen mit dem Wort עקב
(„überlisten") in Verbindung (Gn 27 36), wie dann auch Jer (9 3).
(Gn 27 35 kennzeichnet unmittelbar vorher Jakobs Verhalten mit dem
Leitwort unseres Kapitels מרמה). Indem Hosea die List Jakobs mit seiner
kühnen Kontraktion in die Geburtsgeschichte zurückträgt, verfolgt er
mit „fast unheimlicher Konsequenz" „die Sünde bis in die unbewußten
Taten hinein" (KElliger, ZThK 48, 1951, 28). Hosea spricht nicht von
der Überlistung Esaus, sondern „seines Bruders", denn er demaskiert ja
seine Gegenwart; er kann die Verfeindung Ephraims mit Juda vor Augen
haben (vgl. 2 3 und o. S. 33), aber auch, entsprechend dem Zusammenhang des Kapitels, den Verrat am Propheten (1. 13f.).

Auf die Ablehnung des Gotteswortes und den Kampf gegen die prophetische Verkündigung (9 7f.) zielt jedenfalls die Fortsetzung: „In
seinem Reichtum stritt er mit Gott", womit auf den in Gn 32 23ff. überlieferten Stoff vom Jakobskampf am Jabbok angespielt wird. אוֹן kann die
Manneskraft bezeichnen (Gn 49 3); von daher könnte man באונו in
Parallele zu בבטן übersetzen: „im Mutterleib ... als Mann...". Oder soll
man, da doch die Schuld herausgestellt werden soll, mit 𝔊 (s. Textanm.
4a) an אָוֶן denken? Das Wort steht in Ps 36 4 parallel zu מרמה und tritt
auch in 12 hervor. Doch die Wortform mit Suffix und der Zusammenhang
sowohl jener Jakobüberlieferung wie unseres Kapitels machen es am
wahrscheinlichsten, daß אוֹן hier wie in 9 den Reichtum bezeichnet. Als
ein Reichgewordener ging Jakob in den Kampf mit Gott (Gn 32 5. 11. 22f.).
Mit seinem „Reichtum" trumpft das gegenwärtige Ephraim gegen das
Wort seines Gottes auf (9. 2b).

Die Fortsetzung der Jakobgeschichte in 5aα bereitet die größten **12 5**
Schwierigkeiten und hat zu den widersprechendsten Lösungsversuchen
geführt. Die Ursachen der Schwierigkeiten liegen sowohl in der überlieferungsgeschichtlichen Mehrschichtigkeit von Gn 32 23–33 wie vor
allem in den inneren Spannungen der äußerst knappen prophetischen
Skizze. 1. Die von 𝔐 bezeugte Form וַיָּשַׂר von שׂרר „herrschen" ist in
Verbindung mit der praep. אֶל unbekannt und bleibt unverständlich. –
2. Der Vorschlag, statt dessen וַיָּשַׂר (von שׂרה „streiten") zu vokalisieren
(Robinson), scheitert schon daran, daß das gleiche Verbum kaum in 4b
mit אֶת, in 5a aber mit אֶל konstruiert wurde. Eine Angleichung (Weiser
liest auch in 5a אֶת) ist Willkür. – 3. 5aα steht in inhaltlicher Spannung
zu 5aβ. Warum sollte Jakob als der Sieger weinen und flehen? Daß eben
darin seine List zu sehen sei, sagt der Text nicht. Wollte er es andeuten,
müßte er die Sätze wenigstens umstellen. Vriezens Vorschlag (OTS 1,
1942, 65), die beiden Sätze auf ein Wechselgespräch des Volkes mit dem
Propheten zu verteilen, so daß in 5aα das Volk den Propheten (4b) korri-
giert, der Prophet wiederum in 5aβ, und dann in 5b–6 das Volk zu Worte
kommt, hat in der Textüberlieferung keinen Anhaltspunkt. Der Fortsetzungsstil im Erzähltempus (5aα) spricht deutlich dagegen. So bleibt die
Spannung zwischen 5aα und β. Da Hosea im Kontext prägnante, gezielte
Aussagen bietet, wird man sie nicht mit dem Hinweis auf Gn 32 als Absicht Hoseas deuten dürfen, nur weil dort auch Aussagen von Jakobs
Kämpfen (29b) neben denen von seinem Bitten (27b. 30a) stünden. Wir
haben schon gesehen, wie frei Hosea mit der Überlieferung umgeht. –
4. Dasselbe wird man beachten müssen, wenn wir schließlich eine Spannung zwischen 4b und 5aα darin sehen, daß dort der Partner Jakobs Gott,
hier ein Engel ist. Die Erklärung, daß auch in Gn 32 der Partner einmal
„ein Mann" (25) heißt und dann „Gott" (29. 31), setzt fälschlich eine Bindung des Propheten an die Tradition voraus und verkennt die Freiheit
und die Deutlichkeit des prophetischen Aussagewillens. Von Engeln weiß
Hosea sonst nie etwas zu sagen (s. o. S. 271 f. zu 1bβ).

Soweit ich zu sehen vermag, ist eine klare Aussage im Rahmen des
Kontextes nur zu erkennen, wenn man aus der letzten Beobachtung die
Konsequenzen zieht und מלאך als Glosse eines gewissenhaften Interpreten
erklärt, der Hoseas אלהים in 4b von einer mit Gn 32 25 verwandten Überlieferung her erläutert. Dann bleibt ein klarer Text (s. Textanm. 5a) ohne
die genannten Schwierigkeiten. Subjekt ist אֵל, die von Hosea noch in 1b
und 11 9 (2 1) verwendete Gottesbenennung. Sie tritt neben אלהים in 4b
aus Gründen stilistischen Alternierens wie vielleicht auch des Metrums
(bei alternierender Zählung ergeben sich bei 5aα und β je drei Tonsilben;
vgl. FHorst, ThR 21, 1953, 97–121).

So stellt Hosea heraus, daß der Betrüger, der in seiner List gegen Gott
und Menschen ficht, in Jahwe seinen Herrn und Sieger findet. Jetzt wird

5aβ verständlich: Das Weinen und Flehen Jakobs ist die Folge von Gottes Zuschlagen. Daß die Rückkehr zu dem alten Subjekt von 4 nicht ausdrücklich vermerkt wird, verwundert nicht, da in der Prozeßrede Jakob ohnehin im Regelfall Subjekt ist. Die Aussage über Gott in 5aα war eine für das Verständnis erforderliche Einschaltung.

Die Fortsetzung greift wieder frei in die Überlieferung hinein. Danach findet (zu מצא als terminus der Erwählung vgl. 9 10, o.S. 212) Gott Jakob in Bethel und gewährt Antwort auf sein Flehen. Wahrscheinlich ist hier die Tradition von Gn 28 10-22 (JE) mit der von Gn 32 23-33 (J) zusammengezogen, was vor allem durch 7 (s.u.S. 277) bestätigt wird; vgl. aber auch Gn 35 1-5. 7 (E).

In 5 hat Hosea begonnen, nicht nur die Gegenwart, sondern auch die Zukunft seiner Hörer mit Hilfe der Jakobgeschichte aufzudecken: Jahwe wird sich als Herr erweisen und siegen wie einst über Jakob! Israels rechter Weg aber wird der seines Ahnherrn sein: Weinen und Flehen, Beugung und Buße. Bethel ist der Ort, wo den Umkehrwilligen das Wort Jahwes noch einmal zugesprochen wird. Es ist kein Wunder, daß das alte „dort redete er mit ihm" (Jakob; s. Textanm. 5c) in 𝔐 abgewandelt wurde: „dort redete er mit uns". Hosea ist ja auch von den Erzähltempora in 4.5a mit 5b zum imperf. übergegangen. In dem, was weiter zu erzählen ist, geht es vornehmlich um das aktuelle, in die Zukunft hineinführende Wort. Es ist wahrscheinlich, daß es in 7 in Form des Zitates der alten Anrede an Jakob vorliegt.

12 6   Doch zunächst bringt der überlieferte Text einen doxologischen Einschub. Daß Hosea selbst hier eine Erinnerung aus der Mosetradition (Ex 3 15) eingeblendet habe, wie MBuber (Glaube der Propheten, 1950, 167) und MGertner (279) vermuten, ist schon deshalb unwahrscheinlich, weil diese plerophorische Gottesbenennung neben אלהים in 4 und 7, Jahwe in 3 (vgl. 10) und אֵל in 5 (cj.) befremdlich wirkt und auch sonst bei Hosea ohne Parallele ist. Vor allem aber ist uns der Typus solcher Einschaltungen aus dem Amosbuch bekannt (4 13b. 9 5f.; vgl. FHorst, Die Doxologien im Amosbuch: ZAW 47, 1929; jetzt „Gottes Recht": ThB 12, 1961, 155–166). Sie sind aus der sakralen Rechtspflege zu verstehen (Jos 7 19) als Gerichtsdoxologie. Der Hörer des tradierten Jahwewortes bekennt damit zugleich Jahwes Heiligkeit (vgl. Ps 30 5 97 12) und seine eigene Schuld. Wie bei Amos wird Jahwe als „Gott der Heerscharen" angerufen, um seine Machtfülle herauszustellen (vgl. OEißfeldt, Jahwe Zebaoth: Misc Acad Berolin II/2, 1950, 128–150 = KlSchr III 103–123; GvRad, Theol. d. AT I, ⁶1969, 32). Doch liegt sicher nicht die gleiche Redaktion vor. Denn 1. heißt es hier יהוה אלהי הצבאות, wo bei Amos entweder אלהי fehlt (9 5a) oder צבאות undeterminiert bleibt (4 13b). 2. steht am Schluß זכרו, wo es bei Amos שְׁמוֹ heißt (4 13b 5 8a 9 6b). Nun ist זֶכֶר in der Doxologie sicher fast gleichbedeutend mit שֵׁם (vgl. Prv 10 7 Ps 135 13 Ex 3 15),

es unterstreicht aber stärker die je neue Vergegenwärtigung, die in der Nennung des Gottes Israels „von Generation zu Generation" erfolgt (Ps 102 13 135 13); vgl. WSchottroff, „Gedenken" im Alten Orient und im Alten Testament: Wiss. Monogr. z. A und NT 15(²1967)292–299. Ein 3., inhaltlicher Unterschied zeigt sich darin, daß die Doxologie in der Tradition der Hoseaworte an der Stelle erscheint, wo die Neuverkündung des alten Gotteswortes eben erst angesagt ist (nach 5b!), dagegen tritt sie bei Amos hinter die Verkündung der Gerichtsansage (4 12 9 4 vgl. 5 6ff.).

Deshalb wird man nicht an eine relativ späte gemeinsame Redaktion denken dürfen, sondern wird unsere Einschaltung eher auf die spezielle Tradition unseres dritten Überlieferungskomplexes von Hoseaworten (Kap. 12–14) und deren Neuverkündung im judäischen Bereich zurückführen.

Das in 5b angekündigte, nach 6 in Ehrfurcht und Beugung zu hörende **12 7** Mahnwort stellt in seiner Dreigliedrigkeit den vorläufigen Gipfel der prophetischen Aufnahme der Jakobtradition dar. Jetzt ist das Zitat vollends identisch mit aktueller Mahnung (vgl. 10 12f.). Die Hosea vorliegende Tradition finden wir noch in Gn 28 15. 21. Dort geht es um die Rückkehr Jakobs aus der Fremde unter dem Beistand seines Gottes. Dementsprechend geht es hier nicht um die Umkehr Israels zu Gott (vgl. אֶל in 2 9 5 4 6 1 7 10. 16 cj. 14 3 bzw. עַד 14 2); das Wie der Rückkehr steht in der praep. ב zur Frage (vgl. instrumentales ב in 12 14; s. Textanm. 7a): nur Israels Gott kann sie ermöglichen. Darum ist die neue Wahrung der Verbundenheit mit ihm und seiner Lebensordnung geboten. Zum Begriffspaar חסד ומשפט bei Hosea vgl. 2 21 6 4f. und o.S. 64. Vom gespannten Harren auf Jahwe spricht Hosea nur hier; תמיד unterstreicht die Stetigkeit gegenüber dem in 6 4 beklagten flüchtigen Wesen Israels; zu קוה als Bezeichnung gespannten (קַו = Schnur!) Hingerichtetseins auf Gott vgl. CWestermann (26); PAHdeBoer, Étude sur le sens de la racine qwh: OTS 10 (1954) 225–246; JvanderPloeg, L'espérance dans l'AT: RB 61 (1954) 481–507. Die Doxologie in 6 zeigt, daß in der Neuverkündung des umformulierten Zitates der Jakobtradition die Aktualität des Mahnwortes erkannt wurde.

Wegen der Verwandtschaft der Formulierung etwa mit Ps 37 34 25 5 u.a. hat man das Wort als spätere paränetische Zutat angesehen (zuletzt CWestermann, 57f.). Doch wird die Herleitung von Hosea wahrscheinlich wegen der parallelen Einführung eines Zitates in die Tradition in 10 12, wegen der typisch hoseanischen Dreigliedrigkeit der Periode und wegen des, abgesehen von תמיד, nachweislich hoseanischen Sprachgebrauchs.

In 8 wird deutlich, daß Hosea das alte Mahnwort (7) vor allem dazu **8** benutzte, die Schuld der Gegenwart mit ihm aufzudecken, ganz ähnlich wie in 10 12f. (s.o.S. 236). Mit כנען ist niemand anders als das gegen-

wärtige Ephraim gemeint, das dem kanaanäischen Huren- und Händlergeist erlegen ist. Für das alte Israel lag der Handel in Händen der Aus-
länder. Die phönikischen Handelsstädte, an deren Gebiet der Name
„Kanaan" für das „Land des roten Purpurs" vornehmlich haftete (Noth,
WAT⁴ 48), sind Meister des Krämergeistes (vgl. Ez 16 29 17 4 und
WZimmerli, BK XIII, 380). Die „betrügerische Waage" (מאזני מרמה)
ist geradezu sprichwörtlich in Prophetie und Weisheit (Am 8 5 Prv 11 1
20 23; vgl. Mi 6 11; im Gegensatz zur „rechten Waage" מאזני צדק Hi 31 6
Lev 19 36 vgl. Prv 16 11 und KGalling, Art. Handel: RGG³ III, 57).
So kehrt denn auch das Stichwort „Betrug" aus 1a wieder, wo es wie dort
um die „Unterdrückung" des Mitmenschen geht (zu עשק als Terminus
der Sozialordnung s.o.S. 145).

12 9 Indem der Prophet den Angeklagten zitiert, belegt er dessen Unrecht
aus seinem eigenen Munde. Das Zitat bringt die Anklage zur Entfaltung;
vgl. CWestermann, Grundformen prophetischer Rede (⁴1971) 43f. Reichtum hat zum Unrecht geführt wie Unrecht zum Reichtum. Der gleiche
Reichtum (און) hatte einst Jakob in den Kampf gegen Gott geführt
(4b; vgl. zur Sache auch 13 6!), und unrechter Dienst hatte ihm Reichtum eingebracht (vgl. 13). Aber Ephraim bestreitet das Unrecht. מצא און
steht im Wortspiel לא מצא עון in b gegenüber. Erst der Anklang von עון
an און macht den Relativsatz erforderlich, der Schuld eindeutig als
Frevel gegen Jahwe festlegt; zu חטא vgl. 13 2 8 11 4 7 und o.S. 100. 187. Die
Gewinne widerstreiten dem Vertrauen auf Jahwe und seine Ordnung des
Gemeinschaftslebens (7). Sie machen jene Verträge möglich, die Verrat
am prophetischen Gotteswort sind (2). Das Zitat spiegelt im ganzen, wie
etwa die in 1a beklagte Ablehnung des Propheten als „Betrug" und
Selbstbetrug vorzustellen ist.

10 Der Selbstbehauptung Ephraims tritt Jahwe entgegen in der Form
der Selbstvorstellung des Heilsgottes von Ägypten her (vgl. 11 1), der
seine klare Lebensordnung verkündet hatte (vgl. 13 4 und 4 1f.); vgl.
WZimmerli, Ich bin Jahwe: „Geschichte und AT", Festschrift Alt (1953)
196; KElliger, Ich bin der Herr - euer Gott: „Theologie als Glaubens-
wagnis", Festschr. Heim (1954) 9ff. Nun ergreift er im Prozeß (3) nach den
Sätzen der das geschichtliche Vorleben des Schuldigen umfassenden Anklage (4–9; vgl. 11 1–7 und o.S. 249) als Richter das Wort. אושיבך droht die
Rückführung in das Zeltleben an. Die Mahnrede aus der Jakobtradition
klingt an (7a). Die die Rückkehr (שוב) im Trauen auf Jahwe verweigerten, müssen sich die Rücksiedlung (ישב hi.) aus dem Händlerreichtum
Kanaans in die Armut nomadischen Lebens gefallen lassen. Der Zusammenhang legt den Gedanken an „Festzelte" (vgl. 9 6) nicht nahe (vgl.
AAlt, Zelte und Hütten: KlSchr. III, 242), auch nicht mit der Erinnerung an die „Tage der Begegnung"; denn den אהל מועד der Priesterschrift (vgl. Ex 25 22; Sellin, Gertner) wird man hier keinesfalls voraus-

setzen dürfen. Allerdings bleibt zu erwägen, ob מועד nicht den „Festtermin" wie in 2 13 9 5 (vgl. 2 11) meint und somit an das Zeltleben gedacht wäre, wie es jetzt vor allem z.Zt. der Feste geübt und auch 9 5f. vorausgesetzt wird (s.o.S. 200f.). Doch liegt es für Hosea näher, an die Tradition von Jahwes erster „Begegnung" mit Israel in der Wüste zu denken(9 10; s.o.S. 212f.; ferner 2 5 10 11); dafür spricht auch, daß mit כִּימֵי oder כְּיוֹם in den Zukunftsansagen Hoseas auch sonst immer Analogien aus der Frühgeschichte Israels und nicht aus der Gegenwart eingeführt werden: 2 5. 17 9 9, vgl. 10 9. Diese Tradition erscheint übrigens auch schon in 2 16f. und 13 4f. wie hier mit der Ägyptentradition verknüpft; zu 11 1–4 s.o.S. 257f. Ein in Hoseas Tagen bekanntes Zeltfest zu postulieren, erscheint weder ausreichend begründbar noch notwendig (vgl. HJKraus, Gottesdienst in Israel, ²1962, 156). Die Drohung entspricht inhaltlich der Ankündigung der neuen Wüstensituation in 2 11ff. 16f. 9 15. 17.

Im neuen Ansatz wird die Schuld der Gegenwart,wie in 7 mit dem **12 11** Hinweis auf das alte Mahnwort an Jakob,so in 11 mit der Erinnerung an die Bekundung des Gotteswillens in der Prophetie,verdeutlicht. Auch in der äußeren Struktur sind die beiden Verse als Tripeldreier im synonymen Parallelismus verwandt. Zu דִּבֶּר עַל („eindringlich einreden auf jem.") vgl. 2 16 und o.S. 51; zu אדמה s. Textanm. 11b. Hosea wird, wie in 6 5,an die Kette der Propheten des Nordreichs denken, deren Ahnherr letztlich Mose ist (12 14) und die auf mannigfache Weise zu Werkzeugen des Rechtswillens Jahwes wurden (vgl. 6 5f. und o.S. 152f.). Sie wirken bis in die Gegenwart fort, wie der Übergang von den perff. in a zum imperf. iterat. in b andeutet. Damit erklärt aber 11 nicht etwa, was in der in 10b angedrohten neuen nomadischen Situation geschehen wird, sondern verdeutlicht den neuen Schuldaufweis in 12a (ähnlich gehört 6 5 zu 6).

Denn wieder ist vom Schlachtopferdienst die Rede, der mit Jahwes **12** Willen zu חסד ומשפט (7bα) und damit zur rechten דעת אלהים nichts gemein hat (vgl. 11 mit 4 6 6 6 8 11f. und o.S. 185f.). Zu Gilgal s.o.S. 113, zu Gilead o.S. 155 (zur Lage jetzt noch MNoth, Gilead und Gad: ZDPV 75, 1959, 36ff.). Der besonders im ersten Teil schwer deutbare Text erinnert vielleicht daran, daß der ostjordanische Ort Gilead durch blutige Freveltaten in seiner Schuldverfallenheit besonders bekannt geworden (6 8; dort אָוֶן wie hier; vgl. 10 8) und inzwischen dem Strafgericht durch Tiglatpilesers Einfall auch in das Ostjordanland verfallen war (wahrscheinlich hieß die ostjordanische Provinz Assurs *Gal-'a-za* nach dem Vorort Gilead, vgl. Alt, KlSchr II, 202ff.; s.o.S. 270). שָׁוְא meint die Nichtigkeit des Trügerischen gerade auch im falschen Gottesdienst (Ps 24 4 31 7 Jer 18 15). Wer mit ihm umgeht, wird selbst zum trügerischen Nichts (vgl. Hi 15 31!). Das in 1a angeschlagene Thema setzt sich in verwandten Stichworten fort. Unter Abweisung des prophetischen Gotteswortes (1a. 11; vgl. 7) ist man dem Trugkult verfallen wie der Trugpolitik (2) und dem Trughandel

(8f.). So werden Altäre zu Geröllhaufen (b); vgl. 2 8f. 4 19 8 13 9 6 und vor allem 10 8.

12 13   13 setzt noch einmal neu ein und gehört deutlich mit 14 zusammen. Der Erzählstil entspricht weniger dem unmittelbar vorhergehenden als vielmehr der ersten Erwähnung der Jakobgeschichte in 4f. Inhaltlich aber steht der neue Spruch dem in 11f. verhandelten Thema des falschen und rechten Gottesdienstes ganz nahe. Denn die Erinnerung an Jakobs Dienst „um eine Frau" (vgl. Gn 29 15–30) will doch weder, wie Gn 29 20, seine Liebe herausstellen noch die Legitimität solchen Einsatzes zum Erwerb einer Frau (vgl. Jos 15 16f. 1S 17 25). Auch soll nicht eine Vorstufe in der Demut des Erzvaters vorgeführt werden, der beschei- den wie ein Lohnarbeiter gedient habe, womit eine erste Geburt Israels einer zweiten, geistlichen (14) vorangestellt wäre (so z.B. Cal- vin, vgl. EJacob 84). Am wenigsten soll hier nur die Situation der Knechtschaft als Gelegenheit der göttlichen Rettungsaktion herausgestellt werden; denn dabei bliebe unverständlich, warum betont von Jakobs Aktivität gesprochen wird, aber nicht vor 14 von der Knechtschaft in Ägypten die Rede ist (gegen PRAckroyd 246f.). Vielmehr betont Hosea hier, ähnlich wie in 4f., den Betrug Jakobs seinem Gott gegenüber, und zwar durch zwei Stichworte: vielleicht schon durch die Flucht ins Ge- filde von „Ar am" und den dortigen Knechtsdienst, womit Hosea auf die Unterwerfung Israels unter die fremden Mächte anspielen könnte (vgl 5 11b und o.S. 145, auch 12 2); deutlicher ist durch Wiederholung betont, daß Jakob באשה Sklavendienst leistete. Wie soll diese Wiederholung ein verwerfliches Tun neben 12 unterstreichen, wenn nicht darin auf die Kultpraktiken der Sexualriten angespielt wird (vgl. 4 14 und o.S. 110f.)? Der Urvater Israels hat mit jenem schimpflichen Umgang mit der frem- den Frau im Aramäergebiet begonnen und ist zum Prototyp der verur- teilten Priesterschaft geworden; vgl. zum Gebrauch von שמר insbesondere 4 10f. (שמר זונים; s. Textanm. 4 10/11a). Die Vätertradition, wie sie mit J auf uns gekommen ist, klingt nur noch in den Stichworten עבד (Gn 29 20. 30) und שמר (Gn 30 31) an, ist aber im Sinnzusammenhang nicht wieder- zuerkennen.

14   Der verwerflichen Jakobtat wird in genauer antithetischer Parallele die Jahwetat gegenübergestellt. Dem doppelten באשה steht ein wieder- holtes בנביא gegenüber. So tritt dem falschen Gottesdienst Jakobs der wirksame Dienst Gottes an Israel entgegen, damit aber auch sein Wille, durch das prophetische Wort an Israel befreiend und bewahrend zu han- deln (vgl. 11 6 5). Auch die Schlußworte der beiden Perioden entsprechen wohl bewußt einander. Das betrügerische Israel hat selbst Hütedienst geleistet (שמר); das von seinem Gott befreite Israel wird durch den Pro- pheten gehütet (נשמר); sachlich wird der falschen „Pflege" der Sexual- riten die „Verwaltung" und Verkündigung des Gottesrechts entgegenge-

stellt (Ex 18 13ff. 20 18ff.; vgl. auch שמר in 7bα!).

Daß mit dem „Propheten" Mose gemeint ist, kann in der Verbindung mit dem Auszug aus Ägypten nicht von der Hand gewiesen werden. Indirekt wird es dadurch bestätigt, daß die von Hosea herkommenden deuteronomischen Kreise Mose einen Propheten nennen (Dt 18 15f.), ihn, der zugleich als das Haupt der Leviten gilt (Ex 32 25ff. Ri 18 30 Ex 2 1). Hosea und die ihn tragende Gemeinschaft haben offenbar zuerst Mose, als das geistliche Haupt der prophetisch-levitischen Oppositionsgemeinschaft, einen „Propheten" genannt (ThLZ 81, 1956, 93f.; GFohrer, Art. Levi und Leviten: RGG³ IV, 336f.; HStrauß, Untersuchungen zu den Überlieferungen der vorexilischen Leviten: Diss. Bonn, 1960). Daß er hier nur mit seinem Amt benannt wird, ist von der Thematik des Kap. aus zu verstehen (1.11). Diese Benennung kann auf einen wesentlichen geschichtlichen Zusammenhang der Prophetie des 8. Jh. mit den charismatischen Führern der frühisraelitischen Zeit hinweisen; vgl. RRendtorff, ZThK 59 (1962) 149. 160ff.; RSmend, Jahwekrieg und Stämmebund: FRLANT 84 (1963) 87ff.

Die Gottestat durch Mose wird der Jakobtat nicht nur gegenübergestellt; sie folgt ihr vielmehr, so wie der Sieg Gottes dem Kampf Jakobs in 4f. folgte und das Reden Gottes dessen Flehen (5. 7). Ebenso wird der Betrug des gegenwärtigen Israel durch ein neues Gotteshandeln überholt werden, was in 10 und 12b angedeutet war. Wie sich in Jakob der Irrweg der Geschichte Israels zeigt, so im Propheten die Führung Israels durch Jahwe. Vgl. EJacob 85f., ferner EvTh 24 (1964) 286.

Von dieser Gewißheit ist der Schlußvers noch einmal beherrscht. **12 15** Abrupt stellt der überlieferte Text (vgl. Textanm. 15a) zunächst zusammenfassend die Schuld fest: „Bitterlich hat Ephraim gekränkt". Mit הכעיס erscheint ein Kennwort der deuteronomisch-jeremianisch-deuteronomistischen Theologie (Dt 4 25 9 18 31 29 Ri 2 12 1 Kö 14 9.15 2 Kö 17 11 21 6 23 19 Jer 7 18f. 8 19 11 17 u.o.), das durchweg auf das Beleidigen Jahwes mit dem falschen Gottesdienst zielt. In der Summa der Anklage zeigt sich der Prophet noch einmal von Schmerzen umgetrieben. Israels Schuld trifft Hoseas Gott mitten ins Herz (vgl. 2 15b).

Die Gerichtsansage folgt abschließend in parallelen Aussagen: „Sein Blut wird er auf ihm (= ihm zu Lasten) liegen lassen", d.h. er wird es sich an ihm belastend auswirken lassen. Damit nimmt Hosea eine kultrechtliche Strafverkündungsformel auf; vgl. Lv 20 9.11.12.13.16.27 Ez 18 3 und HGraf Reventlow, Sein Blut komme über sein Haupt: VT 10 (1960) 311–327. Israels Kränkung Jahwes ist somit als Blutschuld bezeichnet (vgl. Lv 17 4), als todeswürdiges Verbrechen. Doch wirkt sich „das Blut" nicht selbstmächtig aus, sondern „sein Herr" verschafft ihm die Wirkung, der auch die „Schmähung" auf Ephraim selbst zurückfallen läßt. Mit ישיב לו wird die Skizze der Prozeßrede unter Aufnahme von 3bβ gerundet; vgl. 4 9 und o.S. 103. Mit חרפה ist das Vergehen Israels gegen seinen Gott noch einmal als persönliche Schändung charakterisiert. Nur hier nennt Hosea Jahwe den „Herrn" Ephraims als dessen Gebieter (אדניו), der das letzte richterliche Wort spricht, auch nach allen Absagen Israels.

Ziel   Der Weg durch die Einzelaussagen hat uns das dichte Gewebe einer deutlichen Gesamtaussage des Kap. vorgeführt. Gewiß zeigten sich harte Übergänge in den Spruchnotierungen aus dem Prozeß Jahwes mit Israel, aber die Thematik erwies sich doch bis in die Wortwahl hinein als auffallend geschlossen. Die Ansage der Heimzahlung im Auftakt des Verfahrens (3bβ: כמעלליו ישיב לו) wird am Ende wieder aufgenommen (15bβ: ישיב לו אדניו). Sie zeigt sofort, daß die prophetische Verkündigung auch dieses Kapitels beherrscht ist durch die Gewißheit neuer Gottestaten, die denn auch in der Mitte der Sprüche (10; vgl. 12b) zwar knapp, aber durch die Form der Gottesrede leuchtend herausgehoben und inhaltlich deutlicher als im Rahmen verkündet werden: Israel wird ins arme, nomadische Leben zurückgeführt werden.

Diese Ansage steht auf dem breitflächigen Hintergrund des die Masse der Sprüche beherrschenden Schuldaufweises. Auch hier zeigt sich die Einheit schon in der Wortwahl. Mit den Worten vom Betrug und Verrat gegen Jahwe und seinen Boten (1a; s.o.S. 272) wird das Kapitel eingeleitet. Die Klage über die (endgültige?) Abweisung des Propheten in Ephraim (1-2) scheint Anlaß der Niederschrift der Prozeßworte in 3-15 gewesen zu sein (s.o.S. 273). Wichtiger noch als die beiläufige Wiederkehr des Stichwortes מרמה aus dem einleitenden Klagewort in 8 ist es, daß das Wort der Kränkung (הכעיס) und Schmähung (חרפה) in der Zusammenfassung der Anklage am Schluß (15) inhaltlich dem Grundtenor des Ganzen entspricht, der sich auch in den Worten von der Überlistung (עקב) und vom Streiten (שרה) in 4 wie in denen von der Bosheit (און) und vom eitlen Trug (שוא) in 12 zeigt.

Diese Kennworte besagen einheitlich, daß die Schuld nicht als Verletzung allgemeiner Vorschriften erkannt wird, sondern als kränkende, verräterische Abwehr der Person des Gottes Israels. Das wird dadurch bestätigt, daß Israels Sünde wiederholt als Abweisung des ihm verkündeten Gotteswortes dargetan wird (7.11.14); sie ist prägnant und entscheidend Schmähung des prophetischen Wortes. Nicht zufällig ist in diesem Kapitel so stark und ausführlich wie sonst nie von der dem Propheten anvertrauten Gottesrede (11) und von Mose als dem Propheten, der Israel führt (14), die Rede. So wurde denn auch die einleitende Klage (1a) am besten als Klage des Propheten über die Angriffe auf ihn selbst verständlich, die im Zitat in 9 verdeutlicht werden (s.o.S. 270ff. und 278). Wer das Prophetenwort verwirft, kränkt den Gott Israels.

Die Geschichte des Gottesvolkes findet aber nicht unter Absehung

vom Prophetenwort, sondern nur in der von ihm verkündeten Richtung
ihre Fortsetzung. Wer anderem nachjagt, jagt dem Wind und der Vernichtung nach (2.12), auch wenn er noch so sehr auf die Möglichkeiten
eigener Geschicklichkeit, eigenen Reichtums, eigener Kraft und eigener
Frömmigkeit pocht (2b. 4. 8f.12f.). Wir haben gesehen, daß die knappe
Ansage neuer Gottestaten die breiten Ausführungen über Israels Schuld
umklammert und beherrscht. Im Blick auf diese wahre Zukunft der Geschichte, die der Gott Israels ist, muß man die Erinnerungen an die
Frühgeschichte Israels in unserem Kap. sehen. Diese vergangene Geschichte deckt Gegenwart und Zukunft deshalb auf, weil auch sie beherrscht war vom ergangenen Wort des Gottes Israels und weil sie Leben
vor ihm war.

Neu gegenüber allen sonstigen Geschichtserinnerungen Hoseas ist
hier die ausführliche Vergegenwärtigung der Jakobgeschichte (4–5.
7.13). Sie bringt auch inhaltlich eine wesentlich neue Aussage. Während
Hosea früher erkennen ließ, daß die Geschichte Israels vor der Landnahme eine Gehorsamsgeschichte (10 11 2 17) und eine reine Freude für
Jahwe war (9 10), besagt dieser neue Schritt zurück in die Väterzeit, daß
den Anfängen der Heilsgeschichte in Ägypten und in der Wüste schon
eine düstere Schandgeschichte vorausging. Jakob wird wesentlich als
Prototyp der schuldvollen Gegenwart Ephraims vorgestellt (s.o.S.274
und 280 zu 4 und 13).

Warum das? Sicher nicht nur, um irgendeine Analogie aufzuweisen
und den Spiegel der Vergangenheit vorzuhalten, sondern offenkundig
aus einem echten geschichtlichen Interesse. Es liegt darin, daß die Schuldgeschichte Jakobs durch die Heilsgeschichte Jahwes überholt worden ist.
Das geht am klarsten aus dem Nacheinander der Erinnerungen an den
Dienst Jakobs in Aram und an die Ausführung aus Ägypten in 13–14
hervor. Aber auch die Jakobgeschichte selbst, wie sie nach 4 in 5 und 7
ihre Fortsetzung findet, will erkennen lassen, daß sich Jakobs Gott als
Herr gegenüber dem listigen Bestreiter erweist (s.o.S. 275 zu 5aα) und daß
er dem, der fleht, einen Weg in die Zukunft zeigt (5aβ.b. 7).

Die Verkündigung Hoseas bleibt zur Hauptsache bei der Ansage
stehen, daß sich Jahwe auch an dem gegenwärtig schuldigen Israel als
Herr erweist (15b; hier allein אדני bei Hosea!). Nur andeutungsweise
geht die Drohung in 10b auf dem Höhepunkt des Kapitels darüber hinaus.
Sie bezeugt mit der Rücksiedlung „in die Zelte" die totale Demontage des
gegenwärtigen kultischen (12b) und wirtschaftlichen (8f.) Lebens mit dessen
außenpolitischen Auswirkungen (2). Dieser Abbruch der kanaanäischen
Geschichtsphase hat seine Bedeutung wesentlich darin, daß die Hinderung
zum Hören auf das Prophetenwort beseitigt und die Situation einer neuen
Begegnung mit Jahwe und seinen Propheten geschaffen werden soll, die
den früheren „Tagen der Begegnung" entspricht (s.o.S. 278). Doch ist

von einer neuen Phase der Heilsgeschichte hier noch nicht die Rede. Nur das eben kommt unter Heranziehung der Jakob- und Mosegeschichte heraus, daß die Geschichte der menschlichen Abkehr sich zwar ihr eigenes Ende bereitet (2a. 3b. 12b. 15b), aber nicht das Ende der Taten Gottes und damit der Heilsgeschichte überhaupt (4f. 10. 13f.).

Anregungen, dem prophetischen Wort in wahrer Umkehr neu zu folgen, sind nur indirekt gegeben (5. 7. 11. 14). Sie haben für die Überlieferung im judäischen Bereich erhöhte Bedeutung. Diese Phase der Wirkung des prophetischen Wortes beginnt vielleicht schon mit seiner schriftlichen Fixierung, worauf Hoseas Hinweis auf Juda in 1b schließen läßt. Die prophetisch-levitische Oppositionsgemeinschaft, die sich mit dem Ende des Nordreichs mehr und mehr nach Juda hin orientiert, hat dort das Paradigma Ephraims wachgehalten. Das Ergebnis ist die in 3a erkennbare judäische Redaktion (s. Textanm. 3b) und die Doxologie der dort hörenden Gemeinde (6; s. o. S. 276f.). So macht dieser geschichtlich orientierte Text weiterhin Geschichte.

Er will als ganzer im Fortgang der Heilsgeschichte eine ähnliche Bedeutung gewinnen wie die Jakob- und Mosegeschichte in der Geschichte Ephraims in Hoseas Tagen. Er bringt die alttestamentlichen Typoi für das Verhalten der Menschheit und für das Ereignis Jesus Christus. Er hilft 1. die entscheidende Schuld aufdecken, die in der Verkennung und Schmähung der Zeugen Jesu Christi wirkt (1. 4. 11. 12. 13; vgl. Gal 1 6–9 2 Thess 2 14 Lk 10 16); 2. die Zukunft der Geschichte allein in Richtung der vom prophetischen und apostolischen Wort bezeugten Heilsgeschichte von dem in Christus erkennbaren Herrn aller Geschichte erwarten (3. 4. 10. 14. 15; vgl. Mk 1 15); und 3. dem Vertrauen auf eigene Geschicklichkeit, Machtmöglichkeit und Frömmigkeit absagen und der Überlegenheit des umstrittenen Herrn trauen (2. 5–7. 8f. 12; vgl. Apk 3 17–19).

AUFRUHR GEGEN DEN RETTER FÜHRT ZUM TODE
(13 1–141)

ESellin, Hosea und das Martyrium des Mose: ZAW 46 (1928) 26–33. – HG May, The Fertility Cult in Hosea: AJSL 48 (1932) 76–98. – JLMcKenzie, Divine Passion in Osee: CBQ 17 (1955) 287–299. – MTestuz, Deux fragments inédits des manuscrits de la Mer Morte: Semitica 5 (1955) 38–39. – EZolli, Il significato di *rd* e *rtt* in Osea 12 1 e 13 1: s.o.S. 266. – RVeuilleumier-Bessard, Osée 13 12 et les manuscrits: Revue de Qumran 1 (1958/59) 281–282.

Literatur

Text

¹Wenn Ephraim redete, (gabs) Schrecken[a];
  'überragend'[b] war er in Israel.
    Er wurde straffällig mit dem Baal und kam zu Tode.
²Und nun sündigen sie weiter:
  sie fertigen sich ein Gußbild
  aus ihrem Silber 'nach Art'[a] der Götterbilder.
Handwerkerarbeit ist das[b] Ganze.
    Bei[c] sich selbst sagen sie:
    „Die Menschen[d] opfern[d], küssen Kälber".
³Drum werden sie sein wie Morgennebel,
  wie Tau, der früh[a] verschwindet,
wie Spreu, von der Tenne 'verweht'[b],
  wie Rauch, (der) aus der Luke (zieht).

⁴Aber ich bin Jahwe, dein Gott[a]
  von Ägyptenland her.
Du kennst keinen Gott neben mir,
  es gibt keinen Helfer außer[b] mir.
⁵Ich 'weidete'[a] dich in der Wüste,
  im Lande der Dürre[b].
⁶Ihrem Weideplatz entsprechend[a] wurden sie satt,
  sie wurden satt, und ihr Herz überhob sich.
    Darum vergaßen sie mich.
⁷So wurde[a] ich für sie zum[b] Löwen,
  wie ein[b] Panther laure ich[c] am Wege.
⁸Ich falle sie an wie eine[a] Bärin, die[b] der Jungen beraubt ist,
  und zerreiße den Verschluß ihres Herzens.
Dann 'fressen sie die Hunde'[c],
  wildes Getier zerfetzt[d] sie.

⁹'Ich'[a] vernichte dich, Israel.
  'Wer wird dir helfen?'[b]
¹⁰'Wo'[a] ist denn dein König,
  daß er dich rette,
'und'[b] all deine 'Führer'[c],
  daß sie dir 'zurechthelfen'[d],
von denen du sagtest:

„Gib mir König und Führer!"?
¹¹Ich gabª dir einen König in meinem Zorn,
und ich nahmª ihn weg in meinem Grimm.

¹²Gebündelt ist Ephraims Vergehen,
verwahrt sein Verfehlen.
¹³Kommen die Geburtswehen für ihn,
so ist er ein unklugerª Sohn.
Wenn es Zeitᵇ ist, tritt er nicht
in den Muttermundᶜ.
¹⁴Aus der Gewalt der Unterwelt sollte ich sie loskaufen?ª
Vom Tod sollte ich sie auslösen?ª
Woᵇ sind deine Dornenᶜ, Tod?
Woᵇ ist dein Stachelᵈ, Unterwelt?
Mitleidᵉ ist meinen Augen unbekannt.
¹⁵Ja, während er zwischen 'Riedgras gedeiht'ª,
kommt der Ostwind als Jahwes Wind,
der aus der Wüste aufsteigt.
Dann 'versiegt'ᵇ sein Brunnen,
dann vertrocknet sein Quell.
Er plündert den Schatzᶜ
allen köstlichen Besitzes.
¹Samaria muß büßenª,
denn gegen seinen Gott hat es sich empört.
Durchs Schwert werden sie fallen,
ihre Kinder werden zerschmettert,
ihre Schwangerenᴰ aufgeschlitzt.

13₁ 1a Das im AT einmalige Wort ist jetzt in 1QH 4, 33 belegt, in gleicher Bedeutung wie bei 'A (φρίκην) ΣΘ (τρόμον) 𝔙 (horror). 𝔊 hat es in das geläufige תֹרָת verlesen und als Objekt zu נשׁא gezogen; letzteres tun auch 'ΑΣ; vgl. רֶטֶט Jer 49₂₄. – b Intransit. Bedeutung von kal (Gipsen, vgl. Ges.-B.) ist nur unsicher belegt (Nah 1₅ Hab 1₃). Folgendes הוא läßt eher einen Nominalsatz // 1aα erwarten und somit eher pt.ni. נָשָׂא (Oort, Marti); 𝔊 (Wellhausen, Harper) setzt נָשִׂיא voraus; so auch Zolli, der רתת von arab. *ratt* („Fürst")

2 als erklärende Glosse zu נָשִׂיא deutet. – 2a כְּתַבְנִית (wörtlich: „nach dem Modell") entspricht 𝔊 (κατ' εἰκόνα) 𝔙 (quasi similitudinem) und Jes 44₁₃, während 𝔐 („nach ihrer Einsicht" bzw. „Kunstfertigkeit") nur unsicher als Verkürzung aus כתבונתם (Ges-K § 91 e) erklärt werden kann. – b wörtlich: „sein Ganzes"; das sg. Suffix bestätigt die Notwendigkeit, die dritte Dreierreihe des Verses als Apposition zur zweiten zu ziehen. – c vgl. 7₂. – d Ein genetivus explicativus („opfernde Menschen") liegt auch für die alten Übersetzer fern; אדם wird in der Regel als Objekt angesehen; allerdings setzen 𝔊 (ϑύσατε) 𝔙 (immo-

3 late) erleichternd זְבְחוּ voraus. – 3a Zur Asyndese und zur adverbialen Funktion des ersten Partizips vgl. Grether § 87 n, Joüon § 177g; auch PWernberg-Møller, Observations on the Hebrew Participle: ZAW 71 (1959) 65. – b יְסֹעֵר (pu.)

4 fordert מֹץ als Subjekt statt 𝔐 (po.: „er vertreibt"). – 4a 𝔊 schaltet ein: „der den Himmel befestigt und die Erde erschafft, dessen Hände das ganze Heer des Himmels erschufen, und ich habe dich nicht angewiesen, daß du ihnen nachfolgen solltest; und ich führte dich herauf"; vgl. schon die Erweiterung in 12₁₀ (Textanm. 12₁₀a). – b Zur Negation als Präposition vgl. BrSynt

5 § 118. – 5a 𝔊 (ἐποίμαινόν σε) bezeugt רְעִיתִיךָ, ähnlich 𝔖𝔊𝔙, das in 6a auch

von 𝔐 vorausgesetzt wird. 𝔐 („ich erkannte dich") hat unter dem Einfluß
von 4b ר in ד verlesen und י (vom vorausgehenden אני) verdoppelt. – b 𝔊
(ἐν γῇ ἀνοικήτῳ) interpretiert frei; KBL („Land der Fieberschauer") denkt an
akk. la'ābu („mit Fieber heimsuchen"); doch vgl. Ges-B und 6, wo indirekt
Orte des Hungers und nicht der Krankheit vorausgesetzt sind. – **6a** כמרעיתם 136
hat syntaktisch die Bedeutung eines nominalen Zustandssatzes; so wird das
folgende impf. cons. verständlich, ohne daß eine Textänderung erforderlich ist.
Nach 𝔊′(wörtlich: וּרְעִיתִים) könnte man an die Vokalisation כְּמוֹ רְעִיתִים denken, auch כְּמוֹ רְעוֹתָם ist erwägenswert. – **7a** 𝔊 (καὶ ἔσομαι) 𝔙 (et ego ero) 7
gleichen diesen Übergang von den Erzähltempora in 6 schon den folgenden
impf.-Formen an (vgl. Keil). – b Anders als in 3a 5 12. 14 14 6 fehlt hier bei der
Vergleichspartikel der Artikel, wie öfter, z.B. 13 8 14 9 Nu 23 24 Hi 16 14;
vgl. Joüon § 137 i. – c 𝔊𝔖 lesen die vertrautere Vokalisation אַשּׁוּר, was durch
שָׁם (8b) nur dann gestützt wäre, wenn es nicht durch 8a getrennt wäre und
nicht auch temporal gedeutet werden könnte (s.u.S. 295). Wer אַשּׁוּר liest, muß
aus Gründen des Parallelismus am Anfang ואהי durch וַאֲנִי ersetzen. – **8a** s.o. 8
Textanm. 7b. – b zum Fehlen der fem.-Endung beim natürlichen fem. vgl.
BrSynt § 16a. – c 𝔊 (καὶ καταφάγονται αὐτοὺς ἐκεῖ σκύμνοι δρυμοῦ) setzt ein
plur. Subj. in 3. pers. voraus, vielleicht יאכלום שָׁם כְּלָבִים. Das Subj. im parallelen
8bβ spricht für 𝔊; 𝔐 („und ich fresse sie dann wie ein Löwe" = 𝔙) ist als
Verlesung von 8a her verständlich; Hosea nennt den Löwen sonst nie לָבִיא
(vgl. 7 und 5 14); auch befremdet die Rückkehr zum Löwengleichnis, das seit
7a verlassen ist. – d eigentlich „spalten, aufschlitzen" (14 1); hier wird בקע wie
2 Kö 2 24 gebraucht. – **9a** שָׁחַתְי(ך) bezeugt 𝔊. 𝔐 („er vernichtet dich") ließ 9
vielleicht fälschlich das Subj. von 8b fortwirken. 𝔊 (τῇ διαφθορᾷ σου, Ισραηλ,
τίς βοηθήσει;) deutet nominal: „wer wird dir in deiner Vernichtung helfen?";
ähnlich 𝔙 (perditio tua Israel: tantummodo in me auxilium tuum). – b 𝔐
(„denn in mir, in deiner Hilfe" oder „ja mit mir, mit deiner Hilfe [vernichtet
er dich]"??) bleibt rätselvoll. Nach 𝔊 (s. Textanm. a) 𝔊 ist zu vermuten
מִי בְעֹזְרֶיךָ (vgl. Ps 118 7, dazu Grether § 89g). 𝔐 läßt sich erklären, wenn
ביבעזורך aus בִּי עֶזְרֶךָ durch Dittographie entstand (vgl. Nyberg 102); dann
könnte כִּי einen Subjektsatz einleiten: „Es ist dir, Israel, zum Verderben geworden, daß deine Hilfe bei mir war" (vgl. BrSynt § 159a). – **10a** 𝔊 (ποῦ) 10
𝔙𝔖 haben אַיֵּה gelesen oder אהי wie אַיֵּה verstanden, ebenso wahrscheinlich 𝔐
(Metathesis?), denn אפוא steht vornehmlich nach Fragepartikeln (vgl. איה
אפוא in Ri 9 38 Jes 19 12 Hi 17 15 und BrSynt § 55b); vgl. ferner 14b. – b 𝔊 setzt
וכל voraus statt 𝔐 („in"), was mit der Verlesung des folgenden Nomen
zusammenhängt; s. Textanm. c. – c שָׂרֶיךָ (Houtsma, ThT 1875, 73) wird in
bβ vorausgesetzt und stellt einen in a dementsprechend zu erwartenden Parallelismus wieder her: שריך // מלכך. 𝔐 („in all deinen Städten") kann alte Verlesung sein (s. Textanm. b). – d וְשֹׁפְטֶךָ (Procksch, Lippl) vollendet den Parallelismus zu ויושיעך (vgl. Textanm. c). Noch 𝔊 setzt parallele Verbformen
voraus (διασωσάτω σε ... κρινάτω σε). 𝔐 („und deine Richter") ist eine Folge
der voraufgehenden Lesefehler und entspricht dem Sprachgebrauch von 2 S 7 7
(Text nach 1 Ch 17 6) 11 15 4. – **11a** 𝔊𝔖Θ setzen impff. conss. voraus; aber 11
die vorliegenden impff. bezeichnen wiederholte Handlungen, die bis in die
Gegenwart hineinragen; vgl. BrSynt § 42d; vgl. 4 13 11 2b. 4γ. – **13a** vgl. 13
BrSynt § 13b. – b Hexapl. und lukian. Rezension der 𝔊 lasen wahrscheinlich
כִּי עַתָּ (διότι νῦν) „denn jetzt". – c wörtlich: „Durchbruchsstelle der Söhne".
– **14a** Der Kontext fordert, die Sätze wie 4 16b 7 13b (s.o.S. 114) als Fragen zu 14
verstehen, die im Vortrag neben der Satzstellung vornehmlich durch den

Tonfall als solche hörbar waren; vgl. BrSynt §§ 53.54a; Joüon § 161a; Beer-Meyer § 111c. – b ’AΣ (ἔσομαι) Θ (καὶ ἔσται) 𝔙 (ero) leiten אהי von היה her; 𝔊 (ποῦ) liest wie 10a, s. Textanm. 10a. – c vgl. KBL II דֶּבֶר; meist als „Pest" verstanden; קטב/דבר auch Ps 91 6, s.u.S. 297. 𝔊 (ἡ δίκη σου) ist doch wohl nicht innergriechische Korrektur von νίκη (Nyberg 104f., der als Textvorlage einen inf. cstr. גבר = „siegen" vermutet; vgl. 1 Kor 15 55), sondern Übersetzung von דָּבָר (Quell, ThW II 176, 30f.; vgl. Ziegler); dementsprechend übersetzen ’A ῥήματα, Θ δίκη. – d lies ʾkŏtŏbkā (von קֶטֶב; Ges-K § 93q) in Analogie zur Silbenaufsprengung bei Gutturalia. – e HEngländer, Rashi's Grammatical Comments: HUCA 17 (1942/43) 473: R.on נֹחַם notes that the מ is a root letter and correctly notes that this form is like נֹעַם. R. then notes that if the text word were derived from נח the form would be נָחָם. – 15a 𝔐 („er gedeiht zwischen Brüdern") geht wohl auf ein Mißverständnis des·seltenen Wortes אָחוּ (Gn 41 2.18 Hi 8 11; vgl. Ugarit. ʾaḫ = „Weide" und FHorst, Hiob: BK XVI, 131f.) zurück, das durch zugezogenes מ von ursprünglichem מַפְרִיא gefördert wurde. Das Mißverständnis von „Riedgras" als „Brüder" zieht notwendig Textänderungen nach sich: 𝔊 (διαστελεῖ) 𝔖𝔙 setzen יַפְרִיד voraus („ja, er reißt Brüder auseinander"), was als Anspielung auf die Deportationen immerhin erwägenswert bleibt (Dingermann 63), dann aber als Glosse einzuklammern wäre (HGMay); vgl. 1a angesichts der folgenden Drohungen; vgl. Textanm b. – b וְיֵבשׁ ist wahrscheinlicher als 𝔐 („und er schämt sich", das sich vom Mißverständnis in a her erklärt), sowohl vom parallelen ויחרב wie von 𝔊 (ἀναξηρανεῖ = וְיוֹבִישׁ?) 𝔖𝔙 her. Das neue Fragment vom Toten Meer (Testuz) bietet auch יבש statt יבוש, was um so beachtlicher ist, als dort in 14 1a in [בא]ל[והיה ein in 𝔐 nicht belegtes ו als Vokalbuchstabe erscheint. 𝔊 gibt allerdings hier wie bei den benachbarten Verben Kausativ-Formen wieder, nachdem sie יהוה in bα irrtümlich als Subjekt verstand (ἐπάξει καύσωνα ἄνεμον κύριος); infolgedessen mußte עלה als praep. verlesen werden (ἐπ᾽ αὐτόν = עָלָיו oder עָלֶיהָ). – c 𝔊 (τὴν γῆν αὐτοῦ καί) liest bekannteres אַרְצוֹ und muß infolgedessen die cstr.-Verbindung auflösen. – 14 1a 𝔊 (ἀφανισθήσεται) verliest תֵּשַׁם (wie 5 15 10 2): „wird verwüstet". – b Die spätere Satzlehre fordert וְהָרִיּוֹתָם תְּבֻקַּעְנָה, aber die Kongruenz ist oft lässig geübt, besonders bei der 3. plur. fem. (Ges-K § 145u).

Form In 13 1 wird Ephraim in neuer Anklage neu genannt, ohne daß eine stilistische oder thematische Verknüpfung mit dem voraufgehenden Kap. im folgenden zu erkennen wäre. Eine neue und völlig andere Thematik setzt erst in 14 2 ein, wo zugleich Israel neu angeredet wird.

Doch sind in 13 1–14 1 verschiedene Redeeinheiten ziemlich leicht zu unterscheiden. Zunächst bilden 1–3 ein klar aufgebautes Gerichtswort. Die vorangehende Begründung (1–2) stellt das Vorleben des Angeklagten (1) ebenso wie die „jetzt" aktuelle Verschuldung (2) heraus. לכן leitet über zur Strafansage in der Form der Urteilsfolgebestimmung (wie 2 8.11.16 Jes 5 13.24 Am 7 17, oder mit עַל־כֵּן 4 3 Jes 9 16 Jer 5 6, dazu HJBoecker, Redeformen des Rechtslebens im AT: Wiss. Monogr. z. A und NT 14, ²1970,149–159 und o.S.81f.; ferner CWestermann, Grundformen prophetischer Rede, ⁴1971,120ff.). Vom Angeklagten ist immer in 3.pers. die Rede. Jahwes Ich erscheint nicht.

Das wird anders in 4. Zwar ist der neue Spruch jetzt durch die Kopula mit dem Vorhergehenden verbunden; auch fehlt eine erneute Nennung des Angeredeten| (vgl. dagegen 9 1 10 9 als Kopfstücke von Auftrittsskizzen). Aber ein neuer rhetorischer Einsatz ist doch deutlich genug erkennbar. Denn die Selbstvorstellungsformel, die das Ich Jahwes bringt, leitet nicht, wie in 12 10, die Strafansage ein, sondern steht – ähnlich wie bei der Verkündigung des Gottesrechts, hier wie in 12 10 – in der Dt 5 6 entsprechenden Form. Allerdings ist die Verkündung des Gotteswillens abgewandelt in eine Art „hymnischen Selbstpreis", der die Einzigkeit Jahwes für Israel besingt. Zwar könnte 4bα als apodiktischer Prohibitiv verstanden werden, aber die parallele nominale Formulierung in 4bβ spricht für die indikativische Deutung von bα; vgl. auch die Satzstellung mit Ex 20 3 (s.o. Text und vgl. WZimmerli, Ich bin Jahwe: „Geschichte und AT", Festschr. Alt, 1953, 186f.). Dieser „Selbstpreis" leitet weitere Ausführungen über das Handeln des Anklägers ein (5) und zielt schließlich (als Vorgeschichte des Angeklagten) auf die vorliegende Schuld, wie sie sich aus dem Zusammenleben des Klägers und des Angeklagten ergibt. 4–6 gehören also zur Rede des Anklägers, wobei sich die Anredeform in 4–5 aus dem Anschluß an die überlieferte Selbstvorstellungsformel und aus der lebhaften Auseinandersetzung ergibt, die den Rechtskontrahenten selbst an bekannte Tatbestände erinnert; auch gehört die Anrede des Beschuldigten zur vorgerichtlichen Auseinandersetzung (vgl. Boecker a.a.O. 26ff. 57ff.). Mit dem Übergang von der Vorgeschichte zur eigentlichen Anklage in 6 setzt die Redeform der Anklage vor Gericht in 3. pers. ein. Wahrscheinlich gehört 7 noch zur Anklage, insofern hier wie in 1b und 13 über frühere Strafmaßnahmen, die vergeblich blieben, berichtet wird. Das setzt voraus, daß 𝔐 und nicht 𝔊𝔊 den Urtext bewahren (s. Textanm. 7a). Spätestens 8 bringt den Übergang zur Strafansage. So gehören 4–8 als mehrgliedriges Gerichtswort (mit längerem Vorbericht) in der Form der Ichrede Jahwes zusammen.

In 9–11 setzt sich zwar die Ichrede Jahwes fort, aber Israel wird in 9 neu angeredet, und die Anredeform wird in 10 und 11 durchgehalten. Dabei stellt das Ganze eine spezielle Form der Gerichtsandrohung dar, die die Unabwendbarkeit der Strafe mit Wendungen der Hohnrede („wo ist denn dein König?"; vgl. Ri 9 38 Ps 115 2) unterstreicht.

Als rhetorische Einheit ist 9–11 darum doch wohl von 8 abzusetzen, wo der Angeklagte in der strengen Form der Strafansage in 3. pers. erschien. Es wäre aber völlig singulär, wenn die Gerichtsdrohung ,mit Hohnrede ohne eigentliche Begründung,in einer Anklage als ganz selbständiger Spruch zu sehen wäre. Die direkte Anrede erklärt sich am besten von einem Einwurf der Hörer her, der die Verkündigung des Strafeingriffs Jahwes mit seinen vernichtenden Folgen (8a.b) optimistisch zurückwies.

Eher könnte mit 12 eine völlig neue Einheit beginnen. In 12–13 wird die Schuld mit neuer Nennung Ephraims festgestellt. In 14 werden zunächst falsche Hoffnungen abgewiesen, die vielleicht nach 13 von Hörern zur Sprache gebracht wurden (vgl. 4 16b und o.S. 114f.); damit könnte sich auch der Übergang von der 3. pers. sg. in 12f. zur 3. plur. in 14 erklären, der aber auch sonst geläufig ist (vgl. 14–15. 14 1a–b). Dann folgt die Strafansage, die in 15–14 1 entfaltet wird. Dabei wird in 14 1a das Urteil noch einmal in knapper Form eingeblendet. Trotz dieser formalen Geschlossenheit zögere ich, 13 12–14 1 völlig vom Vorangehenden zu trennen. Thematik und Struktur des Spruches erlauben es nicht. Nicht nur ist die Ichrede entsprechend (4–) 8–11 in der Strafansage (14) wieder aufgenommen und damit zugleich der Fragestil der Hohnrede (vgl. 14a mit 10a); vor allem klingt die unser Kap. gegenüber den früheren auszeichnende Thematik insofern auf, als auch in diesem letzten Wort alle gehäufte Schuld mit früher verwirklichten, aber vergeblichen Strafen zusammengesehen wird; vgl. 12f. mit 13 1f. und 6f. Ferner wird jetzt in sonst ungewöhnlicher Weise als Gericht die Todesstrafe verfügt: vgl. 14b. 15b mit 8. 9a, aber auch mit 13 1b. 3. Schließlich greift das zusammenfassende Urteil 14 1a mit אשם auf das einleitende Anklagewort in 13 1b zurück, und das Drohwort nimmt mit בקע ein bei Hosea nur noch in 13 8b erscheinendes Wort auf. So muß doch wohl 13 1–14 1 eine Überlieferungseinheit im Sinne der Auftrittsskizzen darstellen, in der wenigstens vier rhetorische Einheiten zu unterscheiden sind (1–3. 4–8. 9–11. 12–14 1).

In mehrfacher Hinsicht ist sie mit Kap. 12 verwandt und von den Auftrittsskizzen in 4–11 unterschieden: 1. ist die Verknüpfung der Stücke an wenigstens zwei Stellen (9–11. 12ff.) nur vom Thema her und nicht schon rein stilistisch erkennbar (s.o.S. 269); 2. bringt der Schlußvers 14 1 genau wie 12 15 eine Zusammenfassung des Urteils und der Strafe unter Aufnahme eines Hauptstichworts vom Anfang (s.o.S. 281f.); 3. setzen beide Kapitel nicht wie die Überlieferungseinheiten in 4–11 mit einer Gottesrede ein; 4. dürfte nicht unwichtig sein, daß die Wendung „Und ich bin Jahwe, dein Gott von Ägyptenland her" außer in 13 4 nur noch in 12 10 bei Hosea vorkommt. Schließlich bleibt festzuhalten, daß das לכן der Urteilsfolgebestimmung im Hoseabuch außer in 13 3 nur noch in 2 8. 11. 16 auftaucht.

Die metrische Struktur wird wieder nur teilweise deutlich. Dreireihige Perioden erscheinen vornehmlich am Anfang (1?) und am Schluß (14 1b) wie auf dem Höhepunkt rhetorischer Einheiten (2b Tripelzweier?; 6 mit Stufenparallelismus und verkürzter Schlußreihe, die nachhallt [vgl. 2 15b]; 14b Tripeldreier), wobei in der Regel eine Reihe synthetisch zu zwei synonymen Reihen steht. Im übrigen bleibt in klar erkennbaren Perioden der synonyme Doppeldreier die Regel: 2a.b 3a.b (vier synonyme Reihen wie 11 8a!) 7. 8a. 14a; daneben stehen Doppel-

zweier (15bα²). Diese klaren Perioden bringen durchweg einprägsame Bilder. Mehrere asymmetrische Perioden mit meist kürzerer zweiter Reihe fallen bei deutlicher Synonymität des Parallelismus auf: 10a (cj.) 11.15bα¹.

Was zur Kühnheit (7f. 13. 14bα) und Anschauungskraft (3. 15) der Bildsprache wie zur rhetorischen Lebendigkeit der Aussage im Prozeßstil, unter Aufnahme kultischer Elemente (4) wie auch der Hohn- (10a. 14a) und Kommandofragen (14bα),im einzelnen zu sagen ist, gehört zur Erhellung der jeweiligen Aussage (s.u. Wort).

Wir erkannten, daß die Anklagereden dieses Auftritts sich darin von Ort früheren unterscheiden, daß sie wiederholt auf ältere, Leben bedrohende Strafen anspielen, die nicht zur Erneuerung Israels geführt haben: 131.7.13 (vgl. den vielleicht in 1010 formulierten Gedanken der „doppelten Schuld", dazu o.S. 239). Daraus ist zu schließen, daß die Todesgefahr des Jahres 733 weit zurückliegt und eine Phase der Entspannung nur zu neuer Aufhäufung von Schuld geführt hat (2.12), die mit politischem Optimismus Hand in Hand ging.(14a.15a). Er scheint vornehmlich durch die nach 725 erfolgte Anlehnung an Ägypten (2 Kö 174; s.u.S. 297 zu 15a) bestärkt zu sein. Hosea jedoch sieht schon den sengenden Sturm aus dem Osten unter Führung Salmanassars V. nahen (vgl. 15b. 3. 8. 9 mit 2 Kö 175). Ja, unser Auftritt wird mit seinen Fragen und Aussagen in 10–11 nur dann recht verständlich, wenn der König Hosea ben Ela bereits durch den Assyrer gefangen gesetzt ist (2 Kö 174b; zu 103 s.o.S. 226f.). Die seltene Nennung der Stadt (s.o.S. 179 und Alt, KlSchr III 299f.) Samaria (nur noch 71 85 105.7) und die einmalige Ankündigung des Todesgeschicks ihrer Bewohner führt in die gleiche Zeit der drohenden oder beginnenden Belagerung der Hauptstadt. Danach sind die Worte dieses Auftritts sehr wahrscheinlich etwa im Jahre 724 gesprochen worden. Tatsächlich hat kein Auftritt zuvor (zu 101–8 vgl. o.S. 224) so kräftig vom unaufhaltsamen Ende Ephraims gesprochen. Die Drohworte (3. 8–11.14–141) nehmen im Vergleich mit den Anklagen einen ungleich breiteren Raum ein als noch in Kap. 12 (3.10b. 12b.15b), von ihrer Deutlichkeit und Härte ganz zu schweigen.

Doch in Kap. 12 zeigte sich die Vorstufe der hier erreichten Situation (s.o.S. 269f.). Wir fanden Grund zu der Annahme, daß Hosea sich zur Zeit jener Sprüche nicht mehr in Samaria befindet, sondern an die südliche Grenze abgedrängt ist. In dieser Gegend werden auch unsere Sprüche besser verständlich als in der Hauptstadt. Die Strukturverwandtschaft der Auftrittsskizzen 12 und 131–141 weist die beiden zu unterscheidenden kerygmatischen Einheiten in einen gemeinsamen Überlieferungskomplex (s.o.S. 290).

Wieder setzt die Anklage mit einem Stück Vorgeschichte ein (vgl. Wort 910 101.9 111ff. 123ff.11f.13f.). Denn der Text spricht in seiner wahr- 131 scheinlichen Urfassung (s. Textanm. 13 1a.b) von der überragenden Stellung Ephraims in Gesamtisrael, wie sie etwa durch die Ephraimiten Josua (Jos 24 30) und Jerobeam I (1 Kö 11 26 12 20) repräsentiert war. Doch in Hoseas Sprache meint „Ephraim" längst nicht mehr den Stamm, sondern den Bezirk des Gebirges Ephraim (s.o.S. 115. 197), in dem die Residenz Samaria liegt, von der aus in den letzten beiden Jahrzehnten mancher „Schrecken" erweckende Entschluß in die anderen Gebiete des Nordreiches und auch Judas hineinwirkte, so daß „Herzen bebten wie Waldbäume vor dem Winde" (Jes 7 2 vgl. 2 Kö 16 5). Dieses überlegene Ephraim „wurde straffällig mit dem Baal", d.h. es betrieb seine kultische Verunreinigung; zu אשם s.o.S. 112f.; zur Sache vgl. 1 2 2 7ff. 18f. 4 10f. 9 10 11 2 und o.S. 30f. 46ff. 101f. 214f. Im Verkehr mit dem Baal, von dem man Mehrung und Steigerung des Lebens erhoffte, widerfährt Ephraim das große Sterben (4 10 9 11ff. 16f.), das Hosea schon wiederholt angedroht hatte (מות ḳal nur hier, hi. 2 5 9 16). Es ist inzwischen schon einmal Wirklichkeit geworden: „und er starb". Hosea wird auf die Zerfleischung des Staats- und Volkskörpers durch Tiglatpileser III. im Jahre 733 zurückschauen, die er in 5 11 ein Vergewaltigen und Zertreten und in 8 8 ein Verschlungenwerden genannt hat (vgl. 7 9 2 Kö 15 29 und o.S. 140). Daß der vom Feind Bedrängte und der in Gefangenschaft Geratene sich schon in der Gewalt des Todes befinden, ebenso wie der Schwerkranke, das ist eine in Israel besonders in den Klage- und Dankliedern vielfach bezeugte Anschauung (vgl. 14; dazu ChrBarth, Die Errettung vom Tode, 1947, 102ff.; GvRad, Theol.d.AT I, ⁶1969, 400f.).

13 2   Von da aus wundert es nicht, daß der ins Totenreich, in den „äußersten Grad von Unreinheit" Geratene (Nu 9 6 19 11ff.), dem der Lobpreis Jahwes als eigentliches „Merkmal der Lebendigkeit" nicht mehr möglich ist (vgl. vRad 289. 381), „fortfährt zu sündigen", d.h. Jahwe im abgöttischen Kultus zu verfehlen (vgl. 4 7 8 11 und o.S. 100. 187 zu חטא). Nach der Katastrophe von 733 hat man mit neuer Intensität Götterbilder, insbesondere gegossene Stierbilder nach kanaanäischem Modell angefertigt, was schon 8 4b–6 für den früheren Zeitabschnitt vorausgesetzt war (s.o.S. 178–182; vgl. HSchrade, Der verborgene Gott, 1949, 170–174). Neu ist hier 1. der Terminus מסכה für das Metallgußbild, der auch in Ex 32 4. 8 für das Jungstierbild verwendet wird. Der sing. will wohl nicht auf ein bestimmtes Einzelbild hinweisen, sondern denkt wahrscheinlich an das vielfach wiederkehrende Muster kleiner Bronzestatuetten, die mit Silber überzogen wurden (vgl. 8 4b [2 10bß] o.S. 178f.). Die plur. Formen עצבים und עגלים deuten darauf hin. 2. ist neu der wohl mit Ironie zitierte kultische Lehrsatz: „Die Menschen schlachten, sollen Kälber küssen". Er enthüllt den totalen Widersinn der Fruchtbarkeitsriten. Menschenopfer werden vorausgesetzt, nämlich die Darbringung der im heiligen Hain gezeugten Erstgeborenen (s.o.S. 14. 108f.; vgl.

Jer 32 35 Lv 18 21 Dt 18 10 2 Kö 16 3 21 6 Ez 16 20ff. 23 37 Ps 106 37–39;
dazu WZimmerli,BK XIII, 357). Gleichzeitig empfängt das Tierbild den
kultischen Kuß (1 Kö 19 18). Pervers ist solche Preisgabe des von Jahwe
geliebten Menschenkindes (vgl. 11 3f.) bei gleichzeitiger Verehrung des
handwerklich verfertigten Tierbildes (vgl. Rm 1 22f.). So handelt der
Mensch im Todesbereich des abgöttischen Baalkultes.

Die mit לכן eingeführte Strafverfügung kündigt in direkter Fortset-   13 3
zung von 2b das Gericht als unausweichliche Wirkung des Verhaltens an.
Wer das Leben mit dem Baal gewinnen will, beraubt sich seiner. Er bringt
sich zur Vernichtung, wie das vierfache Bild schnellen Verschwindens
unüberhörbar einhämmert. Die ersten beiden Bilder sind aus einem
anderen Zusammenhang vertraut (6 4b;s.o.S. 152). Sie müssen hier
nicht schon deshalb literarisch sekundär sein, weil sie auch dort vorkommen. Sie fügen sich gut ins metrische Gefüge und ins Gefälle der Aussage
ein; vgl. die Wiederholung von 8 13bα in 9 9b (s.o.S. 204). Dem Morgennebel und dem Tau wird als drittes Bild flüchtigen Verschwindens die
Spreu zugesellt, die auf der im Windzug gelegenen Tenne (s.o.S. 198)
beim Worfeln schnell weggefegt wird (Jes 17 13 Ps 14; dazu GDalman,
AuS III 126–139); und als viertes der Rauch, der aus der Fensterluke
abzieht und sich schnell in ein Nichts auflöst. ארבה bezeichnet auch das
Schlupfloch des Taubenschlags (Jes 60 8; vgl. Barrois I 341f.), ebenso die
Fensteröffnung, durch die man ins Freie schaut (Qoh 12 3). Alle vier
Bilder dienen der Ankündigung der völligen Vernichtung und entspre-
chen darin 9 11.

In der Auftrittsskizze schließt sich sofort ein neues Wort an, das viel-   4
leicht durch einen Hinweis der Hörer auf die Erwählungstraditionen ausgelöst ist. In feierlicher Aufnahme der überkommenen Verkündung des
Gottesrechts bringt Hosea, in direkter Anrede der Hörer, zur Sprache,
daß Jahwe in der Tat der einzige Gott ist, den Israel kennt und neben
dem es keinen Befreier für Israel gibt (s.o.S. 289). Die Sätze wiederholen
aber nicht eine Forderung an Israel, sondern rühmen den alleinigen Rettergott; vgl. Jes 43 11 45 21.

Dieser Selbstpreis des Gottes Israels findet in 5 seine Fortsetzung, in   5
der die Wüstentradition mit der Auszugstradition verknüpft ist. Dabei
löst אֲנִי das voraufgehende אָנֹכִי ab wie in 5 14.

Der Selbstpreis des Anklägers bereitet den Schuldnachweis in 6 vor.   6
Jahwes Hirtentätigkeit hat Israel in das Land gebracht, da es satt wurde
(vgl. 2 10.15b; dazu HWWolff, Wissen um Gott bei Hosea: EvTh 12,
1952/53, 540 = Ges. St. z. AT: ThB 22, 1964, 190). Im Stufenpa-
rallelismus wird diese Sättigung betont und ihr Ergebnis, die stolze
Überhebung der Herzen, hervorgehoben. Der eigentliche Zielpunkt des
Berichts, die direkte Anklage, wird erst mit der durch עַל־כֵּן eingeführten
Folgerung herausgestellt: das Vergessen Jahwes, das auch in 2 15 in

ähnlicher Schlußstellung einen kräftigen Akzent hat (s.o.S. 49.290), als Kontrastbegriff zum rechten Wissen um Gott (vgl. 4b). Wie jenes Wissen so betrifft dieses Vergessen im Zusammenhang den Heilsgott. Von ihm hat sich Israel im Hochmut des Herzens getrennt.

In der in 4–6 vorliegenden Folge der Anklagerede liegt erstmalig ein Gedankengang vor, der unter Aufnahme seiner Hauptstichworte in der deuteronomischen Paränese wiederholt aufgenommen ist, transponiert in die Form der Mahnrede und stark zerdehnt: vgl. Dt 8 11–20 6 12–19 (11 15f.). Wieder ist Hosea als einer der Väter der frühdeuteronomischen Bewegung zu erkennen. Selbständiger ist das gleiche heilsgeschichtliche Summarium bei Jeremia (2 5ff.) verarbeitet.

13 7 Nach 𝔐 (s. Textanm. 7a) gehört 7a (wie 1b) als Bericht noch zur Vorgeschichte der neuen Strafankündigung. Als reißender Löwe hatte sich Hoseas Gott schon 733 angesagt (vgl. שַׁחַל in 5 14). Der Hirt wurde schon zum Todfeind der Herde (vgl. 1 S 17 34f. 1 Kö 13 24). Das Wort vom lauernden Panther (dem „gestreiften" Leoparden, vgl. KBL Suppl. 172) bringt auch in 𝔐 schon die imperf. Form und geht damit über zur Gegenwart. שׁור meint das Gewahren, hier im Sinne des Auflauerns; im Unterschied zu 14 9 steht das Wort hier ohne Objekt, wie Jer 5 26. Die Vorstellung erinnert an das aufmerksame Warten Jahwes, von dem im verglichenen Zusammenhang 5 15 sprach. Verschiedene Akte Jahwes sind hier auf verschiedene Tiere, je nach ihren Eigenarten, verteilt.

8 Deutlich geht erst 8a mit seinen beiden vorangestellten Imperff. und mit dem neuen Bild des Bären zu dem über, was Hosea für die nächste Zukunft als Gerichtshandeln Jahwes verkündet. Es ist, als folge er dem Wort des Amos (5 18f.) über den Tag Jahwes, wenn er denen, die dem Löwen meinen entronnen zu sein, nun den Bären ansagt, wiewohl Hosea in Sprachstruktur und Wortwahl selbständig ist: Amos sagt אֲרִי statt שַׁחַל, s.o.S. 251 zu 11 10. Wie 3 so sagt auch diese Drohung das totale Ende an, aber mit ungleich grausigeren Bildern. Jahwe selbst ist die angreifende Bärin; ihrer Jungen beraubt, wütet sie aufs äußerste. פגשׁ beschreibt nicht nur die plötzliche (1 S 25 20) Begegnung, sondern auch die feindselige, überfallartige (Ex 4 24). Einen Bären in Angriffsstellung mit hocherhobenen Vordertatzen zeigt die Siegelbilddarstellung Nr. 511 bei OWeber, Altorient. Siegelbilder (1920); vgl. auch AOB² Nr. 36 und MNoth, Ges.St. 268. Auch die Weisheit kennt die לֵב שָׁכוּל als Bild höchst gefährlicher Wut (Prv 17 12 28 15 1 S 17 34–37 2 S 17 8), ebenso die Apokalyptik (Dan 7 5: „drei Rippen zwischen den Zähnen") für die Gefräßigkeit, die den Brustkorb zerfetzt (vgl. ferner 2 Kö 2 24). Auch hier wird beim „Verschluß ihres Herzens" – der Ausdruck erscheint nur hier im Alten Testament – an den Brustkorb gedacht sein, der mit den Rippen das Herz als Lebenszentrum (s.o.S. 104) schützt. Wird er „zerrissen", so ist der Mensch völlig verloren. Nie zuvor bei Hosea hat Jahwe selbst sich

in Person so drastisch als die äußerste Gefahr für Israel vorgestellt. Nicht einmal in 5 14 werden die völlig vernichtenden Folgen so herausgestellt wie hier in b. Zwar halte ich es für unwahrscheinlich, daß von Jahwe ausgesagt wird, er selbst fresse seine Beute (𝔐; s. Textanm. 8c). שָׁם (hier temporal gebraucht wie Ps 36 13 132 17) zeigt an, was folgt: Hat die Bärin ihre Wut gestillt und ihren Gegner zur Strecke gebracht, so wird das Wild (und 'die Hunde') dafür sorgen, daß kein Glied mehr beim anderen (בקע pi. „spalten" heißt hier „in Stücke reißen", zur Sache vgl. 14 1 und Textanm. 8d) und überhaupt kein Rest mehr bleibt.

Nur noch Feinde findet Israel, aber keinen Helfer mehr, wenn Jahwe **13 9** sein Gegner geworden ist. Diesen in 8 angebahnten Gedanken spricht 9 in direkter Anrede Israels als Jahwewort aus. Es kann durch einen Hinweis der Hörer auf irgendeine Hilfsmacht – Ägypten (15a cj. 12 2)? – ausgelöst sein. שׁחת wird in Jer 4 7 vom vernichtenden Tun des Löwen ausgesagt. Hosea gebraucht das Wort schon 11 9 für das Gerichtshandeln Jahwes. Das Perf. (s. Textanm. 9a) konstatiert unverrückbares Geschehen (vgl. 10 15b 9 7 4 19 Br Synt § 41; Meyer³III § 101 4a). Mit neuen Worten wird wiederholt, was soeben 13 4 und früher 2 12b 5 14bβ aussprachen: neben und also auch gegen Jahwe gibt es keinen Helfer (s. Textanm. 9b).[1]

Die bisherigen Stützen hat Israel anscheinend kürzlich verloren **10** (s.o.S. 291 Ort). Hosea ben Ela und weitere wichtige Männer der politischen und militärischen Führung sind von Salmanassar V. gefangen genommen worden. Das Königtum war Jahwe abgetrotzt. Offenbar kennt schon die prophetisch-levitische Bewegung um Hosea jene Tradition, die später ins deuteronomistische Geschichtswerk einging, nach der das Königtum Jahwe abgenötigt worden war (1 S 8 6; vgl. AWeiser, Samuel und die Vorgeschichte des israelitischen Königtums: ZThK 57, 1960, 144ff.). An dieser Stelle wird ganz deutlich, daß Hoseas Kritik am Königtum tiefer wurzelt als in den zeitgenössischen Mißständen (vgl. 3 4 7 3ff. 8 4 9 15 und o.S. 178.217). Fast so wie der Baalkult (vgl. 4 nach 1–3) lebt es von Anfang an vom Gegensatz gegen die Herrschaft Jahwes. Vor Hosea ist solche Opposition für uns nur zu erkennen in 1 S 10 27 und der Jothamfabel Ri 9; vgl. KHBernhardt, Das Problem der altorientalischen Königsideologie im AT: VT Suppl 8 (1961) 139ff.

So ist denn für Hosea das Königtum nur eine Gabe des Zornes Got- **11** tes; vgl. 9 15. Die imperff. beziehen sich auf alle Könige von Saul an bis zu dem eben jetzt von Jahwes Zorn entrissenen Hosea ben Ela. Zu אף als

---

[1] Calvin (CR LXX, 485) erkennt die eigentliche Erregung des Wortes (von der Textgrundlage aus: Perdidit te Israel, quia in me auxilium tuum): „Et certe ego numquam tibi deessem, sed tu mihi occludis januam et repellis malitia tua gratiam meam, ne ad te usque perveniat. Sequitur ergo, te nunc perire propria culpa". Vgl. Luther (WA 13, 62, zu 9: Perditio): „Ibi incipit insultatio; es ist mit dir verloren, tua consilia nihil faciunt, ich wills mit dir machen, ut videas te nihil esse, ad me confugiendum esse monstrabo".

Zornesschnauben und עברה als Zornesausbruch, die hier als Werkzeuge Jahwes erscheinen, s.o.S. 145 und 181.

13 12   So neuartig die Feststellung in 12 klingt, so wird sie doch recht verständlich nur im Zusammenhang mit den voraufgehenden Erinnerungen an die lange Schuldkette, die bis zu den Anfängen des Königtums hinaufreicht (10), ja bis zur Landnahme (6), und die im letzten Jahrzehnt dadurch ein Vollmaß erreichte, daß Jahwes Strafen vergeblich blieben (13 1f. 7). Von Ephraims Vergehen und Verfehlen (zur Parallele עון – חטאת s.o.S. 187) wird erklärt, daß sie „gebündelt" werden, so wie eine rechtskräftige Urkunde zusammengebunden wird (צרר in Jes 8 16; vgl. Hi 14 17 1 S 25 29), und daß sie „aufbewahrt" werden, so wie ein Schatz geborgen wird, damit er nicht gemindert werden kann (צפן Ps 27 5 31 20; vgl. Ez 7 22). Das Wort richtet sich gegen die, die immer noch die prophetische Drohung mit optimistischen Erwartungen abtun und die Schuldfrage als erledigt ansehen. Die Schuld bleibt aber wie in einer unrevidierbaren, für den Schuldner unerreichbar hinterlegten Rechtsurkunde wirksam (vgl. Jer 32 10–15). So könnte das Wort fast ebenso gut die vorstehenden Drohungen abschließen wie die folgenden eröffnen, wenn es nicht durch den Übergang zur 3. pers. des Angeklagten mehr mit 13 als mit 11 verbunden wäre.

13   Die Schuldgeschichte insbesondere des letzten Jahrzehnts wird nun in ein neues Bild gefaßt. Die „Geburtsschmerzen der Mutter" treten hier erstmals in der Prophetie im Zusammenhang von Gerichtsnöten auf (vgl. Jer 6 24 22 23 und dann die Apokalyptik seit Jes 26 17). Aber das Bild wird eigentümlich gebrochen. Denn Ephraim wird nicht in der Gestalt der Gebärenden geschaut, sondern des Kindes, das zur Welt kommen soll. Kühn wird es der „unweise Sohn" genannt, d.h. hier – und damit schiebt sich die Sache ins Bild hinein – der ungeschickte, unerfahrene, der nicht weiß, was „die Stunde" gebietet. Denn der wahrhaft Weise weiß um die rechte Zeit (Qoh 8 5). Ephraim aber trat in der von Jahwe heraufgeführten Stunde nicht in den Muttermund. Das (wie 8 7) weisheitlich bestimmte Bild sagt damit das gleiche wie die Worte von der Weigerung zur Umkehr in der Stunde des Gerichts: vgl. 5 4 11 5 und vor allem 5 8–7 16 mit 5 15 6 4 7 2. 10. 16cj. Im Hintergrund des Bildes steht die Gewißheit, daß Jahwe Gerichte als Geburtswehen schickte, um Israel zu neuem Leben zu bringen; vgl. Jes 66 7–9. Daß es nicht zum „Durchbruch der Söhne" kam, ist für Hosea nicht Zeichen der Verwerfung (wie 2 Kö 19 3), sondern Schuld des unweisen Sohnes, der die דעת אלהים verworfen hat (4–6; vgl. 6 6).

14   14 wechselt im Verlauf der Anklage zu einem neuen Bild über. Vielleicht begegnete der Anklage in 13 der Vorwurf, Jahwe habe sich als rechter „Geburtshelfer" erweisen können, er, der doch den Gewalten der „Unterwelt" und des „Todes" gebieten kann. Wie in 4 16b (s.o.S.

114f.) kann auch dieser Satz (s.o.S. 290 Form) das Zitat eines Hosea entgegengehaltenen Kultliedes in Frage stellen, das von kanaanäisch-mythischem Denken genährt ist. גאל gehört sonst nicht zur Sprache Hoseas. פדה zeigt sich nur noch in 713b, in einer ähnlich zu verstehenden rhetorischen Frage. פדה//גאל auch Jer 3111 Ps 6919, zur Sache vgl. Ps 1034. Bei solchem Zitat kann von 13 her durchaus der Gedanke mitschwingen, daß der Mutterleib Grab und Totenort zu werden droht; vgl. Jer 2017 Hi 311 1018; zur Vorstellung ferner Ps 13913.15, dazu HJKraus, BK XV 920.

Hosea aber wechselt von der abweisenden Frage in bα zur Befehlsfrage über. Damit entläßt die Anschauung von „Unterwelt" und „Tod" sofort neue Inhalte. In der jetzt anhebenden Drohung des Propheten stehen sie für die Leben bedrohenden Fremdmächte (s.o.S. 292 zu 131b; vgl. Jes 2815), die unter der Befehlsgewalt des Gottes Israels stehen (vgl. 1010). Das Bild des heranbefohlenen Treibers und Quälers bleibt eindeutig, wenn die Feindmächte die „Dornen" und „Stacheln" des Viehtreibers oder Aufsehers ergreifen sollen (vgl. Jos 2313 Nu 3355 Ri 87). Allerdings sind דבר und קטב nur Ps 916 neben einer von Menschen gehandhabten Waffe („Pfeil" in 5) erwähnt, sonst in der Regel als Bezeichnung für Seuchen (s. Textanm. 14c), die natürlich auch hier als Werkzeuge von Tod und Unterwelt passen. In jedem Falle wehrt Jahwe alles „Mitleid" ab. Hosea unterscheidet sprachlich נֹחַם „Mitleid" und נִחְמִים „Reue" (118).

Mit deiktischem כִּי (s.o.S. 173) kommt der Prophet auf den zuletzt in 13bα mit הוּא eingeführten unklugen Sohn Ephraim zurück. In dem mutmaßlich ursprünglichen Text (s. Textanm. 15a) wird von ihm im neuen Bild gesagt, daß er „zwischen Riedgras gedeiht". אָחוּ ist Lehnwort aus dem Ägyptischen (FHorst, Hiob: BK XVI 132) und spielt wahrscheinlich auf die Zeit an, in der Israel sich durch Anlehnung an Ägypten von Assur zu lösen sucht (vgl. 122b und o.S. 291 Ort). Doch der „Ostwind" (vgl. 122a) läßt nicht lange auf sich warten. Er ist „Jahwes Wind" (vgl. 87a Jes 407), von ihm als Werkzeug der Todesmacht aufgeboten (14bα). Aus der Wüste naht dieser Sturm der Assyrerheere (vgl. 81 Jes 526–30). Aber Hosea bleibt noch im Bild. Austrocknen wird der Schirokko (s.o.S. 273) jeden Brunnen und jede Quelle, während doch Ephraim an den Wassern des Nil zu gedeihen wähnte; die sengende Todesglut wird sich seiner bemächtigen. Erst in bβ wird das Bild verlassen; die plündernden Truppen Salmanassars V. tauchen auf, die nichts Wertvolles mehr übriglassen; vgl. zu שסה 2 Kö 1720 Jes 1714 Jer 3016. Damit ist deutlich geworden, worauf schon die Bildreden in 3 und 8 als Drohungen hinaus wollten.

Im zusammenfassenden Schlußvers (s.o.S. 290 Form) wird Hosea noch deutlicher. Die Königsstadt „Samaria" ist jetzt getroffen. Sie ist endgültig

13 15

14 1

„straffällig geworden" (s.o.S. 112f. zu אשׁם) in ihrer Rebellion gegen ihren Gott. Mit מרה bringt Hoseà noch einmal ein neues Wort für die Auflehnung gegen Gott, das mit סרר (416 915) sinnverwandt ist als Bezeichnung der Widerspenstigkeit (Dt 2120 Ps 788) etwa des störrischen Sohnes (vgl. 11 1ff.). Nicht nur in dieser Zusammenfassung des Urteils, sondern auch in der noch folgenden dreigliedrigen Urteilsfolgebestimmung weicht die vorher so überreiche Bilderfülle der Ansage des Todes mit harten Daten: „Durchs Schwert werden sie fallen" (vgl. 716). Das Schwert, das zuvor in anderen Städten Israels kreiste (116), trifft nun die Bewohner der Hauptstadt. Die Zeit der dreijährigen Belagerung ist schon vor das prophetische Auge gerückt (2 Kö 175). Die Brutalität Assurs werden selbst die Schwächsten zu spüren bekommen: die Kinder, die „zerschmettert" werden (s.o.S. 244), und die Schwangeren, die „aufgeschlitzt" werden (vgl. 138). So ist Hosea am Ende wieder bei seinem Thema der Kinderlosigkeit und des großen Sterbens in Israel (410 911–16). Am Baal, dem Fruchtbarkeitsgott Kanaans, wird Israel endgültig zu Tode kommen (vgl. 131).

Ziel　　131–141 zeigte noch einmal alle Merkmale eines öffentlichen Auftritts Hoseas auf. Unübersehbar fallen die tiefsten Schatten der nahenden Endkatastrophe in die Szene hinein. In gleicher Direktheit ist der Tod selten zuvor vom Prophetenwort aufgeboten worden (14; vgl. 1); so umfassend, in einer so anschauungskräftigen Fülle und anstürmenden Heftigkeit ist er noch nicht in der Öffentlichkeit zur Sprache gekommen (vgl. nur 910–17 als Auditionsbericht und 109–15). In drei immer weiter ausholenden Anläufen erreichten die notierten Prophetenworte jeweils das gleiche Ziel der Vernichtung: 3. 8. 15–141.

Es ist wie eine letzte Generalabrechnung und letzte Botenansage vor dem endgültigen Fall des Restes eines selbständigen Staates Israel, der mit seiner 150jährigen Königsstadt, als allerletztem Bollwerk, dem Assyrerschwert, nein, dem Jahwesturm anheimfällt. Hosea deckt die nahe politische Katastrophe auf als die K a t a s t r o p h e   d e r   H e i l s g e s c h i c h t e. Nur als solche kann sie vom Gott Israels her verstanden werden. Darum bezeugt der Prophet noch einmal die frühen Anfänge im Selbstpreis des Gottes Israels (4–5), mitten hinein in das Todesdrohen. Die Schuld Israels wird damit enthüllt als Hochmut in der Zeit der satten Weide (6), als trotziges Sichselbsthelfenwollen (10), als Taubheit noch für die jüngsten Gerichte über die Abgötterei (1. 7. 12f.; s.o.S. 296).

An der Schuld Israels vorbei führt kein Weg zum neuen Leben Israels, wie man es wohl meinte (14a; dazu o.S. 296f.). Gebündelt ist die Schuld aufbewahrt (12). Kein politisches Bündnis (15a und o.S. 297) kann einen Helfer aufbieten, der dem Vernichtungswillen Jahwes gegen ein Israel gewachsen wäre, das seinen einzigen Helfer (4) in Fruchtbarkeitskulten (2) und Politik (9ff.) verleugnete. Über die Widerspenstigkeit Ephraims gegen den Gott, der Israels Heil will, geht die alte Heilsgeschichte für das Nordreich im Untergang Samarias zu Ende (14 1).

Auch für das Neue Testament führt der Weg zum neuen Leben weder an der Schuld noch am Todesgericht vorbei. Neu aber ist, daß Schuld und Tod durch Jesus Christus für Israel – und zugleich für alle Völker – überwunden sind. Darum kann Paulus in 1 Kor 15 55 das Wort aus Hos 13 14bα in der Textfassung der Ϭ aufnehmen. Hier ist aus dem Kommandowort, das den Tod gegen die Schuldigen heranbefiehlt, ein Hohnwort gegen den Tod geworden, weil Gott „uns den Sieg gibt durch unseren Herrn Jesus Christus". Hosea 13 kann indirekt helfen, daß die Welt die neue, letzte Gabe Gottes in Christus erkennt, die mit seinem bedingungslosen Vergebungswort und mit dem Siegel der Auferweckung Jesu von den Toten allen geschenkt ist.

Dabei gewinnt aber Hosea 13 auch eine neue direkte Aktualität. Die Christenheit, die durch die ersten Verfolgungen schreitet und Krieg und Verderbensmächte auch nach Christus durch die Welt ziehen sieht, erkennt Tod und Totenreich, die in Hos 13 14 unter dem Befehl Jahwes stehen, nun unter der Verfügungsgewalt des erhöhten Christus, wie z.B. der Anklang von Apk 6 8 an Hos 13 14 zeigt. Doch nicht nur ein einzelnes Wort, sondern das ganze prophetische Kap. kann dazu dienen, daß in der Christenheit die Erkenntnis nicht blaß wird: „Es ist schrecklich, in die Hände des lebendigen Gottes zu fallen" (Hb 10 31), wenn nämlich die Christenheit beginnt, „gegen den Geist der Gnade zu freveln" (29). Die Bekenntnisschriften haben darum gern Hosea 13 9 eingeschärft in der Fassung:

> Perditio tua ex te est, Israel,
> tantummodo in me salus tibi
> (Konkordienformel, Sol. decl. XI, 7; vgl. 62).

Jesus von Nazareth hat keine Sicherheiten begründet, sondern zur Nachfolge und zum Glauben gerufen. Die neutestamentliche Gemeinde hat verkündet, daß alle Welt in ihm das Leben finden kann, daß aber an ihm vorbei jeder in den Tod geht. So kann auch die neutestamentliche Heilsgeschichte für Einzelne und ganze Gruppen im „Frevel gegen den Geist der Gnade" zu Ende gehen – wie 721 die alte Heilsgeschichte für Samaria zu Ende ging. Samaria war nicht ganz Israel, und seine Endgeschichte war nicht das Ende der Wege Gottes. Doch jede Generation sollte sich durch unsere Prophetenworte warnen lassen, daß sie nicht Samaria werde.

HEILUNG AUS FREIER LIEBE

(14 2–9)

Literatur APeter, Das Echo von Paradieserzählung und Paradiesmythus unter besonderer Berücksichtigung der prophetischen Endzeitschilderung: Diss. Würzburg (1947). – HWhRobinson, The Cross of Hosea (1949) 59ff. – GRDriver,
Difficult Words in the Hebrew Prophets: Studies in OT Prophecy, ed. HHRowley (1950) 67f. – BWAnderson, The Book of Hosea: Interp 8 (1954) 301ff. –
RGordis, The Text and Meaning of Hosea 14 3: VT 5 (1955) 88–90. –
– MTestuz, Deux fragments inédits des manuscrits de la Mer Morte: Semitica
5 (1955) 38–39. – ThSprey, [syr.] תיבותא – משובה: VT 7 (1957) 408–410.

Text ²Kehre zurück, Israel,
        zu Jahwe, deinem Gott.
            Denn gestürzt bist du über deine Schuld.
    ³Nehmt Worte mit euch
        und kehrt zurück zu Jahwe.
    Sprecht zu ihm:
    „Willst du 'nicht' ᵃ Schuld vergeben?
    Nimm an das Wort ᵇ.
        Wir bringen dar 'Frucht' ᶜ unsrer Lippen.
    ⁴Assur soll uns nicht retten,
        auf Rossen wollen wir nicht reiten,
    nicht mehr wollen wir sagen: 'unser Gott' ᵃ
        zum Machwerk unsrer Hände.
        [Da bei dir ein Verwaister Erbarmen findet] ᵇ"
    ⁵Ich heile ihre Abtrünnigkeit ᵃ.
        Ich liebe ᵇ sie aus freiem Antrieb ᶜ.
        [Denn mein Zorn hat sich abgewandt von ihm ᵈ].
    ⁶Ich will für Israel wie ein Tau sein;
        es soll blühen wie eine Lilie,
    ᵃsoll Wurzeln ᵇ schlagen wie der Libanonwald ᶜ;
    ⁷   seine Triebe sollen ausschlagen,
    daß seine Pracht ᵃ dem Ölbaum gleiche,
        sein Duft dem Libanonwald ᵇ.
    ⁸'Sie werden' ᵃ wieder in 'meinem' ᵇ Schatten wohnen,
        werden Korn bauen ᶜ.
    Sein ᵈ Ruf 'wird' ᵉ sprießen wie ein Weinstock,
        wie der Wein vom Libanon ᶠ.
    ⁹Was 'hat' denn Ephraim'ᵃ noch von den Götzenbildern?
        Ich, ich erhöre ᵇ und achte auf ihn ᶜ.
    Ich bin wie ein üppiger Wacholder,
        an mir ist Frucht für dich zu finden.

143   3a בַּל setzt noch 𝔊 (μὴ) voraus; zur Bedeutung als Partikel der Beteue-
       rung (= nonne) vgl. Gordis 89 und Ps 16 2; s.o. Textanm. 10 9b. 𝔐 („ganz")
       ist als Verlesung verständlich, syntaktisch aber schwer als ursprünglich denk-

bar, auch nicht als „Zeitnomen mit Genetivsatz" („sooft du eine Schuld vergibst", BrSynt § 144, Nyberg 107f., s. Textanm. 72b), weil es zum Folgenden nicht paßt. – b vgl. Gordis 89f.: טוֹב = דִּבָּה (Neh 619 Ps 393a). Oder: „nimm an, was gut ist"(?); vgl. Prv 132 1214. – c פָּרִים שְׂפָתֵינוּ liest 𝔊 (καρπὸν χειλέων). Enklitisches ם ist altkanaanäische Kasusendung; vgl. RTO'Callaghan, VT 4 (1954) 170f.; Meyer³ II § 45 1 41 6. Die Zuordnung מִשְׁפָתֵנוּ erübrigt sich; so zuletzt MMansoor, Revue de Qumran 3 (1961) 391f. 𝔐 („als Stiere") erweist der Sinnzusammenhang als Verlesung. – 4a 𝔊 übersetzt Θεοὶ ἡμῶν. 144 – b 𝔊 liest יְרַחַם und verkehrt so den Sinn: ὁ ἐν σοὶ ἐλεήσει ὀρφανόν. Θ gleicht 𝔐, ebenso das Fragment vom Toten Meer: ירוחם (Testuz). אֲשֶׁר (Θ: ὅτι!) wirkt wie eine prosaisch-sekundäre Anknüpfung, als abgekürztes יַעַן אֲשֶׁר wie 1 Kö 319 833 u.ö.; vgl. Ges-K § 158b. An das Bußgebet wird ein anderer Satz (Hoseas?) als Vertrauensaussage herangetragen (s.u.S. 304f.). – 5a 𝔊 5 (τὰς κατοικίας αὐτῶν) mißversteht hier wie in 117; s. Textanm. 117b. – b Achmim. und sahid. Übers. interpretieren miserebor. – c 𝔅: spontanee (vgl. 1 Pt 52); zu 𝔊 (ὁμολόγως) vgl. ὁμολογία = נדבה in Dt 126.17 Am 45 Ez 4612 für die freie Opfergabe. – d 𝔊 (ἀπ' αὐτῶν) gleicht den am abweichenden Suffix als Glosse erkennbaren Satz dem Kontext an. Er interpretiert 5a von 119a her im Blick auf 1311 (85 915; vgl. Jes 916aα). – 6a Das Fragment vom 6 Toten Meer weist keine Kopula auf (Testuz). – b wörtlich: „seine Wurzeln". – c so deuten 𝔗 und MBuber 𝔐 und alle Versionen; heute wird meist כַּלִּבְנֶה („wie die Pappel") konjiziert (vgl. 413); so KBL, Sellin, Robinson, Lippl, Weiser. – 7a 𝔊 (κατάκαρπος) deutet 𝔐 frei: die „Pracht" des Ölbaums ist 7 sein Reichtum an Früchten. – b s.o. Textanm. 6c. – 8a יָשֻׁבוּ setzt 𝔊 (καθιοῦνται) 8 statt 𝔐 („Bewohner") voraus; וְ (𝔊 fügt καὶ ein) erübrigt sich nach dem als verbum relativum zu verstehenden יָשֻׁבוּ (Grether § 87n); vgl. Gn 2618 432; zu ישב bei Hosea vgl. 1111 𝔐 1210; vgl. 220b; 𝔐 („die Bewohner seines Schattens kehren zurück") verwendet die seltene Verbindung eines st. cstr. mit einem Präpositionalausdruck (vgl. Jes 91b, Grether § 72m). – b בְּצִלִּי ist innerhalb der Jahwerede (vgl. 69) wahrscheinlicher als „sein Schatten" (𝔐) und nach dem Vergleich Israels mit dem Libanon in 8b sinnvoller, wenn auch 8b die Verlesung in 𝔐 verständlich macht. – c zum Sprachgebrauch vgl. Gn 1934 Jes 721 2 S 123. 𝔊 (ξήσονται καὶ μεθυσθήσονται σίτῳ [spätere 𝔊-Zeugen lesen στηριχθήσονται; vgl. Ziegler] liest יְחִי und muß deshalb דן als instrumentalen Dativ verstehen (ebenso 𝔅); das zweite Verbum wird von 𝔊 frei zugefügt sein, da sonst der Satz den neuen Lebensreichtum nicht ausgesagt hätte; es darf nicht zu einer erweiternden Rekonstruktion des Urtextes verwendet werden (Robinson will וְיִרְוְיוּ ergänzen). – d LKoehlers Vorschlag (ZAW Beih 41, 1925, 177), זִכְרִי („der Gedanke an mich") zu lesen, ist mir wegen der voraufgehenden Parallelaussagen unwahrscheinlich; vgl. besonders הוֹדוֹ in 7aβ. – e 𝔊 (καὶ ἐξανθήσει ὡς ἄμπελος τὸ μνημόσυνον αὐτοῦ) fordert sg. יִפְרַח. – f Osty liest חֶלְבֹּן statt לְבָנוֹן, ohne Stütze in der Texttradition. „Wein von Helbon" war nach Ez 2718 und assyr. Inschriften berühmt; vgl. WZimmerli, BK XIII, 655. Aber die hohe Fruchtbarkeit des Libanon war gewiß nicht weniger bekannt; vgl. Na 14 und u.S. 305f. zu 6.7.8. – 9a 𝔊 (αὐτῷ) 9 liest לוֹ; 𝔐 („was sollen mir noch die Götzenbilder?") hat nur Sinn, wenn der Eingang וַיֹּאמֶר אֶפְרַיִם (so 𝔊𝔗) lautete; denn nicht Jahwe, sondern Ephraim war mit den Götzenbildern verbündet (417). Aber die Fortsetzung ist nur als Gottesrede zu verstehen und beweist, daß 𝔊𝔗 nachträglich erklären wollen. Ephraim ist als casus pendens zu verstehen, der in לוֹ wieder aufgenommen ist (Grether § 95c). – b 𝔊 (ἐταπείνωσα = עִנִּיתִי) hat hier wie 217 55 710 ענה II vermutet; vgl. dazu EKutsch, עֲנָוָה („Demut"): maschinenschr. Habilitations-schr., Mainz 1960, 32. – c 𝔙: dirigam eum führt auf וְאַאֲשְׁרֶנּוּ „ich leite ihn auf geraden Wege" (KBL); 𝔊 (ἐγὼ κατισχύσω αὐτόν) erkennt eine klare Sinn-folge in 9bα[1]: „ich habe ihn gedemütigt, und ich werde ihn stärken," was mit Rücksicht auf die völlig parallele Satzbildung 6 laβ aufzunehmen wäre, wenn eine entsprechende Wurzel שור III nachgewiesen werden könnte. Von 𝔊 schloß Nyberg auf וַאֲשׁוּרֶנּוּ: „ich besiege ihn". Driver denkt an שרר (וַאֲשׁוֹרֶנּוּ): „ich versichere ihm" (vgl. Hi 33 3.14.27), womit b eingeleitet würde. Allzu kühn schlug Wellhausen vor: עֲנָתוֹ וַאֲשֵׁרָתוֹ „(ich bin) seine Anat und seine Aschera" (dazu Sellin: „mehr geistvoll als richtig"). Mit 𝔐 ist einstweilen an das gleiche Wort wie 13 7 zu denken.

Form   14 2-9 fügen einen prophetischen Aufruf in 2-4, der von Jahwe in 3. pers. spricht, und eine Rede Jahwes in 5-9 zueinander. Es liegt nicht eine Bußliturgie im strengen Sinne vor, sondern eine prophetische Auf-forderung dazu. Denn der prophetischen Mahnung zur Rückkehr zu Jahwe folgt nicht das Bußgebet selbst (vgl. Jos 24 14ff.; Ps 85; 126 4ff.); vielmehr spricht der Prophet es nur vor und verkündet auf das vom Volk noch nicht gesprochene Schuldbekenntnis hin die Heilung, und zwar als Heilung der Unbußfertigkeit. So kommt also schon die Mahnrede ganz von der Erhörungszusage her. Die Heilungsansage (5) ist die eigentliche Mitte des Stückes. Sie stellt die Voraussetzung des Ganzen dar, wie auch die spätere jeremianische Rezeption in Jer 3 22 41 zeigt.

Die formalen Unterschiede von 2-4 und 5 zeigen das noch deutlicher. 5 spricht im göttlichen Ich vom Volk in 3. pers., also im Stil des Auditions-berichts vom Gottesentscheid (vgl. Ps 85 9ff. 126 5f.) und nicht im Stil des Erhörungszuspruchs mit direkter Anrede (wie Jer 3 22; vgl. Hos 6 4). Auf diesen zu verkündenden Entscheid hin spricht der Prophet von sich aus in 2-4 Israel in 2. pers. an: „Wende dich, Israel, hin zu Jahwe dei-nem Gott!" Vgl. 2 1-3 und o.S. 27f.; auch 8 5a (cj.) und o.S. 172. Das dem Volk vorgesprochene Gebet bringt zur Hauptsache die strenge abrenun-tiatio; vgl. Jos 24 14ff. Ri 10 14ff. 1 S 7 3ff. Gn 35 2ff. 1 Kö 8 46ff.

Von der tragenden Mitte des Gottesentscheides her (5), auf die hin schon die Aufforderung zur Umkehr in 2-4 gesprochen ist, folgt in 6-8 eine breite Entfaltung der Folgen des Durchbruchs der Liebe Gottes. Wie dem Gerichtsurteil die Strafandrohungen folgen (vgl. 14 1), so folgt der Erklärung des Heilswillens Jahwes die Ankündigung heilvollen Le-bens. Dabei ist im Stil der feierlichen Urteilsverkündung vom Volk zunächst weiterhin in 3. pers. die Rede, jedoch wird in 6-8, im Unter-schied zu 5, zumeist singularisch von „Israel" gesprochen. Die Bildsprache dieser Verse erinnert an Motive des Liebesliedes (s. schon zu 2 9 o.S. 43); vgl. פרח כגפן in 8 mit Cant 6 11 7 13; ריח כלבנון in 7 mit Cant 4 11 2 13 4 10 7 9.14; יין in 8 mit Cant 1 2.4 4 10 5 1 7 10; ישב בצלו in 8 mit Cant 2 3; שושנה (6) als lebende Pflanze 7mal in Cant und nur dort im AT; s.u.S. 305f. Erst in 9b mündet die Gottesrede in die Anredeform aus, in der der

Prophet in 2f. begonnen hatte, nicht ohne daß in dem (unsicheren) Text von 9aα unmittelbar zuvor der Ton der Mahnrede angeschlagen ist, der die 2. pers. in der Fortsetzung wie in 2f. verständlich macht. Aber sie ist – in der Gestalt der Frage – so deutlich wie 2f. ganz beherrscht von der Heilsansage, die im Schluß (9b) die Form direkter Heilszusage gewinnt. Die Nennung von „Israel" in 6a und „Ephraim" in 9a bestätigt die Aufgliederung in 5. 6–8 und 9.

Die Heilsworte erweisen sich auch darin als das Entscheidende, daß sie mit ihrer Fülle hoseanischer Bildreden schöne Perioden mit meist synonymen Zweier- oder Dreierreihen bieten (5–8). Ähnlich ist die abrenuntiatio (4) und die Heilszusage in 9b gebaut. Von diesen zweireihigen Perioden im Verkündigungsstil hebt sich das lebhaftere Eingangsstück (2–3) mit seinen Anreden in kurzen dreireihigen Perioden ab.

Eindeutige Anhaltspunkte für die Datierung enthält die große Heils-Ort ansage nicht. Sie wird aber am besten aus der Zeit verständlich, in der das Ende des Nordreichs praktisch abzusehen ist. Der Sturz ist so gut wie perfekt (vgl. das perf. in 2b mit dem impf. in 5 5bα), da offensichtlich ist, daß man weder von Assur noch vom kanaanäischen Kult Hilfe erhoffen kann (4. 9a). Insbesondere die Formulierung in 9a: „Was sollen Ephraim noch die Götzen?" zeigt mit עד eine Zeitenwende, die die ganze Vergangenheit in Frage stellt. Wir denken also an die Zeit Salmanassars V., in der sich Samarias Ende anbahnt.

Thematisch steht das Stück in der Nähe von Kap. 11. Es ist zu beachten, daß wichtige Stichworte wie שוב (2f. 8; vgl 11 5. 11 Ⓖ), מְשׁוּבָה (5; vgl. 11 7), רפא (5; vgl. 11 3), ישׁ (8; vgl. 11 11 𝔐) hier wie dort erscheinen. Die Stunde ist in Kap. 14 etwas weiter vorgerückt, sofern Ägypten (vgl. 4 mit 11 5. 11) dem Gesichtskreis entschwunden und die Anklage gänzlich verstummt ist. Das Ringen in Gott, dessen Zeugen die Hörer von 11 8f. wurden, ist einer ungebrochenen Heilsverkündigung gewichen.

Überlieferungsmäßig aber steht Kap. 14 dichter bei 12–13, nicht nur der vorliegenden literarischen Nachbarschaft wegen. Die Redeformen in Kap. 11 waren noch ganz von den Redeformen im Tor her verständlich. Hier dagegen bricht etwas stärker kultisches Formengut ein. Vielleicht ist kennzeichnend, daß יהוה אלהיך nur in 12 10 13 4 und 14 2 im Hoseabuch erscheint. Dieser Traditionsblock scheint auf gottesdienstliche Neuverkündigung hin (vgl. 12 6) zusammengestellt zu sein, etwa im judäischen Grenzgebiet (vgl. 12 1b. 3a 𝔐). Jedenfalls erweist er sich dafür als hervorragend geeignet.

Hinsichtlich des ursprünglichen Hörerkreises wird man 14 2–9 von 12 3–14 1 abheben müssen. Die Zeichen öffentlicher Auseinandersetzung sind gewichen. Jedenfalls gehört 14 2–9 in eine spätere Stunde und vermutlich in den engeren Kreis der Oppositionsgemeinschaft, der mit 12 1–2 der ganze Überlieferungskomplex anvertraut wurde.

Wort
142 Das Mahnwort ist Ruf der Einladung an die bereits Gestürzten; es will nicht, wie die Mahnreden in 2 4f. 4 15 8 5a cj. (vgl. 10 12 12 7), von dem drohenden Gericht zurückreißen. Es hat das Gericht schon hinter sich (zu b vgl. 5 5 und o.S. 127). Aber Jahwe, Israels Gott, will ein Neues beginnen. Denn Israel ist nicht eigentlich an ihm, sondern an seiner Schuld zu Fall gekommen. Der prophetische Ruf zur Umkehr kommt schon von dem Gott her, der seinem Propheten seinen Willen zur Heilung kundgetan hat (5 ; s.o.S. 302 und vgl. HWWolff, Das Thema Umkehr in der atl. Prophetie: ZThK 48, 1951, 141 = Ges. St. z. AT: ThB 22, 1964, 142f.).

3 Was hat Israel bei dieser Hinwendung mitzubringen? Den Wallfahrten mit Opfertieren hatte Jahwe sich längst entzogen (5 6). Geeignete Opfergaben sind nur „Worte", die jedem Leistungsangebot, aber auch jeder Fremd- wie Selbsthilfe entsagen. 3bα ist zwar nicht eindeutig (s. Textanm. 3a), bringt aber sicher die Wendung נשא עון mit Jahwe als Subjekt. Sie spricht anschaulich die Erwartung aus, daß Jahwe die Verfehlung (weg) trägt und so entfernt, daß sie dem Schuldigen nicht mehr schadet (vgl. Ex 32 32 34 7 Jes 33 24, dazu JJStamm, Erlösen und Vergeben im AT, 67f.; WZimmerli, ZAW 66, 1954, 9). Die Beter erstatten „die Frucht der Lippen" (vgl. Jes 57 18f. Prv 12 14 13 2 18 20 Ps Sal 15 3 1QH 1 28f. Hb 13 15), nämlich das nachfolgende Versprechen der Absage (4). Wenn טוב hier nicht auch das „Wort" meint (s. Textanm. 3b), dann umschreibt es die „Frucht der Lippen" als das sprichwörtlich Gute (Prv 13 2 12 14). Das aber ist die Absage an alles, was nicht Jahwe selbst ist und wirkt.

4 Dem alten Jahwekult entsprechend wird den Abgöttern abgesagt (vgl. Gn 35 2ff. Jos 24 14ff.). Sie haben im 8. Jahrhundert neue Gestalt angenommen: 1. die fremde Großmacht Assur, von der man sich immer wieder fälschlich Hilfe versprochen hat (5 13 8 9) ; 2. die eigene militärische Leistung, Pferde, also die Streitwagentruppen (nicht Reiterei, vgl. BRL 425), sind Inbegriff der kriegerischen Macht; vgl. Jes 30 16 31 3 36 8 Dt 17 16; 3. das Jungstierbild des Baalkultes, das, obwohl „Werk unsrer Hände" (8 6 13 2), als „unser Gott" verehrt wurde (8 6 s.o.S. 182). In der feierlichen Absage an diese gegenwärtigen Fremdgötter erneuert sich das Urbekenntnis Israels zur alleinigen Helfermacht Jahwes, der den Hilflosen beisteht (13 4;vgl. Ri 10 14–16 Ps 33 16ff.).

Der das Gebet heute beschließende אשר-Satz (s. Textanm. 4b) entspricht der Form, die die Bittklage mit der Vertrauensaussage beschließt (vgl. Ps 10 18 60 14). Hier tritt der Satz als confessio neben die abrenuntiatio (vgl. Jos 24 16f.). Sprache (zu רחם vgl. 1 6 2 25) und Anschauung (vgl. 9 10 11 1ff.) wirken hoseanisch. Der Verwaiste ist als der Vaterlose Unrecht und Gewalt schutzlos ausgeliefert (Ex 22 21f. Dt 27 19 Jes 1 17), und als der Mutterlose bedarf er in seiner Schwäche und Hilflosigkeit der Güte und Stärkung (s.o.S. 22 zu רחם).

Das künftige Gebet der Hinwendung zu Jahwe unterscheidet sich darin von den in der Gegenwart gepflegten Bußgesängen (vgl. 6 1–3 8 2), daß an die Stelle der breiten Zuversichtsaussagen im Grundton der Selbstbeschwichtigung (s.o.S. 148f.) hier die reuige Selbstauslieferung Israels an seinen Gott in der Absage an die falschen Hilfen tritt (vgl. 10 3 und o.S. 226f.).

So wird dieses von Schulderkenntnis bewegte Bußgebet keine ver- 14 5 sagende Antwort finden wie 6 4 8 3, sondern das Versprechen, daß Jahwe die Abkehr heilt. Dafür ist das von dieser Zusage her formulierte Gebet in 3f. die vom Propheten vorweg gegebene Erklärung. Der משובה ist Israel bisher allein treu geblieben (11 7). Es will und kann nicht von ihr lassen (5 4 7 2 11 5). Wie einer Krankheit zum Tode (vgl. Prv 1 32!) ist es ihr rettungslos ausgeliefert. Jetzt erweist sich Jahwe als der Arzt, der nicht nur die äußere Not wenden kann (5 13 6 1 7 1), sondern der vor allem die Widerspenstigkeit Israels zu heilen vermag (zu רפא s.o.S. 157). Daß Hosea die Vergebung der Schuld in der kommenden Heilszeit so grundlegend und positiv als umfassende Lebenshilfe formuliert, verdient festgehalten zu werden. Die Fortsetzung führt noch weiter: „ich liebe sie aus freien Stücken". Zu אהב s.o.S. 75 und 42. נדבה unterstreicht die adlige Freiwilligkeit der Liebe, die keinerlei Leistung voraussetzt (zur Sache vgl. 11 1 und o.S. 255). Zu b s.o. Textanm. 5d.

Im folgenden wird die Wirkung der Liebe mit einer Fülle von Bil- 6 dern bezeugt. Jahwe selbst vergleicht sich nun dem „Tau", nachdem er im Gerichtswort dem Löwen, dem Leoparden und der wütigen Bärin (5 14 13 7f.) verglichen war. Während jene Leben gefährden und vernichten, ist der Tau Hilfe zum Leben und Gedeihen (Dt 33 13). Man sieht seine Tropfen nicht fallen, und doch sind sie da. In Palästina weiß man, wie lebensnotwendig für das stetige Wachstum der Tau ist, „der in der regenlosen Jahreszeit die einzige Befeuchtung des Landes bringt" (Noth, WAT[4] 28). Er kann bei Westwind am Abend und Morgen so stark fallen, daß er für Menschen im Freien unangenehm wird. Doch Melonen, Trauben und Baumfrüchte würden ohne Tau nicht gedeihen; vgl. Dalman, AuS I, 2, 514–519. Angesichts des todverfallenen Israel (13 1ff. 8 14 1) muß man schon bei Hosea daran denken, daß später Tau und Totenerweckung zusammengeschaut werden (Jes 26 19).

Israel gedeiht dabei „wie die שושנה". Damit wird hier nicht die „weiße Lilie" gemeint sein, die im wesentlichen als Gartenblume vorkommt, sondern, in einem weiteren Sinne, eine Blume mit großen (1Kö 7 26), kelchförmigen Blüten, die wie die großen Irisarten auch in der Wildnis der Täler und zwischen Dornen (Cant 2 1f.) gedeihen kann (Dalman, AuS I, 2, 357ff.). So wird das Gottesvolk unter der heilenden und Leben wirkenden Liebe Jahwes neu aufblühen. Während das Bild der Lilie das Wunder des neuen Lebens und der Schönheit des künftigen

Israel preist, weist das „Wurzelschlagen wie der Libanonwald" auf die Kraft und Lebensdauer der Neuschöpfung Jahwes hin. Spätestens seitdem Salomo Tausende von Holzfällern für seine Bauten in den Libanonwald sandte (1 Kö 5 28), ist der Libanon als Ideal des Waldes in Israel bekannt, insbesondere seine mächtigen Zedern, die als von Jahwe selbst gepflanzt (Ps 104 16) und nur von ihm selbst zu zerschmettern (Ps 29 5) besungen werden. Ihrer sprichwörtlichen Größe (Jes 2 13 Ps 92 13) entspricht die hier vorausgesetzte Macht ihrer Wurzeln. Lilie und Libanon gehören zu den Topoi des Liebesliedes (Lilie Cant 2 1. 16 4 5 5 13 6 2. 3 7 3; Libanon Cant 4 11 u.ö.; s.o.S. 302).

147   Junge „Triebe", und damit die Fülle neuen Lebens, sprießen am Baum des von Jahwe erneuerten Israel. Dem „Ölbaum" wird „seine Pracht" verglichen, wobei an „die ganze Fülle seiner zarten Zweige mit unverwelklichem Laub über seinem starken Stamm" und an seinen Fruchtreichtum als „Bild hochbefriedigter Existenz" gedacht ist (vgl. Jer 11 16 Ps 52 10 und Dalman, AuS IV 164). „Sein Duft" erinnert ein zweites Mal an den Libanon (vgl. Cant 4 11). „In der Zone der Maulbeer-, Öl- und Feigenbäume ist der Boden mit Myrrhe, Thymian, Lavendel, Salbei, Cistrose und Styrax bedeckt, duftigen Sträuchern und Kräutern, die die Luft mit Wohlgerüchen erfüllen, besonders wenn der Fuß des Wanderers sie streift" (HGuthe, Art. Libanon: RE³ 11, 436). So ist das neue Leben nicht nur kräftig und fruchtbar, sondern beglückt auch mit Genüssen, die ein hohes Wohlbefinden erwecken. Wieder klingt die Stimmung des Liebesliedes durch.

8   Dazu gehört das „Sitzen im Schatten" (s.o. Textanm. 8a; vgl. 4 13), sei es nun des Ölbaums oder der Zeder (Ez 17 23), wie 𝔐 denkt, oder im Schatten Gottes selbst (s.o. Textanm. 8b), in seinem Schutz- und Wohltatsbereich. Die Bildsprache Israels weiß von dem Glück, im Schatten des Mächtigen leben zu können, sei es des Königs (Thr 4 20; vgl. Ri 9 15) oder Jahwes (Ps 17 8 36 8 91 1 121 5 u.ö.; vgl. HJKraus, BK XV 132.836). Von der Topik unserer Heilsansage her muß man aber besonders an die Freude darüber denken, im Schatten des Geliebten zu sitzen; vgl. Cant 2 3. Jahwe schenkt seinem Volk ein neues „Wohnen" im reichen, beschirmten Kulturland (vgl. 2 17. 20b 11 11), nachdem es aufs neue das Leben in der Wüste kennen lernen mußte (9 3 12 10). „Korn" ist vor Wein und Öl seine Hauptgabe (2 10 9 1f.). Aber der Weinstock erscheint hier, wie zuvor der Ölbaum (7), als Bild für den „Ruf", d.h. „Ruhm" Israels selbst, der es stets erinnerns- und erwähnenswert (זכר) macht. Zum zweiten Male (vgl. 6) erscheint פרח als Kennwort für das Sprießen des neuen Lebens im Tau und Schatten der heilenden Liebe Jahwes. Und zum dritten Male (vgl. 6. 7) wird an den Libanon erinnert, jetzt wegen seines berühmten Weines. Als kostbarer Weinstock wird Israel endlich wieder, was es seit Anfang seiner Geschichte sein sollte (vgl. 10 1 und Jes 5 1ff.). Der Vergleich Israels mit

dem Weinstock ist nach 10 1 durchaus nicht ungewöhnlich für Hosea (gegen APeter).

Von der Ankündigung des neuen, heilvollen Lebens Israels, das Jahwe 14 9 selbst wirken wird, geht der Blick noch einmal auf das gegenwärtige Ephraim, den geschlagenen Reststaat. Die Form der Frage (מה mit doppeltem ל) ist ungewöhnlich, aber doch wohl am besten in Analogie zu der Wendung מַה־לִּי וָלָךְ Ri 11 12 1 Kö 17 18 2 Kö 3 13 2 Chr 35 21 („was habe ich mit dir zu tun?";vgl. 2 S 16 10 19 23 2 Kö 9 18f.) zu deuten; auch in Jer 2 18 fehlt וְ vor dem zweiten ל. Ephraims Gemeinschaft mit den Gottesbildern (4 17 8 4 13 2) ist endgültig in Frage gestellt durch Jahwes Liebe, die Israels Leben vollständig neu schafft. Die rhetorische Frage nimmt die Funktion der indirekten Mahnung wahr, die ganz beherrscht ist von der Heilsverkündigung. Sie gewinnt in der Fortsetzung die genaue Form der Erhörungsansage (Jes 49 8 Ps 118 5 und o.S. 65 zu 2 23f.). Dem grundlegenden Erhören ist das andauernde „Ansehen", „Gewahren", „Aufmerken" zugefügt. Zu שׁוּר s.o.S. 294 zu 13 7, zur Unsicherheit des Textes s. Textanm. 9b. Wenn Hosea hier das gleiche Wort wie 13 7 verwendet hat, dann wird der Tatsache, daß Jahwe erhört und damit die Wende herauführt, die weitere hinzugefügt, daß sein Auge ständig wacht und nach seinem Volke spähend sieht (vgl. Nu 24 17 Hi 7 8).

Israels Gott gewährt mehr als Wort und Blick. Daß er selbst die Heilsgabe für sein Volk ist, bringt das letzte kühne Bild im letzten Ich-bin-Wort Jahwes bei Hosea zum Ausdruck, in dem er sich als die grünende „Zypresse" (Dalman, AuS I, 1, 259) oder als (phönikischer) „Wacholder" (KBL) darbietet. רענן betont die volle, laubreiche Frische des Baumes, der als Urbild immerwährenden Lebens gilt; 𝕲 sagt πυκάζουσα (dicht belaubt); vgl. RGradwohl, Die Farben im AT: ZAW Beih 83 (1963) 33. Er ist zudem als Fruchtbaum gedacht. Die Typisierung als Lebensbaum ist somit kaum abweisbar. Zum Lebensbaum als Fruchtbaum vgl. Gn 3 22. Auf babylonischen Siegelzylindern und Palastreliefs ist der Lebensbaum in der Regel als eine Palmenart mit ananasartigen Früchten dargestellt (vgl. APeter 184f.). Bei den Phönikern ist die Zypresse als heiliger Baum bekannt (FLundgren, Die Benutzung der Pflanzenwelt in der alttestamentl. Religion: ZAW Beih 14, 1908, 31). Es ist das einzige Mal im Alten Testament, daß Jahwe einem Baume verglichen wird. Noch einmal hat die theologische Polemik Hoseas, jetzt im Widerstreit mit den kanaanäischen Baum- und Orakelkulten, die mit den Sexualriten zusammenhingen (vgl. 4 12f.), zu einer singulären Formulierung geführt, in ähnlicher Gedankenführung wie in der Frühzeit das Ehegleichnis. Im Gegensatz zu jeglichem Synkretismus wird herausgestellt, daß Ephraim in seinem Gott allein die Frucht und das Leben findet, das es im kanaanisierten Kult vergeblich erwartete. In פריך mag noch einmal אפרים wortspielartig anklingen, wie in 9 16; s.o.S. 218.

Ziel   Die Lichtquelle, die den ganzen Text erhellt, brennt in 5. Die Freiheit der Liebe des Gottes Israels, die in 118f. den eigenen Zorn negierte und damit das Gericht über Israel aufhob, ist hier als die Lebenskraft verkündet, die die Todeskrankheit der Abtrünnigkeit Israels heilt. Die Formulierung „aus freiem Antriebe liebe ich sie" begründet das Heil in voller begrifflicher Klarheit. Die Rettung des Gottesvolkes hat ihren Grund nicht irgendwo außerhalb Jahwes. Weder in der Fürbitte des Propheten (s.o.S. 220 zu 914) noch im Mitleid mit dem hilfsbedürftigen Volk (s.o.S. 151f. zu 64 und Am 72.5) noch in dem Ansatz eines guten Willens in Israel (131ff.12ff. 141). Das Gegenteil ist der Fall. Israel hat alle Mahnungen und Gerichte in den Wind geschlagen und ist von sich aus, im Sturz über seine Schuld (2b), nur auf seinen Tod aus (1215 141). Jahwes Mitleid brach zwar in der früheren Verkündigung immer wieder durch (vgl. zuletzt o.S. 173 zu 88), aber der Gedanke an die Not-Israels führte nie zum Sieg des Erbarmens. Auch der Prophet hat nie wirklich versuchen können, als Fürsprecher zu wirken. Es ist allein der freie Wille der Gottheit Gottes (vgl. 119b 31b), der die völlig neue Geschichte des Gottesvolkes nach dem Todesgericht über das alte Israel (s.o.S. 292 zu 131) in Bewegung bringen wird.

Die erste Frucht dieser prophetischen Erkenntnis, die in 5 verkündet wird, ist die gänzlich neuartige Einladung zur Umkehr in 2-4, die nichts mehr gemein hat mit den früheren ultimativen Verwarnungen (25 415 85cj.), in denen der Prophet vergeblich versuchte, sein Volk in letzter Stunde vom Weg der Schuld herunterzureißen. So geht hier der Ruf zur Hinwendung zu Jahwe als Einladung gänzlich von der Gewißheit aus, daß Jahwe die Abkehr Israels heilt und das Volk von seiner Schuld befreit. Die Aufrufe in 2f. praktizieren gleichsam die Zusage in 5 (vgl. Jer 322 Jes 4324f. und o.S. 302ff.). Dementsprechend ist auch der Inhalt des Bußgebets anders als in 61–3 und 82. Es bezieht sich auf Jahwes Vergebungsbereitschaft (3b [4b]) und sagt zugleich allen abgöttischen Hilfen ab (4a). So vollzieht sich in der Abkehr von den Fremdgöttern die Hinkehr zu dem Gott der freien Liebe. Die Absage ist als „Frucht der Lippen" das Dankopfer, das dem Rettergott dargebracht wird (vgl. Hebr 1315).

Der Heilung von Israels Abtrünnigkeit durch vollzogene Vergebung folgt das neue Leben des erneuerten Gottesvolkes (6–9). Es ist umschlossen vom Ich Jahwes (6a.9b). Sowohl der Vergleich mit dem Tau wie der mit der grünen Zypresse bezeugt ihn als geheimnisvollen, aber immer verläßlichen Ursprung der neuen Existenz Israels. Den breitesten Raum nimmt die Schilderung des neuen Sprießens und Gedeihens ein. Kennwort ist פרח in 6a und 8a. Die Bilder aus der Flora des Kulturlandes, durch den dreifachen Hinweis auf den Libanon aufs höchste gesteigert, malen die unzerstörbare Dauerhaftigkeit des neuen Lebens (6b), seine fruchtbare Fülle (7f.), vor allem aber seinen wunderhaften Charakter (6aβ) und sein köstliches Wohlbehagen (7). „Es ist merkwürdig, daß derselbe Prophet, der so intensiv heilsgeschichtlich denkt, doch zugleich das Verhältnis Jahwes zu Israel in den Horizont eines fast pflanzlich naturhaften Gedeihens und Blühens hinausverlagern kann, in dem alle Dramatik der Heilsgeschichte wie in einer großen Stille ausmündet" (vRad, Theol. d. AT II, [6]1975, 157). Das erklärt sich am besten daher, daß sich ihm die Sprache alter Liebeslieder aufdrängt (s.o.S. 302ff.). Luthers „Wo Vergebung der Sünden ist, da ist auch Leben und Seligkeit" findet hier seine früheste Illustration. Der Prophet holt seine Hörer unwiderstehlich hinein in das Klima und die Atmosphäre völlig heilen Lebens. Zum besonderen dieser prophetischen Ansage der Heilszeit gehört die Gewißheit, daß es an nichts Gutem fehlt, wo die freie Liebe Gottes ein bekehrtes Volk erschafft, und daß sein Wirken auch ins Konkrete und Physische übergeht, wo er, wie der Tau, Leben aus totem Erdreich erweckt. Darin nimmt diese Perikope etwas von den neutestamentlichen Wundererzählungen um Jesus vorweg. „Ein normaler Westchrist und Protestant... hat für Luxus – und wäre es der Luxus des lieben Gottes – nun einmal kein oder nur ein höchst mißtrauisches Verständnis. Wenn er doch wenigstens nicht auch noch stolz darauf sein wollte! Von den Evangelien und ihrer Bezeugung der Epiphanie des Menschensohnes her gesehen, geht es nämlich wohl in Ordnung, daß ihm jener Überfluß der Gnade Gottes... immer wieder als neu und überraschend in die Augen sticht, – geht aber seine Rigidität diesem Überfluß gegenüber durchaus nicht in Ordnung" (KBarth, KD IV, 2, 273).

DER SCHLUSSATZ DES ÜBERLIEFERERS
(14 10)

Literatur KBudde, Der Schluß des Buches Hosea: Studies pres. to CHToy (1912) 205–211.

Text Wer ist so weise, daß^a er dieses verstehe?
so einsichtig, daß er es erkenne?
Ja, gerade sind Jahwes Wege.
Gerechte gehen darauf.
Aber Abtrünnige fallen darauf.

14 10 **10 a** ‏ו‎ copul. (mit imperf.) leitet nach Fragesätzen wie nach negativen Sätzen den Folgesatz ein; vgl. Ges-K § 166a. Auch 𝔊𝔙 übersetzen Fragesätze. Dagegen sieht BrSynt § 157 ‏מִי חכם‎ als Relativsatz an: „Wer weise ist, der sehe es ein; wer verständig, der merke es"; aber er kann als Parallelen nur ‏אֲשֶׁר‎-Sätze anführen.

Form Der Vers enthält zwei verschiedenartige Sätze: eine Doppelfrage, die eine längere und eine kürzere Reihe zu einer Periode fügt, und einen Lehrsatz in Form eines Tripeldreiers, der der Eingangsreihe zwei antithetische Reihen zuordnet.

Schlußfragen wie in a lieben die Weisheitslehrer; vgl. Qoh 8 1 Ps 107 43. An das prophetische Wort wurden sie auch Jer 9 11 herangetragen. Sie gehören in die Zeit, in der die prophetischen Überlieferungen längst als Literatur gepflegt werden und in der ihre Deutung zum Problem geworden ist.

Der zweite Satz fängt als Lehrsatz die erregende Doppelfrage ab. Die Verknüpfung mit deiktischem ‏כִּי‎, die wir im Hoseabuch oft fanden (s.o.S. 173), läßt die Möglichkeit offen, daß er nicht gleichzeitig mit den Fragesätzen angefügt wurde. Er ist in seiner Diktion und antithetischen Struktur gleichfalls typisch weisheitlich (vgl. Prv 10 29 24 16b).

Ort Schon die Tatsache, daß dieser Schluß von den Problemen der Deutung und Aktualisierung bewegt ist, weist auf einen erheblichen Abstand von der Zeit Hoseas, aber auch von der ersten Fassung der verschiedenen Überlieferungskomplexe. Die nahe Verwandtschaft der Fragen mit Jer 9 11 und Ps 107 43 (dazu HJKraus, BKXV, 737) weisen mindestens in die Exilszeit, wenn nicht über das Exilsende hinaus. Die Terminologie des abschließenden Lehrsatzes findet sich im deuteronomistischen Geschichtswerk (Ri 2 22 ‏דֶּרֶךְ יְהוָה לָלֶכֶת בָּם‎; vgl. Dt 8 6 10 12 11 22. 28 19 9 26 17 28 9 30 16 31 29) und das einzige Vorkommen des plur. ‏דרכי יהוה‎ in der deuteronomistisch wirkenden Partie des 18. Psalms (22; vgl. Kraus a.a.O. 146). Doch scheint das formelhaft weisheitliche Überlieferungsgut we-

nigstens im zweiten Teil vom Verfasser eigens für den Hoseaschluß gefügt zu sein. Denn er bringt zum Schluß das typisch hoseanische Wort
„stolpern" (כשל kal 4 5 14 2; ni.5 5); vgl. auch פשע in 7 13 8 1, während in der
Weisheitsliteratur der רָשָׁע dem צַדִּיק gegenübersteht.

Der Weise ist hier schon der Interpret überkommenen Schrifttums. **Wort 14 10**
Die Gabe der Weisheit ist erforderlich, um die überlieferten Worte zu
erkennen und zu verstehen. Erst im Verständnis des prophetischen Wortes erweist es sich, wer den Namen des Weisen verdient.

Prinzip der Interpretation soll sein, daß Jahwes Wege die rechten
sind (vgl. Michaelis, ThW V, 55). Die דרכי יהוה sind hier die von ihm
gebotenen Wege, die als solche zu beachten sind (Ps 18 22) (הַדֶּרֶךְ אֲשֶׁר
צִוִּיתִי Dt 31 29; vgl. die o.S. 310 Ort genannten Dt-Stellen, die die Gebote
Jahwes in Parallele zu seinen Wegen stellen). Diese Wege sind die rechten
(vgl. 1 S 12 23 Act 13 10), in jedem Falle guten. Wer sich die gute Wegweisung gefallen läßt, ist als solcher gerecht und hat damit den rechten
Weg unter den Füßen; wer gegen sie rebelliert (s.o.S. 163 zu 7 13),
kommt darüber zu Fall (vgl. Jes 8 14f.).

So stellt der Schlußsatz heraus, daß das prophetische Wort auch in **Ziel**
später Zeit nur von dem recht verstanden wird, der die alten „Wege
Jahwes" als seine aktuellen Wegweisungen und so als Rufe zum Verstehen
und zum Folgen vernimmt. Jeder Leser ist in die Entscheidung zwischen
Gefolgschaft und Revolte und somit zwischen Gehen und Stürzen gestellt. Die Frage aber: „Wer ist weise?" ist wohl nur vordergründig
Notschrei des Schreibers über die Sinnschwierigkeiten des überlieferten
Textes. Im wesentlichen will er gewiß im Protest gegen die Gefahren beginnender Lesepraxis der überlieferten Worte (vgl. die ersten Spuren in
12 6 und o.S. 276f.) die lebendige Nachfrage wecken, die darauf aus ist, mit
dem gelesenen und gehörten Wort den Weg des Gottes Israels als den
gegenwärtigen und zukünftigen Weg zu entdecken und zu beschreiten.

REGISTER

REGISTER DER BIBELSTELLEN

16	102
28b	123
29	311
32₁	122f
6	255
10	213
47	98
33₈₋₁₁	118
9	98f
10	98 124
19	125

JOSUA

2₁	13
14	83f
3₁₀	30
7₆ff	148
24ff	52f
25	97
15₇	52
18₂₁₋₂₈	143
25	3
22₁₆₋₁₈ ₁₉ₐ	172
23₇	61 114
16	181
24₁₄ff	302 304
26f	225

RICHTER

2₁ ₅	113 228
5₃	122f
31	76
6₃₂	39
33	239
37ff	198
9	295
10₁₄ff	302
11₁	13
13b	112 172
33 37ff	14
40	46
16₂₃	47 197
17₂	84
18₃₀	281
19–21	204
19₃	51
30	53 238
20₅b	97
34 48	238
21₂₂	112 172

1. SAMUEL

1₂₃ff	23
23	77
2₂₁	203
5₂ff	47
7₃ff	302

6	148
8₆	295
10₆	202
8	144
27	295
11₉₋₁₁	244
15₂₀	84
22	153
23	218
33	96 97

2. SAMUEL

2₈	214
4₂	3
6₆	198
12	197
19	76
12₅	114
24	18
21₉	12
24₁₂fl	216

1. KÖNIGE

3₃	107
22	250
25	172
26b	250
5₅	46
8₄₆ff	302
50	22
11₄	203
8	107
29ff	178
33	61
12₂₈	180f
29	180
32	46 180
15₃ ₁₄	203
16–22	143
18	16
12	202
19	61
28	113 164
19₁₀ ₁₄	176
22₂₁f	202
22ff	106
28	12

2. KÖNIGE

2₉ ₁₆	202
23	202
4₂₃	46
9₁ff	19 178
7	19
11	202
10₁₅ff	19
16	19

28ff	20
30	19
13₁₅₋₁₉	72
14₈₋₁₄	143
15₅	124
25	155
18₁ ₁₃	4
19₃₂₋₃₄	23
20₃	203
21₁₉	21

JESAJA

1₁	1f 4f
2f	123 249 255
2	123 260
3	111 240
5ff	146
10	82 123 239
13	46
2₂	80
4	63
6b	128
8	182
10	230
20	182
21	230
5₁ff	306
3–7	195
8–10	102
13	97 215 288
18f	238
19	93
24	98 288
6	12
8–11	210
11	215f
7₃	22 74
17	144
18	188
8₁ff	9
1	74
3	18 22 74
7f	229
10	227
14	144
16	93 223
21f	59
23–9₆	29 59
9₃f	63
3	33
7ff	249
7	152
8	144
f6	288
10₃	195
5ff	19 145
5	239

12ff	145	**JEREMIA**		16 1ff	9 15		
11 2	111	1	12	5	113		
6–8	62	2	1	18	199		
11	188 263	4	74	20 7	50		
16 7	76	6	17	22 15f	124		
17 14	244	11 13	74	26	96		
19 14	106	2 1ff	236	23 6	63		
16	79	2f	213	13	105		
20 2ff	9	2	53 213	20	80		
21 6	203	5ff	294	29	152		
22 13	201	7	79 199	32	106		
24 1ff	86	9–13	195	25 33	200		
26 17	296	10f	79	26 13	112 172		
19	305	10f	198	27 2ff	9		
28 4	212	12f	82	29 13	127		
7ff	201	20	109	30 9	80		
7	105 115	25	109 110 128	11	125		
9f	201	27	256	24	80		
9f 15	93	3 1	80	31 10	115		
23	122f	2	109	20	261		
29 10	105	6	74	31–34	68		
15	93	11	74	31	62		
30 9	255	14 19	255	32	155 255		
10f 16	93	22–42	80	33 9	79		
12f	147	22	255 302	16	63		
12	98	4 1	302	34 18	62		
32 9	123	5–8	28	35 7	189		
18	63	22	255	42 1	3		
40 1f	28	5 1	127	43 2	3		
2f	55	6	288	44 19	76		
2	51	7	114	48 37	113		
11	115	12ff	93	47	80		
19f	182	14	152	49 24	286		
25ff	262	31	195	51 20–23	65		
43 11	293	6 17	203	33	18 157		
44 2	188	19	98				
9–20	105	20	200	**EZECHIEL**			
17	45	22–25	28	1 3	1 4		
45 21	293	24	296	3 17	203		
49 1	122f	7 4	24	7 3	145		
2	152	18	76	8 14	150		
8	307	8 2	200	12 1–11	72		
51 4	122f	3	230	14 7f	179		
13	188	9 3	124 274	7	214		
52 8	203	6	124	16 1ff	213 249		
53 11ff	77	11	111	4–8	40		
12	25	11 6	74	6	212 240		
55 10f	152	12 7	176	15	109		
56 10	203	16	114	31	109		
57 1	85	13 1–11	72	32ff	80		
5 7	108	12–14	166	34	109		
58 1	176	15	123	36ff	40		
61 1	202	18	96	37	45		
62 5	68	23	129	43	53		
65 13f	65	14 10	174	17 23	306		
25	62	15 2f	63 65	18 5ff	109		
66 7–9	296	15–21	212	6 11 15	108		

20	249	2	216	**HABAKUK**	
11	64	3	261	1_1	4	
$33\text{-}44$	50 55	5	216	2_1	176 203	
21_5	93	6	261	2_{18f}	105	
23_{29}	45	$7ff$	218			
$37ff$	80	8	74	**ZEPHANJA**	
30_{17}	113	9	20	1_1	1	
33_{1ff}	176	$10ff$	201 205	1_5	114	
$2\ 6f$	203	10	95 152	3_{14}	197	
$34_{25\text{-}30}$	62f	$12f$	94 202			
37_{15ff}	28	13	180 203	**HAGGAI**	
21	31f	$14\text{-}17$	102	1_1	1 4	
38_{16}	80 199	15	74			
44_{23}	98	$16f$	94	**SACHARJA**	
		16	82 202	1_1	1 4	

JOEL

1_1	1	17	15 96 199 288	17	74	
2	123	8_2	74 157	3_{10}	46	
6	199	4	82	7_{11f}	114	
16	197	5	46	9_8	176	
$2_{21\ 23}$	197	12.	79 128	$9f$	28	
4_2	199	14	114 180	10	63	
$4b\ 7$	103	9_{51}	276	11_{15}	74	
13	156	10	93	13_2	61 106	
17	128			6	40	

OBADJA

1	5	
15b	103	

AMOS

$1f$	174			**MALEACHI**	
1_1	1 4f	**JONA**		1_1	1	
2	147	1_1	1	2	76	
$4\ 7\ 10$				$2_{1\text{-}9}$	118	
$14\ 22$	189	**MICHA**		7	98	
$2_{1\text{-}3}$	244	1_1	1 4	3_4	200	
$4f$	174	2	123			
12	93	7	42	**PSALMEN**	
$13\text{-}16$	152	2_2	7 145	1	177	
3_1	82	3_1	82	14_7	197	
2	14 29	5	105	16_3	272	
$3\text{-}6$	65	9	82	9	197	
8	12 147	11	93	18_{22}	310f	
14	19 226	4_1	80	47	114	
$4_{1\text{-}2}$	102	4	46	20_8	61	
1	82 145	5_3	63	24_4	114	
2	152	6_1	82	25_5	277	
$4f$	101 108	2	82 94	32_{11}	197	
$6ff$	249	4	163	34_{10}	272	
13b	276	5b	217	37_6	153	
5_5	112ff	8	203	34	277	
7	64 227	7_1	46	42_3	30	
$14f$	177	12	188	49_2	122f	
21	98	14	115	50_7	82	
25	78	17	79	78_{57}	164	
27	152			60b	154	
6_{9ff}	230	**NAHUM**		81_9	82	
10	61	1_1	4	84_3	30	
12	64 227	3_{5ff}	40	85_{9ff}	302	
$7_{1\text{-}6}$	210			11	84	
				89_8	271	
				21	212	

103_4	297	5_1	302	15	284
106_{28}	214	13	306	9–13 35 45	55
118_5	307	6_2	306	2_{18-22}	68
109_{12}ff	96	3	306	3_{22-30}	205
126_5f	302	11	302	6_{32-44}	69
137_5	97	7_3	306	15_{11}ff	118
		9	302	27	25

HIOB

3_{11-16}	216	10	302	**LUKAS**	
4_3	164	13	302	5_{16}	55
5_{18}	149	14	302	6_{24}ff	191
19–23	63			10_{16}	284
7_{12}ff	92	**THRENI**		12_{32}	34
9_{12}	195	1_8	45	13_6ff	220
13ff	92			6	46
12_2	114	**DANIEL**		34	118
13_6	122f	7_{21}	272	19_{45}	220
15_{31}	279			21_{12}ff 20ff 22	205
19_{21}	172	**NEHEMIA**		23_{27}ff	230
22_5ff	92	12_{32}	3	28ff	220
21ff	112			30	231f
24_2	145	**1. CHRONIK**		24_7	150
33_{1-3}	123	16_3	76		
1	122			**JOHANNES**	
31	122f	**2. CHRONIK**		1_{14}	18
34_2	122f	15_3	98	3_{19}	118
4	124	17_{7-9}	98	8_{34}	129
16	122f	19_8ff	98	10_{34}	177
		35_3	98 272	11_9f	95
PROVERBIEN				47ff	118
4_1f	125	**EP. JEREMIAE**		12_{24}	34
1 ·	122f	42	40	34	177
7_{13}ff	14			15_1ff	220
14ff	107	**DAMASKUSSCHRIFT**		25	177
14	108	XVI_5	202	16_{16}ff	130
19f	45	XIX_{35}	85		
24	122f			**APOSTELGESCHICHTE**	
11_2	172	**QUMRAN-TEXTE**		21_{38}	55
18	182	$1\ QS\ III_2$	242		
22_8	182	14f	201	**RÖMER**	
25_8	195	23	202	1_{22}f	293
		$1\ QM\ I_2$f	51	3_{19}	177
CANTICUM		XIII_{11}	202	5_8	55
1_2	302	$1\ QH\ I_{28}$f	304	20	265
4	302			6_6	129
2_1	306	**MATTHÄUS**		8_3ff	XXIII
1f	305	2_{15}	247	3	80
3	302 306	3_2	167	9_{24}f	33
5	76	4_{15}f	33	·25	67
13	302	17	167	10_1	33
16	306	6_{33}	69	11_{26}	33
3_{1-4}	43	9_{13}	166		
4_5	306	12_7	166	**1. KORINTHER**	
10	302	24_{26}	55	6_9	245
11	302 306	26_{52}	245	14_{21}	177
16	75			15_4	150
		MARKUS		55	299
		1_2ff	55		

318

REGISTER DER NAMEN UND SACHEN

REGISTER DER HEBRÄISCHEN WÖRTER